王承略　劉心明　主編

二十五史藝文經籍志考補萃編

第二十四卷

明史藝文志

〔清〕萬斯同　撰
張雲　王盼　整理

清華大學出版社　北京

圖書在版編目(CIP)數據

二十五史藝文經籍志考補萃編. 第24卷/王承略，劉心明主編. --北京：清華大學出版社，2014

ISBN 978-7-302-35917-3

Ⅰ. ①二… Ⅱ. ①王… ②劉… Ⅲ. ①中國歷史—古代史—紀傳體 ②《二十五史》—研究 Ⅳ. ①K204.1

中國版本圖書館CIP數據核字(2014)第062001號

責任編輯：馬慶洲
封面設計：曲曉華
責任校對：劉玉霞
責任印製：沈　露

出版發行：清華大學出版社
網　址：http：//www.tup.com.cn，http：//www.wqbook.com
地　址：北京清華大學學研大廈A座　郵　編：100084
社總機：010-62770175　郵　購：010-62786544
投稿與讀者服務：010-62776969，c-service@tup.tsinghua.edu.cn
質量反饋：010-62772015，zhiliang@tup.tsinghua.edu.cn
印刷者：清華大學印刷廠
裝訂者：三河市金元印裝有限公司
經　銷：全國新華書店
開　本：148mm×210mm　印　張：18.25　字　數：406千字
版　次：2014年5月第1版　印　次：2014年5月第1次印刷
定　價：64.00元

產品編號：043553-01

《二十五史藝文經籍志考補萃編》編纂委員會

目　　録

明史藝文志

〔清〕萬斯同 撰
張雲 王盼 整理

底本：清抄本

叙

歷代藝文之傳也尚矣。以之經緯天地，則足以宏建樹而致治功；以之淑善身心，則足以端秉彝而貞末俗。其所關係，良非細也。自孔子删述以來，六籍始大顯于世，遭秦廢學，若存若亡。漢興，掇拾殘缺，《周易》而外，無復全經。然六藝初不以不完而終晦。數千年來，儒者講求，精義奥旨，愈久愈出，正如日月在天，雖遭刓蝕而其光弗改也[①]。支流所及，爲史爲子，下逮騷賦詞章，亦皆得道之一端。如紀事紀言，則《尚書》、《春秋》之具體；典章圖志，則《職方》、《王會》之流亞；卜筮五行，則出於疇範卦爻；曆象經方，則出於烈山、軒帝。三百而後，變而爲屈宋、漢魏；淹中以下，盛而有度數儀文。雖殊途異軌，而一道同歸。其間亦多弘深奥衍之論，藻雅卓犖之詞，有志聖學者，間亦有取。此經史子集四部所由名也。始劉向爲《七略》，班固因之而志《藝文》。王儉、阮孝緒爲《七志》、《七録》，魏徵因之而著《經籍》。四部之名，至唐而始定：曰甲部，經典、小學諸書；曰乙部，史家編年、紀傳等類；曰丙部，諸子百家在焉；曰丁部，騷賦、別集係焉。下逮有宋，亦沿其制。

而歷朝列辟崇文右儒，若两漢之孝武、孝宣、光武、明、章諸帝，其表表者。乃若成、靈二帝，或遣使求遺書，或詔刊定五經于石，斯非中主，亦足稱焉。其聚書多者，則梁元之江陵十萬卷，隋嘉則殿之正本八萬餘卷，最爲富有，两更喪亂，存者無幾。

---

① “改”，原字缺損，據上海古籍出版社 1990 年 5 月第 1 版清黄虞稷撰《千頃堂書目》（以下簡稱《千頃堂書目》。）附録所收《明史藝文志·序》補。

唐武德、開元,再加裒集,復還舊觀。天寶之後,湮没殆盡。元載爲相,奏以千錢購書一卷,又命拾遺苗發等括訪江淮。文宗時,鄭覃復請搜採,而四庫之書復完。及昭宗播遷,又蕩然無遺矣。宋初,三館之書不過萬餘卷,嗣平荆南、克李煜,吴越歸命,各有所得,然猶未備。于是募人獻書,來獻者賜以科名,知吏治者即授以職。太宗以後,遂大備焉。于是改建崇文院,著其目録,讐校勘定,亦如漢代。然古書雖間出,而世祀悠邈,簡帙多亡,存者鮮矣。其後汴京既破,三館圖籍,歸于有金。高宗南渡,搜訪遺闕,臨安之有,不減東都。迨伯顔南下,試朱清、張瑄海運之議,皆載而之北,故元奎章、崇文之積,不下于歷朝。其猶可嘉尚者,郡邑儒生之著述,多由本路進呈,下翰林看詳,可傳者命江浙行省或所在各路儒學刊行,故何、王、金、許之書,多賴以傳。鄱陽馬氏之《通考》,且出于羽流之薦達,其他或命以官,或給以禄,亦古今來所未有。蓋自姚樞得趙復江漢之傳,紫陽之學盛行于北,而大儒許衡輩復挺生其間,故文雅彬郁,度越從前諸代。惜修《元史》者不爲特志,殊足憾焉。

明太祖既克建康,即命有司訪求古今書籍。元都既定,大將軍徐達盡收館閣秘書圖籍及太常法服、祭器、儀象、版籍,歸之于南。先是,洪武初設秘書監、丞,仍元制。十三年,從吏部請,罷之,而以其職歸之于翰林典籍。明年,以北方自經喪亂,經籍殘缺,命頒四書五經于各學校。又明年,諭禮部曰"古今聖賢以教後世,所存者書而已。朕每觀書,自覺有益。今國子監藏板殘缺,其命諸儒考補,工部督修之"。至二十四年,再命頒國子監子、史等書于北方學校,而帝于《洪範》有註,《書傳》有選,其他編類諸書尤多。蓋帝初奮起隴畝,未嘗學問,即位而後,揮毫染翰,聖藻流傳,雖曰天縱,其資于經籍者不淺矣。成祖即位,命禮部遣使購求遺書。及建都北平,令修撰陳循取文淵閣所貯書籍，各載其一，置于燕都。復命儒臣輯《五經》、《四子》、《性理大全》，頒之郡邑學宫，以訓生徒。又選天下耆儒宿士、釋道之人，輯《永樂大典》，多至二萬餘卷。惜其書龐雜煩重，僅藏弆禁掖，未能如宋《太平御覽》等書之流通也。仁宗之世，文物益盛。宣宗始命楊士奇等輯《文淵閣書目》，第有篇名而無卷帙，姓氏稱缺略焉。宣德八年，命録經、子及説苑之類，分貯廣寒、清暑二殿及瓊花島，以備觀覽。當是之時，典籍最盛，而通集庫、皇史宬以貯金匱石室之藏者，又不與焉。其後承平既久，文治益隆，翰林館閣，两京胄監，部署郎曹，各有所貯。下至郡邑諸學，鄉士大夫，或捐所有，或益所無，其於天下之典籍，亦稱略備矣。弘治中，大學士丘濬言“經籍圖書，皆自古帝王精神心術所寓，今世賴之以知古，後世賴之以知今者也。是以自古帝王莫不以是爲重。我朝館閣秘藏，不減前代，然藏書雖多，不無雜亂；積歷年久，不無鼠蠹；經該人衆，不無散失。乞敕内閣臣計議，專委學士及講讀以下官數員、督同典籍等官，將書目一一比校，有無全欠。每類若干部，部若干卷，各類總數若干，識校次、歲時、職官于簡末，備考。仍令内閣查見存書，有副本者，各分其一，送两京國子監，并敕南京守備諸臣，會同南禮部翰林院官，查永樂中原留南内書籍，奏知。或止有一本者，發國子監，選監生善書者謄録，付各堂校對，送两監掌管。如此，則一書有數本，永無散失矣。其内閣諸書或有缺本，則行各直省訪求，有者借官抄録，以增未備”。疏入，帝納之，而究未能行。其後，内閣諸書典司者，半係貲郎，于文事懵如。諸臣假閲，往往不歸原帙。世廟而後，不復留意查覈，館閣之儲，遂缺軼過半矣。萬曆間，中書舍人張萱始請于閣臣，躬自編類，更著目録，則視前所録，十無二三，所增益者，僅近代文集、地志，其他唐宋遺編，悉歸烏有。迄乎崇禎之末，鍾簴爲墟，縑緗卷軸，抑又可知矣。

然有明一代,君臣頗尚文雅,一時作者,亦自彬彬,正學多以濂洛爲宗,詞章亦以班揚爲志,故其篇帙繁富,遠過前人。雖不無蕪蔓,然亦有可採。今并萃爲一編,列之四部,用傳来兹,俾觀者得窺標目,以著一代之盛云。

一　經部

經之類十有一：一曰易類，二曰書類，三曰詩類，四曰春秋類，五曰三禮類，六曰禮樂書類，凡後代編定之禮，及類次樂律書。七曰孝經類，八曰論語類，九曰孟子類，前代皆入儒家，今特爲一類。十曰經解類，五經四子總解。十一曰小學類。分訓詁、書、數、蒙訓四種。

易　類

周易傳義大全二十四卷　義例一卷永樂十二年十一月，命翰林院學士胡廣、楊榮、金幼孜等纂修《五經》、《四書》、《性理大全》。《周易》則主程朱傳義，博采《遺書》、《外書》、《語類》、《文集》之論《易》者，與諸家之説羽翼之。明年九月書成，頒行六部並兩京國子監及天下郡縣學。

周易直指十卷仁宗在東宫，命楊士奇纂進，以備觀覽，賜名“直指”。

梁寅　周易參義十二卷寅以程、朱二家釋經意殊，會而一之，凡爲經文上下二卷，十翼十卷。

朱升　周易旁註十二卷　又　前圖二卷

汪克寬　周易程朱傳義音考二十六卷

鮑恂　大易鈎玄三卷字仲孚，嘉興人，領元鄉薦。明初，以明經老儒召爲文華殿大學士，固辭歸①。恂受《易》于吴草廬。

王廉　周易參疑字熙陽，處州人，與修《明史》②，後官山西布政使。蘇州知府況鍾刊行。

---

① “辭”，原字缺損，據《千頃堂書目》卷一補。

② “明”，《千頃堂書目》卷一作“元”。

周南老　易傳雜説[①]

歐陽貞　周易問辯三十卷分宜人。洪武初,以《易》魁江西省試,官考城簿。一名《易疑》。

葉儀　周易集解金華人。明太祖下婺州,與范祖幹等同被召。

胡璉　易學會通字商用,高安人。明初,以薦爲句容教諭。

方孝孺　大易枝辭

張廷芳　易經十翼章圖藴義十卷晉江人,自號"退密翁"。

王達　易經選注

程仲賢　周易參微録婺源人。

張洪　周易傳義會通十五卷

程汝器　周易集傳十卷名昆,以字行,休寧人。師趙汸。洪武中,舉明經。永樂中,官蘄州知州。

何英　易經發明鄱陽人。學于元儒王松摀②,自號"梅谷"。

林大同　易原奥義二卷常熟人。洪武中開封府學訓導。

鄭宏　味易餘吟字以純③,直隸嘉定人。少受《易》于鮑恂。洪武中,爲禮部郎中。

劉髦　易傳撮要一卷永新人。永樂戊子鄉魁,不仕。大學士劉定之父。

汪有訓　周易句解休寧人。

高暐　讀易日録[④]浙江臨安人。永樂甲申進士,按察司僉事。

林志　周易集説三卷

汪思敬　易學象數舉隅四卷　又　易傳通釋□卷名敬,以字行。祁門人。

王義朝　易論十二卷　又　易説十卷上虞人。

劉定之　周易圖釋十二卷

---

① "雜",《千頃堂書目》卷一作"集"。

② "摀",《千頃堂書目》卷一作"隖"。

③ "純",《千頃堂書目》卷一作"仁"。

④ "日",原誤作"目",據《千頃堂書目》卷一、1983 年台灣商務印書館影印文淵閣《四庫全書》本(以下簡稱《四庫全書》本。)《經義考》(以下簡稱《經義考》。)卷四十九改。

李賢　讀易記二卷

胡居仁　易通解

吾唲[①]　周易傳義會同

倪復　易繫辭解

劉誠　周易衍辭專辯焦贛納甲、飛伏之非。誠，雞澤人。天順丁丑進士，湖廣參政。

楊守陳　易學私抄□卷

王恕　石渠玩易意見二卷

蔡清　周易蒙引十二卷嘉靖八年十月，清子直隸松江府推官蔡存遠奏進頒行。

　又　河洛私見一卷

豐慶　古易筮法

羅璟　周易程朱異同

余本　易經集解十二卷　又　讀易備忘□卷

楊廉　先天後天圖學考証

姚綬　大易天人合旨□卷

朱綬　易經精蘊四卷嘉興人。成化丁未進士，以翰林院檢討侍岐王講讀，歷楚、晉二府長史。

韓邦奇　易學啟蒙意見四卷　又　易占經緯四卷

盧璣　河圖衍義

汪必東　易問大旨字希匯，崇陽人。正德辛未進士，官雲南參政。

葉應　易卦方位次序圖一卷　又　易卦圖衍[②]字子明，歸善人。成化戊戌進士，慶遠知府。

王啟　周易傳疏黃岩人。成化丁未進士，刑部右侍郎。

鄭伉　讀易管見　又　易義發明　又　卦贊常山人。受業吴與弼。

---

① “唲”，《千頃堂書目》卷一作“尋”。

② “易”，原誤作“義”，據《千頃堂書目》卷一、《四庫全書》本《廣東通志》卷四十六改。

包瑜　周易衍義青田人。成化中浮梁知縣①。

崔銑　讀易餘言五卷　又　易大象説一卷

胡世寧　讀易私記四卷

唐龍　易經大旨四卷

何孟春　易疑初筮

童品　周易翼義

左輔　周易本義附説字弼之,涇縣人。弘治丙辰進士,寧州知州。

王雲鳳　訂正復古易十二篇

陳鳳梧　集定古易十卷一名《易古文》。

都穆　周易考異

湛若水　修復古易經傳訓測十卷門人葛澗等測義。

方獻夫　周易約説十二卷

馬理　周易贊義七卷上、下經六卷,繫詞一卷,餘缺。

鍾芳　學易疑誼三卷字仲實,瓊州人。正德戊辰進士,户部侍郎,贈右都御史。

羅綸　周易説旨四卷

諸葛駿　易經集説晋江人。成化中永嘉訓導。

豐熙　古易傳義②

周積　讀易管見字以善,江山人。舉人,官長史,從章懋、蔡清學《易》。

王大用　易經安玩録

穆孔暉　讀易録

陳琛　周易通典六卷字思獻,晋江人。正德丁丑進士,貴州按察司僉事,學者稱"紫峯先生"。

王緒　易學辯疑字紹夫,江西樂平人。弘治壬子舉人③,忠州知州。

---

① "浮",原誤作"淳",據《千頃堂書目》卷一、《經義考》卷四十九改。

② "義",《千頃堂書目》卷一作"疑"。

③ "子",《千頃堂書目》卷一作"午"。

潘葵　易思得録　又　卦辯浮梁人。

錢貴　易通字元抑，吴人。弘治戊午舉人，鴻臚寺丞。

沈燴　復古易十二篇嘉定縣人。正德中，以吕東萊《訂正古易》刊正今世行本。

戚雄　易原二卷金華人。正德辛未進士，南京監察御史。

洪貫　周易解疑字唯卿，鄞縣人。正德中，官知府。

劉黼　易經卦變衡陽人。正德丁丑進士，御史。

吕柟　周易説翼三卷

季本　易學四同八卷　又　圖文餘辯一卷　又　蓍法別傳一卷　又　古易辯一卷字明德，會稽人，别號彭山。正德丁丑進士，長沙知府。于五經皆有著述。

豐坊　古易世學十五卷　又　易辯一卷

王道　周易億四卷

顧應祥　讀易愚得一卷

董燧　周易問答號蓉山，江西人。嘉靖辛卯舉人，刑部郎中。

周滿　易象義五卷

伊伯熊　易學講義四卷吴縣人。正德丁卯舉人，柳州府同知。

黄芹　易圖識漏一卷龍巖人。從蔡清學《易》。正德中貢生，海陽訓導。

王崇慶　周易議卦一卷

劉濂　易象解六卷字濬伯，南宫人。正德辛巳進士，由杞縣知縣擢御史。

田汝耔　周易纂義①

舒芬　易箋問

貢珊　周易發鑰字廷甫，宣城人。正德辛未進士，唐山知縣。

洪鼐　讀易索隱字廷器，壽昌人。正德庚午舉人，國子監助教。

謝理　周易解

林希元　易經存疑十二卷

---

① “義”，《千頃堂書目》卷一作“録”。

史于光　周易正蒙十卷晋江人。正德丁丑進士,選庶吉士,改吏科給事中。

鄒守愚　易釋義

熊過　周易象旨決録七卷

許誥　易參　又　圖書管見

薛甲　易象大旨八卷　又　易學洗心四卷字應登,江陰人。嘉靖己丑進士①,江西副使。

李承恩　易大義

孫化光　周易參疑十二卷首編二卷,外編十卷。别有内編四卷,佚不傳。化光,吴江人。

楊爵　周易辯録四卷

葉良佩　周易義叢十六卷字敬之,天台人。

金賁亨　學易記五卷

王漸逵　讀易記三卷

孫承恩　易卦通義華亭人。禮部尚書。

謝憲　周易竹書字汝慎,歸善人。嘉靖中歲貢。常于歸善西湖臺畔折竹枝濡赤土註《易》,葉春及受而録之,故名。

徐棉　周易通解八卷閩縣人。嘉靖中貢士,永寧知縣。

陳士元　易象鈎解四卷　又　易象彙解二卷

張敔　京氏易考②

劉邦采　易蘊二篇南昌人。舉人,嘉興府同知。從王守仁學。

周聰　周易講義二十四卷江西樂平人。嘉靖中貢士,英山教諭。

沈束　周易通解　又　文言説内外俱下獄時所著。　**又　易圖**

劉穩　易經折衷訓蒙字朝重,鄠縣人。嘉靖丙辰進士,太僕寺少卿。

孔學周　太極辯疑二卷歸善人。

---

① "己",原字缺損,據《千頃堂書目》卷一補。

② "京",原誤作"金",據《千頃堂書目》卷一、《經義考》卷四十九改。

張綸　圖書考一卷　又　揲蓍考一卷　又　易談一卷字宣甫①，汶上人。生而目重瞳子。嘉靖中歲貢，官肅府長史。

何維柏②　易學義

龐松③　圖書解

李文纘　易解福建南安人。嘉靖辛酉舉人，岷府長史。

黄中　易經紀蒙

李舜臣　愚谷易解二卷　又　讀易外編

任經　易學歸趣二卷商州人。成化癸卯舉人，兖州同知。

任慶雲　易畧二卷　又　易圖集覽一卷經子，正德癸酉舉人，陝州知州。

鄧韍　易解一卷常熟人。

胡經　胡子易演十八卷永康人。嘉靖丙戌進士。

洪垣　周易玩詞

游震得　周易傳義會通

潘恩　易經輯説三卷

伊在庭　周易筆記字繼美，吴縣人。嘉靖乙丑進士，歷官南京兵部員外郎。

李先芳　周易折衷録五卷

林性之　易經淺説八卷

唐樞　易修墨守一卷

張四知　周易辯疑汝陽人。嘉靖庚戌進士，按察司僉事。

梅鷟　古易考原三卷

徐獻忠④　大易心印

孫應鼇⑤　淮海易談四卷

---

① “字”，原字缺損，據《千頃堂書目》卷一補。

② “維”，原字缺損，據《千頃堂書目》卷一補。

③ “松”，《千頃堂書目》卷一作“嵩”。

④ “獻”，原字缺損，據《千頃堂書目》卷一補。

⑤ “應”，原字缺損，據《千頃堂書目》卷一補。

顔鯨　易學義林十卷

洪受[①]　**易經從正録**同安人。嘉靖乙丑貢士,官夔州通判。

王復春　周易疑略字學樂,晉江人。廣西按察使。

王畿　大象義述一卷

王樵　周易私録□卷

王夢麟　北山讀易記十卷字維振,閩縣人。桂林府通判。

鄭守道　易説意五卷懷安縣人。

黄光昇　讀易私記

戴廷槐　易學舉隅六卷長泰人[②]。

姜寶　周易傳義補疑十二卷

馬森　周易説義十二卷字孔養,懷安人[③]。嘉靖乙未進士,户部尚書。

黄洪憲　周易集説三帙

吴中立　易銓古本一卷[④]字公度,浦城人。隆慶辛未舉進士,旋丁父憂,服闋,遂不仕。南京禮部尚書袁洪愈、給事中周邦傑、巡按御史楊四知表其修節,請爵之,以廉頑立懦詔受禮部儀制司主事,終不起。

程廷策　讀易瑣言字汝揚,休寧人。辰州知府。

方太古　易經發明金華人。

許孚遠　周易述

金瑶[⑤]　**六爻原意**

李新芳[⑥]　**周易大義**字天德,潞州人。御史。

---

① "受",《千頃堂書目》卷一作"綬"。

② "泰",原字缺損,據《千頃堂書目》卷一補。

③ "懷",原作"淮",據《千頃堂書目》卷一、上海古籍出版社 1980 年版《明清進士題名碑録索引》(以下簡稱《明清進士題名碑録索引》)改。

④ "銓",《千頃堂書目》卷一作"詮"。

⑤ "瑶",原字缺損,據《千頃堂書目》卷一補。

⑥ "新",原字缺損,據《千頃堂書目》卷一補。

賀沚　圖卦臆言字汝定①，廬陵人。隆慶庚午舉人，蘇州府同知。

王之士　大易圖象參字欲立，藍田人。嘉靖戊午舉人。萬曆中，趙用賢及御史汪以道薦之士，與鄧元錫、劉元卿爲海内三逸，同授國子監博士。

殷子義　易説十篇　又　讀易別記字集卿，嘉定縣人。隆慶中貢士，淮安訓導。

劉元卿　大象觀二卷

鄧元錫　易繹五卷

黄正憲　周易管見十五卷字仲容，秀水人。

曾朝節　易測十卷號植齋，臨武人。

鄧伯羔　古易詮二十九卷　又　今易詮二十四卷

徐師曾　今文周易演義十二卷師曾《演義》本古文，以世咸用經傳相連本，故仍之而名曰"今文"。

章潢　周易象義十卷

郭子章　蠙衣生易解十五卷

羅大紘　周易古本一卷

來知德　周易集註十六卷　又　易注圖説略一卷　又　河圖洛書論一卷

楊士顯　周易存言八卷字用晦，奉先人。

徐元氣[2]　周易詳解十卷

李材　見羅義經旨一卷

鄭世子載堉　先天圖正誤一卷

徐即登　易説九卷豐城人。萬曆癸未進士，河南按察使。

李本固　古易彙編十七卷

萬廷言　易原四卷萬虞愷子，字以忠。嘉靖壬戌進士，雲南按察僉事。

---

① "定"，原誤作"足"，據《千頃堂書目》卷一、中華書局 1965 年版《四庫全書總目》（以下簡稱《四庫全書總目》。）卷八改。

② "元"，原字缺損，據《千頃堂書目》卷一補。

楊時喬　周易古今文全書二十一卷《論例》二卷,《古文》二卷,《今文》九卷,《學易啟蒙》五卷,《傳易考》二卷,《卜筮考》一卷。

張元蒙　讀易纂五卷字叔正。

管志道　周易六龍解一卷　又　六龍剖疑一卷①

張獻翼　讀易紀聞六卷　又　讀易韻考七卷　又　張氏三易七卷《約説》三卷,《雜説》二卷,《臆説》二卷。

蘇濬　易經兒説五卷　又　生生篇六卷　又　冥冥篇五卷

張汝霖　周易因指五卷一作八卷。

李贄　九正易因二卷

馮時可　易説五卷

沈一貫　易學十二卷

吴炯　周易繹旨七卷字懷野,華亭人。太僕寺少卿。

江一麟　易説

方逢時　周易外傳一卷

饒伸　周易會解

寧威　易觀　又　易象四編衡陽人。布衣,學者稱"太虛先生"。

金隆　圖書定則七卷　又　圖書易旨一卷

屠本畯　卦疏二卷

阮琳　圖書紀愚莆田人。教諭。

范守己　周易會通十三卷　又　參两通極七卷

朱謀㙔　易象通八卷②

姚文蔚　周易旁注會通十四卷字元素,杭州人。

焦竑　易筌六卷

李登如　庵家藏易解一卷　又　易知齋易説一卷

---

① "疑",《千頃堂書目》卷一作"迷"。

② "象",原誤作"蒙",據《千頃堂書目》卷一、《四庫全書總目》卷八改。

陳第　伏羲圖贊六卷

方學漸　易蠡十卷

方大鎮　易意四卷

潘士藻　洗心齋讀易述十七卷

鄒德溥　易會八卷

袁黄　周易補傳四卷　又　河圖洛書解一卷

陶廷奎①　周易筆意十五卷

唐鶴徵　周易象義四卷

楊廷筠②　易顯六卷　又　易總一卷字淇園，杭州人。

魏濬　周易古象通八卷③

錢一本　像象管見七卷　又　啓新齋易象抄四卷④　又　續抄二卷

陳履祥　孔易彀一卷

鄒元標　易彀通一卷

姜應麟　易會　又　周易容光字泰符，慈谿人。萬曆癸未進士，由庶吉士改户科給事中。諫封皇貴妃，謫典史。光宗立，晉太僕寺少卿。

孟化鯉　讀易窺言

吴桂森　周易像象述五卷⑤述錢一本之學。

徐常吉　易解

徐曰仁　周易翼註永豐人。

郝敬　周易正解二十卷　又　易領四卷　又　學易支言四卷　又　問易補七卷字仲輿，京山人。萬曆己丑進士，□科給事中。

---

① "奎"，原誤作"銓"，據《千頃堂書目》卷一、《經義考》卷五十三改。

② "廷"，《千頃堂書目》卷一作"庭"。

③ "象"字後，《千頃堂書目》卷一有一"易"字。

④ "啓"，原字缺損，據《千頃堂書目》卷一補。

⑤ "述"字原無，據《千頃堂書目》卷一、《四庫全書總目》卷五補。

姚舜牧　易經疑問十二卷

傅文兆　羲經十一翼六卷其書爲《古周易》二卷,《觀象篇》一卷,《觀變篇》一卷,《玩辭篇》一卷,《玩占篇》一卷。文兆,金谿人。以孔子傳《易》爲十翼,而己又翼孔子,故謂之十一翼。

曹學佺　周易可説七卷　又　周易通論六卷

高攀龍　易簡説三卷　又　周易孔義三卷

孫慎行　周易明洛義纂述六卷《明洛義》二卷,二義二卷,三義一卷。始于萬曆癸丑,成于天啓丁卯。

王述古　易筌

陸舜臣　芝田漫畫一卷

楊瞿崍　易經疑叢十卷晋江人。萬曆丁未進士,江西提學副使。

程汝繼　周易宗義十二卷婺源人。萬曆辛丑進士,袁州知府。

劉宗周　周易古文鈔二卷　又　讀易圖説　又　易衍

程元初　周易韻叶二卷

程嗣光　易經發微六卷

楊惟相　周易蒙訓豐城人。萬曆甲午舉人,刑部員外郎。

史記事　讀易夢覺九卷字義伯,渭南人。萬曆乙未進士,光禄寺少卿。

陸夢龍　易略三卷會稽人。萬曆庚戌進士。備兵固原,崇禎七年,死寇難,贈太僕寺卿,謚"忠烈"。

喻安性　易參五卷

萬尚烈　易大象測一卷　又　易贊測二卷

仇二常　周易本義翼四卷

陳嘉謨　周易就正略義五卷

姜震陽　易傳闡庸一百二卷

笪繼良　鷺湖讀易十二卷繼良爲工部郎,董北河哭魏大中歸櫬①,坐東林邪黨削籍,身遭黨錮,故于《剥》、《復》、《遯》、《臨》,三致意焉。

---

① "河"、"櫬",《千頃堂書目》卷一分别作"湖"、"襯"。

樊良樞　易象二卷字尚默，豫章人。

卓爾康　易學全書五十卷字去病，仁和人。萬曆壬子舉人，以工部郎中左遷常州檢校，陞大同府推官。

陸振奇　易芥五卷杭州人。舉人。

李奇玉　雪園易義四卷受《易》于高忠憲攀龍。奇玉號荆陽，嘉善人，崇禎戊辰進士，汝寧知府。

申錫　三易圖説十卷潼川州人。

任惟賢　周易義訓十卷

錢士升　易揆十二卷

姜玉潔　圖學淺見劍州人。

董懋策　大易牀頭私録

張維樞[①]　澹然齋易測十二卷晉江人。萬曆戊戌進士，工部左侍郎。

徐世淳　易就六卷

方孔炤　周易時論十卷

陳仁錫　羲經易簡録十卷一作八卷。**又　大易同患淺言二卷　又　繫辭十篇書十卷**

倪元璐　兒易外儀十五卷　又　内儀六卷

黄道周　易象正十四卷　又　三易洞璣十五卷

何楷　古周易訂詁十六卷

黎遂球　周易爻物當名二卷　又　易史□卷字美周，番禺人[②]。天啟丁卯舉人，崇禎中禮部侍郎。陳子壯舉其堪任方面牧守，辭不就。

黄端伯　易疏五卷

方以智　易餘二卷

刁包　易酌□卷

蔡鼎　易蔡六卷晉江人。諸生，精星緯，以布衣入孫承宗幕。

---

① “維”，《千頃堂書目》卷一作“惟”。

② “禺”，《千頃堂書目》卷一作“陽”。

吴鍾巒　周易卦説

成勇　程易發

張家玉　大易纂義

唐大章　易經合疏仙遊人。

尤良　周易微旨十卷

張溥[①]　**周易註疏大全合纂六十七卷**

顔茂猷　天皇河圖二卷字壯其,平和籍,龍溪人。崇禎甲戌會試,爲五經義,主考奏請,欽定試正榜前一名,廷試二甲第一,授禮部主事。

顧樞　西疇易稿六卷字庸菴,無錫人,顧憲成孫。崇禎己卯舉人。

徐燉　易旁通一卷

趙鳳翔　易學指掌四卷依古本以上下經居前,而次以孔子十傳。鳳翔,雄縣人。一作六卷。

王化卿　·風姬易遡

方鯤　易盪二卷

馬元調　易説六卷嘉定人。

顧曾唯　周易詳藴十三册

程玉潤　周易演旨六十五卷

喬中和　大易通變四卷

歸起先　易聞十卷常熟人。崇禎癸未進士,隱居不仕。

鄭賡唐　讀易蒐十二卷字賓水,縉雲人。天啟丁卯舉人。

汪于沚　周易剩義十二卷婺源人。

張鏡心　易經增注十卷

來集之　讀易隅通二卷　又　易圖親見一卷　又　卦義一得二卷[②]字元成,蕭山人。崇禎庚辰進士,授安慶府推官。晚而耽玩經史,著述甚多,

---

① "溥",原誤作"浦",據《千頃堂書目》卷一、《經義考》卷六十四改。

② "二",《千頃堂書目》卷一作"一"。

學者稱"倘湖先生"。

秦鏞　易序圖說二卷①字太音,無錫人。崇禎丁丑進士,河南道御史。

家人衍義二卷以下俱失名氏。

乾坤二卦集解三卷

易象龜鑑二卷②

周易宗孔篇三册

黄宗炎　憂患學易二十四卷

東皐老人百一易③

姚麒　易經或問十卷

周方　學易記三卷

詹一麟　周易述説一卷字孟仁,婺源人。學者稱"東鏡先生"。

黄潛翁　讀易備忘四卷

程轍　浠南易説九卷

周佐　補齋口授易説三卷

甯欽　周易宗旨八卷

葉山　八白易傳十六卷

郭澮　理數通考二卷

楊楅　周易餘義八卷

許復　易衍義二十二卷

書　　類

太祖御注洪範一卷帝嘗命儒臣書《洪範》,揭于御座之右,因自爲注,洪武二十年二月成書。

---

① "序",原作"象",據《千頃堂書目》卷一、《四庫全書總目》卷八改。

② "二",《千頃堂書目》卷一作"三"。

③ 此條,《千頃堂書目》卷一作:"陳櫟《東皐老人百一易略》一卷。"

仁宗體尚書二卷釋《尚書》中《皋陶》、《甘誓》、《盤庚》等十六篇,以講解更其原文。

宣宗序洪範一篇

世宗注書經三要三卷嘉靖四年十一月,帝謂周書《無逸》一篇,與聖祖《御注洪範》一篇,皆治天下大法,因令輔臣撰序刊布。大學士費宏等言,皇上勵精圖治,真與聖祖同心一德。兹欲刊布,亦宜依《御注洪範》體式,因經分注,直解肯綮,繕寫成書,以便觀覽。已復有旨,再注《伊訓》及二書,分爲三册,共爲一書。宏等請以《洪範》居首,次《伊訓》,次《無逸》,以《洪範》雖演于箕子,而原出夏禹,且注出聖祖,序之先後宜然。已乃帝製《洪範序略》一篇,復將《皋陶謨》、《伊訓》、《無逸》等篇通加注釋,名曰《書經三要》。

書傳會選六卷洪武二十七年四月,詔徵國子博士致仕錢宰等至,諭以蔡氏《書傳》解日月五星運行,與朱子《詩傳》不合,及其他注説與鄱陽鄒季友所論間有未安者。因令宰等訂正之,命學士劉三吾總其事①。凡蔡氏《傳》得者存之,失者正之,又集諸家之説,足其未備。書成,上進,命禮部刊頒天下。

書傳大全十卷永樂十二年,命儒臣胡廣等纂修。

尚書直指六卷仁宗在東宫時,左春坊左贊善天台徐善述纂進。

梁寅　尚書纂義十卷

陳謨　書經會通

朱升　尚書旁注六卷　又　書傳補正輯註一卷

朱右　書傳發揮

范祖幹　讀書記金華人。洪武初,中書省諮議。

傅淳　洪範敷言

陳雅言　尚書卓躍六卷永豐人。洪武中,被薦,以病不赴,領本縣教諭事。

俞深　洪範疇解一卷字魯淵,桐廬人。明初建寧府儒學教授。

郭慶宜　禹貢傳註詳節江西西昌人。元時從楊景行學。洪武初,由廣東按察試僉事改潮州府經歷。

鄭濟　書經講解閩縣人。洪武中儋州學正。

林遜　尚書經義潮州人。洪武乙丑進士,閩縣縣丞。

---

①　"劉三吾"後,《千頃堂書目》卷一有一"等"字。

郭元亮　尚書該義天台人。郭櫝從子，有文名。

徐蘭　書經體要一卷字與善，開化人。洪武初國子助教，門人歐陽齊進其書于朝。

張洪　尚書補傳十二卷

俞日强　尚書補註本福建古田人，居于太倉，明初人。

徐驥　洪範解訂正一卷字尚德，浦城人。永樂中國子生。

王源　書傳補遺龍岩人。永樂甲申進士，潮州知府。

彭勗　書傳通釋六卷字祖期，永豐人。永樂乙未進士，以教授擢御史，督學應天有聲，後官山東副使。

陳濟　書傳補注一卷字伯載，武進人。以布衣爲《永樂大典》總裁，書成，授春坊贊善。

黄紹烈　書經主意臨川人。洪武二十七年進士，瑞安知縣。

何文淵　書義庭訓　又　尚書直解

黄諫　書傳集解

章陬　書經撮要四卷黄岩人。正統元年進士。

夏寅　禹貢詳節一卷

楊守陳　書私抄一卷

黄瑜　書經旁通十卷香山人。景泰丙子舉人，長樂知縣，詹事黄佐祖。

劉斆　尚書句解字于學，安成人。景泰庚午舉人，南京翰林院孔目。

張業　書經節傳安福人。景泰辛未進士，國子監司業。

熊宗立　洪範九疇數解八卷建陽人。別字道軒。

吕獻　書經定説新昌人。成化甲辰進士，南京兵部右侍郎。

周灝　尚書口義二卷字宗純，邵武人。景泰舉人，松江同知。

盧璣　洪範集解

應璋　尚書要略字德夫，永康人。羅源教諭，從學章懋。

羅輔　洪範彙義泰和人。張詡甚稱其書，欲上之朝，不果。

潘葵　洪範本傳

王崇慶　書經説略一卷

楊廉　洪範纂要一卷闢劉向《五行傳》增而爲六之説。

吴世忠　洪範考疑一卷

韓邦奇　洪範圖解一卷　又　書説一卷　又　禹貢詳略一卷

王文澤　尚書制度圖纂三卷字伯雨,華亭人。訓導。

馬理　尚書疏義

舒芬　書論二十篇

豐坊　古書世學六卷

穆孔暉　尚書困學

吕柟　尚書説要五卷

王道　書億四卷

霍韜　書解

汪玉　書經存疑録二卷字汝成,鄞縣人。正德戊辰進士,巡撫山西,都御史。①

丁璣　洪範正誤一卷

曾俊　洪範圖輯南海人。

李承恩　書經拾蔡二卷

李文纘　書經大旨

劉天民　禹貢洪範二解《禹貢溯洄》、《洪範辯疑》。

薛騰蛟　書傳折衷六卷字時化,渭南人。嘉靖乙未進士,山西布政司參議。

張孚敬　金縢辯疑②

王大用　書經旨略

王漸逵　讀書記

陳言　尚書講義六卷莆田人。嘉靖丁未進士,南京刑部郎中。

游日章　洪範釋義字學侗,莆田人。嘉靖己未進士,廉州知府。

梅鷟　尚書譜五卷　又　尚書考異旌德人。正德癸酉舉人,南京國子監

---

① 《千頃堂書目》卷一此條下小注曰:"盧校云:《志》作巡撫山東,都御史。"

② "疑"後,《千頃堂書目》卷一有"一卷"二字。

助教，後官鹽課司提舉。

徐獻忠　洪範或問[①]

金賁亨　學書記

鄭曉　禹貢圖説一卷

張居正　尚書直解十二卷

申時行　書經講義會編十二卷

吴文光　尚書審是十卷婺源人。嘉靖中舉人，應山知縣。

胡瓚　尚書過庭雅言字伯玉，桐城人。

黄光昇　讀書愚管

王樵　尚書日記十六卷　又　書帷劄記四卷

袁仁　砭蔡篇一卷

馬森　書傳敷言十卷

蔡䕫　書經便注十卷

譚綸　書經詳節

張元忭　讀尚書考

張治具　尚書會解六卷字明遇，晉江人。隆慶辛未進士，四川按察使。

徐常吉　禹貢解一卷　又　辯一卷　又　注三卷

王祖嫡　書疏叢抄一卷

鄧元錫　書繹二卷

章潢　書原始

張朝瑞　禹貢本末海州人。

陳第　尚書疏衍四卷

焦竑　禹貢解一卷

茅瑞徵　虞書箋二卷　又　禹貢滙疏十三卷

劉子誠　尚書遺旨二卷字叔貞，延安宜川人。萬曆中廣西横州知州。

---

① “問”後，《千頃堂書目》卷一有“一卷”二字。

黄喬棟　讀書管見晉江人。黄光昇子,臨安知府。
錢一本　範衍十卷
瞿九思　洪範衍義五卷
全天叙　禹貢略一卷
史記事　尚書疑問五卷
何喬遠　書經釋一卷
姚舜牧　書經疑問十二卷
陳履祥　尚書極一卷
張彩　尚書因五卷
王肯堂　尚書要旨三十六卷
郝敬　尚書辨解十卷
吴從周　書疑四卷甌寧人。萬曆中海鹽訓導。
屠本畯　尚書别録六卷字田叔,一字豳叟,侍郎屠大山子。以任子官福建運判,後爲辰州知府。
徐即登　書説四帙
曹學佺　書傳會衷十卷
陳泰交　尚書注考一卷
陳臣忠　書經集意二卷
秦繼宗　書經彙解四十六卷
徐允禄　思勉齋尚書解字汝廉,嘉定人。
羅喻義　尚書是正□卷
揭其大　尚書世義江西廣昌人。隱居不仕,自樵蘇以養其母。
黄道周　洪範明義四卷崇禎十年,道周爲經筵日講,官左春坊、左諭德,掌司經局事時,編纂進呈。
艾南英　禹貢圖注一卷
夏允彝　禹貢古今合注五卷

何槐[①] 禹貢解一卷

江旭奇 尚書傳翼二卷字舜升，婺源人。太學生，官台州衛經歷。

包萬有 範數贊詞四卷

俞鯤 尚書彙解□卷 又 禹貢元珠一卷錢塘人。

鄒期禎[②] 尚書揆一 又 洪範經世要語無錫人。崇禎中，御史祁彪佳舉方正，不就。

張曰炳 武成考一卷

孫奇逢 書經近指

朱朝瑛 讀書略記二卷字美之，海寧人，别號康流，又號罍菴。崇禎庚辰進士，知旌德縣。

詩 類

詩集傳大全二十卷

梁寅 詩演義八卷[③] 又 詩考四卷

朱昇 詩旁注八卷

朱善 詩解頤四卷字備萬，豐城人。洪武八年，授翰林修撰。十七年，進文淵閣大學士。

汪克寬 詩集傳音義會通三十卷

陳謨 詩經演疏

何淑 詩義權輿

范祖幹 讀詩記

高頤 詩集傳解二十卷福安人。洪武中，舉孝廉，任海鹽知縣。

---

① "槐"，《千頃堂書目》卷一作"槐"。

② "鄒"，原誤作"鄭"，據《千頃堂書目》卷一、《四庫全書總目》卷十四改。另，"要語"，《千頃堂書目》作"要説"。

③ "詩"字後，《千頃堂書目》卷一有一"經"字。

周是修　詩小序　又　詩集義　又　詩譜三卷

鄭旭[①]　**詩經總旨一卷**閩縣人。建文中,官訓導。

張洪　詩正義十五卷

陳濟　詩傳通證

瞿祐　詩經正葩

何英　詩經詳釋一作《增釋》。

劉翔　詩口義清江人。宣德己酉舉人,翰林院檢討,又有《禮記説》。

孫鼎　詩義集説四卷字公宜,廬陵人。永樂舉人,爲應天提學御史。

李賢　讀詩記一卷

魯穆　葩經或問

易貴　詩經直指十五卷貴州宣慰司籍,吉水人。景泰甲戌進士,辰州府知府。

范理　詩經集解三卷

楊守陳　詩私抄四卷

倪復　詩傳纂義一卷

程楷　詩經講説三十卷[②]

豐熙　魯詩正説

陳鳳梧　毛詩集解

陸深　儼山詩微三卷

湛若水　詩釐正二十卷

舒芬　詩稗説三十篇[③]

韓邦奇　毛詩末喻

吕柟　毛詩序説六卷

王道　詩億三卷

---

① "鄭",原誤作"包",據《千頃堂書目》卷一、《四庫全書》本《明史》(以下簡稱《明史》)卷九十六、《四庫全書》本《福建通志》卷五十一"鄭旭"條改。

② "三",《千頃堂書目》卷一作"二"。

③ "稗",原誤作"裨",據《千頃堂書目》卷一、《經義考》卷一百十三改。

馬理　詩經册義

季本　詩説解頤正繹三十卷　又　總論二卷　又　字説八卷

楊慎　四詩表傳一卷

豐坊　魯詩世學三十六卷一作十二卷。坊言家有《魯詩》，傳自遠祖稷，然實自撰也。又作《詩傳》托之子貢，而同時又有作《詩説》托之申培者，皆僞書，不録。

許誥　詩考

黄佐　詩傳通解二十五卷

王漸逵　讀詩記

歐志學　毛詩小見莆田人。嘉靖乙酉舉人，知縣。

薛騰蛟　毛詩附説十卷

王崇慶　詩經衍義七卷

張忠　詩辨疑任丘人。嘉靖己丑進士，光禄寺卿。

薛應旂　方山詩説八卷

潘恩　詩經輯説七卷

李准　詩經童訓辨疑字巨川①，聞喜人。正德甲戌進士，巡撫延綏，右僉都御史。

李先芳　毛詩考正

何宗魯　詩辨考證四卷字可言，福清人。嘉靖癸卯舉人，惠州府同知。

陳頤正　詩序折衷慈谿人。嘉靖壬戌進士，按察使。

黄光昇　讀詩蠡測

王樵　詩考

許天贈　詩經正義字德夫，鄞縣人。嘉靖乙丑進士，山東參政。

邵弁　詩序解頤一卷字偉元，太倉州人。歲貢生。

陸奎章　陸詩别傳十二卷武進人。陸簡子，嘉靖戊子舉人。

---

①　“川”，原誤作“州”，據《千頃堂書目》卷一、《四庫全書》本《山西通志》（以下簡稱《山西通志》。）卷一百三十五所載“李准”條改。

葉朝榮　詩經存固八卷一作十卷。福清人,葉向高父。隆慶初貢士,官養利州知州。

袁仁　毛詩或問二卷

勞堪　詩林伐柯四卷

林兆珂　毛詩多識篇七卷字孟鳴,莆田人。萬曆甲戌進士,刑部郎中。

黄洪憲　學詩多識

郭子章　詩傳書例四帙

馮時可　詩臆二卷

鄧元錫　詩繹三卷

章潢　詩原始

陳第　毛詩古音考四卷字季立,連江人。爲諸生教授。清漳俞大猷一見奇之,召置幕下,勸以武自奮,薦之譚綸。綸亦奇之曰:"俞、戚流亞也。"起家京營,出守古北口,官遊擊將軍。居薊鎮,與戚繼光論兵,復相善。其後譚死戚去,第與後開府者不合,棄官歸。聞修撰焦竑好學,往金陵從之遊,離經析疑,叩擊累年,竑以爲不如也。第學通五經,而尤長于《詩》、《易》。《古音考》一書,發前人未竟之義,尤爲學者所推。

屠本畯　毛詩鄭箋二十卷

李承恩　詩大義

瞿九思　詩經以俟録

胡文煥　胡氏詩識三卷

郝敬　毛詩原解三十六卷　又　毛詩序説八卷

曹學佺　詩經質疑六卷

姚舜牧　詩經疑問十二卷

李鼎　編詩經古注十卷

朱謀㙔　詩故十卷

朱統稽　詩解頤録新建奉國中尉。

程朝光 詩講義八卷[1]

徐即登 詩説五帙

蔡毅中 詩經輔傳四卷

沈守正 詩經通説十三卷

徐熙 詩説闕疑十五卷

林世陞 毛詩人物志三十四卷禮部尚書林燫子，本王應麟《詩傳圖要》而作。

吴雨 毛詩鳥獸草木疏三十卷閩人。

趙宧光 風雅合詮三卷

黄一正 詩經埤傳八卷

陸曾曄 詩學内傳三十二卷 又 外傳二十卷字章之，會稽人。

馮復京 六家詩名物疏五十五卷字嗣宗，常熟人。

徐奮鵬 詩經毛朱二傳删補臨川人。以《毛詩》朱《傳》合爲是書。人或劾其擅改經傳，請治罪。神宗以其書不悖朱子，有功于毛，貸之。奮鵬復著《古今治統》、《古今道脉》等書。崇禎中督學使臣駱日升、蔡懋德將獻于朝，不果。

李經綸 詩類考

鄒忠嗣[2] 詩經闡二十五卷

徐光啟 毛詩六帖

史記事 毛詩序考十卷

沈萬鈳 詩經類考三十卷《古今論詩考》、《逸詩考》、《音韻考》、《國風異同考》、《二雅三頌考》、《群書字異考》各一卷，《天文地理雜考》二十二卷。

王志長 毛詩删翼二十卷

馬元調 詩説十卷

卓爾康 詩學全書四十卷

黄道周 詩晷正

何楷 詩經世本古義二十八卷

---

① "詩"後，《千頃堂書目》卷一有一"經"字。

② "嗣"，《千頃堂書目》卷一作"胤"。

黄淳耀　詩劄二卷

毛鳳苞　草木蟲魚疏廣要四卷

程元初　詩經叶韻四卷　又　詩經反切音釋一卷

殷子義　詩經疏解

林國華　十五國風論一卷

張溥[①]　詩經注疏大全合纂□卷

朱朝瑛　讀詩略記二卷

淩濛初　聖門傳詩嫡冢十六卷[②]

唐汝諤　毛詩微言二十卷字士雅,松江人。

張元玘　詩經彙解

春秋類

春秋本末三十卷懿文太子命宫臣傅藻等編。先是洪武十一年夏五月,皇太子御文華殿,命侍臣講讀《春秋左氏傳》,以列國之事,錯見間出,難于考究始終,乃命藻等分列國而類聚之,附以《左氏傳》,首周王之世,以尊正統,次魯公之年,以仍舊文,列國則先齊、晉而後楚、吴,以爲内外之辨。十二年六月書成,太祖聞而嘉之,賜名《春秋本末》。

春秋書法大旨一卷洪武中,國子博士高允憲、助教楊磐奉旨編次,依啖趙纂例,分類删繁節要,凡二十三則。

春秋集傳大全三十七卷

張以寧　春秋春王正月考一卷　又　辨疑一卷以寧使安南時著,其嗣孫隆宣德元年輯刊。又　春秋論斷三卷　又　春秋尊王發微八卷

① "溥",原誤作"浦",據《千頃堂書目》卷一、《四庫全書總目》卷十七改。另,空格處,《千頃堂書目》、《四庫全書總目》俱作"三十四"。

② "冢",原誤作"家",據《千頃堂書目》卷一、《四庫全書總目》卷十七改。

汪克寬　春秋胡傳附録纂疏三十卷　又　春秋提要　又　左傳分紀

趙汸　春秋師說三卷　附録二卷　又　春秋屬詞十五卷　又　春秋左氏傳補註十卷　又　春秋集傳十五卷汸至正戊子作《集傳》,復爲《屬辭》,以傳所列經義史法,猶有未備,壬寅再爲更定,至昭公二十七年,嬰疾,不及終而卒,門人倪尚誼補成之。

梁寅　春秋考義十卷

楊維楨　春秋胡傳補正　又　春秋大義　又　左氏君子議

胡翰　春秋集義[①]

朱右　春秋傳類編

戴良　春秋經傳考

張宣　春秋胡氏傳標註字藻仲,江陰人。明初,與四書點本并刊于江陰邑庠。

王廉　左氏鉤玄

熊釗　春秋啟鑰字伯昭,進賢人。領元鄉薦。洪武中,薦入校書會同館。

滕克恭　春秋要旨字安卿,祥符人。元集賢學士。洪武初,徵典鄉試。

楊昇　春秋正義字孟潛,杭州人。洪武中徽州府儒學教授。

徐尊生　春秋論一卷

蔡深　春秋纂十卷字淵仲,江西樂平人。元徽州路學教授。明初,陶安薦其學行,以老病不赴。

包仕登　春秋微意發端字文舉,松陽人。洪武中國子助教。

王受益　春秋集說字子謙,山陰人。洪武中明經,爲本邑儒學訓導。取李廉《會通》、程端學《本義》裒爲一書。

李衡　春秋釋例集說三卷洪武間臨川人。一作《集說》。

周鳴　春秋纂要

金居敬　春秋五論休寧人。從朱升、趙汸學,凡二家著述,多其校正。

---

① “集”,原誤作“尊”,據《千頃堂書目》卷二、《經義考》卷一百九十九改。

石光霽　春秋書法鉤玄四卷字仲濂,泰州人,張以寧弟子。洪武十三年,以薦爲國子監學正,陞《春秋》博士。一作二十卷。

金幼孜　春秋直指三十卷　又　春秋要旨三卷幼孜爲翰林侍講,侍仁宗于東宫,合纂十二公事爲《要旨》以進。

張洪　春秋説約十二卷①

瞿佑　春秋貫珠

胡直　春秋提綱字敬方,吉水人。貢入太學中,永樂甲申鄉試,六館多師之,稱"西澗先生"。

李𣏌　春秋管窺　又　王霸總論蒙陰人。宣德丁未進士,陝西右參議。

劉翔　春秋口義清江人②。宣德己酉舉人,翰林院檢討。

陳嵩　春秋名例字伯高,寧海人。年十五,縣辟爲吏。嵩上書邑令,請爲縣庠生。永樂中,以太學生纂修文淵閣。

馮厚　春秋卑論字良載,慈谿人。淮府長史,與李伯璵同編《文翰類選大成》。

何喬新　左傳擿英三卷

饒秉鑑　春秋會傳十五卷　提要一卷字憲章,廣昌人。正統甲子舉人,廉州府知府。羅倫序其書。

張復　春秋中的一卷字明善,淳安人。嚴州府學訓導。

熊復　春秋成紀豐城人。

童品　春秋經傳辨疑一卷

余本　春秋傳疑一卷

郭登　春秋左傳直解十二卷

胡居仁　春秋通解

邵寶　左觽一卷

王鏊　春秋詞命三卷

楊循吉　春秋經解摘録一卷

---

① "十二",原誤作"二十",據《千頃堂書目》卷二、《經義考》卷一百九十九乙正。

② "清",《千頃堂書目》卷二作"靖"。

湛若水　春秋正傳三十七卷取諸家之説而釐正之，故曰“正傳”。

金賢　春秋紀愚十卷　又　或問百篇字士希。其先西域默伽國，祖以進麒麟至官鴻臚少卿，家于金陵。賢舉弘治壬戌進士，官給事中。忤劉瑾，出爲大名府知府，再徙延平，請老歸。

劉節　春秋列傳五卷一作八卷。

劉績　春秋左傳類解二十卷號蘆泉，江夏人。弘治庚戌進士，鎮江知府。與山陰劉績別爲一人。

張邦奇　春秋説一卷

席書　元山春秋論一卷

包瑜　春秋講義青田人。成化中浮梁教論。

江曉　春秋補傳十五卷

宋佳　春秋膚説字子美，奉化人。成化癸卯舉人，徽府長史。

魏校　春秋經世書二卷

蔡芳　春秋訓義十一卷字茂之，浙江平陽人。弘治戊午舉人，福建鹽運司副使。折衷諸傳而爲是書。

吕柟　春秋説志五卷

許誥　春秋意見一卷

胡世寧　春秋志疑十八卷一作八卷。

霍韜　春秋解

劉實　春秋集録□卷[①]

鍾芳　春秋集要二卷

陸釴　春秋輯略鄞縣人。

馬理　春秋修義[②]

舒芬　春秋疑義

楊慎　春秋地名考一卷

---

① 空格處，《千頃堂書目》卷二作“十五”。

② “修”，《千頃堂書目》卷二作“備”。

湯𧻓　春秋易簡發明二十卷潼川州人。正德辛巳進士,溧陽知縣。父歿,廬墓次,遂不仕。一作四卷。

季本　春秋私考三十六卷

豐坊　春秋世學三十八卷

王崇慶　春秋析義二卷①

王道　春秋億四卷

胡纘宗　春秋本義十二卷

姜絅　春秋曲言十卷字幼章,金華人。正德丁丑進士,工部郎中。

鄭佐　春秋傳義歙縣人。正德甲戌進士,福建右參議。

李濂　夏周正辨疑會通四卷

陸粲②　**左傳附註五卷　又　春秋左氏鐫二卷　又　胡傳辨疑二卷**

任桂　春秋質疑四卷寶安人。從學湛若水。首爲總義十二條。

王漸逵　春秋集傳

熊過　春秋明志録□□卷③

李舜臣　春秋左傳考例　又　穀梁三例

王崇儉　春秋筆意

黄佐　續春秋明經十二卷　又　春秋傳意

石琚　左傳章略三卷④字仲芳,益都人。嘉靖甲午舉人。

林希元　春秋質疑

唐順之　春秋論一卷　又　左氏始末十二卷

趙恒　春秋録疑十七卷字志貞,晉江人。嘉靖戊戌進士。官姚安知府,有耳疾,故仕不久,善爲古文詞。

---

① “析”,《千頃堂書目》卷二作“斷”。

② “粲”,原誤作“燦”,據《千頃堂書目》卷二、《四庫全書總目》卷二十八改。

③ 空格處,《千頃堂書目》卷二作“十二”。

④ “章”,《千頃堂書目》卷二作“叙”。

陳深　春秋然疑字子淵，長興人[1]。嘉靖乙酉舉人，雷州府推官。

王昇　讀左贅言字士新，宜興人。嘉靖間歲貢，鹽課司提舉。

許應元　春秋内傳列國語

魏謙吉　春秋大旨十卷　又　春秋大旨備覽四卷柏鄉人。嘉靖戊戌進士，兵部侍郎。

詹萊　春秋原經十七卷

林命　春秋訂疑十二卷字子順，建安人。嘉靖甲辰進士，廣東按察司副使。

黄乾行　春秋日録字大同，福寧州人。嘉靖癸丑進士，重慶知府。

李先芳　春秋辨疑

徐獻忠　春秋稽傳録

左璒　春秋旨要

謝理　春秋解

何澄　春秋蒙引歙縣人。字應清，舉人。

梅鷟　春秋指要[2]

丁鈇[3]　春秋疏義字君武，南直通州人。貢士，平谷知縣。

姚咨　春秋名臣傳十三卷無錫人。先是邑人邵寶爲是書，未竟，咨因續成之。

袁顥　春秋傳三十卷

袁祥　春秋或問八卷

袁仁　鍼胡篇一卷吴江人。仁，祥之子；顥，祥之父也。

邵弁　春秋尊王發微十卷《屬詞比事》八卷，《或問》一卷，《凡例輯略》一卷。

　又　春秋通議

傅遜　春秋左傳屬事二十卷　又　春秋左傳註解辨誤二卷字元凱，嘉定縣人。師事歸有光。

---

① “長”，原誤作“嘉”，據《千頃堂書目》卷二、《四庫全書》本《浙江通志》（以下簡稱《浙江通志》。）卷二百四十一、《四庫全書總目》卷二十三“周禮訓雋”條改。

② “指”，原誤作“旨”，據《千頃堂書目》卷二、《經義考》卷二百一改。

③ “鈇”，原誤作“鉄”，據《千頃堂書目》卷二、《經義考》卷二百三改。

嚴訥　春秋國華十七卷

高拱　春秋正旨一卷

孫應鰲　春秋節要

姜寶　春秋事義全考二十卷　又　春秋讀傳解略十二卷疏胡傳之義意,以便學者[①]。

王樵　春秋輯傳十五卷　凡例三卷

馬森　春秋伸義辯類二十九卷[②]

黄光昇　春秋本義

許孚遠　左氏詳節八卷

顔鯨　春秋貫玉四卷

汪道昆　春秋左傳節文十五卷

吴國倫　春秋世譜十卷以春秋列國事實見于史記他書者,分國爲諸侯世家。

栗應麟　左選八卷

徐學謨　春秋億六卷

周藩宗正睦㮮[③]　春秋諸傳辨疑二卷一作四卷。又　春秋傳

黄正憲　春秋翼附二十卷

王錫爵　春秋日録　又　左傳釋義評苑二十卷

黄洪憲　春秋左傳釋附二十七卷

馮時可　左氏討二卷　又　左氏論二卷　又　左氏釋二卷

李材　見羅經旨一卷

穆文熙　國槩六卷

余懋學　春秋蠡測四卷一作二卷。

凌稚隆[④]　左傳測義七十卷

---

① "便",原誤作"辨",據《千頃堂書目》卷二改。

② "義",原誤作"意",據《明史》卷九十六、《經義考》卷二百二改。

③ "㮮",原誤作"楔",據《千頃堂書目》卷二、《四庫全書總目》卷三十改,下同。

④ "隆",原誤作"龍",據《千頃堂書目》卷二、《明史》卷九十六改。

錢時俊　春秋胡傳翼三十卷常熟人，嘉靖□進士。[①]
沈堯中　春秋本義
鄧元錫　春秋繹通一卷
章潢　春秋竊義
冷逢震　周正考一卷四川資縣人。
孟化鯉　春秋正旨
徐即登　春秋説十一卷
鄒德溥　春秋匡解八卷
楊伯珂　左傳摘疑字孟甫，淮安大河衛人。萬曆丙戌進士，汾州府同知。
姚舜牧　春秋疑問十二卷
郝敬　春秋直解十二卷　又　春秋非左二卷
魏時應　春秋質疑
高攀龍　春秋孔義十二卷
鄭良弼　春秋或問十四卷　又　存疑一卷　又　續義二卷淳安人。字宗説，萬曆初人[②]。
張事心　春秋左氏人物譜一卷字子靜，福清人。貢士，海澄訓導。
陸曾曄　編春秋所見所聞所傳聞三卷
施仁　左粹類纂十二卷字宏濟，長洲舉人。
陳可言　春秋左傳類事三十六卷[③]字以志，嘉定縣人。
曹宗儒　春秋序事本末三十卷　又　逸傳三卷　又　左氏辯三卷字元博，松江人。教諭。
曹學佺　春秋闡義十二卷　又　春秋義略三卷　又　春秋傳删十卷

---

① 《千頃堂書目》卷二載錢氏爲“萬曆甲辰進士”，《明清進士題名碑録索引》同，於義爲勝。

② “初”，《千頃堂書目》卷二作“舉”。

③ “左”，《千頃堂書目》卷二作“經”。

徐鑒　左氏始末

王世德　左氏兵法□卷字長民,南康人。萬曆辛丑進士,巡撫雲南,都御史。

龔時憲　左傳合注　又　春秋列國世家字行素,太倉州人。

王衡　春秋纂註四卷

錢世揚　春秋説十卷

曾舜漁　春秋正意博羅人。萬曆戊戌進士,山東按察司副使。

唐大章　春秋十二公明辯仙遊人。

潘曾紘　春秋確

潘曾縉　權書止觀八卷

魏靖國　三傳異同三十卷字伯饒,東鄉人。

羅喻義　春秋是正

卓爾康　春秋辯義四十卷一作三十卷。

張國經　春秋比事七卷漳浦人。天啟壬戌進士,四川布政司參政。

錢應奎　左記十一卷

張銓　春秋補傳十二卷

馮伯禮　春秋羅纂十二卷字讓伯,平湖人。萬曆間太學生。父爲參政,敏功以勞,卒于官,伯禮却同官之賻。卒而沈思孝謚之曰"貞孝"。

耿汝忞[①]　春秋愍渡十五卷字克勵,黄安人。耿定向子。

顧懋樊　春秋義三十卷

王震　春秋左翼四十三卷

徐允禄　春秋愚謂四卷

馮夢龍　春秋衡庫三十卷[②]　前後附録二卷

賀仲軾　春秋歸義三十二卷　總序雜説一卷　又　便考十卷字景瞻,獲嘉人。爲武德兵備副使,家居,聞甲申寇難,衣冠北向,題字几上,自經死,妻

① "忞",原作"志",據《千頃堂書目》卷二、《明史》卷九十六、《四庫全書》本《湖廣通志》卷三十五改。

② "三",原作"二",據《千頃堂書目》卷二、《四庫全書總目》卷三十改。

妾五人皆同死。

虞宗瑶[①] **春秋提要二卷**字仲皜，錢塘人。

黄道周 春秋表正

華允誠 春秋説長洲籍，無錫人。天啟壬戌進士，吏部主事。

張溥 春秋三書三十一卷字天如，太倉州人。崇禎辛未進士，翰林院庶吉士。學者稱"西銘先生"。

劉城 春秋左傳地名録二卷字伯宗，貴池人。貢士，崇禎中江西布政使。張秉文保舉堪任州牧，辭不就。

林嗣昌 春秋易義十二卷晉江人。天啟壬戌進士，吏部文選郎中。

方孔炤 春秋竊論

余颺 春秋存俟十二卷字賡之，莆田人。崇禎丁丑進士，宣城知縣，吏部主事。

孫范 左傳紀事本末二十二卷字匡儀。

來集之 春秋志在十二卷 又 四傳權衡一卷

馬駢 春秋探微十四卷以下皆不知時代。

楊時秀 春秋集傳三十卷

彭飛 春秋啟鑰龍虎正印五卷

葉紹鳳 左氏聯璧八卷

莊穀 春秋十三伯論一卷

吴鵬舉 春秋繁露節解十卷

春秋金鑰匙一卷以下失名氏。

靜庵春秋志疑九帙

春秋翼義一卷

春秋通天竅一卷

左傳杜林合注五十卷合杜預、林堯叟解注爲一書[②]。

春秋集傳約記一卷

---

① "宗"，《千頃堂書目》卷二作"宋"。

② "堯"，原作"克"，據《千頃堂書目》卷二、《四庫全書總目》卷二十八改。

春秋紀事類編一卷

三禮類

儀禮逸經十八篇洪武中,御史沅州劉有年以辭職養母,忤旨,謫輸站役通州,于州舊家得其書獻之朝,命付史館。

汪克寬　經禮補逸九卷一名《儀禮補逸》①。

黄潤玉　儀禮戴記附註五卷析《儀禮》爲四卷,以戴記比類附之,末一卷又取《周官·大田禮》以補軍禮之缺,通爲箋釋。

程敏政　儀禮經②

何澄　刊正儀禮纂疏

胡纘宗　儀禮鄭註附逸儀禮二十五卷

阮琳　儀禮經解字廷佩,莆田人。官恩平知縣。

王樵　校録古禮

郝敬　儀禮節解十七卷

劉宗周　儀禮經傳考次

王志長　儀禮註疏羽翼十七卷③

儀禮明解八卷以下不知名氏。

儀禮節要三册

宋濂　周禮集説

梁寅　周禮考④

蘇伯衡　序官考一卷

汪克寬　周禮類要

---

① 两“逸”字,原作“遺”,據《千頃堂書目》卷二、《四庫全書總目》卷二十改。
② “經”,《千頃堂書目》卷二作“注”,於義爲勝。
③ “羽”,《千頃堂書目》卷二、《四庫全書總目》卷十九作“删”,於義爲勝。
④ “考”,《千頃堂書目》卷二作“注”,《經義考》卷一百二十六作“考注”。

方孝孺　周禮考次目録一卷

丁禮　周禮補註字思敬，丹徒人。永樂中南陽知府。

何喬新　周禮集註七卷　又　周禮明解十二卷

王啟　周禮疏義

吴昂　周禮音釋海鹽人。

余本　周禮考誤

張翊[①]　周禮互註十二卷

何廷矩　禮意大全三卷　又　存羊録十卷番禺人。陳憲章門人。

桑悦　周禮義釋

陳鳳梧　周禮校正六卷　又　周禮合訓

舒芬　周禮定本十三卷《五官序辯》五卷，《六官圖釋》一卷，《别編》一卷，《校註正經》六卷。

魏校　周禮天官沿革傳六卷　又　官職會通二卷

王應電　周禮傳十卷　又　翼傳二卷　又　圖説二卷字昭明，崐山人。師事魏校，善談經，有《五經繹》，失傳。

馬理　周禮註解

季本　讀禮疑圖六卷一名《禮疑》。

李如玉　周禮會註十五卷如玉，同安縣儒士。嘉靖八年[②]，令其子詣闕奏進，帝嘉其究心禮書，令給官帶榮身。

應廷育　周禮輯説

柯尚遷　周禮全經釋原十二卷　附録二卷字喬可，長樂人。

陳深　周禮訓雋十卷　又　周禮訓註十八卷字子淵，長興人[③]。嘉靖乙酉舉人，雷州府推官。

金瑤　周禮述註六卷字德温，休寧人。嘉靖中選貢，廣西衛經歷。

---

① "翊"，《千頃堂書目》卷二作"詡"。

② "八"字前，《千頃堂書目》卷二有一"十"字。

③ "子"、"興"，原字缺損，據《千頃堂書目》卷二補。

王樵　周官私録□卷

王圻　續定周禮全經集註十四卷因柯尚遷之書重爲更定。

袁表　周禮直解

徐即登　周禮説十四卷

馬應龍　考定古本周禮六卷字伯光,安丘人。萬曆壬辰進士,禮部主事。

孫攀古　周禮釋評六卷

郝敬　周禮完解十二卷

郭良翰　周禮古本訂註六卷字道憲,莆田人。

郎兆玉　註釋古周禮六卷字完白。

施天麟　周禮通義二卷

曹津　周禮集傳五卷嘉善人。貢士,南安府學教授。缺《考工》不解。

王志長　周禮注疏刪翼三十卷字平仲,崐山人。崇禎庚午舉人。

林兆珂　考工記述註二卷

陳與郊　考工輯註二卷

張鼎思　考工記補圖二卷長洲人。□進士①,福建按察副使。

焦竑　考工記解一卷

徐應曾　考工記標義二卷

徐昭慶　考工記通二卷

張采　訂周禮註疏十八卷

朱大啟　考工記輯註一卷字君與。

欒思忠　周禮考疑七卷以下不知時代。

鄭宗顏　周禮講義二卷

周京　周禮句解六卷

周禮明解十二卷失姓名。

周禮詳集一册自《地官・司徒》至《考工記》。

---

①　空格處,《千頃堂書目》卷二作"萬曆丁丑",《明清進士題名碑録索引》同。

周禮或問一册
禮記集説大全三十卷
楊維楨　禮經約
黄克　禮經傳約字紹烈，臨川人。洪武二十七年進士，瑞安知縣。
王經　禮疏纂要①
童彝②　二戴辯江西樂平人。明初國子學録。
張洪　禮記總類
張業　禮記節疏
吾翁　讀禮類編字廷順。吾䢒子。進士，工部主事。③
鄭節　禮傳八十卷字惟儉，貴溪人。□進士④，正統中南御史。
魯穆　禮記日抄
何文淵　禮記解義
余本　禮記拾遺
童品　禮記大旨
王華　禮經大意⑤
宋佳　禮記節要
祝萃　禮經私録海寧人。成化甲辰進士，廣東右參政。
陳塏　禮記存疑字山甫，餘姚人。□進士⑥，廣東提學副使。
王傑　禮記集成安仁人。成化庚子舉人，岷府長史。
薛敬之　禮記集傳

---

① "疏"，《千頃堂書目》卷二、《經義考》卷一百四十四作"記"。
② "童"，《千頃堂書目》卷二作"董"，於義爲勝。
③ "翁"，《千頃堂書目》卷二、《經義考》卷一百四十四作"翕"，當據改。另"䢒"，原字缺損，據《千頃堂書目》補。
④ 據《明清進士題名碑録索引》，鄭氏爲天順甲申進士。
⑤ "意"，《千頃堂書目》卷二、《經義考》卷一百四十四作"義"，於義爲勝。
⑥ 空格處，《千頃堂書目》卷二作"嘉靖壬辰"，《明清進士題名碑録索引》同。

羅倫　禮記集註
張岳　更定禮記
劉績　禮記正訓江夏人。
韓邦奇　禮記斷章
王崇獻　禮記擇言
祝啟同　禮經類記十三卷龍游人。
李文纘　禮記庭説
黄乾行　禮記日録四十九卷
張孚敬　禮記章句八卷
陳褎　禮記正蒙□卷福寧州人。監察御史。
戴冠　禮記集説辨疑一卷
吴性　讀禮備忘二卷宜興人。嘉靖乙未進士,尚寶司丞。
何維柏　禮經辨
王漸逵　讀禮樂記因草廬《纂言》,再爲訂正,分章類次之。
程曒　讀禮表微字孟陽,歙人。
馮子咸　讀禮抄記
王崇慶　禮記約蒙
丘櫾　禮記摘訓十卷諸城人。嘉靖庚戌進士,南京吏部尚書,謚“簡肅”。
汪鏜　禮記資記十八卷
黄洪憲　讀禮日抄
柯尚遷　曲禮全經十五卷
徐師曾　禮記集註三十卷
章潢　禮記劄言
鄧元錫　曲禮二卷
鄒元標　禮經正義六帙

馬翰如　禮記中説字抑之[①]，陳留人。萬曆甲戌進士，山西按察司副使。
王圻　禮記裒言□卷
李上林　禮記摘訓便覽二十五卷[②]萬曆間太學生。
靳於中　禮記翼宗録五卷
陳榮選　禮記集註同安人，字克舉。萬曆丙子鄉貢士，官廣州同知。
姚舜牧　禮記疑問十二卷
郝敬　禮記通解二十二卷
徐即登　禮記説二帙[③]
曹學佺　禮記明訓二十七卷
唐伯元　禮編
李經綸　禮經類編二十八卷一名《三禮類編》。經綸字大經，南昌人。
吴桂森　曲禮説註釋
徐鑒　禮經講雋　又　禮經内解[④]豐城人。萬曆辛丑進士，太僕寺卿。
王翼明　禮記補注二十三卷[⑤]
秦繼宗　禮記疏意三十卷蕲水人[⑥]。萬曆庚戌進士，南户部郎中。
宗周　禮記會要六卷號理菴。
湯道衡　禮記纂注三十卷　又　禮記新義三十卷字平子，丹陽人。萬曆丙辰進士，甘肅巡撫，都御史。
楊惟相[⑦]　禮記管見
沈一中　禮記述註十八卷字文若。天啟壬戌，黄居中序。
蔡官治　禮記删繁號正菴，德清人。萬曆己未進士，巡撫陝西，都御史。

---

① “抑”，《千頃堂書目》卷二作“抒”。
② “訓”，《千頃堂書目》卷二作“注”。
③ “帙”，《千頃堂書目》卷二作“卷”。
④ “禮”，原誤作“樍”，據《千頃堂書目》卷二、《經義考》卷一百四十五改。
⑤ “二十三”，《明史》卷九十六、《經義考》卷一百四十六作“三十”。
⑥ “蕲”，原誤作“靳”，據《千頃堂書目》卷二、《明清進士題名碑録索引》改。
⑦ “惟”，《千頃堂書目》卷二作“維”，下“周惟昭”條同。

趙宧光　讀禮問

童維巖　禮記新裁三十六卷

楊鼎熙　禮記敬業八卷號緝菴,京山人。崇禎戊辰進士,吉安知府。

周惟昭　禮記講解三十七卷

鄧廷曾　禮記訂補二十四卷　又　禮記評析二卷[①]

倪章　禮記講意五卷

趙佐　讀禮三録四卷

楊慎　檀弓叢訓二卷一名《附註》。

林兆珂　檀弓述註二卷

陳與郊　檀弓輯註二卷

徐應魯[②]　檀弓標義二卷

徐昭慶　檀弓記通二卷

江旭奇　檀弓詮釋

朱右　深衣考

黄潤玉　考定深衣古制

岳正　深衣纂疏一卷

夏時正　深衣考十卷

楊廉　深衣纂要

高均　深衣考一卷字惟一,侯官人。

左贊　深衣考正一卷南城人。天順丁丑進士,官布政使。

鄭瓘　深衣圖説　又　禮儀纂通蘭溪人。弘治庚戌進士,楚雄府通判。

王廷相　深衣考一卷　又　夏小正解一卷[③]

許泮古　深衣訂韶安人。辰州府同知。

---

① "評",原誤作"平",據《千頃堂書目》卷二、《經義考》卷一百四十六改。

② "魯",《千頃堂書目》卷二作"曾"。

③ 王氏的两部著作,《千頃堂書目》卷二、《明史》卷九十六分别作"深衣圖論一卷"、"夏小正集解一卷"。

汪禔　投壺儀節一卷字介夫，祁門人。

黄道周　月令明義四卷　又　坊記集傳二卷　又　表記集傳二卷　又　儒行集傳二卷　又　緇衣集傳二卷崇禎十一年，道周官詹事府少詹事進呈。

劉駟　中庸説一卷

練魯　中庸説一卷

劉清　中庸章句詳説一卷永嘉人。明初，隱居不仕。

陳雅言　中庸類編

景星　中庸問政章説一册餘姚人。洪武中杭州府學訓導。

張洪　中庸解義一卷

馬貴　中庸講義三原人。永樂間，舉明經不起，馬理祖。

孔諤　中庸補註一卷字貞伯。至聖裔，永樂戊子舉人，會試擢乙榜第一，尋授中允，歷按察司僉事。

王仁　中庸九經衍義字正己，樂安人。

白良輔　中庸膚見

羅倫　中庸解

夏良勝　中庸衍義十七卷

崔銑　中庸凡一卷

張邦奇　中庸傳一卷

湛若水　中庸測一卷

姚文灝　中庸本義

倪復　中庸解

方獻夫　中庸原一卷

黄綰　中庸古今註一卷

王漸逵　中庸義略一作《中庸釋言》。

許天錫　中庸析義

洪鼐　中庸通旨壽昌人。正德庚午舉人，國子監助教。

夏尚朴　中庸説永豐人。正德辛未進士,太僕寺少卿。

許誥　中庸本義

謝東山　中庸集説啟蒙一卷

王尊賢　中和衍義□太學生。嘉靖中,上其書于朝。

楊爵　中庸解

許孚遠　中庸述一卷

管志道　中庸測義一卷

李栻　中庸庸言二卷

萬思謙　中庸述微字益甫,南昌人。萬曆初,南京太常寺卿。

李穎　中庸參

李鼎　中庸詁一卷

李槃　中庸臆説一卷

吴應賓　中庸釋論十二卷

顧起元　中庸外傳三卷

林日正　中庸古本一卷

瞿九思　中庸位育圖説

陳仁錫　中庸淵天紹易測六卷

汪于沚　中庸剩義一卷

劉迪簡　皇王大學通旨舉要一卷洪武初,尚賓館副使①。安成人。書凡十章,一章總言三綱領,二、三、四章釋三綱領注略,五章至十章釋八條目②。

傅淳　大學補略字伯厚,慈谿人。洪武中,徵不起③。

劉清　大學要旨

---

① "賓",原誤作"實",據《千頃堂書目》卷二、《經義考》卷一百五十八改。另,"成",二書作"福"。

② "釋八",原誤作"十八",據《千頃堂書目》卷二改。

③ "不起",原字缺損,據《千頃堂書目》卷二補。另,"徵"字前,《千頃堂書目》有一"屢"字。

徐與老 大學集義一卷字仲祥[①],錢塘人。無錫王達常師事之。
陳雅言 大學管窺
張洪 大學解義一卷
李果 大學明解成安人。景泰庚午舉人,濟南府知府。
王啟 大學稽古衍義
葉應 大學綱領圖
丁璣 大學疑義一卷
廖紀 大學管窺一卷
程敏政 大學重定本
丘濬 大學衍義補一百六十卷
楊廉 大學衍義節要二十卷廉官南京禮部尚書時進呈。
胡世寧 大學衍義補膚見二卷一作四卷。
湛若水 大學格物通一百卷嘉靖四年進呈。又 古大學測一卷
張邦奇 大學傳一卷
魏校 大學指歸一卷 又 大學古文一卷
崔銑 大學全文通釋一卷
王守仁 大學古本注一卷
洪鼐 大學參義
胡爟 大學補蕪湖人。弘治中進士,户部主事。
程昌 大學古本注釋
蔡烈 大學格物致知傳龍谿人。蔡清門人。
陸深 校定大學經傳
王道 大學億二卷[②]釋疑附。又 大學衍義論斷
穆孔暉 大學千慮一卷

---

① "祥",原字缺損,據《千頃堂書目》卷二補。
② "二",《千頃堂書目》卷二、《明史》卷九十六作"一"。

趙璜　大學管窺一册安福人。弘治庚戌進士,工部尚書。

方獻夫　大學原一卷

豐坊　石經大學坊所僞託。

李承恩　大學拾朱一卷一作《學庸》。

孟淮　大學愚見一卷

鄒守益　古本大學後語一卷

王畿　古本大學附録三卷

王漸逵　大學義略

林希元　更正大學經傳定本一卷嘉靖二十八年,希元以間住僉事,奏請刊布所著《大學定本》及《易經》、《四書存疑》,詔焚其書,下希元於巡按問,尋褫其職爲民。

黄訓　大學衍義膚見

聶豹　大學臆説

李先芳　大學古本

史朝富　考正大學古本字節之,晉江人。嘉靖癸丑進士,永州知府。

蔣信古　大學義一卷

許孚遠　大學述一卷

魯邦彦　古本大學解

李材　大學約言三卷　又　大學考次一卷

區大倫　大學定本

郎瑛　定正大學格物傳一卷

管志道　石經大學章句輯注一卷　又　測義三卷　又　略義一卷　又　古本大學訂釋一卷　又　辯古本大學一卷

羅大紘　校復大學古本一卷

劉元卿　大學新編

萬思謙　大學述古

唐伯元　石經大學

徐栻　大學衍義補纂要六卷

吴瑞登　續大學衍義三十四卷

吴極　石經大學疏旨

來知德　大學古本釋一卷

虞淳熙　大學繁露演一卷

吴應賓　古本大學釋論五卷

袁黄　石經大學補一卷

錢一本　石經舊本大學一卷

吴桂芳　大學説①

顧憲成　大學通考一卷　又　大學質言一卷　又　重定大學一卷

劉洪謨　續大學衍義十八卷南昌人。萬曆乙未進士，太僕寺少卿。崇禎二年進呈。

劉宗周　大學參疑②

張位　進呈大學講章一卷

楊文澤　大學衍義會補節略四十卷

高攀龍　古本大學一卷

林日正　大學管窺一卷

吴巒穉③　大學衍註武進人。崇禎甲戌進士，禮部主客司主事。

李希顔　大學中庸心法二卷郟縣人。明初，徵入大本堂説經，累官左春坊大夫④。

張㦂　學庸句解二卷祥符人。洪武初，舉明經，官秦府長史。

曾景修　大學中庸詳説莆田人。洪武中安慶府學教授。

---

① “説”，《千頃堂書目》卷二作“記”。

② “學”後，《千頃堂書目》卷二、《經義考》卷一百六十一有“古文”二字。

③ “巒穉”，《千頃堂書目》卷二作“鍾巒”，《明清進士題名碑録索引》同，當據改。

④ “春坊”後，《千頃堂書目》卷二有“贊善”二字，當據補。

范祖幹　大學中庸發微
熊釗　學庸私録
黄潤玉　學庸通旨二卷[①]
葉梃　學庸庭訓永嘉人。正統間,舉經明行修。
童品　學庸大義
吴世忠　學庸通旨
施儒　學庸臆説正德辛未進士,廣東副使。歸安人。
王綸　學庸要旨
林士元　學庸衍義瓊州人。正德甲戌進士,廣西按察使。
章衮　學庸口義字汝明,臨川人。嘉靖癸未進士,陝西提學副使。
朱諫　學庸圖説樂清人。吉安府知府。
程先民　學庸敷言浮梁人。
金賁亨　庸學議二卷[②]
馬森　學庸口義三卷
游日章　學庸釋義
萬表　學庸志略
吴中立　學庸大旨
鄒元標　鄒子學庸商求二卷
鄒德溥　學庸宗釋
鄒德泳　學庸歸旨
董應舉　學庸略二卷
王豫　學庸識大録二卷
王養性　學庸傳宗參補一卷
葉遇春　禮記覺言八卷以下不知時代。

① “二”,《千頃堂書目》卷二、《明史》卷九十六作“一”。
② “庸學”,《千頃堂書目》卷二作“學庸”。

連伯聰　禮記集傳十六卷
馮公亮　深衣考正一卷
陸琪　中庸發明要覽二卷
劉永澄　曲禮删註一册
蔡季成　大學説約一册
周公恕　大學總會五卷
蔣文質　大學通旨一卷
朱昇　三禮旁注
王廉　三禮纂要處州人。以預修《元史》授澠池縣丞，累官陝西右布政使。
夏時正　三禮儀略十卷　又　三禮舉要十卷
湛若水　三禮經傳測六十八卷嘉靖十五年進呈。
吕柟　禮問内外篇二卷
劉績　三禮圖二卷江夏人。
貢汝成　三禮纂注四十九卷《周禮》六卷，《周禮餘》二卷，《儀禮》及附傳十七卷，《儀禮逸經》四卷，《儀禮餘》八卷，《禮記》十二卷。汝成字玉甫，宣城人。翰林院待詔。①
許判　禮圖
李黼　二禮集解十二卷嘉靖間無錫人。
鄧元錫　三禮編繹二十六卷
袁仁　三禮穴法十八卷

禮樂書類

黄佐　禮典四十卷　又　泰泉鄉禮七卷
陳幼學　禮樂考字志行，無錫人。萬曆己丑進士，太常寺卿。

---

① "周禮餘"、"玉甫"，原分别作"周禮傳"、"王甫"，據《千頃堂書目》卷二、《四庫全書總目》卷二十五改。

葉廣　禮樂合編三十卷原名伯英,無錫人。崇禎中貢士,安遠知縣。

謝理　两生餘議

倪復　禘祫議

季本　廟制考義二卷

甯成　爲人後者三十六難衡陽人。

周寵　宗廟昭穆辯崇仁人。

朱裳　宗祠考

楊伯珂　宗廟考

趙善鳴　上下禮略字和甫,廬陵人。萬曆辛卯舉人,刑部主事。

楊廉　四禮論略一卷

丁璣　四禮儀注四卷

鄭瓘　禮儀纂通

侯廷訓　六禮纂要六卷樂清人。正德辛巳進士,雲南按察司僉事。訓爲進士,常以議大禮被杖。

鄒守益　諭俗禮要二卷

顔木　四禮略一卷

張鯤　四禮圖一卷

豐熙　禮教儀節

郭槃　四禮纂要南海人。

管志道　崇先維俗議七卷

劉元卿　禮律類要一卷

王敬臣　禮文疏節一卷

宋纁　四禮初編四卷①

吕坤　四禮翼四卷　又　四禮疑六卷

① "編",《千頃堂書目》卷二、《四庫全書總目》卷二十五作"稿"。

周應治　至道編六卷
包萬有　四禮損益四卷
鍾□　四禮輯要一卷
周南老　喪祭禮舉要字正道，吴人。元季，授江浙行省理問。入明，徵詣禮局議禮。禮成，發臨淮居住①，尋放歸。
殷奎　家祭儀
祝詠　葬祭禮式
吴文光　祀禮從宜一卷
趙宧光　祭禮問
姜璉　喪禮書字廷器，蘭溪人。天順庚辰進士，永平、贛州二府知府。
徐駿　五服集證六卷常熟人。
葉釗　服制辯疑字時勉，豐城人。弘治壬戌進士，南京刑部主事。
陰秉衡　陰氏慎終録　又　昏禮節要字振平，内江人。
王承裕　昏禮用中
蔡芳　喪禮酌宜　又　大祀志
許判　慎終集
王廷相　喪禮備纂二卷
王漸逵　王氏宗禮
朱縉　射禮集解一卷
陳鳳梧　射禮集要一卷
王廷相　鄉射禮圖注一卷
張敔飲　射輯略
林文奎　射禮圖注易覽一卷
謝少南　射禮纂要一卷

---

① “淮”，《千頃堂書目》卷二作“濠”。

聞人詮[①]　**飲射圖解一卷**

姚坤　**删定射禮直指一卷**

許孚遠　**鄉飲會通**

何棟如　**鄉飲圖考一卷**

鄉校禮輯十一卷浙江提學副使屠羲英檄,教諭黄議等編。

沈鯉　**文雅社約二卷**

黎貞　**家禮舉要四卷**新會人。洪武中,坐事謫遼東。

王源　**家禮易覽**

馮善　**家禮集説五卷**　**又**　**注解文公家禮十二卷**字擇賢,無錫人。舉明經,爲本縣儒學教諭。

夏時正　**家禮四卷**

方澥　**家禮旁附**字源深,莆田人。正統己未進士,官行人。平生邃于禮,自稱"柳東耕老"。

丘濬　**家禮儀節八卷**

湯鐸　**家禮會通十卷**

楊子器　**家禮從宜四卷**　**又**　**陽嘉山讀禮録一卷**[②]

余本　**家禮考異**

陳端禮　**喪葬祭禮儀注解**字履中,定海人。

詹陵　**家禮祭葬纂原**

彭濱　**補注文公家禮正衡八卷**崇安人。

汪禔　**家禮砭俗**

陸僑　**家禮易簡**登州衛人。廣平府學訓導。

姚翼　**家規通俗編十二卷**

黄芹　**家禮易行**

---

① "詮"原作"銓",據《千頃堂書目》卷二、《明史》卷九十六、《經義考》卷一百三十五改。

② "陽",《千頃堂書目》卷二作"楊"。

鄧元錫　家禮銓補十卷
李廷機　家禮簡要一卷
朱天球　家禮易簡編一卷
方元煥　家禮考訂四卷
潘潢　五宗考義一卷
周添瑞　孝弟稟承問答圖式一卷
吴岳　禮考一卷以下不知時代。
丘其仁　禮義會略三卷
員嶠　通禮摘經一册
王皡　四禮纂要一册[①]
吕景蒙　五禮古圖一卷
蔣彬　家禮四要一卷
嚴本　家禮輯略十卷
龔端禮　五服圖解□卷[②]
家禮會成四册以下不知名氏。
禮篇二卷
諭俗編二卷
禮器説一卷
祭禮從宜四卷
湛若水　古樂經傳全書二卷
韓邦奇　律吕新書直解一卷　又　苑洛志樂二十卷門人潼關張大猷編次。
白良輔　律吕新書釋義

① “册”，《千頃堂書目》卷二作“卷”。
② 《千頃堂書目》卷二此條下小注曰：“錢曾《讀書敏求記》云一卷。”

李文利　大樂律吕元聲六卷　又　大樂律吕考註四卷[①]嘉靖三年,巡按四川監察御史范永鑾奏進[②]。

楊廉　律吕纂例圖説

周瑛　律吕管籥一卷

吕柟　詩樂圖譜十八卷

余本　律吕新書解

黄佐　樂典三十六卷　又　大司樂考十卷

何瑭　樂律管見一卷一名《律吕管見》。

張鶚　大成樂舞圖譜二卷　又　古雅心談一卷字允薦,臨清州人。嘉靖九年,釐正郊祀雅樂,鶚以致仕太僕丞,起昇太常寺丞,典雅樂,晋正卿。

李文察　樂記補説二卷　又　四聖圖解二卷　又　律吕新書補注一卷　又　典樂要論三卷　又　古樂筌蹄九卷　又　皇明青宫樂調三卷嘉靖十七年五月,文察爲遼州同知,進其書。部議以文察所進書于樂理樂聲多前人所未發,且于人聲中考定五音,以爲制律候氣之本,法似徑截,深合《虞書》依永和聲之旨。宜令文察與太常知音律者[③],選能歌舞生百餘人,協同肄習。詔授文察太常寺典簿,同該寺官肄業。

季本　樂律纂要一卷　又　律吕别書一卷

劉濂　樂經元義八卷　又　九代樂章二十三卷

鄧文憲　律吕解注二卷晋江人。

倪復　鍾律通考一册一作《樂律通考》。

黄積慶　樂律管見二卷金谿人。正李文利之非。

劉績　六樂圖二卷

田汝耔　律吕會通

張敔　雅樂發微八卷　又　樂書雜義七卷　又　律吕新書解江

① "注",《千頃堂書目》卷二作"證"。

② "按"、"永",《千頃堂書目》卷二分别作"撫"、"承"。

③ "與",原誤作"于",據《千頃堂書目》卷二改。

西德興人。弘治中舉人,禮部員外郎。

任慶雲　樂律發明一卷

蔡宗兖　律同二卷

楊繼盛　擬補樂經

潘巒　文廟樂編二卷

李璧　燕享樂譜□卷[①]字白夫,廣西武緣人。

葛見堯　含少論略一卷

姚良　律呂會元字晋卿,吴人。

吕懷　律吕古義二卷　又　韻樂補遺二卷　又　律吕廣義三卷

孫應鰲　律吕分解發明四卷

王邦直　律吕正聲六十卷字東溟,即墨人。由明經嘉靖中爲鹽山丞,上書條奏十事,世宗褒嘉之,有勿以官卑廢言之旨。好研究音律,因著是書。

張敉[②]　**舞志十二卷**一名獻翼,字幼于,長洲人。

王勑　大成樂譜二卷

鄭世子載堉　律吕精義内篇十卷　又　律吕精義外篇十卷　又　律學新説四卷　又　樂學新説一卷　又　算學新説一卷　操縵古樂譜一卷　又　旋宫合樂譜一卷　又　鄉飲詩樂譜六卷[③]　**又　六代小舞譜一卷　又　小舞鄉樂譜一卷　又　二佾綴兆圖一卷　又　靈星小舞譜一卷　又　成祖道教樂章譜　世宗道教樂章譜**[④]　**天地壇大祀樂章譜　太廟五享樂章譜　王府家廟樂章譜　王府内壇樂章譜　邵公儲古樂義　衡府高唐王瑟譜　劉銃**[⑤]　**瑟譜弦歌要旨　張助琴譜**

---

① 《千頃堂書目》卷二此條下小注曰:"《明史·藝文志》譜下有'一卷'二字。"

② "敉",原誤作"敉",據《千頃堂書目》卷二、《四庫全書總目》卷三十九改。

③ "六",《千頃堂書目》卷二作"一"。

④ "宗",《千頃堂書目》卷二作"祖"。

⑤ "銃",《千頃堂書目》卷二作"鋭"。

黄獻琴譜　蕭鸞琴譜　韓岳　廣鄉射禮儀集以上總名《樂律全書》,萬曆年進呈。又　律吕正論四卷　瑟譜二卷

王述古　律筌

黄汝良　皇明樂律志四卷崇禎□年進呈。

袁昌祚　樂律考字茂文,東莞人。萬曆中四川布政司參議。

樂和聲　大成樂舞圖説一卷

何棟如　文廟雅樂考二卷

程全之　律吕叶韻統三册①

程明善　嘯餘譜十卷歙縣太學生。

王朝璽　律吕新書私解一卷

王思宗　黄鍾元統圖説一卷　又　八音圖註一卷

史記事　大成禮樂集三卷

沈堯中　音律啟蒙

王正中　律書詳註一卷保定人。崇禎丁丑進士,長興知縣。

程元初　律吕音韻通括十五卷新安人。家累千金,棄而不顧,襆被走四方,思以著作垂世。錢謙益爲作《徽士録》。

徐迎慶　九宫譜松江人。

胡翰　古樂府詩類編四卷

賀賢　續古樂章狄道人。永樂壬辰進士。一作何賢。

徐獻忠　樂府原十五卷

何景明　古樂府三卷

胡纘宗　古樂府二卷

梅鼎祚　古樂苑五十二卷　又　衍録四卷　又　唐樂苑三十卷

瞿九思　聖壽五袠樂章一册萬曆四十年八月進,凡二十五首。

永樂琴書集成二十卷分前後二集,今存前集二十卷。凡古今琴事及詩文曲調備

① "册",《千頃堂書目》卷二作"卷"。

載之。

冷謙　太古正音一卷

寧獻王權　神奇秘譜三卷　又　琴阮啟蒙譜一卷

鄭瀛　琴譜二卷浦江人。《正調》一卷,《外調》一卷。

袁均哲　太古遺音二卷

張德潤　琴譜字良玉,濟寧州人。嘉靖中,爲趙□王客①。

李開先　發明琴譜一册

張鯤　風宣玄品十卷

黄獻　梧岡琴譜十卷字仲賢,廣西平樂人。憲宗時中官。

嚴澂　松弦館琴譜十卷

徐詵　梅雪窩删潤琴譜寧波人。永樂中,官訓導,浙操琴譜所自始。

楊表正　正傳對音琴譜六卷

徐琪　緑綺新聲二卷

虞汝明　古琴疏一卷

吴金陵　琴譜指南

周履靖　緑綺新聲五卷

夏樹芳　琴譜二册

衡府高唐王厚煐　瑟譜一卷

張一亨②　羲軒琴經二卷不知時代。

丹丘子　琴譜二卷

琴瑟合奏譜二册

太音大全五卷

伯牙心法八卷

文會堂琴譜六卷

太古遺音八卷

---

① 空格處,《千頃堂書目》卷二作"莊"。

② "一",《千頃堂書目》卷二作"益"。

孝經類

宋濂　孝經新説一卷

孫蕡　孝經集善[①]

孫吾與　孝經註解洪武初,吾與爲太常博士,命授靖寧侯葉昇《孝經》,因爲直説以訓之。

何初　孝經解字原明,常山人。洪武中,預修《書傳會選》,後官開化教諭。

吴從敬　古文孝經集義貴溪人,洪武中晋府長史。

方孝孺　孝經誡俗

沈度　孝經旁註

晏璧　孝經刊誤一卷廬陵人。

曹端　孝經述解

劉實　孝經集解安成人。宣德庚戌進士,南雄知府。

薛瑄　定次孝經今古文

唐王　孝經註解二卷

楊守陳　孝經私抄八卷

應綱　孝經刊誤集註字恒道,永康人。成化中,官歸德州訓導,以孝行被旌。

童品　重定孝經傳註

潘府　孝經正誤

余本　孝經集註三卷一作一卷。

蔡烈　孝經定本

晏鐸　增註孝經字振之,四川人。御史。

周木[②]　**考定古今孝經節文**

---

① "集"後,《千頃堂書目》卷二有一"傳"字。

② "木",原作"本",據《千頃堂書目》卷二、《經義考》卷二百二十八改。

程廷策　孝經忠經訂註
王守仁　孝經大義
劉閔　孝經刊誤
郎瑛　訂正孝經一卷
陳深　孝經解詁一卷湖州府人。
羅汝芳　孝經宗旨
沈淮　孝經會通
李材　孝經疏義
鄧以誥　孝經全書新建人。隆慶庚午舉人，衡州知府。
李槃　孝經別傳
孟化鯉　孝經要旨
楊起元　孝經外傳一卷　又　孝經引證二卷
虞淳熙　孝經邇言九卷　又　孝經集靈一卷
余時英　孝經集義婺源人。浙江布政使余一龍父，從學鄒守益。
胡時化　註解孝經一卷　又　孝經列傳七卷
吴撝謙　重定孝經列傳七卷
方學漸　孝經繹
朱鴻　孝經質疑一卷　又　集解一卷　又　五經四書孝語一卷
蔡毅中　註古文孝經萬曆中進呈。
馮從吾　孝經義疏
曹于汴　補正孝經本義
畢懋康　編次孝經大全
王元祚[①]　孝經彙注三卷
陳仁錫　孝經小學詳解八卷

① “王”，《千頃堂書目》卷四作“江”。

江旭奇　孝經疏義崇禎二年進呈。又　孝經考異

瞿罕　孝經貫註二十卷　又　孝經存餘三卷　又　孝經考異一卷　又　孝經對問三卷黄梅諸生。崇禎七年,獻其書。

吕維祺　孝經本義二卷　又　孝經大全二十八卷　或問三卷崇禎十三年進呈。又　孝經衍義　又　圖書外傳

吴從周　父母生之績莫大焉章衍義

張有譽　孝經衍義六卷

何楷　孝經集傳二卷

黄道周　孝經集傳二卷

論語類

熊釗　論孟類編

沈易　論語旁訓

周是修　論語類編二卷

王承裕　論語近説　又　論語蒙讀

林士元　論語衍義字舜卿,瓊州人。正德甲戌進士,浙江按察使。　又　孔子世家

陳士元　論語類考二十卷

萬表[①]　論語心義

許孚遠　論語述三卷

李栻　論語外編十卷

李材　論語大意十二卷

章潢　論語衍言

余懋學　讀論勿藥六卷

① "萬",原誤作"高",據《千頃堂書目》卷四、《經義考》卷二百二十一改。

管志道　論語訂釋十卷
王肯堂　論語義府二十卷
郝敬　論語詳解二十卷　附先聖遺事一卷
鍾一詔　論語逸編三十一卷
趙宧光　語孟數言
李頻　論語測　又　或問臆説
楊維相[①]　論語膚義
潘士達　論語外篇四卷
孫奇逢　論語近指二十卷
論語衍義十卷
論語本旨一册
何孟春　補註孔子家語八卷
榮王從祀先賢事跡録二十四卷
張孚敬　正先師孔子祀典集議一卷
張泰　闕里志十三卷
潘府　孔子通紀九卷前紀二卷，正紀三卷，後紀四卷。
唐應詔　孔庭纂要十卷
黄瓚[②]　素王紀事一卷字公瓘，蜀人。開封知府。
楊譓　素王通史
季本　孔孟圖譜三卷
蔡復賞　孔聖全書三十五卷
馮烶　刊定孔子世家七卷
張朝瑞　孔門傳道録十六卷

---

① “維”，《千頃堂書目》卷三作“惟”。
② “黄”，原誤作“王”，據《千頃堂書目》卷三、《四庫全書》本《明文衡》卷四十四“素王紀事序”改。

郭子章　聖門人物志十二卷

金忠士　孔廟禮樂考

瞿九思　孔廟禮樂考五卷

黄居中　文廟禮樂志十卷

李之藻　頖宫禮樂疏十卷字振之,仁和人。萬曆戊戌進士,太僕寺少卿。

包大爟　聖門通考十五卷　又　續考一卷

方夢龍　文廟祀典二卷

笪繼良　先師廟祀考一卷字我箴,丹徒人。萬曆乙卯舉人,汀州知府。

夏洪基　孔子年譜一卷　又　孔子弟子傳略二卷

孔承懿　闕里文獻録四卷字永叔。

孔弘幹　孔子僉載八卷承懿子,官魯府理問[①]。

胡貫夫　歷代崇儒典禮本末八卷不知時代。

歷代崇儒廟學典禮本末七十卷不知何人撰。

文廟禮樂志六卷

孔子前知一册

素王祀典通集一册

素王事實四卷

褒崇聖裔録一册

褒崇禮樂圖一册

孟子類

孟子節文二卷洪武間,翰林學士劉三吾上言《孟子》一書中語氣抑揚太過,請節去八十五條,課試不以命題,科舉不以取士,餘存一百七十餘條。頒之學宫,命曰《節文》。

林士元　孟子衍義

① “理問”,《千頃堂書目》卷三作“審理”。

陳士元　孟子雜記四卷

萬表　孟子摘義

管志道　孟子訂釋七卷

郝敬　孟子説解十四卷

唐慎思　三遷志六卷

李承恩　孟子記

孟子思問録一卷

孟子旁解七卷

經解類

羣經類要□卷太祖命儒臣孔克表、劉基、林温等，以恒言註釋群經，使人易通曉，親解《論語》二章以爲之式。克表等承命釋四書五經以上，賜今名①。

楊維楨　五經鈐鍵

范祖幹　羣經指要

董彝　四書經疑問對八卷　又　經疑十卷

蔣悌生　五經蠡測六卷字寧叔②，福寧州人。洪武初，任本州訓導。

張宣　五經標題

熊釗　五經纂要

蕭岐　五經四書要義字尚仁，太和人。洪武中，舉賢良，至京陳十事，授長史，辭歸，改平凉府學教授。

徐原　五經講義字均善，蘭溪人。洪武中，以賢良徵爲翰林院待詔。

徐蘭　五經文格

黄潤玉　經書補註四卷　又　經譜一卷

---

① "賜"，原誤作"次"，據《千頃堂書目》卷三改。

② "寧叔"，《千頃堂書目》卷三作"仁叔"，《四庫全書總目》卷三十三作"叔仁"。

李本　經書問難

賀賢　五經集解

周洪謨　經書疑辯録三卷成化十五年，洪謨爲禮部尚書時進呈。

王恕　石渠意見二卷　又　拾遺一卷　又　補缺一卷皆恕八十時作。

張楷　四經稂粃①

李晟　六經舉要濮州人。

陳珂　五經發揮字希伯②，錢塘人。弘治庚戌進士，大理寺卿。

羅倫　五經疏義

章懋　諸儒講義二卷③

邵寶　簡端録十二卷嘉靖四年，巡撫應天都御史吴廷舉上終養南京禮部尚書邵寶所著《簡端録》、《學史》二書，以資啟沃，詔下所司。

姚文灝　經説

戚雄　經子要答三卷④

陳鳳梧　六經篆文四十四卷

王崇慶　五經心義五卷

王守仁　五經臆説四十六卷

吕柟　涇野經説十卷

楊慎　升庵經説八卷一作《經説叢抄》六卷。**又　經子難字二卷**

馬中錫　箋經寓意

陳洪謨　五經輯略

王敕　五經通旨

鄭佐　五經集義

---

① “稂”，《千頃堂書目》卷三作“穅”。

② “伯”，《千頃堂書目》卷三作“白”。

③ “儒”，《千頃堂書目》卷三、《明史》卷九十六作“經”。

④ “答”，《千頃堂書目》卷三作“言”。

戴冠　經學啟蒙長洲人。
蘇濂　石渠意見補遺六卷
詹萊　七經思問三卷
黄綰　四書五經原古
鄭世威　經書答問十卷
桑介　五經問答庸言
林士元　讀經録　又　讀經附録
薛治　五經發揮七十卷
李舜臣　五經字義
虞守愚　經書一得録字惟明，義烏人。南京刑部右侍郎。
薛蕙　五經雜説
朱存理　經子鈎玄
丁奉　經傳臆言二十八卷常熟人。
胡賓　六經圖全集六卷字汝觀，光州人。嘉靖乙未進士，兵科給事中。
王循吉　五經圖説開州人，嘉靖中，獻其書于朝。
陳深　十三經解詁六十卷
穆相　五經集序二卷陝西人。嘉靖中，官御史。
王覺　五經四書明音八卷江陰人。
金世龍　六經字原三十卷長洲人。嘉靖辛丑進士，按察司副使。
蔡汝楠　説經劄記八卷
俞琇　五經序三卷嘉靖戊子，官清源知縣。
宗周　廣陵宗氏就正録二十八册《四書》四册，《易》五册，《書》四册，《詩》三册，《春秋》六册，《禮記》六册。周字維翰，興化縣人。嘉靖辛卯舉人，四川馬湖府知府。
馬森　經筆一卷
周藩宗正睦㮮　授經圖二十卷　又　五經稽疑六卷　又　經序録五卷

陳燿文　經典稽疑二卷

陳士元　五經異文十一卷

羅汝芳　五經一貫

李瓚　五經疑義□卷江西人。

楊豫孫　經史通譜一卷

王世懋　經子臆解一卷

徐用檢　五經辯疑字克賢,蘭溪人。嘉靖壬戌進士,太常寺卿。

李材　經説萃編二十九卷

李鼎　經詁二卷字長卿,新建人。萬曆戊子舉人,鄭洛軍前贊畫。

黄喬棟　十二經傳習録字以藩,晋江人。以父光昇任官臨安知府,事父甚孝,棄官歸養。

徐常吉　遺經四解四卷　又　六經類雅五卷

鄧元錫　五經繹十五卷

瞿九思　六經以俟録三十册黄梅人。萬曆□舉人①。以進所著書,授翰林院待詔。

胡應麟　六經疑義二卷

蔡文範　五經翼五卷《易乾坤鑿度》、《竹書紀年》、《汲冢周書》、《離騷》、《大戴禮記》。

周應賓　九經考異十二卷　又　逸語一卷

郭正域　十三經補註

王應山　經術源流一卷

蔡毅中　六經註疏四十三卷崇禎三年進呈。

曹學佺　五經可説②

王啟元　清暑經談十卷

姜應麟　五經緒言

---

① 空格處,《千頃堂書目》卷三作"癸酉"。

② 此條,《千頃堂書目》卷三作"五經困學九十卷"。

郝敬　山草堂談經九卷

卜大有　經學要義五卷秀水人。萬曆庚辰進士，尋甸知府。

趙宧光　九經衍義　又　談經彙草

王惟儉　經抄六卷

吴繼仕　七經圖七卷

來斯行[①]　五經音詁

黄一正　五經埤傳

熊明遇　五經約

杜質明　儒經翼七卷

陳仁錫　六經圖考三十六卷

楊聯芳　羣經類纂三十四卷

楊惟休　五經宗義二十卷

楊文昇　五經私録二卷

堵惟常　三經澤書無錫人。子堵廕錫輯。[②]

劉同昇　五經四書大全註疏合編

陳龍正　朱子經説

張瑄　五經研朱集二十二卷字大生。

包萬有　五經同異二百卷

顧夢麟　十一經通考

孫穀　古微書三十六卷集六經讖緯。

李東陽　講讀録四卷

程敏政　經筵講義四卷　又　青宫講義四卷

徐縉[③]　經筵講義五卷

---

① "來"，原誤作"朱"，據《千頃堂書目》卷三、《經義考》卷二百五十改。

② "書"字，《千頃堂書目》卷三無。"廕"，《千頃堂書目》作"胤"，於義爲勝。

③ "縉"，《千頃堂書目》卷三作"溍"。

劉龍　四書尚書講章八卷

廖道南　講幄集二卷

高拱　日進直解十卷

趙貞吉　進講録

殷士儋　經筵經史直解六卷

馮琦　經筵講義一卷

于慎行　經筵講章

張位　經筵講義二卷

朱賡　經筵講章

焦竑　東宫講義六卷

倪元璐　講編二卷

薛甲　心傳書院講義

汪于沚　經書遺義四卷

四書大全三十六卷永樂十二年十一月,諭胡廣、楊榮、金幼孜曰:"五經四書皆聖賢精義要道,傳註之外,諸儒議論有發明餘藴者,爾等采其切當之言,增附于下。"命廣等總其事,仍命舉朝臣及在外有文學者同纂修,開館于東華門外,命光禄寺給酒饌。十三年九月書成,命禮部刊刻,頒于六部及两京國子監、天下郡縣學,賜纂修官幣鈔有差。

楊維楨　四書一貫録

朱昇　四書旁註□卷①

葉儀　四書直説

陶宗儀　四書備遺二卷

陳雅言　四書一覽

張宣　四書點本

蔣允汶　四書纂類

---

① 空格處,《千頃堂書目》卷三作"十九"。

鄭濟　四書講解閩縣人。洪武中儋州學正。

張師曾　四書集註句讀音考標題三册[①]宣城人。

朱謐　四書述解[②]字思寧。邳州學正。

趙新　四書説約字彦明，樂清人。洪武中，歷官布政使，改翰林院修撰，致仕。

景星　四書啟蒙餘姚人。洪武中杭州府學訓導。

張洪　四書講義二十卷[③]

劉醇　四書解疑四卷

王逢　四書通義字原夫，江西樂平人。師事洪野谷。野谷，朱公遷弟子也。宣德初，逢以薦爲富陽縣學訓導，又以明經辟召，皆不就，學者稱"松塢先生"。

何英　四書釋要王逢弟子。

曹端　四書詳説

楊琦　四書辨疑建安人。温州府學訓導。

周灝　四書精解四卷

李果　四書音考安成人。景泰庚午舉人，濟南府知府。

周賓　四書音考字汝欽[④]。

楊守陳　四書私抄

蔡清　四書蒙引十五卷

朱綬　四書補註三卷

童品　四書旁訓

程嗣光　四書講義十卷

王雲鳳　四書私記

熊熙　四書管天

吕柟　四書因問六卷

---

① "句讀"，《千頃堂書目》卷三無。

② "解"，《千頃堂書目》卷三作"義"。

③ "講"，《千頃堂書目》卷三作"解"。

④ "欽"，原誤作"卿"，據《千頃堂書目》卷三、《浙江通志》卷二百四十二改。

湛若水 古本四書測十九卷
林希元 四書存疑十二卷
陳琛 四書淺説十三卷
史于光 四書解
李文纘[1] 四書口授
季本 四書私存三十七卷
王大用 四書道一編
薛甲 四書正義十二卷
梁格 集四書古義補十卷字君正,稷山人。嘉靖乙未進士,南京兵科給事中。
蘇濂 四書通考補遺六卷
朱潤 四書通解字伯羽,益都人。嘉靖丙戌進士,寧波府同知。
陳祥麟 四書正蒙字士仁,莆田人。嘉靖丙戌進士,山東提學。
王漸逵 四書邇言
陰秉暘 四書贅説六卷 又 四書自訓歌一卷汲縣人。嘉靖丁未進士,山西行太僕寺卿。
黄襄 四書集説南安縣人。嘉靖己未進士,山西行太僕寺卿。
黄光昇 四書紀聞
馬森 四書口義
李先芳 漢注疏臆[2]
廖紀 學庸論孟管窺二卷
羅汝芳 四書一貫[3]
徐獻忠 四書本義分節
唐樞 四書問録二卷

① "纘",《千頃堂書目》卷三作"瓚"。
② "臆",《千頃堂書目》卷三作"引"。
③ "貫"後,《千頃堂書目》卷三有"編七卷"三字。

薛應旂　四書人物考四十卷

高拱　四書問辯録十卷

張居正　四書直解二十六卷萬曆元年進呈。

管大勳　四書三説三十卷輯蒙引《存疑淺説》而加以折衷。

王樵　四書紹聞編□□卷

林兆恩　四書正義四十卷　又　正義續一卷

李贄　李氏説書九卷

李廷機　四書臆説

牛應元　四書質言三卷

楊時喬　四書古今文註發九卷

鄭維嶽　四書知新日録三十七卷福建南安舉人。萬曆中，官曲靖府同知。

徐即登　四書論荅[①]　又　儒宗要輯二十九卷

史記事　四書疑問五卷

徐渭　四書解

郝敬　四書攝提十卷

姚舜牧　四書疑問十二卷

林茂槐　四書正體五卷福清人。萬曆乙未進士，按察使。

陳禹謨　談經苑四十卷[②]　又　漢詁纂二十卷　又　引經繹五卷　又　人物槩十五卷　又　名物考二十卷

陶廷奎[③]　四書正學衍説八卷

劉元卿　四書宗解八卷

周汝登　四書宗旨

陳仁錫　四書語録一百卷　又　四書析疑十卷　又　四書備

---

① “四書”後，《千頃堂書目》卷三有“正學”二字。

② “苑”，原誤作“莞”，據《千頃堂書目》卷三、《明史》卷九十六改。

③ “奎”，原誤作“魁”，據《千頃堂書目》卷三、《經義考》卷二百五十六改。

考八十卷

華允誠　四書大全纂補

唐汝諤　四書微言二十卷

張溥　四書纂註大全三十七卷

張雲鷟　四書經正録專闢李贄之説。崇禎三年進呈,得旨褒嘉,準作貢生。雲鷟,無錫人。

徐學顔　四書日衷字石松,永康人。太學生,官楚府左長史,崇禎十六年,死獻賊難。

顧夢麟　楊彝　四書説約二十卷

顧夢麟　四書通考二十卷

易道暹　四書内外傳字羲侯,黄岡人。爲諸生,以文名。崇禎末,賊大起,道暹與其子爲璉被賊執,誘降不從,皆死之。①

孫奇逢　四書近指二十卷

朱焯　注解四書人物考八卷

歸起先　學庸論孟大旨四卷

小學類

危素　爾雅略義十九卷

薛敬之　爾雅便音字顯思,渭南人。成化中貢士,應州知州。

朱睦㮮　訓林十二卷

朱謀㙔　駢雅七卷　又　弘雅□卷②　又　演爾雅□卷

李文成　博雅志十三卷

張萱　彙雅前編二十卷　又　後編□□卷③

① "羲"、"璉",《千頃堂書目》卷三分别作"曦"、"連"。

② "弘",《千頃堂書目》卷三作"宏"。

③ 空格處,《千頃堂書目》卷三作"二十"。

羅曰褧　雅餘八卷

穆希文　蟫史集十一卷

方以智　通雅五十二卷

曹學佺　西峯字說□卷

李本　急就章註字孝謙，明初鄞縣人。

夏太和　性理千字文一卷福清人。洪武中國子監助教。

解延年　敘古千字文集解栖霞人。正統癸未進士，四川順慶知府。

李登　正字千文二卷字士龍，上元人。萬曆初貢士，崇仁教諭。

瞿九思　正字千文一卷

周履靖　四廣千文四卷

華裔譯語九卷太祖以前，元素無文字，發號施令，惟借高昌之書製爲蒙古字，以通天下之言。洪武十五年正月丙戌，命翰林侍講大原潔與編修馬沙亦黑等以華文譯其語，復取《元秘史》參考紐切其字，以諧其聲。書成，詔刊行之①。

增訂華裔譯語

陳士元　俚言解二卷　又　諸史裔語音義四卷

朱謀㙔　方國殊語□卷

埤雅廣要四十二卷不知撰人。

玉門重譯二卷

洪武正韻十六卷太祖以舊韻起于江左，多失正音，乃命翰林侍講學士樂韶鳳與諸廷臣以中原雅音核之。洪武七年三月書成，詔頒行天下。

孫吾與　韻會訂正四卷《洪武正韻》既行，太祖以其字義音切，未能盡當。命翰林院重加校正，學士劉三吾言前太常博士孫吾與編定。本宋儒黃公紹《古今韻會》，凡字切必祖三十六母音韻歸一圖，以其書進，帝覽而善之，賜名曰《韻會訂正》。吾與名子初，豐城人。元翰林待制。入明，授太常博士，充殿試考官後，隨靖寧侯葉昇征南②，歸卒。

---

① "行"，原字污損，據《千頃堂書目》卷三補。另，"大原潔"，《千頃堂書目》作"火原潔"。

② "葉昇"，原誤作"葉界"，據《千頃堂書目》卷三改。

洪武正韻玉鍵一卷不知撰人。

李譏　洪武正韻玉鍵釋義二卷

龔時憲　洪武正韻註疏□□卷太倉州人。

周家棟　正韻彙編四卷

童漢臣　正韻便覽四卷

任世鐙　正韻統宗四卷一作任鐙。

楊時偉　洪武正韻箋十六卷字去奢，長洲人。

寧獻王權　大雅詩韻七卷　又　瓊林雅韻一卷

永興王音□　吟韻詳註五卷①

蜀□王　草書集韻五卷②成化十年刊。

盧熊　説文字原章句

趙古則　聲音文字通一百卷　又　六書本義十二卷

劉彦振　篆韻集鈔③鄱陽劉彦昺弟。洪武中知縣。

馬琬　偏旁辯證字文璧，紹興人。從楊維楨學《春秋》，官撫州知府，貝瓊爲序。

謝林　字學源委五卷毘陵謝應芳子。洪武中，官新鄭教諭。

穆正　文字譜係十二卷字景中，四明人。明初靈璧知縣④。

王仲芳　文字考證辯譌寧海人。方正學序。

沈宗學　增補廣韻　又　七音字母吴人，與王賓善。詹孟舉稱其正書爲第一人。

蘭廷秀　韻略易通二卷字止菴。⑤ 正統壬戌序。

章黼　韻學集成十三卷　又　直音篇七卷字道常，嘉定縣人。隱居教授，以博文稱。

---

① “詳”，原字缺損，據《千頃堂書目》卷三補。

② “五”，原字污損，據《千頃堂書目》卷三補。

③ “篆”，《千頃堂書目》卷三作“纂”。

④ “璧”，原字污損，據《千頃堂書目》卷三補。

⑤ “止”，《四庫全書總目》卷四十四同，《千頃堂書目》卷三作“正”。

包宏 六書補義
彭時 韻書正誤
涂觀 六書音義十八卷
黄諫從 古正文六卷
李泰 江東雪崖老人詩韻釋義五卷鹿邑人。洪武丁丑進士。
童俊 書韻會通字邦英，蘭溪人。天順己卯舉人，趙州知州。
劉孟 字林纂要安福人。成化丁未進士，延綏巡撫，都御史①。
錢藻 押韻便覽五卷②
朱嘉楨 字義博考濟寧州人。弘正間隱士。
戴冠 奇字音釋長洲人。
伊乘 六書考 又 音韻指掌
顧充 字類辨疑二卷上虞人。又 字義考略
莫藏 五音字書辨譌海鹽人。
姜玉潔 正字訓蒙
張穎 古今韻釋五卷黄州人。
張芝 聲音經緯書字庭毓，歙縣人。正德中進士，湖廣荆南道副使。
徐霖 中原音韻註釋
梁倫稽 古叶聲二卷曲沃人。正德癸酉舉人，隆慶州知州。
周瑛 書纂五卷 又 字書啟篇
魏校 六書精蘊六卷 又 音釋一卷
王應電 同文備考九卷《書法指南》一卷，《翻楷舉要》一卷，《字聲定母》一卷，《經傳正譌》一卷，《音韻會通》一卷，《韻要粗識》一卷③。
楊慎 轉註古音略五卷 又 古音叢目五卷 又 古音獵要

① “史”，原字缺損，據《千頃堂書目》卷三補。
② “卷”，原字污損，據《千頃堂書目》卷三補。
③ “韻要粗識一卷”，《千頃堂書目》卷三作“韻要辨識四卷”。

五卷　又　古音附録五卷　又　古音餘五卷　又　古音略例一卷　又　六書練證五卷　又　六書索隱五卷　又　古文韻語二卷　又　古文韻語別録□卷　又[①]　古音複字五卷　又　古音駢字一卷一作五卷。又　韻林原訓五卷[②]　又奇字韻五卷　又　雜字韻寶七卷　又　韻藻四卷　又　說文先訓□卷　又　古音拾遺五卷　又　經子難字一卷

方豪[③]　韻譜五卷

張四知　崇古韻證

許宗魯　古今韻五卷

李舜臣　古文考　又　籀文考

龔時憲　玉篇鑑磻四十卷

劉隅　古篆分韻五卷

潘恩　詩韻輯略五卷

張之象　四聲韻補五卷

陳士元　古俗字略七卷　又　韻苑考遺四卷

田藝衡[④]　大明同文集五十卷

吴瑞穀　韻學大成字子玉,休寧人。官應天府學訓導。

陶承學　字學集要四卷同邑賓山毛曾同訂。[⑤]

楊時喬　古今字韻全書十五卷

朱睦㮮　韻譜二卷一作五卷。又　正韻邊旁一卷　又　史漢古字二卷

---

① "又",原字污損,據《千頃堂書目》卷三補。

② "韻",原字污損,據《千頃堂書目》卷三補。

③ "豪",原字污損,據《千頃堂書目》卷三補。

④ "衡",《千頃堂書目》卷三、《四庫全書總目》卷四十三作"蘅"。

⑤ "字",《千頃堂書目》卷三作"韵"。"毛曾",原誤作"毛魯",據《四庫全書總目》卷四十四"併音連聲字學集要"條、《千頃堂書目》改。

徐守綱　音韻啟鑰烏程人。

吴元滿　六書正義二卷歙縣人。又　六書總要五卷　又　諧聲指南一卷　又　萬籟中聲二十卷

鄭世子載堉　韻學新説三卷　又　古今韻學得失論一卷

李登　書文音義便考私編五卷　又　字學正譌六卷　又　摭古遺文一卷　又　讐刻篇海五卷　又　難字直音一卷

吕坤　交泰韻□卷[①]

張士佩　六書賦音義二十卷字玫甫。

徐與參　字學原始

郭諶　草韻辨體五卷

朱謀㙔　説文舉要□卷　又　六書本原一卷　又　古文奇字輯解十二卷　又　字原表微　又　説文質疑　又　六書貫玉　又　六書緒論　又　七音通軌　又　古音考

張位　問奇集二卷

沈鯉　義學正字十卷一作三卷。

茅溱　韻譜本義十六卷字平仲，丹徒人。

胡文焕　詩學字類二十四卷　又　韻學字類十二卷

蕭良有　海篇心鏡二十卷

朱統鐕　六書微南昌奉國中尉。

范科　韻補本義十卷[②]

焦竑　俗書刊誤十二卷

方日昇　古今韻會小補三十卷字子謙，永嘉人。

程元初　五經詞賦叶韻統宗二十四卷　又　黄鍾音韻通括二卷

---

① 空格處，《千頃堂書目》卷三作“一”。

② “卷”，原字污損，據《千頃堂書目》卷三補。

郝敬　讀書通二十卷

陸曾曄　字原

林茂槐　諸書字考略四卷　又　訂譌音韻福清人。萬曆乙未進士，按察使。

李宗延　四書字詁十卷

張萱　古文奇字

蘇茂相　蘇氏韻輯四卷

趙宧光　説文長箋一百卷　凡例一卷　解題一卷　説文表一卷　四聲表一卷　五聲表一卷　四聲等字刊定一卷　子母原一卷　帚談八卷　悉曇經傳二卷

梅膺祚　字彙十二卷

葉秉敬　字孿四卷　又　聲表三十卷　又　韻表三十卷

葉學夔　文韻考衷十二卷　又　切韻圖譜五卷

吴汝紀　古今韻括五卷[1]

滿之章　天籟圖三卷

甘雨　古今韻分注撮要五卷

余信　韻叶考五卷一作《集古韻考》。

朱罩　字學集要四卷

李行志　字音彙四卷　又　分毫字辯一卷[2]字昇仲，萬曆中人。

濮陽淶[3]　元聲韻學大成四卷

周宇　字考啟蒙十六卷　又　認字測三卷關中人。

桑良　聲韻雜註一卷

吴繼仕　音聲紀元六卷字公信。

---

① “古”，原字污損，據《千頃堂書目》卷三補。

② “毫”，原誤作“彙”，據《千頃堂書目》卷三改。

③ “淶”，原誤作“來”，據《千頃堂書目》卷三、《四庫全書總目》卷四十四改。

吕維祺　音韻日月燈六十卷《韻母》五卷,《同文鐸》三十卷,《韻鑰》二十五卷。
方以智　切韻聲原二卷　又　正叶韻四卷
劉同昇　音韻類編
陳藎謨　皇極圖韻一卷字益謙,嘉興人。
周伯殷　字義切略二卷
楊昌文　篆韻正義五卷字憲卿。
黎士貞　對偶叶韻一卷
朱錦重　集字學集要四卷
熊晦　類聚音韻三十卷
胡繼宗　韻學大全二卷
釋信守[①]　韻會增註嘉定縣僧。
釋道泰　集鍾鼎古文韻選五卷泰州僧。
釋真宣　直指玉鑰匙門法一卷
釋真空　貫珠集八卷
梁有寅　説文□卷以下不知時代。
周才　字録□卷
高衍孫　五音韻總□卷
字滺博義三十六卷以下不知撰人。滺,綺拳切,水深貌[②]。
音韻通括四卷
字學指南十卷
周憲王有燉[③]　東書堂集古法帖十卷　又　修禊序帖一卷
晉莊王鍾鉉　寶賢堂集古法帖十二卷莊王命世子奇源采輯,弘治九年表上。

① “守”,《千頃堂書目》卷三作“受”。
② “深”字後,《千頃堂書目》卷三有一“满”字。
③ “周”,原誤作“東”,據《千頃堂書目》卷三改。

承休昭懿王彌鉦　復齋集古法帖
劉定之　集右軍書序古千文帖一卷
黄諫　釋義獻六十帖一卷
陶滋　石鼓文正誤四卷
湛若水　嶽麓書院禹碑釋文一卷
楊慎　石鼓文音釋一卷
朱宇浹　辯疑碑一卷[①]□府輔國將軍。
文徵明　停雲館法帖十二卷
顧從義　淳化法帖釋文十卷
孫禎　石雲先生淳化法帖釋文考異十卷　又　十七帖釋文一卷　又　印譜釋考三卷
卞蓑　古器銘釋十卷
董其昌　戲鴻堂法帖十六卷
王肯堂　鬱岡齋法帖十二卷
顧元慶　瘞鶴銘考一卷
朱永仁　篆書孝經一卷忠經一卷
金石韻府五卷不知撰人。
王廉　書海通辯
陶九成　古今書史會要九卷　又　續一卷
張得中　書圃擷英字大本,鄞縣人。永樂中禮部郎中。
張紳　書學通釋一卷
黄瑜　書學會編四卷
姜立綱　東溪書法一卷字廷憲,瑞安人。以童子舉,累官太僕寺少卿,當時宫殿碑額皆出其筆,日本亦求其書。
陸深　書輯一卷

① "辯",原字污損,據《千頃堂書目》卷三補。

楊愼 墨池瑣録五卷[①]
徐霖 續書史會要□卷[②]
黄標 書學異同二十二卷字良玉，上海人。
王世貞 古今法書苑七十六卷 又 王氏書苑十卷 又 書苑補八卷
徐渭 元抄類編六卷
豐坊 淳化帖書評一卷
潘之淙 書法離鈎十卷
郭茂才 墨妙纂六卷
項穆 書法雅言一卷
周之士 游鶴堂墨藪二卷字士貴，□□人[③]。
翰墨良規二卷弘治戊午，吴大有序，不知撰人。
杜氏書譜三卷不知名。
書法三昧一卷
楊廉 綴算舉例一卷 又 數學圖訣發明一卷
顧應祥 測圓算術四卷 又 弧矢算術□卷[④] 又 釋測圓海鏡十卷
唐順之 勾股等六論一卷
鄭世子載堉 嘉量算經三卷
李瓚 勾股算術烏程人。
□□□ □文算指通編二卷[⑤] 又 前編二卷

---

① “池”，原字污損，據《千頃堂書目》卷三補。
② “書”，原本缺損，據《千頃堂書目》卷三補。
③ 空格處，《千頃堂書目》卷三作“宜興”。
④ 空格處，《千頃堂書目》卷三作“二”。
⑤ 空格處，《千頃堂書目》卷三依次作“李”、“之”、“藻”、“同”。另，“二”，《千頃堂書目》作“八”。

利瑪竇　幾何原本六卷[①]

楊輝九章一卷

算術百顆珠一卷以下不知撰人。

算法透簾草一卷

通原算法二卷

雙珠算法二卷

算法啟蒙一卷

九章算法大全九卷

九章詳註比類算法

律吕算例

方圓勾股圖解一卷

算經品一卷

九九古經歌一卷

黄常　小學訓解十卷字叔彝，江陰人。洪武初常州府學訓導。一名《小學通義》。

朱昇　小四書五卷集方逢辰《名物蒙求》、程若庸《性理字訓》、陳櫟《歷代蒙求》各一卷，盱江黄繼善《史學提要》二卷。

何士信　小學集成十卷　又　圓説一卷　又　綱領一卷建安人。

孫蕡　理學訓蒙

趙古則　趙氏學範六卷　又　童蒙習句一卷

王暹　聲律發蒙解註字希白，將樂人。洪武丙子舉人。永樂中，官編修，預修《五經大全》。

吴從敬　小學訓義貴溪人。洪武中晋府長史。

方孝孺　幼儀雜箴一卷

鄭旭　初學提綱閩縣人。建文中訓導。

---

① “幾”，原字缺損，據《千頃堂書目》卷三補。

范從文　小學章詁字復之，崑山人，文正公後。洪武中，以國子生擢監察御史，轉户部主事，坐事謫金齒。永樂初，再以薦爲訓導。

張洪　小學翼贊詩六卷

蔣明　文公小學註字奎章，崑山人。永樂舉人，教諭。

鄭真　鄭氏學範六卷

袁時億　訓蒙要語新城人。洪武初吴江教諭。永樂中，預修《大典》。①

朱逢吉　童子習一卷字以貞。

陳祚　小學集解正誤字永錫，吴縣人。永樂中，詔修《大典》，以善書預選，□歷官福建按察司僉事②。

仰瞻　小學講義字宣泰，長洲人。永樂中舉人，太僕寺少卿。

蔣主忠　童子啟蒙

吴訥　小學集解十卷

劉實　小學集註六卷安成人。宣德庚戌進士，南陽府知府。

丘陵　嬰教聲律二十卷

廖紀　童訓一卷《女訓》附。

陳選　小學句讀六卷

博平恭裕王安泋　養正録

劉閔　五倫啟蒙

劉瑞　童觀録

王雲鳳　小學章句四卷

湛若水　古今小學六卷

李果　小學摘義安成人。景泰庚午舉人，濟南府知府。

劉黼　童訓衡陽人。正德丁丑進士，御史。

鍾芳　小學廣義一卷

---

① “蒙”，《千頃堂書目》卷三作“家”。另，“預修”，原誤作“豫修”，據《千頃堂書目》改。

② 空格處，《千頃堂書目》卷三作“中辛卯進士，授庶吉士”。

黄佐　小學古訓一卷

王崇文　蒙訓一卷

吕柟　小學釋詩

王崇獻　小學撮要六卷

王時光　童訓嘉靖甲子舉人,廣東知縣。①

朱載瑋　困蒙録一卷

耿定向　小學衍義二卷　又　小學新編□卷

劉元卿　小學新編摘略一卷

吴國倫　訓初小鑑四卷

金德玹　小四書音釋休寧人。

盛稔　養蒙纂要儀真人②。萬曆丙戌進士,山東副使。

郭子章　童蒙初告六卷

吕坤　小兒語五卷

袁黄　訓兒俗説一卷　又　庭幃雜録二卷

劉宗周　古小學通紀　又　古小學集記

江旭奇　小學疏略　又　小學衍義

趙壁　巧對類編一卷字藺完。

聲律啟蒙七卷

徐橐　發蒙宏綱二卷以下不知時代。

夏畟　小學資講十二卷

吴談懋　小學纂釋十卷

程愈　小學集説六卷

宋伯貞　音釋勸學文一卷

林學道　原教録一卷

---

① “廣東”,原誤在“甲子”後,據《千頃堂書目》卷三改。

② “儀真”,《千頃堂書目》卷三作“儀徵”。

李啟蒙　求圖註一卷

六藝類要二册以下不知撰人。

通鑑採異一册

小學大成六卷

小學啟蒙十卷

小學註疏十卷四十三圖附。

小學大全六卷

釋文三註十卷《蒙求》，胡曾《咏史詩》，《千字文》。

古今訓學大略四卷

學則一卷

小學書圖檃括纂要二卷

二　史部

史之類十有八：一曰國史類，朝廷敕編當代史。**二曰正史類，三曰通史類，**通輯列代之史。**四曰編年類，五曰雜史類，六曰霸史類，七曰史學類，八曰史抄類，九曰故事類，十曰職官類，十一曰時令類，十二曰食貨類，十三曰儀注類，十四曰政刑類，十五曰傳記類，十六曰地理類，十七曰譜牒類，十八曰簿録類。**

國史類

太祖高皇帝實録二百五十七卷先是建文元年正月敕修《太祖實録》，命禮部侍郎董倫、王景等纂修，三年十二月書成。靖難後，成祖命重修，以李景隆、茹瑺爲監修，解縉爲總裁。永樂元年六月，書成進呈。至九年，帝以景隆、瑺心術不正，又成于急促，未及精詳①，乃命胡廣、胡儼、黄淮、楊榮爲總裁，楊士奇、金幼孜爲纂修官，而命姚廣孝、夏原吉爲監修。十六年五月，書成進呈。始于元至正辛卯，終于洪武三十一年戊寅。

太宗文皇帝實録一百三十卷洪熙元年五月癸酉，命行在禮部翰林院修《太宗實録》，以太師英國公張輔、少師吏部尚書蹇義、少保兼太子少傅户部尚書夏原吉爲監修官，少傅兵部尚書兼華蓋殿大學士楊士奇、少保户部尚書兼武英殿大學士黄淮、太子少傅工部尚書兼謹身殿大學士楊榮、太子少保禮部尚書兼武英殿大學士金幼孜、太常寺卿兼翰林院學士楊溥爲總裁官，至宣德五年正月書成。

仁宗昭皇帝實録十卷洪熙元年閏七月，命纂修，總裁即修《太宗實録》諸人，惟監修增太子太保成山侯王通，至宣德五年正月書成②。

宣宗章皇帝實録一百十五卷宣德十年七月丙子，命大學士楊士奇、楊榮、禮部

---

① "及"，原作"極"，據《千頃堂書目》卷四改。

② "正月"，《千頃堂書目》卷四作"五月"，當據改。

尚書兼翰林院學士楊溥爲總裁，以少詹事王英、王直副之，至正統三年四月乙丑書成進呈，士奇等各進一官，以他官纂修者，俱改翰林院官。

英宗睿皇帝實録三百六十一卷①天順八年八月，憲宗即位，敕修《英宗實録》，以太保會昌侯孫總宗爲監修②，禮部尚書兼翰林院學士陳文、兵部尚書兼翰林院學士彭時等爲總裁，太常寺少卿兼翰林院侍讀學士劉定之、吴節副之，與纂修官柯潛等同纂修，成化三年八月書成進御。起宣德十年正月，迄天順八年正月，首尾三十年，附景泰帝事實于中，稱廢帝郕戾王，附録凡八十七卷。

憲宗純皇帝實録二百九十三卷弘治元年閏正月敕修，以英國公張懋爲監修，大學士劉吉、徐溥、學士劉健爲總裁，禮部尚書丘濬、少詹事汪諧爲副總裁，少卿兼侍讀傅瀚等纂修。弘治四年八月，書成進御。

孝宗敬皇帝實録二百二十四卷正德元年十二月敕修，命少師劉健、李東陽、少傅謝遷總裁，吏部侍郎張元禎、詹事楊廷和、學士劉忠副之。未幾健、遷去位，再命少傅焦芳、王鰲③、少保廷和同東陽總裁，而以尚書梁儲爲副，至四年五月書成。時焦芳秉筆，褒貶任情，正人皆肆詆誣。嘉靖二年，御史盧瓊請改正，不允。

武宗毅皇帝實録一百九十七卷正德十六年六月敕修，先命楊廷和、蔣冕、毛紀、費宏爲總裁。其後廷和、冕、紀去位，申命宏與楊一清、石珤、賈詠、毛澄、羅欽順爲正副總裁，復增以侍郎吴一鵬，至嘉靖四年六月書成。

世宗肅皇帝實録五百六十六卷隆慶元年五月，命徐階等總裁。纂修未及成，神宗登極，再命張居正、吕調陽、張四維爲總裁，馬自强、萬鏜、申時行、王錫爵副之。五年八月，書成進御。

穆宗莊皇帝實録七十卷隆慶六年十月敕修，總裁張居正、吕調陽，副總裁王希烈、丁士美、汪鏜、申時行、王錫爵，纂修官范應期等二十四人，二年七月書成。

神宗顯皇帝實録五百九十四卷天啟□年敕修，監修國公張惟賢，總裁大學士顧秉謙、丁紹軾、黄立極、馮銓，副總裁尚書孟時芳，侍郎黄儒柄④、李思誠、駱從宇、施鳳來、丘士毅、李康先、錢龍錫、韓曰纘等共九人。

光宗貞皇帝實録八卷總裁大學士葉向高等修，天啟三年七月進呈，熹宗御製序。

---

① “三百”，原誤作“二百”，據《千頃堂書目》卷四、《四庫全書》本《禮部志稿》卷四十六改。

② “孫總宗”，《千頃堂書目》卷四作“孫繼宗”，於義爲勝。

③ “王鰲”，《千頃堂書目》卷四作“王鏊”。“正人”前，有“天下”二字，當據補。

④ “黄儒柄”，《千頃堂書目》卷四作“黄儒炳”。

後逆奄柄國政①,給事中黄承昊題請改修,於是霍維華等大肆塗抹,未及上而熹宗崩,至崇禎元年二月始進呈。閣臣施鳳來請焚向高先所修本,司禮監太監王體乾以前所修,亦係奉旨事理②,國朝無焚實録之例,請并貯皇史宬中。其後詞臣文震孟、許士柔皆疏請改修,震孟請刊定改録所筆,士柔則抉摘録所削帝紀、皇子女誕生事,俱奉不必煩議之旨,然原本卒以不焚得并行云。

熹宗悊皇帝實録八十七卷崇禎□年編,監修成國公朱純臣,總裁大學士溫體仁、張至發、孔貞運、賀逢聖、黄士俊,副總裁禮部尚書姜逢元,左侍郎劉宇亮、右侍郎掌翰林院事兼詹事府事傅冠,久未成編。九年十月,禮科給事中馮元飈疏請速竣,至□年□月始成,今缺四年□月及七年□月。

獻皇帝實録五十卷嘉靖四年□月,③大學士費宏疏言獻皇帝享國長久,嘉言懿行,舊邸承奉長史等官必有成書,宜遣官取付史館,并促張元忽速進長史張景明原撰日録。詔可之。

大明日曆一百卷洪武中,翰林學士承旨兼吏部尚書詹同等編帝起兵渡江以來,征討平定之績、禮樂治道之詳,爲此書,始于洪武六年九月,迄七年五月,書成。因與侍講學士宋濂等上進,命藏之金匱,留其副于秘書監。

大明寶訓五卷《日曆》既成,宋濂等又言于上曰:"《日曆》藏之天府,人欲見而不可得,臣請如《貞觀政要》,分類更輯聖政,爲書以傳天下後世。"帝從之,于是分爲四十類,自敬天至制蠻裔,總四萬五千五百餘言。自是而後,凡有聖政,史官日記録之,隨類增焉。

皇明寶訓十五卷亦紀太祖一代事,蓋因濂書而增廣之。

太宗皇帝寶訓十五卷④

仁宗皇帝寶訓六卷

宣宗皇帝寶訓十二卷

英宗皇帝寶訓十二卷

憲宗皇帝寶訓十卷

孝宗皇帝寶訓十卷

---

① "政"字原脱,據《千頃堂書目》卷四補。

② "理"字原脱,據《千頃堂書目》卷四補。

③ 空格處,《千頃堂書目》卷四作"三"。

④ "太宗"後,《千頃堂書目》卷四有"文"字。

武宗皇帝寶訓十卷

世宗皇帝寶訓二十四卷

穆宗皇帝寶訓八卷

神宗皇帝寶訓□卷

光宗皇帝寶訓四卷

憲皇帝寶訓十卷[①]以上俱與實録同時修。

洪武聖政記二卷翰林院侍講學士兼太子賓客宋濂編，凡七類[②]。

永樂聖政記三卷起洪武三年封國，至永樂元年政典。

仁宗聖政記二卷

永樂年表四卷

洪熙年表二卷

宣德年表四卷

萬曆起居注二十卷

明倫大典二十四卷嘉靖六年正月敕修，以大學士費宏、楊一清、石珤、賈詠及禮部尚書席書爲總裁，兵部右侍郎張璁、詹事桂萼副之。十一月，改命謝遷、張璁、翟鑾，而以萼及方獻夫爲之副。明年七月，書成，惟一清、璁、鑾、萼、獻夫列名，餘皆去位。其纂修官則熊浹、霍韜、黄綰、席春、孫承恩、廖道南、王用賓、張治八人。始名《大禮全書》，後更定曰《明倫大典》。帝自製序，仍命一清等五人序于後。

三朝要典二十四卷天啟五年□月，禮科給事中楊所修。請編纂梃擊、紅丸、移宫三案事，成書如《明倫大典》例。六年正月開館，以閣臣顧秉謙、黄立極、馮銓爲總裁，侍郎施鳳來、楊景辰、詹事孟紹虞、曾楚卿爲副總裁，徐紹吉、謝啟光、余煌、朱繼祚、張翀、華琪芳、吴孔嘉、吴士元、楊世芳爲纂修，六月書成。閣臣請其名曰《傳信鴻編》，曰《三大政紀》，中旨定今名。崇禎元年五月，編修倪元璐亟言其當毁，詔從之。福王南渡，通政使楊維垣疏請重刊，會金陵失守，不果。

皇明寶訓一百二十二卷自洪武至隆慶凡十朝，萬曆初，大學士吕本彙刊。一作三十九卷。

---

① "憲"，《千頃堂書目》卷四作"獻"，當據改。

② "七類"，原誤作"七卷"，據《千頃堂書目》卷四改。

内直日記二十二册①

正史類

宋濂等修　元史二百十二卷洪武二年二月丙寅朔,詔修《元史》,帝謂廷臣曰:"近克元都,得元十三朝實録,元雖亡國,事當紀載,況史記成敗示勸懲②,不可廢也。"乃詔中書左丞相宣國公李善長爲監修,前起居注宋濂、漳州府通判王禕爲總裁,徵山林遺逸之士汪克寬、胡翰、宋禧、陶凱、陳基、趙壎、曾魯、高啟、趙汸、張文海、徐尊生、黄篪、傅恕、王錡、傅著、謝徽十六人同爲纂修,開局天界寺,取元《經世大典》諸書以資參考,至八月癸酉書成。善長表進,凡爲紀三十七卷,志五十二卷,表六卷,傳六十三卷,通一百六十九卷。至三年二月乙丑,儒士歐陽和等采摭元統以後事實還朝,仍命濂、禕爲總裁,趙壎、朱右、貝瓊、朱世廉、王廉、王彝、張孟兼、高巽志、李懋、李汶、張宣、張簡、杜寅、殷弼、俞同十五人續纂修,七月丁亥朔書成。計五十有三卷,紀十,志五,表三③,傳三十六,凡前書未備者,悉補完之,通二百十二卷。翰林學士表進,詔刊行之。人賜白金二十两,文綺、帛各二,授儒士張宣等官,惟趙壎、朱右、朱世廉乞還,從之。

劉應秋等　皇明七朝帝紀四十卷

陳懿典　正史七太子傳一卷

楊繼禮　后妃傳一卷　又　外戚傳一卷以上俱萬曆二十六年大學士陳于陛編纂。

鄭曉　吾學編六十九卷《大政紀》十卷,《遜國記》一卷,《同姓諸王表》二卷,《傳》三卷,《異姓諸侯表》一卷,《傳》二卷,《直文淵閣諸臣表》一卷,《两京典銓表》一卷,《名臣記》三十卷,《遜國臣記》八卷,《天文述》一卷,《地理述》二卷,《三禮述》二卷,《百官述》二卷,《四裔考》二卷,《北鹵考》一卷。

鄧元錫　皇明書四十五卷輯洪武至嘉靖十一朝君臣事蹟。

陳翼飛　史待五十卷字小翮,漳州人。萬曆庚戌進士,宜興知縣。

---

① "二十二",《千頃堂書目》卷四作"二十一"。

② "記",原字污損,據《千頃堂書目》卷四補。

③ "表三",《千頃堂書目》卷四作"表二"。

何喬遠　名山藏一百八卷分三十七類，曰曲謨記，曰坤則記，曰開聖記，曰繼體記，曰分藩記，曰勳封記，曰天因記，曰天毆記，曰輿地記，未全。曰典禮記，曰樂舞記，皆缺。曰刑法記，曰河漕記，曰漕運記，曰錢法記，曰兵制記，曰馬政記，曰茶馬記，曰鹽法記，曰臣林記，曰臣林外記，曰關柝記，曰儒林記，曰文苑記，曰俘賢記，曰宦者記，曰列女記，曰臣林雜記，曰宦者雜記，曰高道記，曰本士記，曰本行記，曰藝妙記，曰貨殖記，曰方伎記，曰方外記，曰王享記，始于洪武，迄于隆慶。

朱國禎　皇明史槩一百二十卷其目曰大政，曰大訓，曰大因，曰大志，曰大事。大因、大志皆缺列傳。曰開國，曰遜國，曰歷朝，曰類，曰外，亦惟開國、遜國二傳，餘并缺。

尹守衡　皇明史竊一百七卷字用平，東莞人。舉人，新昌知縣，左遷趙府審理正書。爲帝紀八卷，志六卷，世家十卷，列傳八十三卷，高后紀、百官志、田賦志、河漕志四卷，缺。

吴士奇　皇明副書一百卷字無奇，歙縣人。萬曆壬辰進士，由寧化知縣擢南京户部主事，歷官太常寺卿，卒贈工部右侍郎。書爲帝紀十四卷，表四卷，志九卷，列傳七十三卷，起洪武，迄隆慶。

雷叔聞　國史四十卷始洪武，迄泰昌。叔聞字實先，江陵人①。萬曆中舉人，景東府同知。

劉振　識大録□卷字自我，宣城人。

廷左平國書□卷②不知爲何人書，不全，僅存帝紀及天官、輿地、曆、禮、樂五書，餘皆缺。有王化澄序，起太祖，迄熹宗，莊、閔帝有録無書。

柯維騏　宋史新編二百卷會宋、遼、金三史爲一，以宋爲正統，遼、金列于外國傳，瀛國二王升于帝紀③，以存宋統，正亡國諸叛臣之名，以明倫升道學于循吏之前，以重道。釐複補漏，擊異訂譌，閲二十寒暑始成。其後祥符王惟儉、吉水劉同升皆有删定《宋史》，咸未行世。

謝陛季　漢書六十六卷　正論五篇問答二十篇字少連，歙人。

蔣之翹　更定晋書一百三十卷

朱右　元史補遺十二卷

---

① “江”，原字污損，據《千頃堂書目》卷四補。

② 空格處，《千頃堂書目》卷四作“三”。

③ “二”，原字缺損，據《千頃堂書目》卷四補。

通史類

唐順之　史纂左編一百四十二卷

穆孔暉　諸史通編

安都　十九史節定一百七十卷太康人。憤諸史書法不公,改正爲是書。嘉靖十三年,上于朝,世宗以諸史已有定論,都妄肆贅疣,命燬而譴之。

吴琉　史類六百卷字汝秀,號甘泉,嘉興人。

鄧元錫　函史上編九十五卷　函史下編二十卷

魏國顯　史書大全五百十二卷帝紀一百七卷,列傳四百五卷。　**又　三才考四十六卷。**

祝叔祺[1]　二史會編十六卷合《史》、《漢》。

楊寅冬　歷代史彙二百四十卷泰和人[2],楊寅秋弟。

張萱　西園彙史□□□卷　彙史義例二卷

饒伸　學海君道部二百三十四卷世系一百四十三卷,創業五十卷,中興五卷,繼統二十五卷,餘氛五卷。全書甚多,行世者僅此一類。續成大禮、大祀、征伐等部,又三百餘卷,未見。

邵經邦　學史會同三百卷起帝皇三代以迄于隋,依鄭氏《通志》别爲紀傳,而加以論斷。**又　弘簡録二百五十四卷**繼鄭樵《通志》而作,以唐、宋二代爲正統,五代及遼、金爲載記,正前史之踳駁,删其繁蕪,分類十有四,一曰天主,二曰宰輔,三曰功臣,四曰侍從,五曰臺諫,六曰庶官,七曰后主,八曰系屬,九曰儒學、道學,十曰文翰,十一曰旌德,十二曰雜行,十三曰載記,十四曰附載。

鄭郊　史統一百四十六卷

---

① "祝",《千頃堂書目》卷四作"況",當據改。

② "泰和",《千頃堂書目》卷四作"泰興"。

編年類

吴朴　龍飛紀略十卷　又　洪武大記二十卷字華甫，詔安人。嘉靖中布衣。

蔡于穀　開國事略十卷莆田人。嘉靖中歲貢，湖廣行都司經歷。在太學時，禮部郎鄭繼之薦其明習理數，請擢用以正司天之謬，不果行。

雷禮　大政記三十六卷

黄光昇　昭代典則二十八卷

夏浚　皇明大紀三十六卷字惟明，玉山人。嘉靖中進士，廣東布政司參議，依《朱子綱目》爲此書。

張元忭　明大政紀

陳建　明通紀四十卷[①]　**又　續通紀十卷**隆慶間，給事中李貴利言，建以草莽之臣，越職僭擬，請毁其板，從之。或云，梁儲弟億托名建作。

薛應旂　憲章録四十六卷

沈越　嘉隆聞見紀十二卷字中甫，南京錦衣衛人。嘉靖壬辰進士，由知縣擢監察御史，忤嚴嵩坐監試事，出判開州，稍遷衛輝府推官、德安府同知，罷歸。

吴瑞登　明繩武編二十四卷[②]　**又　兩朝憲章録二十卷**嘉、隆二代。

黄鳳翔　嘉靖大政編年紀一卷　又　嘉靖大政類編二卷

范守己　肅皇外史四十六卷一名《肅皇大謨》。

支大倫　永昭二陵編年信史六卷

譚希思　皇明大紀纂要六十三卷茶陵州人，號岳南。萬曆甲戌進士，官御史。

馮琦　两朝大政紀

皇明通紀述遺十二卷起元至正十一年，迄明隆慶六年。萬曆時人輯。

---

① “四十”，《千頃堂書目》卷四作“二十七”。

② “二”，《千頃堂書目》卷四作“三”。

涂山　明政統宗三十卷字子壽,豫章人。萬曆乙卯編。

薛敷教　續憲章録

姚文蔚　國朝紀要十卷首卷至八卷爲洪武至正德編年,末二卷則《弇山堂别集》抄也。

王大綱　皇明朝野紀略一千一百二十卷①浙江山陰人。以太學生官兖州府東平州同知。輯列朝實録,旁及野史稗編成是書,起太祖迄穆宗,别有《野史編年》,未見。

周永春　皇明政紀纂要二卷　又　熙朝政紀纂要二卷

張銓　國史紀聞十二卷萬曆四十八年,巡按江西時輯。

楊惟休　泰昌日録二卷字叔度,豐城人。録中直書梃擊、紅丸、選侍事,無所避。霍惟華劾惟休,草莽一介何從記註朝廷起居,稱述舛錯,語意閃鑠,非潛授意旨,即暗含譏刺,得旨提問,并燬其書。惟休時爲保定通判,聞知仰藥死。惟休萬曆庚申嘗作《黄河清賦》及《山陵頌》以獻,他著作尚多,咸散佚。

沈國元　明從信録四十卷　又　两朝從信録三十五卷　又甲申大事記六卷

萬曆編年不知何人著。

許重熙　憲章外史續編十四卷一名《五朝注略》。起正德十六年四月,迄天啟七年八月。崇禎九年九月,誠意伯劉孔昭論其居下訕上,實録未成,《五朝注略》先刊行世,旨令斥革。**又　神宗大事紀要二卷　又　光宗大事紀要一卷**

文秉　定陵注略　又　甲乙事案一卷

江旭奇　通紀集要六十卷

東村老人两年事略三卷一名《甲乙會編》,不知何人。

李清　南渡録二卷

談遷②　**國榷一百卷**字仲木,海鹽人,諸生。

---

① "一百",《千頃堂書目》卷四作"二百"。

② "談",原誤作"譚",據《千頃堂書目》卷四、《明史》卷九十七改。

明法傳録二十八卷

明傳信録四十卷

十六朝彙紀二十八卷

皇明紀略□卷以上皆不知何人撰[①]。

徐昌治　昭代芳模三十五卷起太祖，至熹宗。昌治字觀周，崇禎中編。[②]

馮復京　明右史略三十卷始太祖，迄穆宗。

李長春　纂修熹宗七年都察院實録十四卷崇禎時，以纂修《熹宗實録》，六部、都察院各命官纂修事實。都察院以浙江道監察御史李長春董其事，長春乃輯成十五卷。今缺五年下卷。

續宋元資治通鑑綱目二十七卷成化九年敕修，遵朱熹《資治通鑑綱目》例，纂宋、元二史上續其書。總裁大學士彭時、户部尚書商輅、禮部尚書萬安。

歷代通鑑纂要九十二卷弘治十八年，諭内閣李東陽纂輯《綱目》及《續編》切于治道者，以備觀覽，正德□年書成。

張居正　通鑑直解二十五卷萬曆元年十二月進呈，一作二十八卷。

王禕　大事紀續編七十七卷

楊維禎[③]　補正三史綱目

梁寅　宋史略四卷　又　元史略四卷

張九韶　元史節要二卷字美和，清江人。洪武三年，用薦爲縣教諭，入官國子助教，擢編修，致仕。

孫賁　通鑑前編綱目

胡粹中　元史續編十六卷[④]名由，以字行，山陰人。永樂初，楚府右長史，盡心輔導，在王門者二十年。

王逢　通鑑釋義□卷宣德初，樂平人。

謝鐸　元史本末

---

① “撰”字原脱，據《千頃堂書目》卷四補。

② “徐”、“覲周”，《千頃堂書目》卷五分别作“涂”、“觀周”。

③ “禎”，《千頃堂書目》卷四作“楨”。

④ “十六”，《千頃堂書目》卷四作“七十七”。

丘濬　世史正綱三十二卷書始于嬴秦庚辰之歲，滅六國，終于元至正戊申之春，彗出于昴，首尾凡一千六百十有一年。

劉剡　宋元資治通鑑節要三十卷字用章，建陽人。

金濂　諸史會編一百十二卷字懋光，太倉州人。歲貢，象山訓導。

南軒　資治通鑑綱目前編二十五卷渭南人。官吏部郎中①。起于伏羲，下迄周季。

薛應旂　宋元資治通鑑一百五十七卷

王宗沐　宋元資治通鑑六十四卷

黄仲昭　通鑑綱目六家註録五十九卷仲昭以考異、考証、集覽、正誤、書法、發明六書，各自爲書，不便覽，乃分録于綱目各條之下，而爲此書。

許誥　綱目前編三卷補《春秋綱目》，未紀七十餘年事。

顧應祥　人代紀要三十卷　又　人代紀略三卷

穆孔暉　前漢通紀

余本　綱目備忘

杜思　考信編七卷浙江人。

黄佐　通曆三十六卷起庖犧氏，迄于元，以大書分書紀年爲正僞，于三代及漢唐宋則詳，餘皆略。

謝九成　綱目前紀□號仁峰，繁昌人。□進士，吏部郎中。②

趙時濟　綱鑑統宗□卷字子輿，蘭溪人。嘉靖丙辰進士，福建屯田僉事。

李沂　帝王紀年通録南安人。

蔡伸　通鑑綱目集要十卷　又　宋元通鑑輯略二卷

姜寶　稽古編大政記綱目八卷　又　資治上編大政記綱目四十卷　又　資治下編大政記綱目三十二卷

劉元卿　六鑑舉要

---

① “官”，《千頃堂書目》卷四作“南”。

② 據《千頃堂書目》卷四、《明清進士題名碑録索引》，謝九成爲嘉靖五年(丙戌)進士。

許孚遠　續麟正史
黄洪憲　資治歷朝紀政綱目七十四卷
諸燮　通鑑集要三十八卷字子相，餘姚人。嘉靖乙未進士，授兵部主事，謫州同知，謝歸，再起潮州判，晋邵武同知。持父服還，過嚴陵灘，溺水死。
沈堯中　治統紀略五卷
馮琦　宋史紀事本末二十八卷
陳邦瞻　元史紀事本末六卷
朱謀㙔　古今通曆
余繼登　通鑑進講録五十卷
楊伯珂　綱目訂正□卷[1]淮安大河衛人。萬曆丙戌進士，汾州府同知。
包瑜　通鑑綱目事類一百二十一卷
李熲　年代紀要李材子。萬曆丙午舉人[2]，教諭。
楊惟休　歷代長秩七十四卷
包萬有　編年合録八十卷
張光啟　宋元通鑑節要續編三十卷
沈朝陽　通鑑紀事本末前編十二卷江寧人。貢生，池州府學教授。[3]
湯桂禎　戰國紀年四十六卷
王世貞　綱鑑會纂六十九卷
李廷機　大方綱鑑三十九卷
袁黄　歷史綱鑑補三十九卷
葉向高　玉堂綱鑑七十二卷
汪明際　通鑑箋注六十卷字無際，嘉定縣人。萬曆戊子舉人，工部員外郎。
李槃　綱鑑世史類編四十五卷

---

① 《千頃堂書目》卷四此條下小注曰："盧校正下有'二卷'二字。"
② "午"，《千頃堂書目》卷四作"辰"。
③ "生"，《千頃堂書目》卷四作"士"。"池"字原脱，據《千頃堂書目》補。

顧錫疇　綱鑑正史約三十六卷

嚴衍　資治通鑑補二百七十卷字永思,嘉定人。與其門人譚允厚補正温公缺失①,始于萬曆乙卯,成于崇禎戊寅。漏者補之,複者删之,紊與雜及,誣誤者正之。師弟取十七史全文刊校,凡歷二十餘寒暑乃成。

寧獻王權　天運紹統二卷

周定王橚　甲子編年十二卷

歷代大統易見一卷不知何人輯,蓋明初人,宣宗時曾進呈。一稱《歷代紀年圖》。

朱右　歷代統紀要覽

王行　宋系統圖二卷

袁時億　歷代統系五篇浙江新城人。洪武初吴江教諭。

方孝孺　帝王基命録

龔艮　歷代甲子編年一卷字熙止,天順時人。

歷代世譜十卷不知撰人姓氏。始于三代,迄元。

周祁　世略二卷

吕顓　世譜增訂二卷②

韋相　帝王世系圖記字良弼,湯溪人。章懋弟子。

涂觀　正統世年表字恒孚③,豐城人。天順庚辰進士,授南京吏部主事,歷文選郎中,出知衢州、寧國二府。

汪循　帝祖萬年金鏡録

薛應旂　甲子會紀五卷

陳士元　歷代世曆四卷

吴繼安　帝王曆祚考八卷休寧縣人。

王漸逵　歷年圖

徐師曾　世統紀年六卷

---

①　"譚",《千頃堂書目》卷四作"談"。

②　"訂",《千頃堂書目》卷四作"定"。

③　"恒孚",《千頃堂書目》卷四作"恒符"。

張家玉　歷代帝王世紀①

夏洪基　歷代帝王統系二卷高郵州人。

魯藩□□□當漍　紀元考一卷號“望洋子”。嘉靖元年輯。

袁仁　歷代紀元彙編二卷

郁紹賢　紀元考四卷字閎緒，吴人。一作一卷。

陳懋仁　年號韻編一卷字無功，嘉興人。泉州府經歷，書倣《史記》年表例，依《洪武正韻》，以歷代正僞紀元紀人②。

韓承祚　朝代紀元二卷字德夫，萬曆中人。

雜史類

成祖御製孝陵碑一卷

劉辰　國初事蹟一卷金華人。北京刑部侍郎。③

余本④　紀事録二卷

張紞　雲南機務鈔黄一卷

王禕　造邦勳賢略一卷

劉基　禮賢録一卷　又　翊運録二卷

劉璟　閣門遇恩録一卷⑤

夏原吉　萬乘肇基録一卷

張定　在田録一卷

徐禎卿　剪勝野聞一卷

卞瑺　興濠開基録一卷

---

① “紀”，《千頃堂書目》卷四作“統”。

② “紀人”，《千頃堂書目》卷四作“類人”，於義爲勝。

③ “辰”，《千頃堂書目》卷五作“宸”。“刑”，原誤作“行”，據《千頃堂書目》改。

④ “余”，《千頃堂書目》卷五作“俞”。

⑤ “遇恩”，《千頃堂書目》卷五作“恩遇”。

陳敬則　明興雜記四卷一作《開刱歷紀》六卷。稱漳南陳敬則①,不詳其人。

孫宜　明初略二卷

陸深　平元録一卷

童承叙　平漢録一卷

黄標　平夏録一卷上海人。

平吴録一卷

北平録一卷

平蜀録一卷皆不知撰人。

王文禄　龍興慈記一卷

邵相　皇明啟運録八卷

梁億　洪武輯遺二卷廣東人。

董穀　洪武聖政纂二卷

范守己　造夏略二卷

唐志大　高廟聖政記二十四卷字士迪,上海人。嘉靖辛丑進士,南京行人司副②。其書于元、明之際,考據事實尤詳。

周藩宗正睦㮮　聖典三十四卷

何棟如　皇祖四大法十二卷字子極,南京留守左衛人。萬曆戊戌進士,授襄陽府推官。沈税璫陳奉爪牙于江,璫黨激變楚會城,坐是下詔獄,四年乃釋。光宗立,起南京職方主事,尋加太僕寺少卿,坐募兵冒餉,再下北司獄。崇禎元年,始釋,尋卒。

楊起元　訓行録三卷一名《近光録》。

王象乾　皇明開天玉律四卷分録《太祖聖訓》,曰《事天》、《恤民》、《勤政》、《聖學》、《訓儲》、《用人》、《論臣》、《求言》、《慎刑》、《理財》、《止税》、《弭災》、《保業》,凡十有三篇,而附以論述。萬曆三十八年,奏進御覽。

趙琦美　洪武聖政記三十二卷

---

① "漳",《千頃堂書目》卷五作"鄣"。

② "行人"後,《千頃堂書目》卷五有一"左"字。

戴重　和陽開天記一卷字敬夫，和州人。貢士。

皇明本紀一卷

孝陵紀略一卷

國初明良隆遇録十卷

開國紀略一卷

洪武成憲録

高廟紀事本末

逐鹿記一卷以上不知撰人。

錢謙益　太祖實録辨証三卷

王達　椒宫舊事一卷

王秘[①]　東朝記一卷

沈文　聖君初政記一卷

袁祥　建文私記一卷

建文事迹一卷不知撰人。

孫交　國史補遺六卷

朱端儀　革除録

姜清　姜氏秘史一卷弋陽人。倣實録編年法，記建文事，諸臣附見。清舉正德辛未進士。

武陵免歸漁叟革除編年三卷不著名，或云陳洪謨作。

黄佐　革除遺事六卷

許相卿　革朝志十卷

陸時中　建文逸史字幼真，歸安人。嘉靖壬午舉人。

王會　建文野史漳浦人，嘉靖甲午舉人。曲靖府同知[②]。

周藩宗正睦㮮　遜國記二卷

---

① "秘"，《千頃堂書目》卷四作"泌"，當據改。

② "同知"，《千頃堂書目》卷五作"知府"。

屠叔方　建文朝野彙編二十卷萬曆甲申,叔方爲監察御史,常上疏請祠謚建文仗節諸臣①,恤録其子孫免諸姻黨之波及謫戍者,得俞旨,歸田後復輯成是書。首爲編年,次爲列傳,而以傳疑定論附之。

陳繼儒　建文史待

朱鷺　建文書法儗四卷《擁絮迂談》附。

陳仁錫　壬午書二卷

曹參芳　遜國正氣紀九卷貴池人,字日贊。崇禎時布衣。

劉鑾②　建文遜國月表二卷

周遠令　讓皇帝本紀三卷

史仲彬　致身録一卷錢謙益辨其爲僞作,別有程濟《從亡隨筆》一卷,劉琳《拊膝録》四卷,皆僞書。錢士升輯爲《遜國逸書》,不録。

革除漫録一卷　又　革除紀遺一卷　又　建文君臣逸事皆不知撰人。

宣宗御製長陵神功聖德碑一卷

奉天靖難記四卷不知何人作,諸多誣僞。

都穆　壬午功臣爵賞録一卷　又　壬午功臣別録一卷穆既成前録,又得指揮而下功賞之數,仍次序之。

袁褧　奉天刑賞録一卷

郁衮　順命録一卷

楊榮　北征記一卷

金幼孜　北征前録一卷　又　後録一卷

黄福　安南事宜一卷

丘濬　定興王平定交南録一卷

征安南事蹟一卷不知撰人。

---

①　“常”,《千頃堂書目》卷五作“嘗”,於義爲勝。

②　“劉”後,《千頃堂書目》卷五有一“廷”字,當據補。另,“鑾”,《千頃堂書目》作“鸞”。

霍韜　太宗政要一卷　又　仁宗政要一卷　又　宣宗政要一卷

楊士奇　三朝聖諭録三卷永樂、洪熙、宣德三朝。又　西巡扈從紀行録一卷宣德。

袁彬　北征事蹟一卷一作尹直。

楊銘　正統臨戎録一卷　又　北狩事迹一卷

李實　使北録一卷

趙榮　使鹵録一卷

楊都御史使鹵記一卷記楊善使北事，不知何人撰。

劉定之　否泰録一卷　又　三患傳一卷

劉濟　革書一卷記英宗北狩事，塞外無楮，以牛皮書之，故曰"革書"。

復辟録一卷不知撰人。

李賢　天順日録二卷

湯詔　天順實録辨証一卷

張楷　監國曆略一卷

韓襄毅　平蠻録

彭時　可齋筆記二卷

陸釴　賢識録一卷　又　病逸漫記二卷

尹直　謇齋瑣綴録八卷

梁億　尊聞録二卷記太祖及英宗六朝事。

張瑄　南征録三卷

趙輔　平夷録一卷　又　平夷賦一卷

馬文升　西征石城記一卷　又　撫安東夷記一卷[①]　又　興復哈密記一卷

宋端儀　立齋閒録四卷

---

① "安"，原誤作"東"，據《千頃堂書目》卷五改。

梅純　損齋備忘録二卷字一之,南京孝陵衛人。駙馬都尉殷曾孫。舉成化辛丑進士,授懷遠知縣,與上官不合,投檄歸。再補蔭孝陵衛指揮使,擢中都留守,致仕。

李東陽　燕對録二卷①

劉大夏　宣召録一卷

陳洪謨　治世餘聞四卷弘治。　**又　繼世紀聞四卷**正德。

王佐　朝事日録

許進　平番始末一卷

朱國祚　孝宗大紀一卷

費宏　武廟初所見事一卷

楊廷和　視草餘録二卷

王鏊　震澤紀聞一卷　續震澤紀聞一卷　又　震澤長語二卷　又　守溪筆記二卷

王瓊　雙溪雜記二卷

楊一清　西征日録一卷　又　制府雜録一卷　又　車駕幸第録二卷武宗南巡,幸一清第,凡三至,賦絶句十二首賜之,一清和帝,又有應制諸律,輯成二編。

胡世寧　桃源建昌征案東鄉撫案共十卷　又　述滄州退賊事略一卷

平寇録□卷記正德十二年王守仁平浰頭桶岡賊事。

吴子孝　江上日録一卷

祝允明　江海殲渠記一卷記劉六、劉七、趙風子事。**又　九朝野記四卷**

李充嗣　靖危録□卷紀江西之變。

丁相　卧憂志一卷

---

① "對",原誤作"封",據《千頃堂書目》卷五、《明史》卷九十七、《四庫全書總目》卷五十三改。

夏良勝　東戍録一卷

謝蕡　後鑒録三卷閩縣人。正德辛巳進士，官禮科給事中，以争大禮劾張桂，出知直隸太平府。録皆正德時諸叛逆爰書也。

世宗大禮集議六卷一作四卷。**又　大禮纂要二卷**嘉靖四年十二月，《大禮集議》成，原編書一卷爲奏議，二卷爲會議，學士方獻夫纂著①，後又增侍郎胡世寧所纂，及前人議論有關典禮者爲第三卷，再增特進世廟議爲第四卷。已，學士張璁復請依《春秋》編年法，始正德辛巳，迄嘉靖乙酉，大書其綱，細書其目，附己意于下，爲纂要二卷，附録遺議數篇，古今考証數篇，并集議四卷，通爲六卷上進。**又　大狩龍飛録二卷**

王之垣　承天大志基命紀録事實三十卷隆慶元年編進。

費宏　宸章集録一卷

楊一清　閣諭録七卷

張孚敬　敕諭録三卷　又　諭對録三十四卷　又　大禮要略二卷嘉靖六年編進。**又　靈雪編一卷　又　欽明大獄録二卷**②嘉靖六年九月，署都察院事侍郎張璁以張寅先後獄詞，及帝所裁定并所賜敕諭，輯録成書。

李時　南城召對録一卷　又　文華盛記一卷

夏言　聖駕渡黄河記一卷　又　記召對廟廷事一卷　又　扈蹕録一卷

嚴嵩　嘉靖奏對録十二卷

毛澄　聖駕臨雍録一卷　又　大禮奏議

毛玉　議禮略子霸州知州□□輯。

陳杞　大禮正義

何淵　大禮輯略揭帖　又　大禮續奏議嘉靖六年九月，上林苑監左監丞何淵奏上③。

---

① “著”，原誤作“者”，據《千頃堂書目》卷五改。

② “明”後，原衍一“大”字，據《千頃堂書目》卷五删。

③ “上”字原脱，據《千頃堂書目》卷五補。

陸深　聖駕南巡録一卷　又　大駕北還録一卷

韓邦奇　大同紀事一卷

尹耕　大同平叛志一卷

孫允中　雲中紀變一卷記大同兵變始末。允中,東郡人,官僉事。

蘇祐　雲中事紀一卷

彭少保　西平録二卷不知撰人。又　彭大司馬征西紀事一卷

會問劉東山疏一卷

林瓊　罪黜録一卷臨清州人。嘉靖中,官刑部郎中,以不肯傅會張延齡獄,坐黜,自記其事。

曾忭　廷諍録一卷

張謙　罪謫録記張隺齡事。

張岳　交事紀聞一卷

翁萬達　平交紀事十卷

江美中　安南來威輯略三卷婺源人。美中父一桂,嘉靖中,爲廣西太平府知府,毛伯温命一桂往招諭莫登庸稱臣入貢,築受降城及昭德臺于鎮南關,進秩亞中大夫,交人祀之。美中輯其往來文告之詞爲是書,給事中嚴從簡有序。

譚愷　平粵録二卷　又　後平粵録二卷嘉靖丁巳,殷正茂序。

霍尚守　翁襄敏安邊記

王軾　平蠻録一卷　又　平蠻記一卷

郭仁　南征實録一卷

馮時可　俺答前後志二卷

趙時春　誅仇鸞始末

宋滄　秉忠定議集十三卷嘉靖十年,平四川真播賊,周天星疏議詔敕及贈頌歌詩。

范表　前後海寇議二卷　又　海寇後編一卷①

①　"一卷",《千頃堂書目》卷五無。

鄭茂　靖海紀略一卷嘉靖中海鹽知縣。
徐宗魯　松寇紀略一卷
任公　平倭録
李日華　倭變志一卷
張鼐　吴淞甲乙倭變志二卷萬曆中，追記前事。
朱紈　茂邊紀事一卷
趙汝謙　平黔三記一卷
楊希淳　庚申紀事一卷記嘉靖末南都振武營之變。
徐學謨　世廟識餘録二十六卷　又　沙市獄記一卷　又　冰廳劄記一卷
茅維　嘉靖大政記二卷
高拱　病榻遺言一卷　又　邊略五卷
劉紹卹　雲中降虜傳一卷
劉應箕　款塞始末一卷
方逢時　平惠州事一卷　又　上谷議略一卷
林庭機　平曾一本叙一卷①
查志隆　安慶兵變一卷
曹子登　甘州記變一卷
王尚文　征南紀略一卷
嘉隆大政輯要不知撰人。
萬曆政綸録要六卷
郭子章　聖旨日記五卷
張居正　召對紀事一卷
申時行　毓德宫召見紀事一卷　又　升儲彙録二卷
王錫爵　暖閣召見紀事一卷　又　召對録一卷　又　請儲瀝

① “庭”，《千頃堂書目》卷五、《明史》卷九十七作“廷”，當據改。

疏二卷

趙志皋　平臺召見紀事一卷

方從哲　乙卯召對録三卷附《杞人問答》一卷。

王士昌　宣召紀略一卷

董其昌　萬曆事實纂要三百卷　又　留中奏議筆斷四十卷

萬曆識小録一卷

星變志二卷

張江陵忍情遺迹一卷俱不知撰人。

支大綸　江陵遺事二卷

吴中行　延陵小刻二卷

朱國祚　請册立東宫疏

劉虞夔　涤室葵忱山西高平人。隆慶辛未進士,庶吉士,歷官少詹事,録萬曆中建儲疏。

蕭大亨　藩封紀略記潞王出封事。

鮑應鰲　大禮始末一卷

劉元珍　東林志

丁元薦　萬曆辛亥京察紀事十卷

顧憲成　涇皋寤言寐言一卷

余寅　乙未私志一卷

伍袁萃　貽安堂稿八卷①　又　彈園雜志四卷　又　林居漫録八卷　又　希齡録□卷　又　希齡續録二卷　又　駁漫録評正一卷

賀燦然　漫録評正八卷　又　駁駁漫録評正四卷駁伍袁萃。又　賀氏危言一卷

李鼎　杞説私評一卷

① “貽”,《千頃堂書目》卷五作“遺”。

劉墇　問世狂言一卷

姜□□　續眉山論二卷具載劾李三才及救三才疏，而伍袁萃、王三善之論及諸持平之說，咸録焉。又　遵典録二卷

吳玄　從吾録輯萬曆中小人攻君子之疏，玄復爲說以揚之，頗肆詆毁。

周永春　殿爭録三卷①　又　萬曆起廢考三卷

徐大化　比曹紀實一卷

岳駿聲　閹宫始末一卷

陸□□　梃擊始末一卷

陳惟之　乞停礦稅疏圖一卷

蔡毅中　祖訓節略注疏二卷

姚思仁　開採圖說

郭子章　黔中止榷記一卷

王禹聲　郢事紀略一卷記稅監激變楚人事。

楊東明　饑民圖說一卷

郭正域　楚事妖書始末

朱賡　楚宗招擬一卷②　又　勘楚始末一卷　又　妖書始末一卷

蔡獻臣　勘楚紀事一卷　又　妖書紀事一卷　又　儀曹存稿二卷

沈裕　妖書事蹟一卷

盛訥　玉堂日記　又　聞見漫録

瞿九思　萬曆武功録十四卷萬曆四十年八月，神宗聖誕，九思以原授翰林院待詔進是書及《聖誕五袠樂章》二十五篇。

諸葛元聲　两朝平攘録五卷會稽人。

---

① “三”，《千頃堂書目》卷五作“二”。

② “楚”後，《千頃堂書目》卷五有一“中”字。

茅瑞徵　萬曆三大征考五卷哱氏、關白、楊應龍。
鄧林喬　三封北虜始末一卷
涂宗濬　北虜封貢始末三卷
鄭洛　撫裔紀略二卷[①]《款塞答問》附。又　諭虜俗言四卷
王象乾　諭虜俗語四卷
吴伯與　雲事評略一卷　又　大同款貢志一卷
郭應聘　西南紀事二卷
郭子章　西南三征記一卷
謝詔　征西紀事一卷
周光鎬　征南紀事一卷
李士達　再征南紀事一卷以上四書皆記徐元泰征松潘事。
許一德　曾中丞平蠻録二卷浙江按察司僉事許一德編輯曾省吾平都蠻事。
梅國楨　征西奏議二卷
曾偉芳　平夏紀事一卷一作《寧夏紀事》。字君彦,惠安人。萬曆己丑進士,兵部職方主事,奉使定寧夏叛卒。
劉芳譽　平夏疏録二卷
朔方紀事一卷
西事紀略一卷
北樓日記一卷以上不知撰人。
梅之熉　西征曆一卷國楨子。
宋應昌　朝鮮復國經略要編六卷
邢玠　東征公議四卷
蕭應宫　朝鮮征倭紀略一卷
劉黄裳　東征雜記
吴紹勳　王公東征紀略一卷

---

① “鄭洛《撫裔紀略》二卷”,原字污損,據《千頃堂書目》卷五補。

王士琦　封貢紀略一卷
楊伯珂　東征客問
熊尚文　倭功始末
沈思賢　經略復國情節二卷
東事紀實
東封始末
關白擄倭始末一卷俱不知撰人。
李化龍　平播全書十五卷
郭子章　黔中平播始末三卷
楊寅秋　平播録五卷
程正誼　播酋始事一卷[1]
鍾奇　播事述一卷
綏交録二卷
綏交記一卷
平黎紀事一卷俱不知撰人。
蔣光彦　交黎末議三卷
蕩平匀哈録一卷不知撰人。
澳裔諭略三卷不知撰人。
顧季亨　遼事備考一卷　又　漏居寓言一卷　又　九十九籌一卷　又　時務體要二卷
朱祖文　籌遼末議
籌遼碩畫二十卷
張鼐　遼籌四卷
方震孺　遼事顛末一卷
倪鉅　滇南紀亂録一卷字偉長，常熟人。

---

① “事”，《千頃堂書目》卷五作“末”。

武塘　倡亂始末二卷
磨盾漫録五卷
刑部十大招十卷俱無作者姓名。
李維楨　庚申紀事一卷[1]
張潑　庚申紀事一卷
葉茂才　三案記　又　聞見摘録
邪氛録一卷
倒戈録一卷
點將録一卷王紹徽作。
天啟虐熖録一卷
媚璫録
盜柄東林夥一卷
天鑒録一卷
東林同志録一卷
東林朋黨録一卷以上多不知撰人。
劉若愚　酌中志略二十二卷
蔡士順　同時尚論録十六卷[2]　又　傃菴野抄十一卷
天啟邸抄四册
吴應箕　兩朝剥復録十卷　又　東林紀事本末
侯岐曾　丙丁雜志二卷
金日升　頌天臚筆二十四卷　又　聖代褒忠紀三卷　又　太平洪業五卷[3]　又　中興頌治三卷四書皆紀崇禎初除魏、崔諸奸事。
王在晉　三朝遼事實録十七卷

---

① "紀"字後,《千頃堂書目》卷五有一"録"字。
② "論",原作"綸",據《千頃堂書目》卷五、《四庫全書總目》卷一百九十三改。
③ "平",《千頃堂書目》卷五作"祖"。

錢希言 遼邸紀聞
劉錫玄 黔南十集十三卷 又 圍城日録一卷
周宇 乘城日録二册
李櫄 全黔紀略一卷
張鍵 平藺紀事一卷
徐從治 平妖紀事一卷[①]山東徐鴻儒之亂。又 定譁兵略一卷崇禎元年，臺頭營兵譁事。又 圍城日録一卷登州叛人事。
斥奸書二十卷不知撰人。
朱一馮 福寧定亂紀事二卷 又 符離弭變紀事一卷
沈德符 野獲編八卷一名《萬曆野獲編》，以多紀萬曆事也。別本二十四卷。
文秉 先撥志始六卷 又 烈皇小識四卷
崇禎紀略四卷不知撰人。
李遜之 三朝野記七卷
王瑞國 朝野見聞紀略一卷
謝三賓 視師紀略一卷一名《笏記》，紀平登州亂事。
孫承宗 督師事宜十八卷 又 東便門紀事一卷 又 後督師紀略十卷 又 撫裔志十卷
茅元儀 督師紀略十三卷
楊嗣昌 督師紀事五十卷
陳夢璧 東事紀略一卷
蔣德璟 慤書十卷 又 召對日記一卷
楊仕聰 玉堂薈記四卷 又 戊寅紀事 又 甲申核真略
夏允彝 幸存録一卷
夏完淳 續幸存録一卷

---

① "徐"，原誤作"涂"，據《千頃堂書目》卷五、《浙江通志》卷一百六十三"徐從治"條改。

張鏡心　駁交紀十八卷[①]

李日宣　平猸始末二卷　又　清禄始末二卷[②]　又　枚卜始末一卷

陳貞慧　書事七則一卷字定生,宜興人。

吴偉業　綏寇紀略十二卷　又　别録三卷

彭孫貽　流寇志十四卷

戴笠　流寇志

高斗樞　守鄖紀略一卷

陸啟浤　客燕雜記三卷字叔度,平湖人。

皇明聖政記十卷

婁性　皇明政要三十卷[③]弘治十六年十月,前南京兵部郎中婁性編輯進呈,倣唐《貞觀政要》,凡四十一類。

黄瑜　雙槐歲抄十卷字廷美,香山人。以鄉薦入太學,授福建長樂知縣。記明洪武迄成化中事,凡二百二十餘條。孫佐以春坊諭德掌南京翰林院事,於院堂書櫃中得吴元年故簡,足成之。

尹直　明良交泰録

倫以訓　國朝彝憲二十卷一作二百卷。

孫宜　國朝事迹一百二十卷

高岱　鴻猷録八卷一本十六卷。

鄭曉　今言四卷　又　徵吾録二卷

潘思　美芹録二卷

顔木　十朝小識

趙可與　孤樹裒談十卷字會中,安成人。正德癸酉舉人,福建鹽運使。舊作李默,誤。

---

① "駁",《千頃堂書目》卷五作"馭",當據改。

② "二",《千頃堂書目》卷五作"一"。

③ "性","三",《千頃堂書目》卷五分别作"諒"、"二"。小注中"婁性"同。

廣孤樹裒談二十五卷不知何人輯。亦起洪武，迄正德。

袁袠　皇明獻實二十卷一作四十卷。

鄭曉　吾學編餘一卷

楊儀　明良記四卷

孫世芳　磯園稗史二卷

章煥　國朝典故三十卷

李先芳　本朝安攘新編三十卷

國朝謨烈輯遺二十卷

王撣　昭代史略安福人，鄒守益門人。

李文鳳　月山叢談四卷臨海王士性删訂。文鳳，宜山人，字廷儀。嘉靖乙酉解元，壬辰進士，廣東雲南按察司僉事。月山在其郡城，所記明初事多確。

王世貞　弇山堂别集一百卷　又　弇山堂識小録二十卷初輯名《丁戊小識》，始嘉靖丁未，迄戊子①，後多所增益，更今名。　**又　少陽叢談二十卷**在青州作，故曰少陽，皆國典也。凡十三類，談國故，談異典，談盛際，談國是，談西省，談死事，談壬午，談英略，談史砭，談雜藝，談武成，談宗變，談盜亂，談裔狄，談考釋。**又　明野史彙一百卷　又　觚不觚録一卷　又　權幸録□卷　又　朝野異聞□卷　又　國朝叢記六卷　又　皇明異典述五卷　又　盛事述三卷　又　異事述一卷**

鄧球　皇明泳化類編一百三十六卷　又　泳化類編雜記二卷祁縣人。嘉靖己未進士。

高鳴鳳　今獻彙言二十八卷

昭代遺聞二卷不知何人輯。起建文，至嘉靖。

劉元卿　國史舉凡

吴肇東　皇明野史字敬堂，懷寧人。隆慶戊辰進士，福建按察司副使。

周子義　國朝故實二百卷一名《國朝典故補遺》。

---

① “子”，《千頃堂書目》卷五作“午”。

王褌　國朝史略上集二十四卷　下集二十三卷　别集二卷
張問仁　續瑣綴録□卷字子兼,句容人。萬曆初明經,官合肥縣學訓導。
于慎行　筆麈十八卷①
余繼登　國朝典故紀聞十八卷
余楙學　皇明大政纂要十八卷
鄧士龍　國朝典故一百十卷南昌人。萬曆乙未進士,由庶吉士授編修,歷官國子監祭酒。
黄汝良　野紀矇搜十二卷自洪永,迄嘉隆十二代。
曹育賢　皇明類考二十二卷貴陽人。萬曆中,爲四川大邑知縣。輯太祖及萬曆初事,范守己爲之序②。
董復表彙次　弇州史料前集三十卷後集二十卷字章甫,華亭人。
周應賓　識小編内篇九卷　又　外篇五卷③
鄒德泳　聖朝泰交録八卷
詹在泮　國朝宏略常山人。萬曆癸未進士,廣東按察使。
項篤壽　聖朝略記八卷
朱國楨④　湧幢小品三十二卷
張萱　西園聞見録一百六卷
焦竑　玉堂叢語八卷
顔季亨　國朝紀勝通考八卷⑤
吴士奇　緑滋館徵信編五卷⑥　又　考信編二卷
徐來鳳　尊今林二卷

① "筆麈"前,《千頃堂書目》卷五有"穀山"二字。

② "之"字原脱,據《千頃堂書目》卷五補。

③ 两"篇"字,《千頃堂書目》卷五作"編"。

④ "楨",《千頃堂書目》卷五作"禎"。

⑤ "紀勝"前,《千頃堂書目》卷五有"武功"二字。

⑥ "緑",原誤作"録",據《千頃堂書目》卷五、《四庫全書總目》卷一百七十九"緑滋館藁"條改。

吴桂森　皇明開泰録無錫布衣。
張以誠　國史類記一卷
項鼎鉉　名臣寧攘編三十卷
范景文　昭代武功録十卷分二類，曰親征，曰勳績，自洪永至萬曆，凡四十七事。
函雅堂雜記
國事雜志
朱謀㙔　邃古記八卷
朱統鐳　古史記四十卷[1]
陳士元　荒史六卷
程元初　季周傳十二卷
寧獻王權　漢唐秘史二卷洪武中奉敕編次。下斷語，太祖筆也。
包宗吉　包氏古史補二百卷
漢雜事秘辛一卷楊慎得于安寧土官家，不知何人作。
南北朝續世説新語十□卷唐李垕撰。出于明代，前史藝文志不著録。
張大齡　五胡指掌録六卷　又　晋唐指掌四卷　又　唐藩鎮指掌一卷
錢穀　南北史摭言
袁祥　新舊唐書折衷二十四卷袁黄祖。
李維楨　韓范經略西夏始末紀一卷
張鼐　宋西事案一卷
程敏政　宋紀受終考一卷
王昂　宋史補字仰之，揭陽人。成化甲辰進士，太僕寺丞。
楊譓　宋蓍龜録本浦城人，明初，徙家太倉，與秦玉、袁華爲友。
李廷機　宋賢事彙二卷

① "史"，《千頃堂書目》卷五無。

錢謙益　北盟會編鈔三卷
宋端儀　宋行朝録
朱諫　宋史辨疑
陳霆　宣靖備史
胡震亨　靖康盜鑒録一卷
楊循吉　遼小史一卷　又　金小史八卷
尤義　元史輯要字從道，吴人。洪武中湖廣布政司經歷。
陳濟　元史舉要
元史外聞十卷不知撰人。
劉實　元史略
葉夔　元史提綱武進人。汝陽訓導。
吕光洵　元史正要
權衡　庚申外史二卷字以制，吉安人。至正末，隱居太行黄華山中，李察罕聘之，不應。
吴源　至正近記二卷
秦約　樵史補遺
晏壁　史鉞二十卷
都穆　史外類抄
李栻　歷代小史一百五卷

霸史類

張羽　滁陽王碑一卷
楊儀　壟起雜事一卷記張士誠、韓林兒、徐壽輝事。又　金姬傳一卷
趙琦美　僞吴雜記三卷
保越録一卷張士誠幕客記吕珍守紹興事。
楊學可　明氏實録一卷

何榮祖　廬江郡何氏家記一卷何真子記真事。
姚涞　驅除録二卷[1]
錢謙益　開國群雄事略十五卷
魏國顯　列國史補十八卷
程元初　戰國策編年輯遺十二卷
孫如法　古春秋傳六卷　又　廣戰國策十七卷
劉宣化　三國策十二卷
王士騏　苻秦書十五卷
姚士粦　後梁春秋十卷一作三卷。
陳霆　唐餘紀傳二十一卷
陳金鳳外傳一卷金鳳，閩王延鈞后。王宇序云："萬曆中，閩農夫掘地，于石函中得之。"蓋僞書也。
倪輅　南詔野史一卷
楊慎　滇載記一卷
大越史略三卷上卷《越紀》、《丁紀》、《黎紀》，中、下二卷《阮紀》。
東國史略六卷
吴明濟　朝鮮世記一卷字子魚，會稽人。

史學類

陸深　史通會要四卷
王惟儉　史通訓故二十卷
郭孔延　史通評釋二十卷
寧獻王權　通鑑博論二卷　又　史斷一卷
楊維楨　史義拾遺二卷　又　宋遼金正統辨一卷　又　歷代

---

① "二"，《千頃堂書目》卷五作"三"。

史鉞《史鉞》今未見,維楨門人章木《評史義拾遺》,每稱此《鉞》之可畏,疑即其書。

孔克表　通鑑綱目附釋字正夫,永嘉人。孔子五十五世孫,元至正戊子進士,官翰林院修撰。

汪克寬　通鑑綱目凡例考異一卷

孫吾與　通鑑綱目音釋一卷①

方孝孺　宋史要言

劉瑞　讀漢書改本

胡粹中　讀史筆記　又　元史評

陳濟　資治通鑑綱目集覽正誤五十九卷字伯濟,武進人。官春坊右贊善。正王幼學《集覽》之誤。

瞿佑　通鑑綱目集覽鐫誤一卷　又　閱史管見

鄭棠　全史評字叔美,浦江人。永樂初,召修《大典》,授檢討。

趙弼　雪航膚見十卷②蜀人,永樂初,以明經授儒學教諭,家于漢陽。

趙遷　膚見餘論一卷　又　木峰史論遷,弼曾孫,舉人,知縣。

劉定之　呆齋宋論三卷

許浩　宋史闡幽二卷　又　元史闡幽二卷

何喬新　宋元史臆見

張寧　讀史録六卷

沈瑋　讀史備遺字子貴,平湖人。景泰辛未進士,山東道御史。

魏偁　讀史編字達卿③。石城訓導,成化中人。

李浩　通鑑斷義七十三册浩爲南光禄寺署正,弘治元年進呈,賜紵幣鈔,定旌其功④。

蔣誼　續宋論紀

---

① "卷",《千頃堂書目》卷五作"集"。

② "航",原誤作"舫",據《千頃堂書目》卷五、《四庫全書總目》卷八十九改。

③ "達",原誤作"進",據《千頃堂書目》卷五、《四庫全書總目》卷一百三十一改。

④ "功",原誤作"勤",據《千頃堂書目》卷五改。

顧充　歷朝捷録四卷

張吉　貞觀小斷一卷

盧璣　外紀辨疑

邵寶　學史十三卷嘉靖四年，巡撫都御史吴廷舉進呈。

周禮　朱子綱目折衷　又　續編綱目發明　又　通鑑外紀論斷三書弘治中進呈。　又　通鑑筆記

吕本　通鑑綱目續編考正

金江　續資治通鑑綱目書法

蔡清　通鑑隨筆一卷

鄭瓘　綱目撮要補遺字温卿，蘭溪人。弘治庚戌進士，楚雄府通判。

王峰　通鑑綱目發微三十卷南直隸通州人。

張時泰　續資治通鑑綱目廣義十七卷字吉甫，華亭人。秀水縣訓導。嘉靖中，進呈史館。

卜大有　史學要義四卷

許讚　讀史博論

周山　師資論統一百卷字子仁，武進人。嘉靖戊戌進士，南京户部郎中。男鴻臚寺丞良全增廣之。①

鄭曉　删改史論十卷

許相卿　史漢方駕三十五卷

柯維騏　史記考要十卷　又　史解六卷

王洙　宋元史質一百卷

鄒守愚　史疑一卷

戴璟　漢唐通鑑品藻三十卷

王廷幹　史疑

① “仁”、“全”，《千頃堂書目》卷五分别作“山”、“金”。另，“京”字原無，據《千頃堂書目》補。

貢珊　史學斷義
郎瑛　青史衮鉞六十卷
周復俊　元史弼違
陳深　諸史品節四十卷
王尊賢　史學辯疑
鄭宣　讀史續談四卷
胡應麟　史評十二卷　又　史叢十卷
湯聘尹　史稗四卷[①]字國衡,蘇州人。南京吏部□□。
郭大有　評史心見十二卷字用亨,南京人。
張元忭　讀史膚評
王世懋　讀史訂疑一卷
程一枝　史詮五卷
李維楨　南北史小識□卷條目凡八:明例、辯誤、雜評、紀異、傳疑、比事、瑣録、拾遺。[②]
魏國顯　歷代史書總論二卷
張泰復　讀史謾抄二卷[③]
梁夢龍　史要編十卷
萬廷言　經世要略二十卷
陳堯　史衡六卷　又　八書一卷
張之象　太史史例一百卷一作一百三十卷。
吴從周　史辯書疑四卷
徐明勳　史衛二十卷字約若,永康人。
鄒璧　通史補遺二卷

① "稗",《千頃堂書目》卷五作"稡"。
② 空格處,《千頃堂書目》卷五作"十"。另,"傳疑",《千頃堂書目》作"雋疑"。
③ "謾",《千頃堂書目》卷五作"漫"。

劉述　讀史摭言
趙宸　讀史愚見四卷
張鶴　疑史自質二卷
于慎行　讀史漫録十四卷
黄克纘　百氏繩愆二卷
袁黄　史漢定本十八卷
胡瓚[①]　史奕
謝肇淛　史觿二十一卷　又　史測二卷
吴無奇　史裁二十六卷
熊尚文　蘭曹讀史日記四卷
陳繼儒　古今人物論三十六卷
張大齡　説史雋言十八卷　又　玄羽史論四卷
凌稚隆　史記百家評林一百三十卷　又　漢書百家評林一百卷
郝敬　史漢愚按八卷
曹珖[②]　史評
王志堅　讀史商語四卷
王志慶　讀史日録四卷
陳朝璋　史乘考誤臨川人。萬曆中選貢，常州通判。
孫慎行　事編内篇八卷
鍾惺　史懷二十卷
楊時偉　狂狷裁中十卷
陸曾曄　綱目答問彙諸史考訂《綱目》。
梅士亨　訂補綱目摘要六卷宣城人。

---

① “瓚”，《千頃堂書目》卷五作“纘”。
② “珖”，《千頃堂書目》卷五作“珫”。

張溥　史論二編十卷

楊以任　讀史四集四卷

陳子龍　史論一卷

黄淳耀　史記雜論四卷一作《史記質疑》二卷。

釋信受　綱目集覽正誤

南山逸老　宋元綱目愚管二十卷

李士實　世史稽疑二卷

宋史筆斷十二卷不知撰人。

譚世選[①]　史評八卷

馮尚賢　史學彙編十二卷邵武府人。

朱明鎬　史糾二卷　又　史書異同三卷　又　新舊異同二卷

何讜　讀史機略十卷字韋長,黄岡人。

史抄類

朱右　三史鈎元

歐陽貞　□史提鈎七十卷分宜人。

黎貞　古今一覽二卷

王逢　史略標題[②]宣德時人。

徐咸　史略啟蒙

范理　讀史備忘八卷

盧文政　歷代一覽一卷江夏人。建文己卯舉人,太僕寺寺丞。

李裕　南臺分類史抄二十二卷張元禎序。

吕柟　史約三十七卷

---

① "譚",《千頃堂書目》卷五作"談"。

② "題",《千頃堂書目》卷五作"疑"。

楊慎　歷代史略詞話二卷

謝遷　通鑑分類撮要四卷陜西臨洮人。

鍾芳　續古今紀要十卷

歸有光　讀史纂言十卷

馮時可　南史伐山四卷

陳肅　歷代君相事略二卷

錢岱　南北史合纂四十卷

金瑶　十七史摘奇

許應元　史雋

林祺　古今指掌録字子祥，龍溪人。

陶大年　讀史日抄

沈科　史抄二十卷嘉善人。嘉靖甲辰進士，河南按察司副使。

王大紀　讀史詳節十卷①

鄭休　讀史備忘四卷

王仲　史學綱領六卷

吴韶　史鑑類編十六卷

陳朝璋　南北史藻四卷

李贄　李氏藏書六十卷

馬惟銘　史書纂略一百卷

祝萃　宋遼金元史詳節

余文龍　史贘二十五卷

王思義　宋史纂要二十卷

錢世揚　古史談菀三十六卷

趙維寰　雪廬讀史快編六十卷

王惟儉　史抄十三卷

---

① “讀”，原誤作“續”，據《千頃堂書目》卷五改。

陳梁　**史抄八卷**字則梁,海鹽人。

蔣杰　**十七史摘要**吴縣人。萬曆己丑進士,廣東副使。

包節　**二十一史意抄**

包萬有　**史編餘言**

張延登　**元史略二卷**

霍鵬　**宋史抄節十四卷**　**又**　**遼史抄節二卷**　**又**　**金史抄節六卷**　**又**　**元史抄節七卷**總名《四史抄節》。鵬,真定人。萬曆丁丑進士,巡撫山西,都御史。

職官類

大明官制二十八卷

諸司職掌十卷洪武二十六年三月,吏部署部事侍郎翟善同翰林儒臣編。先是,帝以諸司秩有崇卑,政有大小,無方册以著成法,恐莅官者罔知職任政事設施之詳,乃命依《唐六典》制,自五府至六部都察院以下諸司,凡設官分職之務,類編成書,及是成①。

憲綱一卷洪武四年五月,御史臺進,凡四十條,帝親加删定。其後,諸臣有任情增改者,宣宗再令考舊文而申明之。

宣宗御製官箴一卷凡三十五篇。

諸司衙門官制考二卷

官制大全十六卷

品級考二卷　**又**　**品級考五卷**

郭子章　**官釋十卷**

李日華　**官制備考二卷**

六部職掌六卷

---

① “成”後,《千頃堂書目》卷九尚有“詔刊行,頒布中外”語,當據補。

雷禮 國朝列卿年表一百三十九卷起明初，至隆慶。 銓曹表 南京太僕寺志十六卷 宋两府年表

王世貞 國朝公卿年表二十四卷

項篤壽 列卿年表

李維楨 國朝進士列卿表二卷

徐鑒 續列卿年表十册

黄尊素 隆萬两朝列卿紀

許重熙 國朝殿閣部院大臣年表十六卷起吴元年，迄天啟七年八月。

范景文 國朝大臣譜十六卷自吴元年至泰昌元年止，編年類次，内閣六部都察院遷除卒官事實皆具。 南樞志一百七十卷張可仕同輯。

明宰輔編年録

内閣事宜一卷

鄭曉 直文淵閣年表一卷 典銓表一卷

陳盟 崇禎閣臣年表一卷 又 内閣行略一卷

黄佐 翰林記二十卷 南雍志二十四卷 南雍條約一卷

陳沂 皇明翰林志

廖道南 殿閣詞林記二十二卷

續殿閣詞林記□卷不知撰人。

陸深 翰林記

吕本 館閣類録二十二卷

張元忭 館閣漫録十卷

周子義 中書直閣記

焦竑 詞林歷官表三卷 京學志八卷

翰苑題名録一卷

張位 詞林典故一卷 又 翰苑須知一卷 又 史職議一卷

周應賓 舊京詞林志六卷

董其昌 南京翰林院志十二卷

劉昌　南京詹事府志二十卷
李默　吏部職掌四卷
張瀚　吏部職掌八卷
吏部新修四司職掌四十卷
鄭汝璧　封司典故八卷
王士騏　銓曹紀要十六卷
宋啟明　吏部志四十卷
王佐　太宰問　橋門録和順人。户部尚書。
袁祥　天官紀事
銓衡　人鑑考十四卷
汪宗伊　南京吏部志二十卷　又　留銓志餘二卷
徐大相　銓曹儀注五卷
户部職掌十三卷
曾嶼　計部大事記
祝鳩氏十書《皇恩大賚録》,《京邊會議疏》,《邊鎮舊餉》,《遼餉支放册》,《黔餉簡明册》,《屯田議額》,《鹽法條例》,《搜括加派》,《官員姓名册》。
王崇慶　南京户部志二十卷
謝彬　南京户部志二十卷
吏禮二部條例
宋端儀　祠部典故
李廷機　春官要覽六卷
禮部儀制司職掌八卷
兵部四司職掌
李化龍　邦政條例十卷
譚綸　軍政條例類考七卷萬曆二年修進。
軍政條例七卷
兵部會議揭帖一卷

軍政事例六卷

軍政條例摘抄十卷

武選司邦政條例十一卷

陳夢鶴　武銓邦政二卷

南京兵部職掌五卷

李邦華　南樞新志四卷崇禎十三年，新定《四司職掌》。

留樞參贊考一卷　又　參贊行事

俞汝爲　南京兵部車駕司職掌八卷

應廷育　刑部志字仁卿，永康人。嘉靖癸未進士，福建按察司僉事。

龐嵩　刑曹志四卷　又　南京刑部志六卷

劉文徵　刑部事宜十卷萬曆。

陳公相　陸夢履　刑部文獻考八卷萬曆。

來斯行　刑部獄志四十卷

范宗文　秋官紀字以正，永寧人。萬曆甲辰進士，刑部郎中。

江山麗　南京刑部志二十六卷

刑部便覽四册①

曾同亨　工部條例十卷萬曆十九年編。

都穆　工部器皿志②

周夢暘　水部備考十卷

劉振　工部志一百三十九卷

南京工部職掌二十一卷

風憲事宜一卷

憲綱事例二卷

王廷相　申明憲綱録一卷

---

① “册”，《千頃堂書目》卷九作“卷”。

② “器”，原誤作“氣”，據《千頃堂書目》卷九改。

劉宗周　憲綱規條

傅漢　風紀輯覽四卷

符驗　西臺雜記八卷凡九類,曰天文,曰院址,曰院臺,曰官制,曰職守,曰俸秩,曰廨宇,曰表,曰文。

何出光　蘭臺法鑒録二十三卷

徐必達　南京都察院志四十卷　光禄寺志二十卷

留臺雜考八卷

丁旦　臺省寶鑑貴池人。

南京大理寺志七卷

朱廷益　通政司志六卷

陳贇　太常寺志天順中修。

夏時正　太常志十卷

陳慶　太常寺志十六卷

盧維楨　太常寺志十六卷太常寺博士。隆慶四年修。

蕭彦　太常紀二十二卷　掖垣人鑒十七卷

吕鳴珂　太常記二十二卷括蒼人。萬曆二十年纂。

倪嵩　太常典禮總覽六卷字仲卿①,當塗人。嘉靖己丑進士。官太常寺博士時編進。

屠本畯　太常典録六卷

太常寺考五卷不知撰人。

南京太常寺志十三卷

太常寺志外備録一卷不知撰人。

沈若霖②　南京太常寺志四十卷

南京太常寺典簿廳新纂便覽五卷

① “仲”,原誤作“中”,據《千頃堂書目》卷九改。

② “若”,原誤作“岩”,據《千頃堂書目》卷九、《明史》卷九十七改。

顧存仁　太僕寺志十四卷
楊時喬　皇明馬政記十二卷
李日宣　太僕寺志二十二卷
汪宗元　馬政條例官太僕寺卿修。
蔣宗魯　牧政事宜
何熊祥　馬政事宜
光禄寺志四卷
黄宗明　光禄須知嘉靖中編進。
高尚賢　供儲録字大賓，新鄉人①。正德丁丑進士。官光禄寺少卿時修。
南京光禄寺志四卷
鴻臚寺志四卷
韓鼎　尚寶司實録一卷合水人。成化辛丑進士，户部右侍郎。
熊尚文　符司紀
潘焕宿　南京尚寶司志二十卷
周崑　六科仕籍六卷嘉興人。嘉靖癸未進士。官刑科都給事中時輯。
南垣論世考
國子監監規一卷録洪武以來聖諭，凡監生入監，皆令背誦，不能者，不准支饌。
國子監建置沿革一卷始吴元年，至永樂五年。
吕柟　監規發明
邢讓　國子監志二十二卷一作《國子監通志》十卷。
謝鐸　國子監續志十一卷
張位　太學條陳覆抄一卷
吴節　南雍舊志十八卷
黄佐　南雍志二十四卷　又　南雍條約一卷　南雍新志十八卷

① “鄉”，《千頃堂書目》卷九作“鄭”。

王材　南雍申教録十五卷　又　太學儀節二卷　又　南雍再涖録一卷

崔銑　國子監條例類編六册①嘉靖二年編。

王輿　南京國子監條例六册②起洪武十五年，至成化十五年。又　續條例二十六册起成化十六年，至嘉靖二十二年。

吴錫　胄鑑長編③字用庶，金谿人。洪武中國子監助教。

盧上銘　馮士驊　辟雍紀事十五卷

汪俊　四彝館則例二十卷　四彝館考二卷

两館題名記一卷

使規

使職文獻通編二十二卷

秘省合編

楊樞　上林記八卷

王象雲　上林彙考□卷

南京上林苑志

李楨　首善編□卷④萬曆初，官順天府丞時輯。

錦衣衛紀事總目　又　紀事須知　又　錦衣衛事件

張可大　南京錦衣衛志二十卷

操練軍士律一卷洪武六年頒。又　軍法定律一卷

天下都司衛所一卷

驛傳事例

兵部續議驛傳事例

---

① "册"，《千頃堂書目》卷九作"卷"。

② "册"，《千頃堂書目》卷九作"卷"。

③ "鑑"，《千頃堂書目》卷九作"監"。

④ 空格處，《千頃堂書目》卷九作"一"。

楊紹芳　清軍條例[①]清軍两廣時輯。**又　刷卷事例**

傅鶚　軍政類編二卷凡十四類。鶚，應州人。嘉靖癸未進士，御史，山東副使。

熊太古　元京畿官制二卷

李□□[②]　**鹽梅志二十卷**字尉元。萬曆中，官雁門兵備。

吕邦燿　續宋宰輔編年録二十卷

彭韶　政訓五卷　又　天曹日録　又　秋臺録

汪天錫　官箴集要二卷嘉靖中御史。汝陽張仁和教諭，汪天錫編。

明職一卷

官常政要十四卷皆不知撰人。

謝鐸　宰輔沿革

王蓂　仕範

胡拱辰　文武學則

張選　作縣事宜

殷近仁　莅政誡銘四十二篇嘉興人。洪武初，爲平遥知縣，獻于朝。後官廣西參議。[③]

故事類

太祖御製永鑑録一卷訓親藩，一作二卷。**又　紀非録一卷**訓周齊潭魯諸王。**又　世臣總録二卷**自魯周公至唐劉蘭止，各有論斷。**又　宗藩永鑑録五卷　又　御製祖訓一卷**洪武二十八年九月庚戌，頒于内外文武諸臣。**又　祖訓條章一卷**洪武二年四月乙亥，詔中書省編定封建諸王國邑及官屬之制，至六年六月書成，目凡十三，帝自爲序，頒之諸王。且録于謹身殿及乾清

---

① "例"字原脱，據《千頃堂書目》卷九補。

② 空格處，《千頃堂書目》卷九作"茂春"。

③ "誡"、"平遥"，原分别誤作"諴"、"平溪"，據《千頃堂書目》卷十、《山西通志》卷九十二"殷近仁"條改。

宮東壁,命諸王亦書于王宮正殿、内宮東壁,以時觀省。　**又　昭鑒録五卷**太祖常命禮部尚書陶凱、主事張籌等采録漢、唐以來藩王善惡以爲鑒戒。後凱出参行省,編輯未成。于是詔秦王傅文原吉、翰林編修王僎、國子博士李叔元、助教朱綬、録事蔣子杰等纂修之。至六年三月書成,太子贊善、大夫宋濂爲序,以進,頒賜諸臣。一作二卷。　**又　申明誡諭書**洪武五年八月丙戌成,頒行天下。**又　爲政要録一卷**其書載文武官屬體統及僉書案牘次第,軍士月俸廪餼,于宿衛之禁屯田之政,凡十有三條,洪武三十年正月頒行。

存心録十八卷洪武四年,詔吴沈等編次祭祀壇位禮儀圖説,又以歷代災祥可驗者條列于後,且述齋戒之意以備觀覽。《國子監書目》作十卷。

省躬録十卷[①]《存心録》既成,復命贊善劉三吾編類漢唐宋以來災異之應于臣下者爲一書。洪武十九年三月成編,詔頒行之。

精誠録三卷洪武十六年二月,吴沈等撰進,類編古聖賢敬天忠君孝親之言散見于六經、《語》、《孟》、《國語》諸書者,每事各爲一類,命沈爲序。

醒貪録二卷洪武二十五年八月,命户部臣將内外官月給俸米之數以米計其用穀之數,又計其田畝米穀之數與其用力多寡爲書,頒賜中外,使知卹民。一名《醒貪簡要録》。

武士訓戒録一卷洪武二十一年頒,□類古今武臣善惡事,直解其義以訓之。

國朝制作一卷洪武初,王叔銘奉敕編輯。

宮殿類名[②]

大明會要八十卷[③]不知何人編,太祖開國時事,凡三十九則,曰帝系,曰仁政,曰后妃,曰封建,曰職官,曰官制,曰内職,曰版籍,曰方域,曰蠲放,曰禮樂,曰祭祀,曰賞賜,曰勸賞,曰祥異,曰學校,曰建言,曰兵政,曰除寇,曰僧道,曰開基濠泗,曰定策渡江,曰定鼎金陵,曰定北平,曰降西蜀,曰平雲南,曰克張士誠,曰取關隴,曰取山西,曰平廣海,曰來方谷珍,曰下八閩,曰平溪峒,曰收塞北,曰服荆楚,曰降遼東,曰奠西域,曰來納哈出,曰定四彝。

志戒録二卷洪武十九年十月頒,采古爲臣悖逆者,賜羣臣教官諸生講誦,俾知所

---

① “十”,《千頃堂書目》卷十一作“七”。
② “類”,《千頃堂書目》卷九作“額”。
③ “明”,原誤作“名”,據《千頃堂書目》卷九改。

鑒戒。

歷代公主録二卷洪武時編，始隋蘭陵公主，終唐襄陽公主，分善惡，以爲勸誡。

臣戒録十卷洪武十三年，胡惟庸謀叛事覺，命翰林侍臣纂修歷代諸侯王宗戚、宦官之悖逆不道者，凡二百十二人行事，録示中外羣臣。

歷代君鑑

宣宗御製歷代臣鑑三十七卷　又　外戚事鑒五卷俱宣德元年。

大明會典一百八十卷弘治十年十一月，帝以累朝典制，散見疊出，未會于一，敕大學士徐溥等倣《唐會要》、元《經世大典》、《大元通制》爲書。十五年正月書成，未及頒行。正德四年，復命大學士李東陽、焦芳、楊廷和等校訂，補正遺缺，成書。兩朝皆有御製序，其書止于弘治十五年。至嘉靖八年，復命閣臣纂修十六年以後迄于嘉靖九年以前事，例續之。

重修大明會典二百二十八卷萬曆四年，命閣臣續修嘉靖以來事例，迄萬曆十四年止。

條例全文三十卷

條例節略三十二卷

條例備考二十四卷

增修條例備考二十六卷一作二十卷。

宗藩要例二卷

宗藩條例二卷嘉靖四十四年二月，大學士李春芳等輯。

邦政條例二卷

武黄條例一卷[①]

問刑條例六卷

政刑類要八卷

科場切要事宜一卷萬曆四十六年，禮部頒。

學政格式

節行事例

---

① “一”，《千頃堂書目》卷九作“二”。

吕憲　國朝條例

諸司便覽見行條例十册

國朝山陵考

勞堪　皇明憲章類編四十二卷

徐學聚　國朝典彙二百卷都察院右僉都御史徐學聚督學山東日，編輯典故，爲此書。始于開國，迄于慶、曆。

馮應京　皇明經世實用編二十八卷

陳仁錫　皇明世法録九十二卷

宗藩名封録

宗藩事宜覆疏

戚元佐　宗藩議一卷隆慶初，元佐爲禮部郎中時上。

鄭汝璧　功臣封爵考八卷

公侯襲封底簿

國朝功臣鐵券式

黄溥　皇明經濟録五十二卷①

陳九德　删次名臣經濟録十八卷

黄仁溥　皇明經世要略四卷

鄧球　泳化續編十七卷

秘閣元龜政要十六卷

何鏜　修攘通考六卷

汪鯨　大明會計類要十二卷字時躍，績溪人。嘉靖戊子舉人，保寧府通判。

萬曆會計録四十三卷

户部新餉款目

萬曆九年清丈田糧録四卷

王儀　吴中田賦録字克敬，文安人。嘉靖癸未進士，右副都御史。

① “五十二”，《千頃堂書目》卷九作“十八”。

婁志德　两浙賦役成規十卷字存仁，通許人。正德丁丑進士，爲浙江右布政使時輯，後官山東巡撫，都御史。

均平録

两浙賦役全書十二卷

均平全議二卷

徐民式　三吴均役全書四卷

均役均田條議一卷

長洲縣清查全書六卷

錢嶫　賦役詳稿四卷字民望，南直隸通州人。嘉靖壬辰進士，浙江參政。

劉斯潔　太倉考十卷萬曆八年訂。

何士晋　廠庫須知十二卷

席書　皇明漕船志一卷　又　漕運録二卷

邵寶　漕政録十八卷①

户部漕運議單二册

楊宏　漕運志四册②字希仁，大河衛人。嘉靖中漕運總兵官。

漕乘八卷一曰《政》，二曰《船》，三曰《卒》，四曰《官》，五曰《河》，六曰《海》，七曰《倉》，八曰《刑》，不著撰人名氏。

漕運通志十卷

王在晋　通漕類編九卷

陳仁錫　漕政考二卷

趙官　後湖志五卷附録一卷字惟賢，合州人。正德辛未進士，南□科給事中。③

後湖黄册志六卷　又　重修後湖志十一卷

陳鍾盛　運册新考字惟德，臨川人。萬曆己未進士，曹濮兵備副使。

---

① "政"後，《千頃堂書目》卷九有"舉要"二字。

② "册"，《千頃堂書目》卷九作"卷"。

③ "五"、空格處，《千頃堂書目》卷九分别作"十一"、"京"。

余懋學　留儲志
丁賓　排門條編便民册
蔣宗魯　齊梁監兑録
崔旦　海運編二卷附元熊。
海運則例一卷
海運末議一卷
劉體仁　海道漕運記一卷
王宗沐　海運志二卷
梁夢龍　海運新考三卷
海運詳考
陸深　科場條貫一卷
明歷科殿試録七十卷　又　歷科會試録七十卷俱起洪武辛亥，迄崇禎庚辰科。
俞憲　皇明進士登科考十二卷
皇明歷科進士考二十卷
張朝瑞　皇明貢舉考八卷起洪武四年辛亥科，迄萬曆八年庚辰科。
明狀元考四卷
雷禮　明元魁表　又　豫章科目卷　又　豐城科第記
顧祖訓　皇明狀元圖考五卷
張弘道　皇明三元考十四卷　又　科名盛事録七卷
宋端儀　莆陽科名志　又　高科考①
張朝瑞　南國賢書六卷前編二卷
陳汝元　皇明浙士登科考十卷一作蘭溪郭若偉著。
邵捷春　閩省賢書六卷
甘雨　吉安貢舉考四卷

① “考”，《千頃堂書目》卷九作“録”。

張志淳　謚法二卷

何三省　帝后尊謚紀略

王世貞　謚法考六卷

鄭汝璧　皇明臣謚類抄二卷

鮑應鰲　皇明臣謚彙考二卷字山甫，歙人。禮部祠祭司郎中。

葉秉敬[①]　皇明謚考三十八卷

孫能傳　皇明謚法纂十卷字一之，奉化人。萬曆壬午舉人，中書舍人，後官主事。

郭良翰　皇明謚紀彙編二十五卷

咨訪謚號册

謚號録二册

王圻　謚法通考十八册[②]

功臣廟壁圖一卷

兵部見行事例

驛傳事例

史繼偕　皇明兵制考三卷[③]

軍政律條

軍政事實

兵部清軍事宜

侯繼高　全浙兵制考四卷

畢□□　國朝九邊兵略二卷官御史。

王士琦　三雲籌俎考四卷

陝西四鎮軍馬數

---

① “秉”，原誤作“來”，據《千頃堂書目》卷九、《四庫全書總目》卷八十三改。

② “册”，《千頃堂書目》卷九作“卷”。

③ “偕”，《千頃堂書目》卷九作“階”。

吕高　勘定三城録

復河套議①

何孟春　軍務集録六册②

閻世科　計遼始末四卷萬曆中督餉户部。

蔡鼎　邊務要略十卷

周文郁　邊事小紀六卷

王士騏　皇明馭倭録八卷

三省礦防考三卷③

劉應節　沿邊軍籌

武舉録式樣一卷正德十五年頒。

王瓊等　武舉奏議一卷

武進士登科考二卷

方日乾　屯田事宜五卷

屯政紀略一卷

楊守謙　屯田議一卷

張抱赤　屯田書一卷崇禎□□年□月,具疏呈進。

沈啓④　南船記四卷　又　南廠記

倪涷　船政新書四卷字霖仲,上虞人。萬曆甲戌進士,爲南兵部郎時修,後官瓊州知府。船政要覽二卷

船政條議一卷

司舫柳言二卷⑤

繕司條議以上不知撰人。

---

① “復”,原誤作“後”,據《千頃堂書目》卷八改。

② “册”,《千頃堂書目》卷九作“卷”。

③ “三”,《千頃堂書目》卷九作“二”。

④ “啓”,《明史》卷九十七作“岱”。

⑤ “舫柳”,《千頃堂書目》卷九作“船例”。

胡彥　茶馬類考六卷

陳講　茶馬志四卷遂寧人。嘉靖□□進士，山西提學副使[①]。

潭宣　茶馬志蓬溪人。

徐彥登　歷朝茶馬奏議四卷

王宗聖　榷政記十五卷[②]字汝學，義烏人。嘉靖甲辰進士，福建按察司僉事。

薛僑　南關志六卷

許天贈　北關志十二卷

田藝蘅　北新關志□□卷

王廷幹　北新關志十五卷

荆之琦　北新鈔關志十六卷

張裕　滸墅關志十六卷

焦希程　維揚關志四卷

潘潢[③]　清原關志四卷

袁表　河西關志六卷

開國以來節次賞賜則例文册三帙

洪武中招撫逃民榜文一卷

林希元　荒政叢言一卷嘉靖八年，希元爲廣東按察司僉事上，凡爲六綱，三十三目，參酌古法，體悉民情，帝以其切于救民，從之。[④]

宋纁　荒政輯略二册[⑤]萬曆十五年，河南、陝西災荒，户部尚書宋纁條奏事宜。

贺燦然　備荒議一卷[⑥]

---

① “學”字原脱，據《千頃堂書目》卷九補。

② “五”，《千頃堂書目》卷九、《明史》卷九十七無，當據删。

③ “潢”，《千頃堂書目》卷九作“璜”。

④ “叢”，原字污損，據《千頃堂書目》卷九補。另，“三十三”，《千頃堂書目》作“二十三”。

⑤ “册”，《千頃堂書目》卷九作“卷”。

⑥ “備”，《千頃堂書目》卷九作“救”。

劉世教　荒箸一卷[①]
長洲縣救荒全書八卷
宋繼吉　救荒活民補遺書三卷
陳幼學　救荒全書
張朝瑞　金華荒政　又　常平倉記
俞汝爲　荒政要覽十卷
章嘉楨[②]　里役書
南國畜艾編八册
余夢鯉　大明會典抄略十三卷户部郎中。
鄒泉　古今經世格要二十八卷
王圻　續文獻通考二百五十四卷
徐奮鵬　古今治統二十卷
朱健　古今治平略三十六卷進賢人。天啟辛酉舉人,推官。
李賢　鑑古録英宗時進呈,取堯舜以下二十三君所行最善者數十事。
顧濳[③]　稽古政要十卷弘治十六年,濳爲監察御史時進呈。
張居正　帝鑑圖説六卷隆慶六年八月進呈,取歷代人君善可爲法者八十一事,惡可爲戒者三十六事,每一事爲一圖。
焦竑　養正圖解二卷萬曆二十五年九月,修撰竑爲皇長子講官,編進。帝命賜皇長子,同官有嫉之者,言其私目,陳矩以進,坐浮躁,降廣東斷事。
劉誠　千秋日鑒録成化中,誠爲秀王長史編進。
劉元卿　六鑑舉要六卷
唐瑶　歷代志略四卷凡八類十五事。
戚雄　歷代君臣紀略四卷
馮柯　歷代宗藩訓典十二卷

① "箸"後,《千頃堂書目》卷九有一"略"字。
② "楨",《千頃堂書目》卷九作"禎"。
③ "濳",《千頃堂書目》卷十一作"潛",小注同。

張銓　纂古録六卷[①]
耿定向　碩輔寶鑑要覽四卷
黄廷鵠　爲臣不易編八卷字孟舉，松江人。順天府通判，崇禎初進呈。
宋纁　古今藥石
吴伯與　宰相守令宙合
喬懋敬　古今廉鑑八卷一名《壺天玉露》。號純所，松江人。
錢陞　錢氏廉鑑四卷
徐元太　全史吏鑑四卷
李仲僎　循良彙編四卷
牧津四十四卷[②]
李廷寶　牧民懿矩曲江人。舉人，官長史。
蔡國熙　守令懿範四卷隆慶間蘇州府知府。
李春芳　增輯殷棠川仕途監懲録
李栻　循良政範三卷
丁旦　守令寶鑑
成勇　李署　炯戒録取古今吏治得失加以論斷爲書。
夏寅　政鑑三十二卷起堯舜，迄元，采經史諸書之言吏事者。成化十六年自序。
張朝瑞　宋登科録
張幹　狀元紀事三卷起宋太祖建隆庚申，至明世宗嘉靖己丑科。
宋狀元考十二卷
劉三吾　志戒録二卷採晋里克至宋劉正彦諸人事寔，一名《歷代姦臣備傳》。
王禨　中官中鑒録七卷
張世則　貂璫史鑒四卷
中貴芳摹一卷

---

① “纂”，《千頃堂書目》卷十一作“慕”，《明史》卷九十七作“鑑”。
② 此條，《千頃堂書目》卷十一有作者，爲“祁承㸁”。

李貴　思齊録集古宦寺可法者,以訓内書堂中官。

徐學聚　歷朝璫鑒四卷

吴麟徵　黨鑑四卷

金忠　御世仁風四卷萬曆時守備鳳陽中官。

時令類

李泰　四時氣候解四卷

黄諫　月令通纂四卷

盧翰　月令通考十六卷

袁衮　歲時記一卷

許仲譽　月令事紀四卷

陳堦　編日新書十二卷字吉藪,應城人。陳士元子,人稱博學如其父。

洪常　歲時節氣集解一卷

陳經邦　月令纂要一卷

陳三謨　歲序總考七卷　又　歲時事要一卷

馮應京　月令廣義二十四卷

吴嘉言　四季須知二卷

陸啟浤　長安歲時記一卷

食貨類

張之象　註桓寬鹽鐵論十二卷

朱廷立　鹽政志十卷

两淮簡明鹽法二卷

史啟哲[①] 两淮鹽法志十二卷

陳聘 两淮鹽法志六册運使。嘉靖間修。

袁世振 两淮鹽政疏理成編十五卷字仲建，祁州衛人。萬曆戊戌進士，两淮鹽法副使。

唐臣 两浙鹺志巡鹽御史。

两浙鹽法條例五十卷

欽依鹽法要覽 又 要覽續編共十四卷

两浙行鹽事宜六卷

招商事宜一卷

場所公費事宜一卷

重修两浙鹺志二十卷[②]

两浙訂正鹽法四卷

王圻 两浙鹽志二十四卷

冷宗元 長廬鹺志七卷[③]

許天贈 两浙長蘆事宜字德夫，黟縣人。嘉靖乙丑進士，山東參政。[④]

李開先 山東鹽法志六卷

譚耀 山東鹽法志四卷

王貴 山東鹽法志字道光，清江人。嘉靖壬午舉人，鹽運同知。[⑤]

詹榮 河東運司志十七卷

蔣春芳 河東運司志五册[⑥]

---

① “哲”，《明史》卷九十七同，《千頃堂書目》卷九、《四庫全書總目》卷八十四作“蟄”。

② “二”，《千頃堂書目》卷九作“三”。

③ “廬”，《千頃堂書目》卷九作“蘆”。

④ “贈”、“山”，原分别誤作“增”、“廣”，據《千頃堂書目》卷九、《四庫全書總目》卷十七“詩經正義”條改。

⑤ “光”、“清”，《千頃堂書目》卷九分别作“先”、“靖”，當據改。

⑥ “司”字原脱，據《千頃堂書目》卷九補。

八閩鹽政志

謝肇淛　王宇　八閩鹺政志十六卷

李檽　粵東鹽政考

粵西鹽政考二册萬曆間修,不知撰人。

陳善　黑白鹽井事宜二卷　又　六衛倉條革二卷

傅浚　鐵冶志二卷福建南安人。弘治己未進士,工部郎中,督理遵化鐵冶。

羅汝芳　大明通寶義一卷

郭子章　泉史十二卷

□□□錢通

錢法八規一册

余思孝　食貨志選三卷

陸深　古奇器録一卷

徐象梅　廣古奇器録二卷

王惟儉　古事抄五卷　又　璽史一卷

胡文焕　古器具名二卷　又　古器總説一卷

郭子章　劍記一卷

錢希言　劍筴

寶璽圖式二册洪武二十一年,内使阮程于内承運左六庫,取出大玉寶五十顆①,小玉圖書一百四十一顆,辯驗文字,分類編進。

顧□□　印藪六卷②

周應愿　印説一卷

羅王常　秦漢印統八卷字延年,歙人。

徐官　古今印史一卷

周嘉胄　香乘三十六卷

---

①　"寶",《千頃堂書目》卷九作"璽"。

②　《四庫全書總目提要》卷一百十四有"印藪六卷"條,明顧從德撰。

林有麟　素園石譜四卷
范明泰　清宛堂石譜一卷
葉良貴　歙硯志四卷[①]婺源人。饒州知府，一作葉天球。
許如蘭　天然硯譜一卷
茅康伯　硯譜一卷
麻三衡　墨志
顧□□　冠譜一卷字孟容。永樂甲辰，尤芳序。
蘇化雨　麯志七卷
馮時化　無懷山人酒史二卷　又　酒經三卷
夏樹芳　酒顛四卷　又　茶董四卷
寧獻王權　臞仙茶譜一卷
顧元慶　茶具圖一卷　又　大石山房十友譜一卷　又　茶譜二卷
田藝蘅　煮泉水品一卷[②]
徐㶿　茗笈三十卷
張源　茶録一卷字伯淵。
方于魯　墨譜六卷
程君房　墨苑十卷
鍾泰華　文苑四史一卷
甘旭　印正五卷
張應文　焚香略一卷　又　清秘藏二卷崑山人。
趙世顯　玉史一卷
徐令　印史一卷號榆菴，吴縣人。
王希旦　大禹九鼎圖述一卷

---

① “歙”後，《千頃堂書目》卷九有一“縣”字。
② “蘅”，《千頃堂書目》卷九作“衡”。

屠本畯　茗笈三卷

陸樹聲　茶寮記一卷

許然明　岕茶疏一卷

馮可賓　岕茶箋一卷

高元濬　茶乘四卷

陳克勤　茗林一卷

羅廩　茶解一卷

朱曰藩　盛時泰　茶事彙輯四卷一名《茶藪》。

萬邦寧　茗史二卷

程伯二　品茶要録補一卷

李鳴雷　古酒史六卷

徐炬　酒譜一卷

午橋釣叟　酒譜續編四卷

馮元仲　酒克一卷

李伯良　酒史評二卷

韓奕　易牙遺意二卷　又　續易牙遺意一卷周履靖。

孫鑛　坡公食飲録二卷

朱泰來　飲食須知一卷

王路　花史左編二十四卷

陳詩教　灌園史四卷

王象晋　二如亭羣芳譜二十八卷

蔣以化　花編六卷①

江之源　百花藏譜二卷

高濂　三徑怡閒録二卷

靜虛子花譜一卷

---

①　"六",《千頃堂書目》卷九作"四"。

高元濬　花疏六卷
陳正學　灌園草木識六卷
周憲王橚　誠齋牡丹譜并百咏一卷
安淈　叢桂牡丹譜一卷
朱統鐙　牡丹志
亳州牡丹志一卷
薛□□[①]　牡丹史四卷
東會王草花譜一卷
鎮平恭靖王有炫　德善齋菊譜一卷
黄省曾　藝菊書一卷
盧璧　東籬品彙録一卷[②]字國賢，南京金吾右衛人。嘉靖戊戌進士，苑馬寺少卿。
施三捷　澹圃菊譜二卷
周履靖　菊譜一卷
陳翥[③]　桐譜一卷
張應文　羅鍾齋蘭譜二卷　國香集一卷集宋元諸家蘭譜。
屠本畯　閩中荔枝譜八卷
徐㶿　荔枝通譜十六卷鄧慶寀補。
宋珏　荔枝譜一卷
曹蕃　荔枝乘一卷
宋□□　竹嶼山房雜部二十七卷前集《樹畜》四卷，《養生》六卷，《家要》二卷，《宗儀》二卷，《家規》四卷，後集《種植》一卷，《尊生》八卷。前集宋久甫著，後集宋天民著，孫孝廉稚源輯。
楊慎　異魚圖讚四卷

① 空格處，《千頃堂書目》卷九、《四庫全書總目》卷一百十六作"鳳祥"，可據補。
② "一"，《千頃堂書目》卷九作"六"。
③ "翥"，原誤作"翦"，據《四庫全書》本《直齋書録解題》卷十、《千頃堂書目》卷九改。

屠本畯　閩中海錯疏三卷

張九峻[①]　**海味索隱一卷**

曹蕃　食品記一卷

吴禄　食品集二卷

黄省曾　養魚經一卷　又　獸經一卷自註。

袁達　禽蟲述二卷字德修,閩縣人。博學强記,性迂不曉事,人謂爲痴,爲貴溪令。嘉靖間,詣闕獻賦,執政以其無奇也,罷之。

蔣德璟　鸛經十二卷[②]

趙世顯　鳳談一卷

郭子章　馬記一卷

楊時喬　馬書十四卷　又　牛書十二卷

賈□□　牛經四卷

鴿經一卷

徽府叙刻促織譜一卷

徐㶿　蜂經疏二卷

蜂譜一卷

鄧玉函[③]　**遠西奇器圖説三卷**

儀注類

大明集禮五十卷洪武二年八月,帝以國家創制之初,禮制未備,中書省令天下郡縣舉素志高潔、博通古今、練達時宜之士,年四十以上者,禮送至京。參考古今制度,以成一代之典。于是儒士徐一夔、梁寅、劉于、周子諒、胡行簡、劉宗弼、董彝、蔡深、

① “峻”,《千頃堂書目》卷九作“峻”。

② “鸛”,《千頃堂書目》卷九作“鶴”。

③ “玉”,原誤作“王”,據《千頃堂書目》卷九、《四庫全書總目》卷一百十五“奇器圖説三卷”條改。

滕公琰等至京。時曾魯以《元史》方成，共奏留之，與諸儒同纂修。明年九月書成，詔頒行之。一作五十三卷。初係寫本，嘉靖九年命禮部校定刊行。

孝慈録一卷洪武七年九月庚寅成。穆貴妃孫氏薨，敕禮官定喪服之制，乃命翰林學士宋濂考定古制爲是書，十一月庚戌書成，帝自爲序。

行移繁減體式一卷洪武十二年八月，先是，元末官府文移案牘繁冗，非老吏不能通曉。欲習其業，必以吏爲師，官亦惟吏是聽。每曹主之者曰主文，附之者曰貼書，曰小書生，肆爲奸利。帝厭之，命廷臣減其繁文，著爲定式，鏤板頒之，永爲遵守。

禮儀定式一卷洪武二十年冬十月頒。

洪武禮制一卷

教民榜文一卷洪武三十一年二月十九日，户部尚書郁新等同文武群臣于奉天門早朝，欽奉聖旨頒行。

稽制録一卷洪武二十六年三月，詔儒臣編輯功臣服舍制度，自爲序。

禮制集要一卷命學士劉三吾編輯官民服舍器用等類成書，以戒僭越。凡爲目十有三，自冠服器用以至儀從奏啟書押，皆有等第。洪武二十八年十一月成。

稽古定制一卷洪武二十九年十一月，頒示功臣。

鄉飲酒禮圖式一卷洪武十六年十月頒。

祭祀禮儀六卷載明初列在祀典諸神祇儀注。

建言格式洪武八年十二月頒。　**又　繁文鑑戒　又　表箋式**

皇明禮制一卷明初祀典諸儀，自郊丘至王國山川，凡二十一類。

國初郊壇祭享儀注十卷

祭祀儀注十卷自大祀天地至普濟禪師各祭祀儀注。　**又　祭祀儀注十卷**[①]自圜丘至祀壇圖、陳設、樂舞、祭器、禮物、祝文、樂章、儀注。

禮書四十一卷不知何時纂，凡十七册，目録一册，吉禮五册，軍禮、凶禮共一册，制度一册，喪禮三册[②]，考正一册，官制二册，公式三册，雜禮一册。

大明禮制二十五卷不知何人編。

太祖謚議一册永樂元年，上謚群臣撰進。

---

① “十卷”，《千頃堂書目》卷九作“六册”。

② “喪”，《千頃堂書目》卷九作“嘉”。

巡狩事宜一册永樂間儀注。

瑞應圖一册[①]永樂十六年，建北京宫闕，有卿雲瑞光之祥，帝令日紀爲圖，各爲之説，以示皇太子，令修德以應天意。

成化元年幸學儀注一册[②]

世宗御製忌祭或問一卷嘉靖七年。

祀儀成典七十一卷嘉靖間，更定大小諸祀典，自一卷至三十七卷爲更定儀文，三十八卷以後附録章奏賦頌。

郊祀通典二十七卷嘉靖□□年，禮部尚書夏言等撰進，採集四郊禮儀，以欽定儀注爲經文，附以考議爲傳註。一作五十卷。

世宗尊上皇天上帝儀注一卷

大駕鹵簿圖一册

中宫鹵簿圖一册

儀仗圖三册

東宫儀仗圖一册

親王儀仗圖一册

東宫妃及公主郡主儀仗圖一册

乘輿冕服圖説一册[③]嘉靖八年□月，帝諭大學士張璁，謂古者上衣下裳，不相掩覆，今衣通掩其裳，且古裳如帷幔，今止兩幅，均非禮制，命更定之。因分十二章，衣裳各六。璁考自古有虞及周以下之制爲説，繪圖以進。

乘輿武弁服制圖一卷帝又謂璁凡乘輿親征，有類造宜禡之祭，當具載武弁服，令考古制，繪圖以進，璁爲之注説。

玄端冠服圖一卷[④]嘉靖七年，帝製燕居之冠曰燕弁，服曰玄端，並深衣帶履，大學士張璁繪圖爲説以進。

御製保和冠服圖一卷嘉靖七年，光澤王□奏請冠服之式，帝命大學士張璁以燕

---

① 此條，《千頃堂書目》卷九作“瑞應圖説一卷”。

② “册”，《千頃堂書目》卷九作“卷”。

③ “册”，《千頃堂書目》卷九作“卷”。

④ “圖”後，《千頃堂書目》卷九有一“説”字。下“御制保和冠服圖”條同。

弁爲準，參考降殺以賜宗室，璁爲圖説以進。

中宫以下及郡主冠服圖式一卷①

朝服圖一册文武諸臣朝服、公服、常服、衣履、帶笏之式。

太宗總圖一卷②

獻皇帝廟殿圖一卷

天壽山諸陵總圖一卷

泰神殿圖册一卷

帝王廟總圖二卷

大仙都等殿并旋坡臺圖樣一卷

大高玄等殿圖一卷

皇史宬並景神等殿圖二卷③

圓明閣陽雷軒殿宇圖一卷

圜丘總圖一卷

方澤總圖一卷

皇穹宇崇雩壇神祇壇圖樣一卷

大享殿圖一卷

朝日壇總圖一卷

夕月壇總圖一卷

神祇壇總圖一卷

社稷壇圖一卷

雩壇總圖一卷

沙河行宫圖一卷

鼓樓圖一卷

① “主”，《千頃堂書目》卷九作“王”。

② “宗”，《千頃堂書目》卷九作“廟”，當據改。

③ “二”，《千頃堂書目》卷九作“一”。

龍鳳船方船四脊黄船圖一卷以上皆嘉靖間繪進。

圜丘方澤祭器圖一卷

樂器圖一卷

朝日夕月壇祭器圖一卷

樂器圖一卷

太廟供器祭器圖一卷

大享殿供器祭器圖一卷

司設監圖四卷

兵仗局圖五卷

巾帽局圖五卷①

鍼工局圖四卷以上皆圖各壇所用神御物件,並大次帷幄各鎖鑰、執事人冠帶靴履祭服等圖式。嘉靖九年繪進。

嘉靖祀典十七卷紀嘉靖祀典沿革,不知編輯名氏。

皇明典禮一卷萬曆三十四年三月初三日,封皇太子才人頒。

太廟儀注便説一册萬曆二十一年,御史趙楷輯。

朝儀二册

親王昏禮儀注一册　又　公主郡主郡君昏禮儀注一册

婚禮傳制遣官圖一册

車駕巡幸禮儀一册

陵寢禮式一册

欽降禮制一册

欽禁奢侈一册

儀制禮式一册

王國儀注一册

---

①　"五卷",《千頃堂書目》卷九作"四册"。

儀制事例一册[1]
鴻臚儀注二册
出使儀注二册
射禮儀注一册
到任儀注一册
累朝禮儀榜例一册
行移體式二卷
欽定儀注輯録一册隆慶六年，漳州府知府羅青霄採輯郡邑慶賀、祭祀諸儀。
射禮儀節二册萬曆二十三年，四川提學副使黄充纘編。
嚴嵩　東宫監國事宜一册
朱國祚　册立儀注一卷
皇甫濂　皇明藩府政令一册
郭正域　皇明典禮志二十卷
朱勤美　王國典禮八卷
謝鐸　祭禮儀注
俞汝楫　禮儀志一百卷字汝濟[2]，華亭人。
容臺儀注
鴻臚寺儀注要録二卷
正德二年新奏禮儀一卷

政刑類

大明律三十卷洪武六年，命刑部尚書劉惟謙詳定，其篇目皆準唐律，采用舊律三百八十八條，舊令改律二十六條，因事制律二十一條，掇唐律以補遺一百二十三條，合

① “制”，《千頃堂書目》卷九作“注”。
② “濟”，原誤作“楫”，據《千頃堂書目》卷二改。

六百有六條。其間損益務合輕重之宜,每成一篇,輒繕寫以進。帝令揭于两廡之壁,親加裁定。及成,命學士宋濂爲表以進。九年十月,又謂猶有擬議,命右丞相胡惟庸、御史大夫汪廣洋復詳加考定,釐正者凡十有三條,餘仍故。

更定大明律三十卷洪武二十八年,刑部言比年律條增損不一,在外理刑官及初入仕者不能盡知,致令斷獄失當,請編類頒行,俾知所遵守。遂令翰林院同刑部官取比年所增者,參考折衷,以類編附。舊律名例附斷讞之下,今移載篇首,凡四百六十條。

律令直解□□卷吴元年,太祖以律令初頒,恐民一時不能盡知法意,乃命大理卿周禎直解其義,頒之郡縣,使人人通曉。十二月進呈。

大明令一卷太祖命楊慈、劉基、陶安等裁定,分六曹,凡一百四十五條。洪武元年□月頒行。

御製大誥一卷　又　大誥續編一卷　又　大誥三編一卷太祖以中外臣民染元之俗,往往不安職業,觸罹刑章,乃倣成周《大誥》治之,制爲《大誥》三編。其意切至詳明,皆帝自爲序。初編成于洪武十八年,二編、三編皆成于十九年。

大誥武臣一卷洪武二十年十二月,帝以武臣多出自行伍,罔知憲典,所爲往往罹法,乃製《大誥》三十一篇以訓。

武臣敕諭一卷洪武二十一年頒。

昭示奸黨録一卷　第二録一卷　第三録一卷黨獄[①]。

清教録□卷備列僧徒交結胡惟庸謀逆爰書,凡六十四人。

逆臣録五卷太祖敕翰林臣輯録藍黨獄詞。

彰善癉惡録三卷

癉惡續録一卷

集犯諭一卷録國初罪犯正典刑者,爲圖書其名姓罪狀以訓吏,編修吴沉序。

長史黄章等　薄福不臣榜文一卷章,福建人,爲文華殿直府長史。洪武三十年,與侍讀張信、侍講戴德彝、贊善王俊、華司憲、修撰陳郊、編修尹昌隆、劉諤等翻閲學士劉三吾主考會試落卷,以不用心批閲,且所進卷,有"一氣交而萬物成"及"至尊者君,至卑者臣"等語,坐罪,皆寘于法,惟德彝與昌隆免,特榜其事以示戒。

戒敕功臣鐵榜一卷

---

① "黨獄",《千頃堂書目》卷十作"皆胡黨獄詩"。

大明律例七卷

發落便覽

重修問刑條例□卷嘉靖二十九年。

三朝律例事實四十册

欽定逆案一卷崇禎二年。

顧應祥　重修問刑條例七卷

朱升　刑統賦解

劉惟謙　唐律疏義十二卷

何廣　律解辯疑三十卷上海人。洪武中,以明經薦爲縣令,累官湖廣參議。

程仁壽　刑統賦解歙縣人。

陳廷璉　大明律分類條目四卷

張楷　大明律解□□卷　又　律條撮要□□卷

應檟　大明律釋義三十卷　又　讞獄程□卷

高舉　大明律集解附例三十卷

范永鑾　大明律例三十卷

徐舟　律法詳明

應廷育　讀律管窺□□卷[①]字仁卿,永康人。嘉靖癸未進士,福建按察司僉事。

雷夢麟　讀律瑣言三十卷字伯仁,豐城人。嘉靖甲辰進士,刑部員外郎。

孫存　大明律讀法書三十卷

王樵　讀律私箋二十四卷

鄭汝璧　大明律解□□卷

陸東　讀律管見祥符人。

林兆珂　註大明律例二十卷

---

① 空格處,《千頃堂書目》卷十作"十二"。

律解附例八卷隆慶五年二月,刑科給事中王之垣奏請編輯[①]。
舒化　問刑條例七卷　又　刑書會據三十卷
王肯堂　律例箋解三十卷
歐陽東鳳　闡律一卷
刑書會典十八卷
熊鳴岐　昭代王章十五卷
吴訥　祥刑要覽二卷
何文淵　司刑備用□卷
盧雍[②]　祥刑集覽江寧人。天順丁丑進士,湖廣右布政使。
陳璋　比部招擬二卷字宗獻,樂清人。弘治乙丑進士,刑部郎中,歷官本部侍郎。
王槩　王恭毅公駁稿二卷
李裕　山東雪寃録一卷
張綸　棘臺駁稿字大任,宣城人。成化甲辰進士,右都御史。
熊桂　大理駁稿新建人。弘治己未進士,爲大理評事,平反獄詞。
魏有本　大理駁稿字伯深,餘姚人。正德辛巳進士,漕運都御史。
戴時宗　大理駁稿
王樵　棘寺審駁[③]
李祐　南法司駁稿六卷字吉甫,清平衛人。嘉靖丁未進士,巡撫南贛,都御史。
鄭世威　陝西審録揭帖一卷
陳璋　禮律類要光州人。與前陳璋别一人。
蘇祐　法家裒集一卷
王鵬　洗寃叙述録祥符人。成化辛卯舉人,知衡州府,釋滯獄囚數百人。

---

① "二月",《千頃堂書目》卷十作"三月"。
② "雍",《千頃堂書目》卷十作"廷佐"。
③ "審駁",《千頃堂書目》卷十作"駁審"。

金文[1]　**好生録三卷**成化壬辰，文以刑部郎中奉敕審理南畿刑獄，平反二百七十餘事，其奏稿也。

黄仲芳　**薇垣平恕録**[2]　**又**　**琴堂平恕録**建安人。永樂乙未進士，雲南右參政。

王乘　**無冤録一卷**永嘉人。一稱“羊角山叟”。

黄芳　**法家要覽三册**

蕭緒　**政刑辨釋五卷**字正業，萬安人。舉人，官宿遷、海門知縣。

任志[3]　**增補疑獄集一卷**

王士翹　**慎刑録二册**

翁汝進　**明刑録二卷**

龔大器　**比擬指南五卷**

杜輅　**山西恤刑疏草六册**

熊尚文　**天中明刑録六册**

李文麟　**淑問彙編八卷**　**又**　**聽斷衡鑑一卷**

陳幼學　**欽卹題稿**

何熊祥　**平刑八議**新會人。萬曆壬辰進士，吏部尚書。

余懋衡　**仁獄類編三十卷**

閻世科　**敬刑録四卷**字伯登，其先太原人，居山陽。萬曆甲辰進士，湖州推官，治獄有聲，後歷寧前兵備道。

招擬假如十五卷

竇子偁　**敬由編十二卷**

王圻　**洗冤録二卷**

李栻　**盡心録六卷**

魏客　**爰書一册**

---

① “金”，原誤作“余”，據《千頃堂書目》卷十、《浙江通志》卷二百四十四改。

② “薇”，《千頃堂書目》卷十作“徽”。

③ “任”後，《千頃堂書目》卷十有一“智”字。

五虎五彪招一册

崔呈　秀招一册

張體　乾招一册[①]

補註大明律例致君奇術十二卷不知撰人。

朱逢吉　牧民心鑑三卷

鄭節　續真西山政經二卷字從儉,蘭溪人。正統中南道御史。

何文淵　牧民備用一卷文淵爲温州守時所編,本之經史,參以時政爲書。

李裕　古澹政略

薛文清　從政録一卷一名《從政名言》。

段正　柏臺公案八卷一作十五卷。

包澤　東川政蹟十二卷字民望,鄞縣人。弘治丙辰進士,南道御史。

蔣公政訓一册

龔輝　全陝政要四卷一作二卷。

許襄毅公異政録一卷

徐獻忠　四明平政録

黄焯　尊美堂政録五卷

沈啓　牧越議略

蔡潮　湖湘學政一卷　又　判義六卷臨海人。弘治乙丑進士,河南右布政使。

黄瓚　東宦録四卷

錢嶸　問政集三卷

唐隆　吏議一册　又　循吏私録一册

劉穩　兩粤政紀　又　粤中傜訓字朝重,鄠縣人。嘉靖丙辰進士,南京太僕寺少卿。

李貴　五先生政蹟五先生者,濂溪、明道、横渠、紫陽、象山。

---

① “乾”字後,《千頃堂書目》卷十有一“等”字。

吕高　湖南訓規　又　校藝録

李希雒　政學訓言録三卷太原人。嘉靖中渭南知縣，後官吏科給事中。

項喬　政録[①]

海瑞　淳安政事録

許孚遠　牧政略

孫應鰲　教秦語録　又　南雍彙稿　又　續稿

李渭　大儒治規三卷

薛應旂　學政公移三卷

宗臣　學約一卷

吕柟　署解文移

李嘉祥　治開政蹟貴池人。弘治丙辰進士，知開州，有治行，弟呈祥纂其事以傳。

林希元　欽州政略

劉時俊　三邑政編三卷

王樵　浙西行事　又　計曹判事　又　西曹判事

余自强　治譜十卷字健吾。[②]

梁綱　當官三事録三卷稷山人。

張朝瑞　两邑節愛録

儲鐵　儲公從政事宜十八册鐵巡按中州文移條約及巡撫奏議。

葉春及　惠安政書十二卷

吕坤　吕公實政録七卷

郭子章　撫黔公移四卷

周孔教　撫吴公移四卷

沈節甫　代庖公案八卷

胡友信　政蹟録

---

① “政”前，《千頃堂書目》卷十有“歐東”二字。

② “十”、“健”，《千頃堂書目》卷十分别作“七”、“建”。

鄒元標　筮仕要訣一卷

曹璜　治術綱目字子渭,益都人。萬曆丙戌進士,通政司右參議。

袁黄　寶坻政書二卷　又　袁氏政書二卷

姜志禮　温陵實政録一卷

王士騏　代庖録二卷

曹學程　矦城攻略[①]

陳玉輝　文江政紀三卷惠安人。萬曆辛丑進士,吉水知縣,後官南京河南道御史。

黄汝亨　江西學政申言一卷

蘇茂相　臨民寶鏡十六卷

陳幼學　治湖實政

陳龍正　政書二十卷

傳記類

黄金　開國功臣録三十一卷　續録一卷字良貴,定遠人。成化甲辰進士,吏部郎中,出爲廣西參議。録自徐達至指揮李觀,凡五百九十一人。

錢謙益　開國功臣事略

靖難功臣録□□卷不知撰人。

謝鐸　國朝名臣事略□□卷[②]前集洪武時人,别集永樂時人,後集洪熙、宣德以至成化時人。

彭韶　皇明名臣録贊二卷凡三十一人。

楊廉　皇明名臣言行録四卷凡五十四人。**又　理學名臣言行録二卷**

徐咸　皇明名臣言行録前集十二卷　後集十二卷海鹽人。正德辛未

---

① "矦",《千頃堂書目》卷十作"緱"。

② 空格處,《千頃堂書目》卷十作"二十"。

進士，襄陽知府。

李廷機　國朝名臣言行録

沈應奎　名臣言行録新編三十四卷

孟化鯉　理學名臣言行録

何喬新　勳賢琬琰集

王道　皇明名臣琬琰録二卷　又　琬琰續録二卷

徐紘　國朝名臣琬琰録五十四卷字朝文，武進人。弘治庚戌進士，雲南按察司副使。

王世貞　楊豫孫　補輯名臣琬琰録一百十册

沈節甫　琬琰廣録

焦竑　國史獻徵録一百二十卷《經籍志》作三百六十卷。

史乘　通録宗室内閣六十三卷

史乘　科録一百十五卷

尹直　名臣言行通鑑　又　名相贊一卷

雷禮　國朝列卿紀一百六十五卷始洪武，迄嘉靖，隆慶一朝則子映所補①。

　又　閣臣行實八卷

王世貞　嘉靖以来首輔傳八卷　又　名卿績紀六卷②

李贄　史閣萬年

李廷機　皇明閣臣録六卷一名《皇明閣臣》③。

吴伯與　内閣名臣事略十六卷

薛應旂　皇明人物考七卷鄭以偉著④。

唐樞　國琛集二卷

顧璘　國寶新編一卷

---

① “映”後，《千頃堂書目》卷十有一“濼”字。

② “績紀”，《千頃堂書目》卷十作“續紀”。

③ 第二个“臣”字，《千頃堂書目》卷十作“史”。

④ 此條小注，《千頃堂書目》卷十作“饒鄭以偉注評”。

項篤壽　今獻備遺四十二卷

凌迪知　國朝名世類苑四十六卷字稚哲，歸安人。嘉靖丙辰進士，工部員外郎。

錢薇　國朝名臣事實海鹽人。嘉靖壬辰進士，禮科給事中。

李贄　續藏書二十七卷

唐鶴徵　明輔世編六卷自李善長至胡宗憲，凡四十二人，采其有裨經濟者輯之。**又　續編五卷**

童時明　昭代明良録二十卷

董宜陽　近代人物志

劉夢雷　聖朝名世考四卷

林塾　重修明名臣録二卷

過庭訓　直省分郡人物考一百十五卷

王兆雲　詞林人物考十二卷字元禎，麻城人。

張璽　明尚友集十六卷

江盈科　皇明小傳十六卷①

李裁　皇明論世四卷福清人。萬曆中貢士，崇陽訓導。

張問仁　國朝名臣履歷

林之盛　應謚名臣傳十二卷字貞伯，錢塘人。自洪武迄萬曆，凡二百八十七人。

黄居中　明文徵論世録□□卷②

瞿汝説　臣略纂聞

馮復京　先賢事略十卷

劉同升　國朝名臣傳自洪武至崇禎。

劉上卿　國朝五達編五卷　又　歷代五達編一卷

---

① “皇明”，《千頃堂書目》卷十作“明臣”。下條“皇明論世”同。

② 此條，《千頃堂書目》卷十“明”前有一“皇”字，無“世”字。

杜瓊 紀善録一卷
陳沂 畜德録一卷
耿定向 先進遺風二卷一名《芳編》。
顧憲成 清夢録一卷
蘇茂相 皇明寶善類編二卷
史旌賢 維風編二卷
鄒期楨[①] 東林諸賢言行録無錫人。
太祖御製中山武寧王碑文一卷
黔寧行實
郭勛 三家世典一卷輯徐達、沐英、郭英三家世系、履歷、勳伐、遭遇本末。
郭良毓 慶勳懿集八卷
李臨淮 世恩録五卷
宋濂 歷官記一卷
鄭楷[②] 宋氏傳芳録五卷
青文勝遺愛録二卷五世孫青時中輯。
尚書嚴公流芳録六卷嚴震直曾孫思南推官續編。
寧陽王行狀
解學士年譜二卷
解春雨事略一卷
胡文穆公两朝寵澤録一卷
蹇忠定公年譜一卷
楊文貞公事實一卷
夏文靖公遺事二卷孫尚寶司丞瑄輯。[③]

---

① "楨",《千頃堂書目》卷十作"禎"。
② "鄭",原誤作"郭",據《千頃堂書目》卷十、《浙江通志》卷二百五十四改。
③ "二"、"丞",《千頃堂書目》卷十分别作"一"、"承"。

楊文敏公年譜四卷六世孫臨江府同知肇纂集。

楊可學　楊文敏公遺録一卷

楊文敏公事實一卷

昆陵胡氏家藏集五卷　又　忠安録一卷胡濙。

周文襄公年譜二卷　又　事實一卷公長子仁俊編。　**思善録一卷　又　遺愛録一卷**俱紀周文襄事。

顧清　周文襄公年譜一卷

李祭酒傳一卷

陳文定公年譜二卷陳其柱編。

陳文定公雍略四卷陳念生輯。

袁廷玉傳一卷戴良撰。

袁柳莊行實二卷　又　袁柳莊行實類編一卷[1]

嚴本　伊蒿子傳

魏尚書紀年録一卷　又　遺事録一卷

顧曾魯　顧都憲公行録一卷

范守己　曹月川年譜一卷

張信民　曹月川年譜二卷

薛文清公行實録五卷河津王鴻編。

梁格　薛文清公事行録四卷

薛先生行狀碑志一卷

劉忠愍公事蹟一卷

劉持善　劉忠愍公年譜持善,文愍公孫,官後府都事。

于冕　于少保旌功録五卷

都御史羅公傳一卷羅通。

祝允明　天全先生遺事一卷

---

① “行實類編”,《千頃堂書目》卷十作“類編”。

章恭毅公年譜一卷章綸子，南京工科給事中元應編[①]。

韓襄毅公傳志

兵部覆奏韓襄毅功次[②]

尹旻　葉文莊公行實類編一卷

陳芳洲年譜一卷

鳴湮録一卷記陳循事。

商文毅公年譜四卷

商文毅公遺行録一卷

何氏二尚書年譜二卷

劉文介持正録一卷[③]

項襄毅公年譜九卷　實紀四卷　又　實紀補遺四卷

朱英　澹庵紀年一卷

吴都御史年譜一卷吴琛。

羅璟事略

浙江按使軒楊二公始末行實

吴遇賢　楊公清政録二卷楊繼宗事實。

王襄敏公越年譜一卷王紹雍編。

汪來嘉　康懿陳公録一卷

周經　大司寇徐公行狀一卷

徐侍郎恪行實

馬維　大理寺卿王宇行狀一卷

東海遺愛録南安知府張弼。

何維柏　陳子言行録

---

① "應"字，《千頃堂書目》卷十無。

② "韓"，《千頃堂書目》卷十作"輯"。

③ "一"，《千頃堂書目》卷十作"二"。

賀欽　醫閭言行録八卷
王僎　大司馬三原王公傳一卷
石渠老人履歷
王承裕　太師端毅公遺事一卷　又　遺事外集一卷
太師馬端肅公傳並年譜六卷王鴻儒。
賈詠　馬端肅公行狀一卷
劉忠宣言行録一卷　又　劉忠宣公實録二卷
李夢陽　尚書黄公傳二卷
王僎　許襄毅公傳一卷
何瑭　許襄毅公二傳異同一卷
吴奭　吴文定公考德録二卷
邵魯　邵文莊公年譜二卷
彭澤　段可久年譜
陸崑　閔莊懿公年譜一卷
阮鶚　章楓山年譜一卷
康長公世行叙述
秦金[①]　鄢陵劉公傳一卷
費文憲公遺德録十八卷
劉存思　太保劉文肅公遺録一卷劉忠。
少保陶恭介公垂休録一卷
楊文忠公行狀一卷楊廷和。
陽明先生年譜十卷　遺事一卷
胡世寧自述年譜十六卷
崔汲　崔文敏公考終録一卷
涇野行實録二册

① “秦”,《千頃堂書目》卷十作“奉”。

舒梓溪傳一卷
簡紹芳　編次楊升庵年譜□卷
馬理　馬百愚傳一卷
魏恭簡公奕世增光録八卷
方僑亭年譜一卷[①]
鄒文莊年譜一卷
霍文敏公年譜八卷　又　霍文敏年紀二卷
楊儀　保孤記一卷紀夏言遺孤事。
李根　羅念庵年譜　又　程松溪年譜
王樵　遲庵府君年譜　又　遲庵府君言行録樵父王臯。
陸文裕公年譜子楫輯。
吴太宰年譜二卷吴鵬。
吕本　永錫録十二卷
大司寇俞公行實
顧東橋年譜行狀一卷
張文定公實録
翁襄敏紀略六卷
朱睦㮮　鄒襄惠公年譜一卷鄒守愚。
方簡肅公遺行録三卷方良永。
鄭世威自著環浦年譜一卷[②]
蘇祐　舜澤翁歲曆一卷
鄭端簡公年譜十卷
楊繼盛自著年譜一卷
沈給諫　留丹録一卷沈束。

---

① “僑”,《千頃堂書目》卷十作“矯”。
② “浦”,《千頃堂書目》卷十作“甫”。

馮大業　華亭馮氏世濟録一卷

沈青霞年譜一卷

沈小霞年譜一卷

程正誼　沈青霞成死始末一卷

王京兆遺愛録黄岩王爌。

徐文貞公年譜

汪南明年譜一卷

省吾林公威惠録二卷林富。

胡少保行實一卷

三朝昭忠録一卷

趙文肅公年譜四卷

楊襄毅年譜十卷

戚少保年譜耆編十卷　又　戚少保實紀一卷

李杜　都督同知虚江俞公功行紀一卷[①]

海忠介公傳二卷

張崌崍　定變録一卷記定浙西兵變及滑縣大盗事。

葛守禮　大中丞肅庵王公傳一卷

陳經邦　鄭司馬公傳一卷

徐文長自著畸譜一卷[②]

尊賢録一卷羅汝芳。

褒功録一卷詹榮。

王塘南年譜一卷

榮壽録六卷萬曆十年,少師徐階八十,朝廷賜以織金文幣,公卿賀贈之作。

郭襄靖公行蹟記三册郭應聘。

---

① "虚",《千頃堂書目》卷十作"虞"。

② "徐"後,《千頃堂書目》卷十有一"渭"字。

海瑞　郭襄靖公家傳一卷①
周琦　自齋行要八卷②
太子太保張公葬録六册張孟男。
耿定向　觀生記一卷
耿天臺先生年譜二卷
管貞　管東溟壙記一卷③
余寅　宦遊歷記八卷
范方伯實録一卷范淶。
孟雲浦年譜一卷
冢宰曾公文徵四卷曾同亨。
丁元薦④　三太宰傳一卷
胡侍御時忠年譜二卷
顧大司馬年譜一卷顧養謙。
朱賡　茶史一卷
趙瀔陽行狀神道碑一册
何喬遠　葉文忠公行狀二卷
焦太史葬録一册
華允誠　高子年譜一卷
魏廓園年譜一卷
李忠毅公年譜一卷
吴巒穉　端友録李應昇。
周綿貞自著年譜一卷周起元。
殷獻臣　周吏部年譜一卷

① “靖”,《千頃堂書目》卷十作“毅”。
② “齋”,《千頃堂書目》卷十作“齊”。
③ “溟”,《千頃堂書目》卷十作“冥”。
④ “元”後,《千頃堂書目》卷十有一“宰”字。

孫承宗　歷官舊記四卷

吕明德先生年譜四卷吕維祺。

吴甡　憶記四卷

歷代君臣圖鑑不知何人所繪,益王府刊。

孫承恩　歷代聖賢像贊六卷

李廷機　漢唐宋名臣録五卷

姜綗　漢名臣言行録八卷字幼章,金華人。正德丁丑進士,工部郎中。

辛文房　唐才子傳十卷

尹直　南宋名臣言行録十六卷

張采　宋名臣言行録補六十二卷①

王蕡　景行萃編　又　宋名臣補遺

王化鯉②　名賢卓行

章時鸞　名臣言行録青陽人。嘉靖甲午舉人,河南按察司副使。

張家玉　名臣論贊

王廷簡　今賢懿行邛州人。萬曆中官副使。

相鑒二十卷洪武十三年,罷中書省,命儒臣與國子生取歷代史所載相臣賢者,自蕭何至文天祥八十二人,爲傳十六卷,不肖者自田蚡至賈似道二十六人,爲四卷,命編修吴沈序之,太祖亦自製序冠焉。

魏顯國　歷代相臣傳一百六十八卷　又　歷代守令傳二十四卷　又　儒林全傳二十卷

成祖編輯外戚傳三卷輯漢以後善惡可爲法戒者,御製序。

曹安　殷太師比干録十卷

林士元　顔子列傳

李廷貴　徐蘇傳二卷徐儒子③,蘇雲卿。

---

① "六十二",《千頃堂書目》卷十作"十六"。

② "王",《千頃堂書目》卷十作"孟",當據改。

③ "儒",《千頃堂書目》卷十作"孺"。

王士騏　四侯傳四卷張文成、諸葛武侯、王景略、李鄴侯。又　諸葛武侯別傳一卷

楊時偉　諸葛武侯全書十卷

吕柟　義勇武安王集六卷　又　武安王全志二卷

漢壽亭侯志八卷

卞壼　忠貞集四卷

謝應芳　懷古録三卷爲顧雍作。

朱存理　續编懷古録

王承裕　李衛公通纂四卷一作二卷。

朱右　新修唐李鄴侯傳二卷

錢守常　忠靖王實録二卷

厲雪庵　唐御史中丞録二卷①爲唐張巡作。

曹武　惠王言行録一卷

顏端　張乖崖事文録四卷

狄武襄公功行録三卷

司馬温公年譜二卷

璩之璞　蘇長公外紀十二卷

徐𤇍　蔡端明别紀十卷

范明泰　米襄陽志林十三卷

陳繼儒　邵康節外紀四卷

陳忠肅公言行録八卷②陳瓘。

謝應芳　思賢録六卷爲鄒浩作。

林祺　東溪遺澤編爲宋高登作。

戴銑　朱子實紀十二卷

---

① "二",《千頃堂書目》卷十作"一"。

② "言",《千頃堂書目》卷十作"信"。

李默　朱子年譜四卷

汪世德　文公年譜二卷婺源人。

沈愚　懷賢録爲劉改之墓作。愚字通理,崑山人。

程孟　明良慶會録三卷録宋程文鳳及理宗所賜御書。又　程氏世忠事實源流録十卷孟,程文鳳裔孫,成化中人。

崔清獻公言行録三卷洪武初,崔與之六世孫□編。

宋濂　唐仲友補傳一卷

胡廣　文丞相傳一卷

文山紀年録一卷

趙霍[①]　文山寓揚忠憤録

丁元吉　陸丞相蹈海録一卷[②]

袁珙　忠義録一卷紀袁鏞死節事。

徐袍　金仁山年譜袍,蘭溪人。

臨川吴文正公年譜一卷

顧元慶　雲林遺事一卷

王達　尚論編二卷

鄒泉　人物尚論編二十卷

張愷　四臣事評

王鴻儒　掾曹名臣録一卷[③]

耿定向　掾史芳規二十卷　又　國士懿範二十卷

王若之　世胄知名録

徐學聚　監司守令寶鑑二卷

丁明登　古今長者録八卷江浦人[④]。萬曆丙辰進士,衢州府知府。

---

① "霍",《千頃堂書目》卷十作"鶴"。

② "丞相",《千頃堂書目》卷十作"右丞"。

③ "掾",原誤作"椽",據《千頃堂書目》卷十改。下"掾史芳規"條同。

④ "江浦",《千頃堂書目》卷十作"浦江"。

八行芳規八卷失撰人名氏。

吴震　元宋相譜二百卷

陳鎬　金陵人物志六卷

陳鳳　忻慕編二卷

史學　溧陽人物記

王賓　吴下名賢紀録

楊循吉　吴中往哲記一卷

吴中往哲記補遺四册不知撰人。

祝允明　蘇材小纂六卷

張昶　吴中人物志十三卷

袁袠　吴中先賢傳十卷

劉鳳　續吴先賢贊十五卷

閻秀卿　吴郡二科志一卷

周復俊　東吴名賢記

文震孟　姑蘇名賢小紀二卷

方鵬　崑山人物志八卷[①]

張大復　崑山人物志十卷[②]

吴驥　同里先哲記吴江有同里鄉，驥記其鄉先哲。驥，洪熙時官教諭。

毛憲　毘陵人品記四卷一作十卷。

顧憲成　桑梓録十卷

歐陽東鳳　晋陵崇祀先賢傳一卷自延陵季子至錢御史啟新，凡七十人。

華雲　錫山先賢録

周季鳳　澄江先賢録字公儀，寧州人。弘治癸丑進士，右都御史，謚“康惠”。

姚堂　鎮江先賢事實六卷

---

① “八”，《千頃堂書目》卷十、《四庫全書總目》卷六十一作“十”。

② “十”，《千頃堂書目》卷十作“八”。

黄瓚　維揚人物志八卷　又　鑾江人物志

張榘　維揚人物續志二十卷字範仲,儀真人。嘉靖甲午舉人。

謝理　太平人物傳

范淶　休寧理學先賢傳一卷

梅守德　宛陵人物傳

方學漸　桐彝三卷

頓鋭　涿鹿先賢傳一卷

吕柟　宣府昭德祠十二公傳一卷自李儀至王雲鳳,凡十二人,皆巡撫其地者。

宋濂　浦江人物記二卷

劉徵　金華名賢傳劉辰子。

鄭柏　金華賢達傳

楊璬　補金華賢達傳一卷東陽人。

王稌　金華賢達傳

董遵　金華淵源録字道卿,蘭溪人。章懋門人,盛恩知縣。

薛敬之　金華鄉賢志

金江　義烏人物志二卷

應廷育　永康先民傳

楊維楨[①]　富春人物志

謝鐸　尊鄉録詳節十卷　又　尊鄉節録四卷　又　尊鄉録節要五卷

金賁亨　台學源流二卷

王啟　尊鄉續録

王朝佐[②]　東嘉先哲録二十卷

---

① "楨",《千頃堂書目》卷十作"禎"。

② "朝"字原脱,據《四庫全書總目》卷六十一、《浙江通志》卷二百五十四補。

南逢吉　越中述傳四卷
王綖　紹興名宦鄉賢傳山陰人。
吴騵　紹興先達傳字文英，山陰人。
李孝謙　四明名賢記
季本　四明先賢記
戚元佐　檇李往哲傳一卷
吴興名賢録□卷失撰人名氏①。
王道隆　吴興名賢續録六卷
沈節甫　西吴琬琰録
劉宗周　鄉賢考
徐學聚　两浙名賢録五十四卷　又　外録八卷
王撣　江右人文贇　又　景慕編安福人。
雷禮　豫章人物記　又　豐城人物志
劉元卿　歷代江右名賢録二卷　又　國朝江右名賢編二卷
姚堂　廣信先賢事實六卷
劉陽　吉州正氣四卷字一舒，安福人。嘉靖乙酉舉人，福建道御史。
陳楷　樂平人物傳一卷②
朱謀㙔　豫章耆舊傳三卷
龔守愚　臨江先哲言行録二卷字師顔③，清江人。正德辛未進士，湖廣參政。
朱睦㮮　中州人物志十六卷
張遂　祥符人物志四卷本邑人。舉人，浙江鹽運司使。
李濂　祥符鄉賢傳八卷

① 此條小注，《千頃堂書目》卷十作“陸崑撰”。
② “陳”，《千頃堂書目》卷十作“程”。
③ “顔”，《千頃堂書目》卷十作“賢”。

劉瓚　睢陽人物志董其昌序。

吴源　莆陽名公事迹五卷

方槐生　莆陽人物志三卷字時舉,莆田人。洪武初,官府學訓導。被誣死,宋濂銘其墓。

宋端儀　莆陽人物備志　又　鄉賢考証

林祺　漳獻備忘

李默　建寧人物志三卷

汪佃　武彝人物志[①]

史繼偕[②]**　越章六卷**明代八閩人傳。

陳柏　沔陽人物考□州人。嘉靖□進士,按察司副使。[③]

郭子章　興國縣四賢傳一卷

李廷寶　曲沃先賢事迹録本邑人。舉人,官長史。

王承裕　厚鄉録

鍾羽正　青州人物考

王漸逵　嶺南耆舊傳

歐大任　百粵先賢志四卷

黄佐　廣州人物志二十四卷

曹學佺　蜀中人物記六卷

胡希賢　高安三先生事實二卷編宋寶祐間高安雪坡先生姚勉、方湖先生胡仲雲、山居先生劉允高事實。

劉有光　麻沙劉氏忠賢傳四卷

成祖爲善陰隲書十卷永樂十七年三月編成。**又　孝順事實十卷**永樂

---

① “彝”,《千頃堂書目》卷十作“夷”。

② “偕”,《千頃堂書目》卷十作“階”。

③ 空格處,《千頃堂書目》卷十分别作“沔陽”、“庚戌”。《明清進士題名碑録索引》同,當據補。

十八年正月成。[①]

顧昱　至孝通神集三十卷[②]豐城人。

孝紀十二卷

潘振　古今孝史十二卷烏程人。崇禎庚午舉人。

郭凝之　孝友傳二十四卷　又　皇明孝史傳八卷海寧人。舉人。

王華元　黄孝子孝行集華，江西南城人。成化乙未進士，廣西按察司副使，黄覺經五歲失母，行乞訪求二十八年得之。至治中旌表，華輯其事蹟爲書。

劉陽　人倫外史

史學　金淵節孝録

耿定向　二孝子傳一卷

東陽王祐櫆式好傳

敕褒忠孝彙録六册萬曆丁亥，寧河王知□以賢孝敕褒，諸人贈送之作。[③]

賈斌　忠義集四卷斌，山東商河人。景泰元年，爲山西行都司天城衛令史。紀歷代直諫盡忠守節之士，爲是編進呈。

桑喬　節義林六卷

程誥　歷代忠孝録字欽之，樂平人。□進士[④]，雷州知府。

王蕡　歷代忠義録十八卷

林命　正氣録十卷

楊俊民　河南忠臣集八卷

朱睦㮮　忠臣烈女傳

表忠録一卷録古今死節之臣，至宋文天祥止。不詳撰人。

忠節録一卷載唐忠節之臣，凡二十四人。亦不詳撰人。

---

① “三月”、“正月”，《千頃堂書目》卷十分别作“二月”、“六月”。

② “三”，《千頃堂書目》卷十作“二”。

③ 《千頃堂書目》卷十此條下小注曰：“盧校改□爲炅”。

④ 空格處，《千頃堂書目》卷十作“乙未”。《明清進士題名碑録索引》作明弘治己未進士。

徐與參　本朝生氣録十六卷字原性,蘭溪人,徐學聚子。
唐龍　康山羣忠録　又　二忠録二卷記王禕、吴雲死節事。
徐溥　忠節録録吴尚書雲事。
郭良翰　歷代忠義彙編二十六卷　又　象賢録二十卷
盛稔　忠烈小傳字伯豐,儀真人。萬曆丙戌進士,山東按察司副使。
吕維祺　節孝義忠集四卷
徐標　忠孝廉節集四十卷
遜國臣紀三十卷
張芹　備遺録一卷
張愷　備遺録補贊一卷
何孟春　續遺録一卷
敖英　備遺録一卷
林塾[①]　**革除年前史失記五十四人一卷**正德乙亥記。
馮汝弼　死事備遺編二卷
郁襄　革除遺忠録二卷
杜思　革朝遺忠録浙江人。
王詔　忠賢奇秘録一卷
郎瑛　萃忠集録二卷
鄭應旂　革朝遺忠列傳福建人。
張朝瑞　忠節録五卷考誤一卷一名《表忠彙録》。
徐即登　建文諸臣録二帙[②]
焦竑　遜國忠節録四卷
汪宗伊　皇明表忠録二卷
許有穀　忠貞合璧三卷《存褒什》一卷,《維風什》二卷。

---

① "塾",《千頃堂書目》卷十作"墊"。
② "帙",《千頃堂書目》卷十作"卷"。

錢士升　皇明表忠紀九卷[①]

周鑣　遜國忠紀

陳□□　教坊司紀録文簿

革除羣忠事略九卷

忠義流芳

精忠就義類編俱不知撰人。

方正學公年譜一卷

劉宗周　方正學録

卓氏遺書二卷[②]

卓忠貞年譜宣德中，卓敬門人黄朝光編。

顯忠録二卷記黄觀事。

余翺　池陽三忠傳一卷黄觀、金焦、陳敬宗。

劉城　池陽二忠紀一卷[③]

周應治　山東壬午死事七忠傳浙江人。紀鐵鉉等事。

英風紀異録記鄱陽胡閔事。

程樞　程氏顯忠録二卷遼府長史程通事。

向忠節紀事一卷記向朴事。

陳洽　忠節録一卷

留坡録二卷宣德間，思南土官李盤討鎮筸苗，死難，後人名其地曰留坡，録一時哀輓之作。

葉禎表忠録記禎死難事。

吴之鯨　西湖雙忠傳二卷岳飛、于謙。

孫堪　忠烈編九卷

---

① “紀九”，《千頃堂書目》卷十作“録二”。

② “二”，《千頃堂書目》卷十作“三”。

③ 《千頃堂書目》有小注：“記黄觀、金焦事。”

許忠節世行録二卷　又　實紀一卷①

直道編二卷記御史陳祚事。

愍忠録四卷記楊繼盛事。

沈青霞　褒忠紀事一卷

憫忠録一卷嘉靖乙卯,倭犯南京,蕪湖丞陳一臣戰死,哀輓之作。

劉侍御恤忠録七卷

張忠烈褒忠録一卷

闡幽録輯録萬曆中建言被黜諸臣,高攀龍爲序。

楊忠烈實録德安知府胡繼先爲楊漣作。

太傅吕公忠節録吕維祺。

鄭瑄　唐忠臣睢陽録二卷

陳沂　盡忠録八卷陳東。

徐縉芳　精忠類編

宋三陳勤王死事傳陳文龍。

葉夔　毘陵忠義録二卷紀宋德祐末常州守將姚訔死節事。**又　景賢録**字司韶,武進人。正德中歲貢,汝陽州訓導。

周璟　昭忠録五卷録唐褚遂良事迹及古今題詠。璟,錢塘人。成化中,徒步請于朝,得旨建廟特祀。

王達　景仰撮書一卷

程敏政　宋遺民録十五卷

黄省曾　高士傳頌二卷

皇甫涍　續高士傳十卷録晉及宋凡九十六人②,以續士安之作。

皇甫濂　逸民傳二卷

薛應旂　隱逸傳二卷　又　高士傳四卷

---

① "紀",《千頃堂書目》卷十作"録"。

② "宋"後,《千頃堂書目》卷十有一"元"字。

黄姬水　貧士傳二卷
屠本畯　傳潔典記二卷　又　憨士列傳二卷
屠隆　義士傳二卷
錢一本　遯世編十四卷
陳繼儒　逸民史二十二卷
沈堯中[①]　高士彙林二卷
顧樞　古今隱居録三十卷
陳懋仁　壽者傳三卷
羅治　十二故人傳一卷字敬叔，南昌人。
歐大任　廣陵十先生傳一卷
朱常汸　古今宗藩懿行考十卷
朱統鐠　宗獻王事實[②]
周定王行略一卷
周敬王行録一卷
楚昭王行實纂一卷
鎮平恭靖王行録一卷周藩有爌。
欽獎吉藩長沙王翊鋋賢行録一卷
唐藩承休王長子宙枝統宗繩蟄録十二卷
朱謀㙔　藩獻記四卷
鎮平恭靖王有爌賢王傳起夏五子，迄于金元，凡百餘人。
新樂王載璽丁巳同封録一卷
朱勤美　公族傳略二卷
奉國公年表一卷

① “堯”，原誤作“克”，據《千頃堂書目》卷十、《明史》卷九十七、《浙江通志》卷二百四十四改。

② “宗”，《千頃堂書目》卷十作“寧”。

楊四知　饒陽君年表一卷

西亭宗正表一卷

周宗正　西亭小侯年表一卷

皇系賢録三卷

古今列女傳三卷永樂元年,命儒臣解縉、黄淮等編。

仁孝皇后撰高皇后傳一卷永樂四年。**又　貞烈事實二卷**[①]始啟母明訓,終岳氏自經,凡八十八條。

秦約　孝節録

陳克仕　古今彤史八卷

曹思學　内則類編四卷萬曆丙辰序。

潞州四貞傳一卷

文節婦葛氏昭節録一卷嘉靖中人。

王祖嫡　表烈外史一卷

上饒鄭氏雙節集二卷正德中人。楊廉序。

吴國倫　四烈傳一卷

吴震元　奇女子傳五卷

葉茂才　八貞女傳

鄒之□　古俠女傳六卷

楊俊民　河南烈女集五卷

邵正魁　續烈女傳休寧人。

夏樹芳　女鏡八卷起周太任,終于明之搗衣女,凡四百七十五人,萬曆戊申編。樹芳,江陰人,舉人。

馬理秦[②]　**烈婦孟姜女集一卷**

王貞婦清風録五卷嘉靖壬辰,鄭琛序。

---

① "二",《千頃堂書目》卷十作"一"。

② "秦",《千頃堂書目》卷十作"泰"。

地理類

大明志書洪武三年，令儒士魏俊民、黄篪、劉儼、丁鳳、鄭思克、鄭權等類編天下州郡地里形勢降附顛末。爲書凡行省十二，府一百十，州一百八，縣八百八十七，安撫司三，長官司一。東至海，南至瓊崖，西至臨洮，北至北平。本年十二月書成，命秘書監刊行。

寰宇通衢書一卷洪武二十七年九月編，計天下道里之數，編類而成。景泰中，再命重修。

寰宇通志一百十九卷景泰□年①。

大明一統志九十卷天順五年四月，吏部尚書李賢、學士彭時、吕原等同修。

大明寰宇記一卷

桂萼　歷代地里指掌四卷　又　大明輿地指掌圖一卷嘉靖□年②，萼爲吏部尚書進呈，《昭代遺聞》云李默撰。

廖世昭　大明一統志略十六卷字師賢，懷安人。正德丁丑進士，海州知州，以病改國子監博士。

羅洪先　增補朱思本廣輿圖二卷

蔡汝楠③　輿地略十一卷

徐獻忠　大地圖衍義　又　山房九筊

吴龍　郡縣地里沿革十五卷

盧傳印　職方考鏡六卷

張天復　皇輿考十二卷

蔡文　職方抄十卷字孚中，龍溪人。嘉靖丁未進士，巡撫貴州，都御史。

何鏜　修攘通考六卷

曹嗣榮　輿地一覽十五卷字繩之，松江人。吏部郎中④。

---

① 此條小注，《千頃堂書目》卷六作："景泰七年，大學士陳循等奉敕修。"

② 空格處，《千頃堂書目》卷六作"六"。

③ "楠"，《千頃堂書目》卷六作"南"。

④ "吏"，《千頃堂書目》卷六作"兵"。

郭子章　郡縣釋名十六卷　又　古今郡國名類三卷

項篤壽　考定輿地圖十卷

徐樞　寰宇分合志八卷一作盛稔。

曹學佺　一統名勝志一百九十八卷

陸應陽　廣輿紀二十四卷

陳組綬　皇明職方地圖三卷

張玄陽　方隅武備十六册一作《方隅武事考》。部分省會,條列戰陣,攻守方略。玄陽,吴人。

陸化熙　目營小輯四卷

熊大古　冀越集二卷熊朋來子。舉元鄉貢,爲翰林編修,國子助教,入明嘗徵校雅樂[①]。

龐迪我　海外輿圖全説二卷[②]

南京至北京驛道方向一卷[③]

一統水陸路程八卷

寰中一覽五册

洪武京城圖志一卷述都城山川地理封域之沿革,宫闕門觀之制度,以及壇廟寺宇、街市橋梁之建置更易,洪武二十八年編。

沈應文　順天府志六卷萬曆癸巳年編。

北平志四卷

北平府圖志一册

宛平縣圖志二册

大興縣圖志二册

沈榜[④]　**宛署雜記二十卷**萬曆壬辰,榜爲宛平知縣修。

---

① “雅樂”,《千頃堂書目》卷六作“雅學”。

② “莪”、“卷”,《千頃堂書目》卷六分别作“我”、“册”。

③ “卷”,《千頃堂書目》卷六作“册”。

④ “榜”,《千頃堂書目》卷六作“標”,小注同。

徐□□[1]　燕山叢録二十二卷
蔣一驄[2]　長安客話八卷
宋啟明　長安可游記
劉侗　于奕正　帝京景物略八卷
孫國敉[3]　燕都游覽志四十卷字伯觀，六合人。官中書舍人。
陳沂　金陵世紀四卷　又　金陵古今圖考一卷
留都録五卷見《國子監書目》，不著撰人。
應天府志三十二卷萬曆丁丑，府尹程嗣功修。
李登　上元縣志十二卷
劉雨　江寧縣志□□卷
盛敏耕　江寧縣志十卷
顧起元　客座贅語十卷
王兆雲　烏衣佳話八卷
周暉　金陵鎖事四卷　又　續鎖事二卷　又　再續鎖事二卷　又　鎖事剩録八卷
史學　埭谿文獻集
狄斯彬　溧陽縣野志續編八卷
劉崧　北平八府志三十帙　又　北平事迹一帙
北平八府圖總目一卷
郭造卿　燕史一百二十卷　又　碣石叢談八卷
昌平縣圖志二册明初修。
唐順卿[4]　涿州志十二卷州學訓導。
張欽　保定府志二十五卷

① 空格處，《千頃堂書目》卷六作“昌祚”。
② “驄”，《千頃堂書目》卷六作“葵”。
③ “敉”，《千頃堂書目》卷六、《明史》卷九十七作“莊”。
④ “順”，《千頃堂書目》卷六作“遜”，《明史》卷九十七作“舜”。

張前光　**慶都乘二册**萬曆戊子年修。前光,縣令。

王齊學　**雄乘十卷**[①]齊學新蔡人。

樊文深　**河間府志二十八卷**嘉靖庚子年修。文深,郡人。

項喬　**董子故里志六卷**嘉靖壬寅,喬爲景州守修。

雷禮　**真定府志三十二卷**嘉靖己酉年修。

曹安　**冀州志四册**[②]成化乙巳修。安官教諭。

魏撝謙　**柏鄉縣志二册**萬曆丙子修。撝謙,邑人。

郭朴　**順德府志四卷**萬曆甲申修。

陳棐　**廣平府志十六卷**嘉靖乙酉,給事中光州陳棐謫長垣丞時修。

宋訥　**東郡志十六册**[③]

唐錦　**大名府志二十八卷**一作十六卷。

張崌崍　**滑縣志六卷**[④]

黿璪[⑤]　**清豐縣志十六卷**

王崇慶　**開州志十卷**

張治道　**長垣縣志九卷**

張廷綱　**永平府志十卷**弘治戊午年修。廷綱,郡人。

陳士元　**灤州志十一卷**嘉靖戊申年修。

馬中錫　**宣府志十卷**[⑥]

畢恭　**遼東志九卷**山東人。遼東都指揮僉事。正統八年修,弘治中,副總兵廣陽韓斌重修。

李輔　**重修遼東志□卷**南昌人。巡按御史。嘉靖乙丑重修,巡撫王之誥序。

---

① "雄乘",《千頃堂書目》卷六作"雄縣地乘"。

② 此條,《千頃堂書目》卷六作"曹安《冀州全志》四卷"。

③ "册",《千頃堂書目》卷六作"卷"。

④ 此條,《千頃堂書目》無,卷六有"孫昌《滑縣志》"。

⑤ "璪",《千頃堂書目》卷六作"墚"。

⑥ "府"後,《千頃堂書目》卷六有一"鎮"字。

陳沂　南畿志六十四卷

柳瑛　中都志十卷瑛字廷英，鳳陽人。天順丁丑進士，河南按察司僉事。又嘗著《皇明大禮》。

袁又新　鳳陽新書八卷

潘鏜　廬陽志三十卷

楊循吉　廬陽客記一卷

汪應軫　泗州志十二卷　又　泗州備遺志二卷正德中，爲庶吉士。以疏諫南巡、出知泗州時編。

潘塤　淮郡文獻志二十六卷

陳文燭　淮安府志十六卷

嘉靖維揚志二十八卷

黄瓚　正德鑾江志二十四卷①

沈明臣　通州志八卷

盧熊　吴郡廣記五十卷熊爲吴縣教諭編。洪武十二年，蘇州府高郵湯德梓。

劉昌　蘇州續志一百卷成化中，知府鄱陽丘霽聘邑人劉昌、李應楨、陳頎等修，盖續范成大志。

王鏊　姑蘇志六十卷

楊循吉　蘇州府纂修識略六卷

盧雍　蘇州府志四十六卷

朱存理　吴郡獻徵録

王穀祥　吴郡學志

龔弘　續中吴紀聞

劉鳳　續吴録二卷　又　吴郡考一卷②

楊循吉　吴邑志十六卷

皇甫汸　黄姬水等　長洲縣志十四卷

---

① 此條，《千頃堂書目》卷六作："李文瀚、黄瓚《鑾江志》二十四卷，正德間修。"

② "一"，《千頃堂書目》卷六作"二"。

長洲縣藝文志二十四卷

楊譓　崑山州志明初修。

張洪　琴川新志

鄧韍[①]　常熟縣志十三卷

管一德　常熟縣文獻志十八卷

莫旦　吴江縣志二十三卷

徐師曾　吴江縣志十册嘉靖辛酉修。

都穆　練川圖記二卷

陳伸　太倉事略永樂中纂。

秦約　崇明志

桑悦　太倉州志十一卷[②]

錢岡　雲間通志十八卷字景高,郡人,錢溥子。成化中修。

顧清　松江府志三十二卷正德中修。

陳繼儒　松江府志九十四卷崇禎中修。

謝應芳　毘陵續志十卷洪武丁巳修。謝林　延陵通紀謝應芳子。

王俱　毘陵志四十卷成化十八年修。

朱昱　毘陵續志八卷

張愷　常州府志續集八卷正德八年修。愷,無錫人。鹽運使。

唐鶴徵　常州府志二十卷萬曆戊午年修。

馮善　錫山續志

張衮　江陰縣志二十二卷

沈敕　荆溪外紀二十五卷

王樵　鎮江府志三十六卷

胡纘宗　安慶府志三十一卷

---

① "韍",《千頃堂書目》卷六作"黼"。

② "一",《千頃堂書目》卷六作"二"。

鍾城　太平府志二十卷字德卿，當塗人。景泰甲戌進士，官提學副使。本《原圖經》，多存古迹。
鄒璧　太平府志十二卷嘉靖辛卯修。璧，無錫人。
李默　寧國府志十卷
梅鼎祚　宣乘翼
王崇　池州府志九卷嘉靖乙巳修。
朱同　新安志十卷①明初禮部侍郎。
程敏政　新安文獻志一百卷
續新安文獻志一卷
何東序　徽州府志二十二卷
程一枝　鄣大事記休寧人。
李德陽　廣德州志十卷
陳璉　永陽志二十六卷
胡謐　山西通志十七卷
山西通志三十三卷嘉靖癸酉②，山西提學僉事周斯盛修。
張欽　大同府志十八卷
吕柟　解州縣志四册③
孔天胤　汾州志八卷
栗應麟　潞安府志十二册
吴應台　大寧記一册萬曆癸酉修。
周弘禴　代州志二册萬曆乙酉修。
邢雲路　臨汾縣志一册萬曆辛卯修。
龍門志三卷

---

① “新”前，《千頃堂書目》卷六有“重編”二字。
② “酉”，《千頃堂書目》卷六作“亥”。
③ “册”，《千頃堂書目》卷六作“卷”。

陸釴　山東通志四十卷鄞縣人。
黄瓚　齊魯通志一百卷
盧熊　兖州志
于慎行　兖州府志五十二卷
鄧韍　濮州志十卷
楊循吉　章丘縣志四卷
馮惟訥　青州府志十八卷
李時颺　少陽乘二十卷益都人。續于欽《齊乘》而成。
李舜臣　樂安縣志二卷
鍾羽正　青州風土記
邢侗武　定州志十五卷
彭勖　山東郡邑通省勝覽字祖期,廬陵人。永樂乙未進士,山東按察司副使。
胡謐　河南總志十九卷
劉昌　河南志
鄒守愚　河南通志四十五卷
朱睦㮮　中州文獻志四十卷　又　開封府志八卷
李濂　汴京遺迹志二十四卷　又　祥符文獻志十七卷
王惟儉　朱勤美　祥符縣志四卷
馬應龍　杞乘四十八卷安丘人。萬曆壬辰進士,禮部主事。
劉世光　沈丘縣志三册萬曆甲午修。世光,山陽人。知縣。
杜柟　臨穎縣志八卷
邵寶　許州志三卷
宋纁　沈鯉　商丘縣志四册萬曆癸未修。
吕坤　寧陵縣志十二卷
張朝瑞　鹿邑縣括地志

李孟暘　睢州志一卷[①]

崔銑　彰德府志八卷一名《鄴乘》。

郭朴　彰德府續志三卷

何瑭　懷慶府志十二卷

喬縉　河南郡志四十二卷

陳宣　河南郡志十二册弘治乙未年修。宣，河南府知府。

李蓑　析蹟五卷

朱器　封宛志略

李本固　新修汝南志二十二卷

方應選　汝州志四卷

傅梅　嵩書十三篇梅字元鼎，其生，父夢冕而稱山人者，故又字山子，邢臺人。舉鄉試，授登封知縣，因感父夢而輯，自序其事。

伍福　陝西通志三十五卷成化乙未修。福字天錫，正統甲子舉人，按察司副使，江西臨川人。

何景明　雍大記三十六卷

馬理　陝西通志四十卷嘉靖壬寅修。

周宇　馮從吾　陝西通志三十五卷

殷奎　關中名勝志　又　陝西圖經　又　咸陽志

李應祥　雍勝略二十四卷

南軒　皇明關中文獻志八十卷[②]

康海　武功縣志三卷

南師仲　增定關中文獻志八十卷

韓邦靖　朝邑縣志二卷

王九思　鄠縣志二册

---

① "一"，《千頃堂書目》卷六作"七"。

② "八"，《千頃堂書目》卷六作"五"。

呂柟　高陵縣志□卷[①]嘉靖辛丑修。

宋廷佐　乾州志二卷

喬世寧　耀州志十一卷嘉靖三十六年修。

朱昱　三原縣志二十卷昱,常州人。成化辛丑,王端毅恕聘修。

任慶雲　商略八卷一作十六卷。

南大吉　渭南縣志十八卷

南軒　續渭南縣志二册萬曆庚寅修。

魏學曾　涇陽縣志二册萬曆戊寅修。

孫丕揚　富平縣志十卷萬曆甲申修。

范文光　豳風考略三卷

周易　鳳翔府志五卷萬曆丁丑修。易,郡人。嘉靖辛丑進士,叙州府知府。

賈鳳翔　鳳翔府歷代事跡紀略一卷郡人。

胡纘宗　漢中府志十卷　安慶府志三十一卷　鞏郡志三十卷　又　秦安志二卷　又　秦州志三十卷[②]

趙時春　平凉府志十三卷

熊爵　臨洮府志十卷

韓鼎　慶陽府志十卷

胡汝礪　寧夏新志八卷

鄭汝壁　延綏鎮志八卷

包節　陝西行都司志十二卷

孟秋　潼關衛志十卷

王崇古　莊浪漫紀八卷崇古官陝西布政使時編。

薛應旂　浙江通志七十二卷

---

① 空格處,《千頃堂書目》卷六作“七”。

② “纘”,原誤作“續”,據《千頃堂書目》卷六改。另,“鞏郡志”,《千頃堂書目》作“鞏郡記”。

徐一夔　杭州府志九册洪武中修。

夏時正　杭州府志六十四卷成化中修。

陳善　杭州府志一百卷萬曆初修。**又　外志一卷**聯合全郡導山導川之源委，使昭然在目，附《府志》末。**又　武林風俗略一卷**

吴瓚　武林紀事八卷字器之，仁和人。弘治庚戌進士，南直隸通州知州。

孫景時　武林文獻録正德丙午舉人，長洲縣教諭。

聶心湯　錢塘縣志十卷萬曆己酉修。

董穀　海寧縣志九卷

孫詢　武塘勝覽字廷言①，嘉善人。宣德中，官分宜丞，采邑山水人物，每事各爲一詩而叙其事于後。

浦端樸②　嘉善人文紀略十二卷

胡震亨　海鹽縣圖經十六卷

李日華　檇李叢談四卷

徐獻忠　吴興掌故集十七卷

董斯張　閔元衢　吴興備志③

宋雷　西吴里語四卷

江一麟　安吉州志八卷

吴堂　富春志六卷正統五年修。堂，樂平人。永樂辛丑進士，知縣。

童品　金華文獻録

章懋　蘭溪縣志五卷正德庚午修。

戚雄　金華縣志四卷萬曆中修。

徐與泰　金華獻徵二十二卷郡人，徐學聚子。

錢奎　東陽私志奎金華人，趙寬爲序。

---

① "廷言"，《千頃堂書目》卷八作"廷吉"，當據改。

② "樸"，《千頃堂書目》卷七作"模"。

③ "志"，原誤作"忌"，據《千頃堂書目》卷七改。

吾冔[①]　**衢州府志十四卷**

何鏜　括蒼彙紀十五卷　又　括蒼志五十五卷[②]　**又　續志四卷**

樓公璩　括蒼志補遺四卷

司馬相　越郡志略十卷

張元忭　孫鑛　紹興府志六十卷

陸夢斗　紹興紀略四卷山陰舉人。建寧府通判。

張天復　山陰縣志十二卷[③]

張元忭　會稽縣志十六卷

周汝登　嵊縣志十三卷

唐之淳　會稽懷古詩二卷

南逢吉　註釋會稽三賦三卷

鄭真　四明文獻録字千之,别號"滎陽外史"④,鄞人。

黄潤玉　寧波簡要志　又　四明文獻志

李堂　四明文獻志十卷

张時徹　寧波府志四十二卷

李堘　甬東逸事[⑤]字子起,鄞人。生而聾,十餘歲父卒,哭五日夜,水漿不入口,咽枯而啞。博通多識,陳繼儒與華亭瞽人唐汝詢稱爲两異人,并爲之傳。

倪復　奉化縣志十二卷

范理　天台要略八卷

謝鐸　赤城新志二十三卷

---

① "吾冔"後,《千頃堂書目》卷七有"吴夔"二字。

② 两"括"字,《千頃堂書目》卷七作"栝"。

③ "縣"字,《千頃堂書目》卷七無。

④ "滎",原誤作"榮",據《千頃堂書目》卷七、《四庫全書總目》卷一百六十九"滎陽外史集"條改。

⑤ "逸",《千頃堂書目》卷七作"軼"。

王啟　赤城會通記二十卷
李漸　三台文獻志二十三卷①
胡融　赤城土風志寧海人。
金賁亨　臨海縣志
曹學程　寧海縣志四册②萬曆壬辰修。
王瓚　温州府志二十二卷弘治間修。
張孚敬　温州府志八卷
林庭棉　江西通志三十七卷
王宗沐　江西省大志八卷③
趙秉忠　江西輿地圖説一卷
王世懋　饒南九三郡輿地圖説一卷④
郭子章　注豫章古今記一卷　又　豫章雜記八卷　又　廣豫章災祥記六卷
李貴　豐乘十卷李裕孫，嘉靖癸丑進士，由翰林院庶吉士歷官四川副使。
洪都　續樂平廣記十卷邑人。明初，舉明經，官淯川知縣。續元李士會作。
汪汝璧⑤　廣信府志二十卷
筸繼良⑥　鉛書八卷
張應雷　金谿文獻考邑人。隆慶辛未進士。
王時槐　吉安府志二十六卷
郭子章　吉志補二十卷

---

① 此條，《千頃堂書目》卷七於"獻"字後有一"志"字。《四庫全書總目》卷一百九十二作者爲"李時漸"，於"獻"字後有一"録"字。
② "四册"，《千頃堂書目》卷七作"十卷"。
③ "省"，《千頃堂書目》卷七無。
④ 此條書名，《千頃堂書目》卷七作"饒南九三府圖説"。
⑤ "汪"，《千頃堂書目》卷七、《明史》卷九十七作"江"。
⑥ "筸"，原誤作"宣"，據《千頃堂書目》卷七改。

楊寅冬　西昌存古録

張崧　安福叢録二十卷字秋渠,邑人。

嚴嵩　袁州府志十四卷①

虞愚　虔臺志十二卷

譚愷　虔臺續志五卷②

廖道南　楚紀六十卷

魏裳　楚史七十六卷

陳士元　楚故略二十卷　又　楚絶書二卷

徐學謨　湖廣總志九十八卷

高世泰　楚實四十五卷③

顧璘　興都志二十四卷嘉靖二十年二月,命承天督工尚書顧璘修,明年三月進呈。已而,以其載獻帝事實于志體例不合,命改修。

徐階等修　承天大志四十卷四十二年四月,禮科都給事丘岳請刊定《興都志》,乃命董份及張居正等重修。四十五年二月書成,進岳爲禮部添註右侍郎。④

郭正域　丁應泰　武昌府志六卷

顔木　隨志二卷⑤

張四知　漢東郡考

俞彦　夷陵州志

吴應台　宜都記荆州府人。叙州府同知。

陳士元　岳紀六卷

孫羽侯　華容縣志七卷

李騰芳　湘潭縣志

---

① "府"後,《千頃堂書目》卷七有"新"字。

② 此條,《千頃堂書目》卷七作"談愷《續虔臺志》五卷"。

③ "實",《千頃堂書目》卷七作"寳",當據改。

④ "禮部添註",《千頃堂書目》卷七作"添旌禮部"。

⑤ "隨"後,《千頃堂書目》卷七有一"州"字。

胡文璧　耒陽遺記邑人。弘治己未進士，四川按察使。
袁宏道　桃源縣志
鄧球　祁陽縣志二册萬曆乙亥修。邑人。
童承叙　沔陽州志十八卷
陳深　秭歸外志[①]湖州人。
黄仲昭　八閩通志八十七卷
王應山　閩大記五十五卷　又　閩都記三十二卷　又　全閩大記略八卷
何喬遠　閩書一百五十四卷
王世懋　閩部疏一卷
陳鳴鶴　閩中考一卷　又　晋安逸志三卷
林燫　福州府志三十六卷
徐𤊹　榕陰新檢十五卷[②]
鄭世威　長樂乘八卷
周瑛　興化府志五十四卷
宋端儀　莆陽逸事　又　莆陽舊事偶録
鄭岳　莆陽文獻志七十五卷
柯維騏　續莆陽文獻志二十四卷
黄鳳翔　泉州府志二十四卷
何炯　清源文獻十八卷[③]晋江人。貢士，靖江縣學教諭，工部侍郎何喬遠父。
陳懋仁　泉南雜記二卷
張岳　惠安縣志十三卷[④]
林希元　永春縣志九卷嘉靖丙戌修。

---

① "秭"，《千頃堂書目》卷七作"秭"，當據改。

② "十五"，《千頃堂書目》卷七、《四庫全書總目》卷六十二作"八"。

③ "獻"後，《千頃堂書目》卷七有一"志"字。

④ "三"，《千頃堂書目》卷七作"二"。

徐鑾　張燮　漳州府新志三十八卷

劉璵　建寧府志六十卷璵,上海人。弘治六年,任建寧知府。

潭陽文獻□卷

黄仲昭　邵武府志二十五卷[1]

王元正　四川總志八十卷[2]

熊相　四川志三十七卷

楊慎　全蜀藝文志六十四卷

杜應芳　續補蜀藝文志五十四卷黄州人。提督學政,副使。

郭棐　四川通志三十六卷萬曆己卯。

曹學佺　蜀中名勝記三十卷　又　蜀漢地理補二卷　又　蜀郡縣古今通釋四卷　又　蜀中風土記四卷　又　蜀中方物記十二卷

彭韶　成都志二十五卷

楊慎　新都縣志四册嘉靖中修。

冷逢震　資縣志四册萬曆己丑修。逢震,縣人。

周洪謨　敘州府志二册成化九年修。

楊孟瑛　酆都志

郭棐　夔州府志十二卷萬曆丙子修。又　夔記四卷　又　夔傳一册

余承勛　西眉郡縣志五册嘉靖乙卯修。

曾省吾　武寧紀略八册萬曆時巡撫,平蠻時輯。

湛若水　嶺南輿圖二卷

黄佐　廣東通志七十卷

戴璟　廣東通志七十二卷

---

① "二",《千頃堂書目》卷七無。

② "總",《千頃堂書目》卷七作"統"。

郭棐　重修廣東通志七十卷　又　粵大記三十二卷　又　嶺南名勝志十六册字篤周，南海人。嘉靖壬戌進士，雲南右布政使，晋光禄寺正卿致仕。

謝肇淛　百粤風土記一卷

馬欻　南粤槩四卷

張邦翼　嶺南文獻十二卷[①]　**又　補遺六卷**蘄陽人。萬曆間，官廣東提學。

黄佐　廣州府志二十二卷　又　香山志八卷

李承箕　順德縣志

鄭敬甫　惠大記六卷

祝允明　興寧縣志五卷

郭子章　潮中雜記十二卷

葉春及　肇慶府志二十二卷

王佐　瓊臺外紀五卷　又　珠崖録

唐胄　瓊臺志

顧玠　海槎餘録一卷

張詡　厓門新志十八卷　又　南海雜咏十卷

陳价夫　海南雜事一卷[②]

周孟中　廣西通志六十卷

黄佐　廣西通志四十二卷

蘇濬　廣西通志四十二卷

張鳴鳳　廣西通志

曹學佺　廣西名勝志十卷

---

① “獻”後，《千頃堂書目》卷七有“志三”二字。《四庫全書總目》卷一百九十三亦作“三十二卷”。

② “一”，《千頃堂書目》卷七作“二”。

魏濬　西事珥八卷　又　嶠南瑣記二卷[①]

陳璉　桂林志三十卷

張鳴鳳　桂故八卷　又　桂勝十四卷

謝少南　全州志七卷

應檟　蒼梧軍門志二十四卷

郭棐　右江大志三十卷一作十二卷。

府江道路考一卷萬曆丙戌輯。

王濟　君子堂日詢手鏡一卷

朱袞　西南紀事三册

鄺瑞露　赤雅四卷字湛若,更名露,南海人。中書舍人。

雲南志書六十一卷洪武十四年,既平雲南,帝命儒臣考按圖籍,及前代所有志書,更定而删正之。

雲南通志十七卷

李元陽　雲南通志

高蔚　雲南紀略一册嘉靖間御史。

陳善　黔南類編十卷[②]

楊慎　滇程記一卷

彭汝實　六詔紀聞一卷

謝肇淛　滇略八卷

許伯衡　滇南雜記二卷崑山人。

李元陽　大理府志十卷

猛寅　順寧府志一册嘉靖壬寅編。寅,順寧土官。

吴懋　葉榆檀林志八卷[③]大理人。

---

① "南",原誤作"内",據《千頃堂書目》卷七、《四庫全書總目》卷一百四十三改。

② "黔",《千頃堂書目》卷七作"滇"。

③ "榆",《千頃堂書目》卷七作"揄"。

楊士雲　黑水集証一卷　又　郡大記一卷雲南人。正德丁丑進士，户科右給事中。

陳用賓　雲南諸戸圖記二册

貴州新志十七卷

謝東山　貴陽圖考二十六卷

郭子章　黔記六十卷　又　黔小志一卷

祁順　石阡志十卷

袁表　黎平府志九卷

蔣杰　普安續志字美君，貴州人。萬曆己丑進士，廣東副使。

周瑛　興隆衛志二卷衛人。景泰甲戌進士，廣西布政使，與莆田周瑛別一人。

許論　九邊圖論三卷

魏焕　皇明九邊通考十卷字原德，長沙衛人。嘉靖乙丑進士，四川按察司僉事。

叢蘭　三邊遏截論一卷

霍冀　九邊圖説一卷

童軒　籌邊録

宋滄　籌邊圖説鉅鹿人。四川巡撫，都御史。

龐尚鵬　行邊漫紀

劉應節　邊關通志

趙彦　籌邊略

范守己　籌邊圖記三卷

徐日久　五邊典則

陳仁錫　籌邊圖説

邊圉録一卷①不知撰人。

劉效祖　四鎮三關志十二卷武功左衛人。嘉靖庚戌進士，陝西按察司副使。

---

① “圉”，《千頃堂書目》卷七作“隅”。

四鎮三關圖

蘇祐　三關紀要三卷

廖希賢　三關志三册[①]嘉靖乙巳修。

劉昌　两鎮邊關圖説二卷

劉兑　靖邊説二卷　又　新安考二卷保定府新安人。隆慶中舉人,陝西肅州兵備參議。

翁萬達　宣大山西諸邊圖一卷

楊守謙　大寧考一卷　又　紫荆考一卷　又　花馬池考一卷

楊一葵　雲中邊略四卷

楊時寧　大同鎮圖説三册[②]

大同分營地方圖一卷

閲視山西録一卷　又　閲視大同録一卷

張雨　全陜邊政考十二卷

戴時宗　三鎮事略

劉敏寬　延鎮圖説二卷[③]安邑人。萬曆丁未年巡按,御史。

楊錦　朔方邊紀五册[④]隆慶三年,錦爲副使時輯。

詹榮　山海關志八卷嘉靖乙未修。

李慎　靖邊一經二册萬曆中遼東苑馬寺卿。

敖英　四川備邊志

莫如善　威茂邊政考五卷隆慶元年松州兵備副使[⑤]。廣東人。

吴應台　叙南邊圖荆州府人。叙州府同知。

胡宗憲　籌海圖編八卷一本十三卷。

---

① “三册”,《千頃堂書目》卷八作“十卷”。

② “册”,《千頃堂書目》卷八作“卷”。

③ “二”,《千頃堂書目》卷八作“一”。

④ “册”,《千頃堂書目》卷八作“卷”。

⑤ “松州”,《千頃堂書目》卷八作“松潘”。

鄭若曾　萬里海防圖論二卷　又　江南經略八卷

王在晋　海防纂要十三卷

劉畿　海防考一卷　又　江防考一卷[①]浙江巡撫，都御史。

謝廷傑　两浙海防類考十卷

范涞　两浙海防類考續編十卷

李汝華　温處海防圖略二卷[②]

吴時來　江防考六册[③]

洪朝選　江防信地二卷

方孔炤　全邊略記十二卷崇禎元年，孔炤爲職方郎時所輯。首薊門及居庸、倒馬、紫荆三關，次大同，次宣府，又次延綏、甘肅、寧夏，又次蜀、滇、黔，又次两廣，又次海，又次遼東，又次腹裡，末曰師中表、神勢圖，于明一代邊備爲詳。

安國賢　南灣遊小記十二卷　又　南日寨小記十卷福州人。

吴道南　國史河渠志二卷

劉隅　治河通考十卷

胡纘宗　胡氏問水集一卷

劉天和　問水集六卷

楊旦　劉松石　治河記一卷

潘希曾　治河録

吴山　治河通考十卷吴江人，字静之。官刑部尚書。

潘季馴　河防一覽十四卷　又　宸斷大工録十卷[④]

龔弘　黄河或問

张鼎　修河録一卷

潘大復　河防榷十二卷

---

① "畿"，《千頃堂書目》卷八作"幾"。

② "汝"，《千頃堂書目》卷八、《明史》卷九十七作"如"。

③ "册"，《千頃堂書目》卷八作"卷"。

④ "斷"後，《千頃堂書目》卷八有"两河"二字。

張光孝　西瀆大河志六卷
黄克纘　疏治黄河全書二卷
李□□　河工諸議四卷
濬河録四卷
河防備考
漕河志三卷不知撰人。
姜鴻緒　萬曆河渠志
徐標　河患備考二卷　又　河防律令二卷
王恕　漕河通志十四卷
王瓊　漕河圖志八卷
車璽正[①]　漕河總考四卷
楊淳　漕河紀事録王端毅奏議及丘文莊語,以表章宋禮之功。
顧寰　漕河總録二卷
高捷　漕黄要覽二卷
何堅　漕渠七議一册
黄承玄　河漕通考四十五卷　又　安平鎮志十一卷　又　北河紀略十四卷
邵經清　濟漕志補略二卷四川人。南户部員外郎。
秦金　通惠河志二卷
汪一中　通惠河志一卷嘉靖戊午修。工部郎中。
謝肇淛　北河紀八卷　又　北河紀餘四卷爲工部郎中,管張秋河作[②]。
朱國盛　南河志十四卷　又　南河考二卷
熊子臣　南河紀略二册萬曆甲戌工部郎中。

① “璽”,原誤作“爾正”,據《千頃堂書目》卷八、《四庫全書總目》卷七十五“治河總考四卷”條改。

② “作”字原脱,據《千頃堂書目》卷八補。

陳夢鶴　濟寧閘河類考六卷工部主事。
湯紹恩　建閘事迹紹興人。
龍文明　膠萊河始末會議
來斯行　膠萊末議
徐源　山東泉志六卷
王寵　東泉志四卷　又　濟寧閘河志四卷字仲錫，歙縣人。官工部主事。
張純　全河紀略八卷①
胡瓚　泉河史十五卷桐城人。
張橋　全河志六卷字衡如，雲南右衛人。嘉靖己未進士。
馮世雍　吕梁洪志一卷
吕梁洪志九卷不知撰人。
陳穆　徐州洪志十卷
徐貞明　潞水客談三卷
袁黄　皇都水利一卷
後湖圖志一册
伍餘福　三吴水利論一卷
歸有光　三吴水利録四卷
許應夔　修舉三吴水利考四卷一作許應逵。
王道行　三吴水利考二册②
三吴水利考十卷不著撰人。
王圻　東吴水利考十卷
張國維　吴中水利全書二十八卷
沈啓　吴江水利考四卷
童時明　三吴水利便覽一卷

① “全”，《千頃堂書目》卷八、《明史》卷九十七作“泉”，下“全河志”條同，當據改。
② “册”，《千頃堂書目》卷八作“卷”。

吴中　開江書二卷一作《婁江志》。

耿橘　常熟縣水利全書十二卷附録二卷

徐獻忠　三江水利考

姜鴻緒　三吴水利考　又　千金陂志

張朝瑞　鄒魯水利

劉伯清[①]　杭州府水利圖説杭州知府。

楊孟瑛　濬復西湖録一卷字温甫,酆都人。成化丁未進士,弘治末知杭州府。浚復西湖,俾水有蓄洩,利益下塘諸田有功,後遷順天府丞,以人言再出知府。

張懋　湘湖水利圖洪武初蕭山知縣。

魏驥　蕭山水利事迹

浙江水利書一卷[②]

倪復　濬湖議

姚文灝　水利書　又　水利圖　又　水利事宜

賈應璧　紹興水利圖説二卷

黄光昇　海塘記一卷

仇俊卿　海塘録十卷

涇渠圖説二卷不知撰人。

楊慎　山海經補注一卷

王崇慶　山海經釋義十卷

朱謀㙔　水經注箋四十卷

何鏜　名山記十七卷

霍尚守　天下名山水志

慎蒙　名山一覽記十五卷

都穆　遊名山記六卷

---

① “清”,《千頃堂書目》卷八作“縉”。

② “江”,《千頃堂書目》卷八作“西”。

陳沂 遊名山記四卷

王士性 五嶽遊草十一卷

王思任 遊喚一卷 又 廬遊記一卷

黄以陞 遊名山記六卷

李先芳 五嶽志略

泰山輯瑞集

查志隆 岱史十八卷海寧人。嘉靖己未進士。

泰山志六卷

宋燾 泰山記事□卷[①]泰安州人。萬曆辛丑進士,督學御史,贈光禄寺少卿。

嵩嶽志七卷

燕汝靖 嵩嶽古今集録二卷

李時芳 華嶽全集十卷嘉靖壬戌修,華陰知縣。

北嶽恒山神祠事録五卷

婁虚心 北嶽編五卷

王濬和 恒嶽志二卷

彭簪 衡嶽志八卷嘉靖戊子修。簪字民望,安福人。衡山知縣。

鄧雲霄 衡嶽志八卷

顧炎武 昌平山水記二卷

盛時泰 金陵紀勝三卷 又 牛首山志二卷 又 栖霞小志一卷 又 祈澤寺志一卷

陳沂 獻花巖志一卷

金鑾 攝山志二卷

劉同升 金陵遊覽志

楊循吉 金山小志一卷

張萊 京口三山志十卷丹徒人。正德甲戌進士。

---

① 空格處,《明史》卷九十作作“十二”,《四庫全書總目》卷七十六作“三”。

朱文山　京口三山續志

王賓　虎丘集二卷　又　吴下名蹟詩

王鏊　震澤編八卷

蔡洋　太湖續編

盧雍　石湖志十卷

黄習遠　靈巖山志八卷字伯傳,吴縣人。

邵寶　慧山集六卷録永樂以前慧山詩文。

譚修[①]　惠山古今考十卷

胡松　香泉志一卷一云滁州守安福胡永成編[②]。

潘之恒　新安山水志十卷　又　黄海二十九卷

程孟　黄山小録成化中人。

方漢　齊雲山志七卷

雲巖史二卷

瓊華集三卷

趙廷瑞　南滁會景編四卷嘉靖丁酉編。南京太僕寺卿。

田藝蘅[③]　西湖遊覽志二十四卷

張元忭　雲門志略五卷

楊維禎[④]　錢塘百咏詩

夏時　西湖絶句百篇字以正,錢塘人。永樂戊戌進士,廣西左布政使。

吴希孟　釣臺集十卷嘉靖間桐廬令。

童琥　釣臺拾遺集四卷

周應賓　普陀山志五卷　又　游山志

錢奎　北山志十卷金華北山。奎,成化時人。趙寬有序。

---

① “譚”,《千頃堂書目》卷八作“談”。

② “永”,《千頃堂書目》卷八作“承”。

③ “蘅”,《千頃堂書目》卷八作“衡”。

④ “禎”,《千頃堂書目》卷八作“楨”。

王埜　紹興名勝題咏

潘瑊　天台勝蹟二册台州人[1]。

僧傳燈　天台山志二十九卷

朱諫　雁山志四卷

桑喬　廬山紀事十二卷

王華　麻姑集字廷光，南城人。

羅汝芳　從姑山集

王綸　滕王閣集十卷正德中江西參政。

董遵[2]　滕王閣集十卷

石鍾山集九卷

太岳太和山志十五卷道士任自垣編。自垣號瞻宇，爲太和宫提點，仁宗常爲《瞻宇歌》賜之。

岳陽紀勝彙編四卷

馬朴　襄陽名蹟録二卷

汪佃　武夷山志二卷

楊亘　武夷山志六卷

勞堪　武夷山志四卷

丘雲霄　武夷志[3]

黄天全　九鯉湖志六卷莆田人。萬曆丙戌編。

劉中藻　洞山九潭志四卷

喬世寧　五臺山志一卷

清凉山志十卷

丁守中　王官谷圖集四卷守中，山西臨晉知縣。

---

① "台州人"，《千頃堂書目》卷八作"邑人"。

② "董"，原誤作"童"，據《千頃堂書目》卷八、《四庫全書總目》卷一百九十二改。

③ "武夷志"，《千頃堂書目》卷八作"武夷山志六卷"。

王世懋　關洛紀遊一卷

祁伯裕　關中陵墓志二卷

張志道[①]　少陵志

李應奇　崆峒志□卷[②]萬曆己丑修。郡人。

楊慎　温泉詩一卷

王崇慶　蓬萊觀海亭集三卷一作十卷。

陳璉　羅浮志十五卷

黎民表　羅浮山志四卷

霍尚守　西樵山志二卷

寧獻王權　遐齡洞天志四卷

山川紀異録

江山勝槩圖二册

楊爾曾　海内奇觀十卷

陳誠　西域行程記二卷

都穆　使西日記二卷

陸深　停驂録一卷　又　續停驂録一卷　又　淮封日記一卷　又　南遊日記一卷

劉定之　代祀録一卷

楊士奇　北京紀行録一卷　又　南歸紀行録一卷　又　展墓録一卷

費信星　槎勝覽前集一卷　後集一卷　又　天心紀行録字公曉，太倉衛人。永樂中，從鄭和使西洋，記所歷國。

馬歡　瀛涯勝覽一卷會稽人。

張昇　改正瀛涯勝覽一卷

---

① "志"，《千頃堂書目》卷八作"治"。

② 空格處，《千頃堂書目》卷八作"二"。

李東陽　東祀録三卷

彭韶　北岳代行録

張寧　奉使録二卷

古今使遠録一册

潘希曾　南封録

黄洪憲　黄承昊　桐封二記一卷

張鳳鳴　西遷注一卷

倪謙　朝鮮紀事一卷　又　遼海編四卷

董越　朝鮮賦一卷　又　使東日録一卷

龔用卿　使朝鮮録三卷嘉靖丁酉，皇子生，頒詔録儀注詩文諸作。

許國　朝鮮日記二卷

金本清　東藩紀行録一卷使朝鮮作，丘濬有序。本清，鄞縣人。

黄洪憲　輶軒録四卷

姜曰廣　輶軒紀事一卷　又　皇華集三卷

黄福　安南水程日記二卷

錢溥　使交録一卷

黄諫　使交録

蕭從業[1]　使琉球録二卷

陳侃　使琉球録二卷

謝杰　使琉球録六卷

沈立　江行録一卷洪武初溧陽主簿。

陳循　東行百咏八卷謫戍遼東時作。

段正　宦遊記十卷

黄瓚　紀行録八卷儀真人。

郭松年　南詔紀行

① “從”，《千頃堂書目》卷八作“崇”。

項篤壽　路記六册

王臨亨　粤鑑編四卷[①]

曹學佺　蜀中宦遊記四卷

劉昌炎　方慟哭記

徐㘭　巴陵遊譜一卷　又　客惠紀聞一卷

嚴從簡　殊域周咨録二十四卷嘉興縣人。嘉靖己未進士。

卜大同　歷代市舶記

慎懋賞　四彝廣記九册

寧獻王權　異域志一卷

陳誠　使西域記三卷

熊太古　地里西南彝補志五卷

黄省曾　西洋朝貢典録二卷

羅日褧　咸賓録八卷

葉向高　四彝考八卷

茅瑞徵　象胥録八卷

張燮東　西洋考十二卷

錢溥　朝鮮雜志三卷

邢侗　漢書朝鮮傳疏一卷

李如松　朝鮮沾化集

黄洪憲　朝鮮國紀一卷　又　箕子實紀一卷

黎澄　南翁夢録一卷

李文鳳　粤嶠書二十卷[②]紀安南事。

蕭大亨　彝俗記一卷　又　北鹵重譯一卷　又　北鹵系俗一卷

---

① “鑑”,《千頃堂書目》卷八作“劍”。

② “粤”,《千頃堂書目》卷八作“越”。

尹耕　譯語一卷
張洪　日本補遺　又　南彝書
鄭若曾　日本圖考二卷
薛俊　日本考略三卷定海人。常州訓導。
李言恭　日本考五卷
侯維高[1]　日本風土記四卷
卜大同　備倭圖記四卷　又　征苗圖記一卷
蔡汝賢　嶺海異聞一卷　又　續異聞一卷
黄衷　鐵橋海語三卷
李思聰　百彝傳一卷洪武二十九年，思聰爲行人，出使緬國，因采其山川人物風俗道路爲書以進。
田汝成　炎徼紀聞四卷
趙釴　九彝古事一卷
楊鼐　南詔通紀十卷
顧應祥　南詔事略一卷
粤西土司諸彝考四卷
郭棐　嶺南諸彝志二卷
張邦望　岑氏七志七卷閩人。
諸葛元聲　滇史十四卷
艾儒略　職方外紀五卷
鸁蟲録一卷
四彝館考九册
徐一夔　宋行宫考一卷
蕭洵　元故宫遺録一卷
白瑜　彝齊志六卷

---

① “維”，《千頃堂書目》卷八、《明史》卷九十七作“繼”，當據改。

陋巷志八卷
魯氏志四卷
三遷志六卷
顔羽翶　卞里志二卷
二程故里志六卷
程朱闕里志新安太學生趙旁編①,高攀龍序。
劉俊　白鹿洞書院志六卷
孫存　岳麓書院圖志一卷
吴士奇　白鷺洲書院三祀志十三卷
夏時正　旌德觀先賢祠録二卷②
胡拱辰　南海神祠嘉惠録□卷　又　南海神祠事實六卷
焦竑　關公祠志九卷
李濂　朱仙鎮岳廟集
湯陰精忠廟志十卷
陳善　勳賢祠志四卷
王在晋　两山崇祀録一卷
裴應章　鄖臺志十卷
唐胄　江閩湖廣都臺志
龔勉　烟雨樓志四卷
朱自新　祖陵紀略二卷祠祭署奉祀。
鄒迪光　愚公谷乘八卷
南居益　瀑園志六卷③
繆肇祖　常熟縣儒學志十卷

① “趙旁”,《千頃堂書目》卷八、《四庫全書總目》卷六十作“趙滂”。
② “觀”,《千頃堂書目》卷八無。“二”,《千頃堂書目》作“三”。
③ “六”,《千頃堂書目》卷八作“四”。

譜牒類

太祖御製皇陵碑一卷

天潢玉牒一卷

大明宗支二卷明初輯，男女各一册。

大明宗譜一卷永樂間修。

大明主婿一卷洪武中編，仁祖及太祖親王主婿譜牒。

宗譜二册諸王玉牒。

朱睦㮮　大明帝系世表一卷　又　周國世系表一卷　又　周乘一卷

周憲王年表二册

周定王年表一卷[1]

朱睦㮮　鎮平世系録二卷[2]

楚王宗支文册一卷

遼國世系四卷

蜀府宗支圖譜一卷

世衍編四卷

鄭汝璧　帝后紀略　又　同姓諸王表

陳子龍　明同姓諸侯王年表一卷

吴沈　千家姓一卷洪武十四年五月編進。

楊信民　姓源珠璣六卷江陰人。爲文淵閣纂修，後官日照知縣。

邢參　姓氏彙典二卷

楊慎　希姓録五卷

黄佐明　千家姓纂十二卷

---

① "卷"，《千頃堂書目》卷十作"册"，下"世衍編四卷"條同。

② "録"，《千頃堂書目》卷十作"紀"。

張素　叙姓千文山陽人。成化乙酉舉人，河陰知縣。

王文翰　尚古類氏集十二卷汾陽人。山東按察司僉事。

楊譓　姓字通辨[1]

曹宗儒　郡望辯二卷字元博，松江人。

許瀚　登科姓輯五卷

陳士元　姓滙四卷　又　姓觿二卷[2]　又　名疑四卷

凌迪知　歷代帝王姓系統譜六卷　又　姓氏博考十四卷　又　萬姓統譜一百四十卷

夏樹芳　奇姓通十四卷

葉盛　衛族考一卷

俞應哲　古姓韻編新昌人。貢士，萬曆初江油令。

余寅　同姓名録十二卷

孫羽侯　同姓名録四卷

朱統鍇　廣同姓名録十六卷

徐鳴玉　歷代人物世名紀江陰人。隆慶間蘇州府學訓導。

沈弘正　小字録補六卷

朱右　朱子世家

盧熊　孔顔世系表

孫楨　瑯琊王氏世系譜二卷别派一卷

韓昌箕　王謝世家三十卷字仲弓，歸安人。

中山徐氏世系録一卷武寧王七世孫良本編。

李韓公家乘

李臨淮　遐思録八卷

陳靜誠　世德録

---

① “字”,《千頃堂書目》卷十作“氏”。

② “二”,《千頃堂書目》卷十、《四庫全書總目》卷一百三十七作“十”。

姑孰李氏家譜李習後裔李汝節輯。
章溢 龍泉章氏族譜四篇 又 章氏家乘五卷
金華宋氏傳芳録四卷
華悰 無錫華氏傳芳録十九卷
鄭氏旌義編二卷鄭濤輯。濤官太常博士。
山堂章氏傳芳集三卷
桂仲權 桂氏家乘九卷桂彦良從弟,明初官知縣。
南園俞氏文録
西寧侯家譜
李維禎[①] **鎮遠侯世家一卷**
顧大猷 鎮遠先獻紀二十四卷
隆平侯祖地志
楊士奇 楊氏家乘二十卷
楊文敏公集譜四卷
况鍾 况氏文獻三卷鍾自集其所得誥命及先世志銘傳記諸作,金幼孜爲序。
李昂 李忠文公家乘十卷李時勉孫。祁門訓導。
汪福 隴西汪氏世譜福,滁州衛指揮。
藁城董氏傳家録五卷
錢伯芝 吴越錢氏傳芳後集五卷
程坑[②] **程氏統宗譜六十卷**宣德中人。
程孟 程氏諸譜會通五十卷 又 外譜二卷鮑寧門人。
程富 流芳集十卷集録本支族譜及褒封誥敕贈遺詩文。
程敏政 新安程氏統宗世譜三十卷 又 程氏遺範集四十卷文三十卷,詩十卷。**又 陪郭程氏本宗譜三卷**

---

① "禎",《千頃堂書目》卷十作"楨"。
② "坑",《千頃堂書目》卷十作"琉"。

耿九疇　上艾耿氏家乘三卷
劉均美　劉氏慶源録三卷
華容劉氏族譜四卷
洪洞韓氏譜略一卷
李夢陽　李氏族譜一卷
靈寶許氏族譜一卷
胡纘宗　家譜一卷
惠安張氏家藏書一卷
羅洪先　秀川羅氏族譜五卷
喬世寧　喬氏族譜一卷
張時徹　四明槎湖張氏族譜一卷
鼂瑮　鼂氏足徵録
黄山焦氏族譜四卷户部員外郎焦煜編。
鮑光庭　棠樾鮑氏傳家録十四卷
黄安耿氏族譜八卷
南軒　南氏全譜五卷　又　本宗譜五卷[①]
張朝瑞　族譜九卷
李渭　家乘十二卷
于慎行　于氏家乘二卷
楊起元　楊子世家
錦播楊氏世家八卷
海虞錢氏家譜八卷
錢世揚　錢氏家乘續集　又　彭城世徵二卷
顧起元　顧氏小史十卷
陶直夫　陶氏譜一卷陶侃裔，鄱陽人。

① 第二個“卷”,《千頃堂書目》卷十作“篇”。

歐蘇譜例一卷

簿録類

楊士奇　文淵閣書目十四卷宣德四年編定。

馬愉　秘閣書目二卷

錢溥　内閣書目一卷

張萱　新定内閣藏書目録八卷萬曆中定。又　閣藏家録四卷

焦竑　國史經籍志六卷糾繆一卷

内府經廠書目二卷

國子監書目一卷

南雍總目一卷

御書樓藏書目一卷北京國子監。

都察院書目

行人司書目二卷　又　續書目一卷

王佐　經籍目略瓊州臨高人。

西亭中尉萬卷堂書目十六卷朱勤美編。

何喬新　訂刻馬端臨經籍考七十□卷[①]

天下古今書目一卷

周弘祖　古今書刻二卷各府州縣所刊書及石刻。一作四卷。

祁承㸁　諸史藝文抄三十卷　又　两浙著作考四十六卷

國朝經籍考五册不知編人。

國朝名家文集目一卷[②]

古經解書目一卷

---

① 空格處,《千頃堂書目》卷十作“六”。

② “卷”,《千頃堂書目》卷十作“册”。

曹學佺　蜀中著作記十卷

福建書目一卷

建寧書坊書目一卷

寧獻王書目一卷

徽府書目一卷

衡府書目一卷

江寧王府書目一卷

楊士奇　文集志□卷[①]　又　法書志一卷

葉文莊公　菉竹堂書目六卷　又　菉竹堂碑目十卷

吴匏庵　叢書堂書目

李浦汀家藏書目二卷[②]李廷相。

王文莊書目二卷王鴻儒。

臨潁賈氏藏書目二卷賈詠。

浚川倚山書一卷[③]

陸伸[④]　式齋藏書目録

顧尚書書目六卷顧璘。

金陵羅氏書目四卷羅鳳。

喬三石書目一卷

四明范氏天乙閣藏書目四卷[⑤]范欽。

上蔡李氏家藏書目一卷

李嵩渚醫書目四卷李濂。

李中麓書目一卷

---

① "集",《千頃堂書目》卷十作"籍"。

② "浦",《千頃堂書目》卷十作"蒲"。

③ 此條,《千頃堂書目》卷十作"浚川何山書目一卷"。

④ "伸",《千頃堂書目》卷十作"仲"。

⑤ "乙",《千頃堂書目》卷十作"一"。

鼂氏寶文堂書目三卷鼂瑮。
古涿高儒百川書志二十卷
姑蘇吴氏書目一卷方山吴岫。
葛寢野書目一卷葛臣。
張鹵 四櫃書目二卷
湖州沈氏玩易樓藏書目二卷
沈啟原 存石草堂書目十卷秀水人。嘉靖己未進士。
韓氏寄傲堂書目四卷
徐儆弦家藏書目
于文定公書目
郭子章 蠙衣生書目二卷
焦氏藏書目二卷焦竑。
欣賞齋書目六卷 又 欣賞齋金石刻目二卷
澹生堂藏書目八卷祁承㸁。
牧齋書目一卷
周廷槐 大業堂書目二卷金谿人。
徐𤊹 徐氏家藏書目七卷
黄居中 千頃齋藏書目録六卷
錢塘夏氏書目一卷
華亭徐氏書目一卷
平湖沈氏書目一卷
楊氏書目一卷
楊升庵著述目録一卷
大明法寶標目十卷
大明三藏聖教目録三卷
大明道藏目録四卷

道藏目録詳註四卷金陵道士白雲霽①。

楊慎　法帖神品目一卷　又　名畫神品目一卷

孫克弘　古今碑目二卷

顧起元　金陵古今石考目一卷

于奕正　天下金石志十三卷

水經碑目一卷

輿地碑記目録二卷

陳仁錫　國史目録四十卷

吕仲善　采史目録四卷章貢人。洪武初,纂修《元史》,而順帝三十六年事缺,乃命黄盅等十三人采訪事實,仲善以國子監掌饌往北平,得故事遺文成八十帙歸②,以功遷太常典簿,尋擢寺丞,因集其目録而上之于朝。

---

① "雲霽"二字原無,據《千頃堂書目》卷十補。

② "遺文",《千頃堂書目》卷十作"遺聞"。

三　子部

子之類十有三，一曰儒家類，二曰雜家類，前代藝文志列名、法諸家，後代沿之，然寥寥無幾，備數而已，今削之，總附雜家。**三曰農家類，四曰小説家類，五曰兵書類，六曰天文類，七曰曆數類，八曰五行類，九曰醫方類，十曰藝術類，十一曰類書類，十二曰道家類，十三曰釋家類。**

儒家類

成祖聖學心法四卷爲類四，曰君道、臣道、父道、子道。永樂七年編，賜皇太子，帝爲序。

性理大全七十卷永樂十二年十一月，既命胡廣等纂脩《五經》、《四書大全》，又以周、程、張、朱性理之言，如《太極圖》、《通書》、《西銘》、《正蒙》之類，皆六經之羽翼，各自爲書，未有統會，宜類聚成編，以垂後世。因命廣及楊榮、金幼孜總其事，博選廷臣及在外教官有文學者同纂脩。明年九月書成，帝親製序，頒之天下。

文華寶鑑□卷永樂二年編，訓太子。

傳心要語一卷

宣宗帝訓一卷一作四卷，凡二十五篇。帝親序其首并跋於後。

五倫書六十二卷先是宣宗萬幾之暇，采輯經、傳、子、史嘉言善行有關於倫理者爲是書。英宗正統十三年五月製序頒行。

景皇帝勤政要典一卷景泰三年御製。

憲宗文華大訓二十八卷成化十八年十二月編，賜皇太子。其書爲綱四，目二十有四。嘉靖八年，製序刊行。

世宗敬一箴一卷　又　注程頤四箴一卷　又　注范浚心箴一卷嘉靖五年，帝出諸箴賜大學士費宏等，因言此帝王傳心要法、至治要道，請敕工部於翰林院建亭勒石,以垂永久。仍敕提學官摹刻於府州縣,使天下人士服膺聖訓,有所興起。報可。

夏英　蒞祚典要一卷英官邵武府知府,弘治十八年表上,分《法祖》、《師古》二篇。

廖道南　文華大訓箴解六卷

劉基　郁離子三卷

王褘　卮詞一卷

隰川王俊伯大文録取周子太極立爲贊説,推衍天地陰陽、國家人物之理。嘉靖九年六月進呈,賜敕獎諭。

宋濂　龍門子凝道記二卷

孫作　東家子十二篇

葉儀　潛書一卷

留睿　留子九篇字若愚,一字養愚,括蒼人。明初,隱居著書。

徐達左　傳道四子書十卷達左以顔、曾、思、孟遺書,傳者真僞不齊,因輯其言行散見群書者爲此,每一子皆分内外篇。

葉子奇　太元本旨九卷　又　範通玄理①

殷奎　道學統緒圖

朱右　性理本原三卷

朱廉　理學纂言

張九韶　理學類編八卷

趙古則　造化經綸圖

林弼　宋儒會解

謝應芳　辯惑編四卷

顧亮　辯惑續編九卷②字寅仲,上虞人。寓於吴,楊維楨嘗爲作《顧孝子傳》,因

---

① "玄理"二字原脱,據《千頃堂書目》卷十一補。

② "續"字原脱,據《千頃堂書目》卷十一、《四庫全書總目》卷九十六補。

應芳之書增損衍釋之。**又 省己録一卷**[①]

吴彬 性理問答休寧人，元陳櫟甥，從櫟學。

吴海 命本録一卷

傅淳 性理叢説慈谿人。

詹鳳翔 理學括要六卷字道存，江西樂平人。洪武中，官本府儒學訓導。

鄭儀孫 性理字訓

趙文 理學述言字宗文，長洲人。洪武中鄱陽知縣。

方孝孺 武王戒書註一卷

周是脩 綱常彝範十二卷 又 邇言四卷

劉端 儒行十二篇

胡濙 律身規鑑一卷

曹端 太極圖説述解一卷 又 西銘述解一卷 又 通書述解一卷 又 理學要覽二卷 又 性理論一卷 又 夜行燭一卷 又 儒家宗統譜 又 存疑録 又 月川語録一卷

尤文 語録二卷字務樸，無錫人。洪武中，舉明經、秀才，皆不就。陳真晟稱其學，與有宋五子相表裡。

王洪 學訓

吴訥 性理群書補註十四卷 又 補性理字訓

胡應璣 理髓三卷

黄潤玉 海涵萬象録三卷 又 南山録

鮑寧 天原發微辯正五卷 又 問答節要二卷

魏驥 理學正義

朱謐 正蒙述解 又 太極圖解

任道遜 太極心性圖説 又 雲山樵語臨安人，一作温州永嘉人。永樂中，舉奇童，歷官太常寺卿。

---

① "省"，原誤作"損"，據《千頃堂書目》卷十一、《四庫全書總目》卷九十五改。

葉挺　理氣圖説永嘉人。正統間，舉經明行脩，不赴。

金潤　心學探微十二卷字伯玉，上元人。正統戊午舉人，南安知府。

吴與弼　康齋日録一卷

李賢　體驗録一卷

彭時　正學階梯一卷

彭勗　讀書要法

薛瑄　讀書録十卷　又　續讀書録十卷　又　性理三書三卷

盧璣　貞字補遺十卷字舜臣，松陽人。天順甲申進士。成化初，上疏忤旨，謫戍銅鼓衛。

鄭還　理氣管見字復正，遂昌人。從學盧璣，爲曹州訓導。

倪復　正蒙發微　又　皇極經世通釋

王敔　正蒙直解

白良輔　太極解

喬縉　性理解惑

周弘謨[①]　**南皋子雜言二卷　又　箐齋讀書録二卷**

胡居仁　居業録八卷

陳真晟　程朱正學纂要天順三年，詣闕上。

宋端儀　考亭淵源録□卷　又　道南三先生遺書

吴景端　五箴解一卷開化人。江浦教諭。程敏政有序。

張志淳　西銘通

張芝　經世續卦歙縣人，字庭毓。弘治丙辰進士，湖廣按察副使。

葉應　太極圖説

周木　延平問答續録一卷字近仁，常熟人。乙未進士，南京行人司副，學者稱“勉思先生”。

董遵　金華淵源録字道卿，蘭溪人。江浦知縣，從學章懋。　**又　諸儒講**

---

① “弘”，《千頃堂書目》卷十一作“洪”。

義□卷類集宋元諸儒講義，凡六十九篇。

姚文灝　學齋心學録

畢亨　省愆録四卷

宋佳　尊心録十二卷字子美，奉化人。成化癸卯舉人，徽府長史。

薛敬之　思菴野録　又　道學統基[①]　又　洙泗言學録字顯思，渭南人。成化中貢士，應州知州，周蕙廷芳門人。

馬季機　經濟文衡前集□□　後集□□　續集□□卷[②]皆輯朱子文字及問答要語，楊一清序。

林俊　濯舊一卷

劉璣　正蒙會稿四卷陝西咸寧人。户部尚書。

章拯　定性書

余本　皇極經世觀物外篇釋義四卷　又　正蒙集解

童品　續正蒙發微二卷　又　皇極經世書内篇註

吴世忠　太極圖解

又　朱子事類[③]

段堅　栢軒語録

謝鐸　四子擇言　又　伊洛淵源續録六卷　又　續真西山讀書記

吾哻　朱子讀書法　又　五箴解

周正　皇極經緯

林稹　續朱子伊洛淵源録

程敏政　道一篇五卷[④]　又　心經附註三卷

---

① "統基"，《千頃堂書目》卷十一作"基統"。

② 三處空格，《千頃堂書目》卷十一分别作"廿五"、"廿五"、"廿二"。

③ 此條，據《千頃堂書目》卷十一當作："宋端儀《考亭淵源録》□卷，又《道南三先生遺書》，又《朱子事類》。"

④ "篇"，《千頃堂書目》卷十一作"編"。

丘濬　朱子學的二卷

蔡清　密箴一卷　又　性理要解二卷　又　太極圖説一卷　看河圖洛書説一卷

楊廉　太極圖纂要一卷　又　西銘旁通一卷　又　皇極經世啓鑰□卷　又　伊洛淵源録類增十四卷取朱子平日之言有及於伊洛者,附於原本各條下,於正本兼有更定。又　畏軒劄記三卷　又　分類程氏遺書三十二卷　外書十卷　又　二程年表　又　象山語類十卷

余祐　性書三卷　又　文公經世大訓十六卷

張吉　陸學訂疑二卷　又　學範　又　居業録要語四卷

章懋　楓山語録二卷　又　諸儒講義二卷

張璡　程朱心印

邵寶　定性書説

王瓚　正教篇一卷[①]

許莊　心鑑警語一卷

潘府　校集顔子二卷上下八篇,輯經傳所載爲正文,别引雜説附於下,凡三十一章。

楊守阯　困學寡聞録十卷集程朱議論。

崔銑　楊子折衷六卷　又　中説考七卷[②]　又　士翼四卷　又　松窗寤言一卷　又　程志十二卷一作十卷。

王廷相　王氏愼言十三卷　又　雅述二篇

顧璘　近言一卷

李夢陽　空同子二卷[③]

---

① "篇",《千頃堂書目》卷十一作"編"。

② "考"後,《千頃堂書目》卷十一有一"釋"字。

③ "二",《千頃堂書目》卷十一作"一"。

何景明　何子一卷

鄭善夫　少谷漫言一卷

羅僑　潛心録字惟升，吉安人。從張詡學，舉弘治己未進士，歷任廣東参政，先知台州府，舉治行第一。①

陳茂烈　省克録　又　靜思録

王承裕　動靜圖説　又　太極圖説　又　草堂語録　又　三泉堂漫録　又　進脩筆録

韓邦奇　性理三解八卷　又　正蒙拾遺一卷

王鴻漸　讀書記二卷

王蕢　大儒心學録二十七卷　又　講學録

王大用　聖學一貫字時行，興化衛人。正德戊辰進士②，南京刑部右侍郎。

毛憲　毘陵正學編

劉績　太元經註江夏人。

徐問　讀書劄記八卷　又　續讀書劄記八卷

方鵬　觀感録十二卷　又　治心要語一卷

林祺　考亭麗澤録集南軒、東萊、象山行實。又　考亭源流録③録豫章、延平諸先生及蔡西山，下至元許謙諸儒行實。

劉玉　日省餘録二卷

魏校　體仁説一卷　又　莊渠全書十卷

林有年　正學階梯字以永。莆田舉人，官南御史。疏諫武宗迎佛，逮詔獄，謫武義丞。嘉靖中，官貴州副使。

趙鶴　金華正學編十卷　又　洙泗言仁續録　又　示教録

王守仁　傳習録四卷徐愛、錢德洪輯。又　朱子晚年定論一卷　又

---

① “張詡”，《千頃堂書目》卷十一作“張訥”。“先”字，《千頃堂書目》無。

② “正德”，原誤作“正統”，據《千頃堂書目》卷十一、《明清進士題名碑録索引》改。

③ “源流”，《千頃堂書目》卷十一作“淵源”。

陽明則言三卷[①]門人薛侃等輯。

羅欽順　困知記六卷　附録二卷

陳鳳梧　困知記

陳建學　蔀通辯十二卷前後續别四編。　又　朱陸編年考

陸埛　傳習辯疑

許讚　聖訓衍三卷

許誥　圖書管見　又　太極管見　又　太極論　又　性學編一卷　又　道統泝流録一卷　又　原道釋一卷

湛若水　甘泉明論十卷　又　甘泉新論一卷　又　樵語二卷　又　遵道録十卷　又　甘泉問辯録三卷　又　甘泉問辯續録三卷　又　二業合一訓四卷　又　雍語□卷　又　甘泉心性書一卷[②]　又　聖謨衍一卷

霍韜　象山學辯一卷

鍾芳　皇極經世圖纂

范永鑾　明儒警語一卷

王漸逵　正學記一卷　又　觀水記一卷

黄佐　泰泉庸言十二卷

吕柟　涇野子内篇三十三卷　又　語録二十卷　又　五子抄釋二十一卷周子二卷，張子二卷，二程子八卷，朱子九卷。又　周子演二卷

鄒守益　道南三書三卷　又　鄒氏學脈三卷　又　鄒文莊明道録四卷

何瑭[③]　栢齋三書四卷

---

① "三"，《千頃堂書目》卷十一作"二"。

② "一"，《千頃堂書目》卷十一作"二"。

③ "瑭"，《千頃堂書目》卷十一作"塘"。

殷雲霄　石川明道録二卷

薛蕙　大寧齋日録□卷　又　約言二卷

毛愷　讀書録抄釋三卷

莫旦　學業須知四卷

王崇慶　海樵子七卷　又　海樵濫語二卷　又　古學選註二卷　又　溪野問答一卷　又　解劉元城語録三卷

方泰　續讀書録三卷[①]字時盛，河南新安舉人，邢臺縣教諭。

林希元　太極圖解

張岳　聖學正傳　又　恭敬大訓　又　載道集惠安人。

柯維騏　講象二卷[②]

毛仲時　理數啓鑰二卷

吴稷明　正學編□卷　又　破愚録字舜弼，松江人。正德間甲戌進士，荆、徽二府長史。

舒芬　太極通書釋義

顧夢圭[③]　疣贅録二卷

薛甲　心學淵源録二卷　又　緒言四卷　又　心傳書院講義

顧應祥　惜陰録十二卷

凌瀚　乾惕録一卷

鄭曉　古言二卷

沈霽[④]　語録四卷華亭人。正德辛未進士，貴州參政。

戴冠　戴子長洲人，訓導。

敖英　慎言集訓二卷

邵經邦　弘道録五十七卷總揭五德，通貫五倫，采摭經史事實，附以己意闡

---

① “書”字原脱，據《千頃堂書目》卷十一補。

② “象”，《千頃堂書目》卷十一作“義”。

③ “夢”，《千頃堂書目》卷十一作“孟”。

④ “霽”，《千頃堂書目》卷十一作“睿”。

發之。

黄綰　思古堂筆記

季本　説理會編

沈愷　夜燈管測二卷字舜臣，華亭人。官太僕寺卿。

林士元　子思子

黄省曾　註申鑒五卷

柳文　文中子袌粹字少明，山陰人。擇其言之粹者，其餘依倣聖人之語者去之。

程廷策　註馬融忠經一卷

黄希憲[①]　**續自警編十六卷**字伯容，金谿人。嘉靖癸丑進士，福建參政。

朱得之　正蒙通義

吴伯通　石谷遺言一卷　又　甘棠書院録一册

何益之　友問集十卷

唐順之　諸儒語要十卷　又　諸儒文要八卷録濂溪、二程、横渠、龜山、上蔡、五峰、紫陽、東萊、南軒、象山、慈湖、白沙、陽明之語及文章。**又　儒編**

黄一脉　諸儒語要續六卷

唐樞　一庵語録二卷　又　太極枝辭一卷

薛應旂　考亭淵源録二十四卷　又　薛子庸語十二卷門人慈溪向程釋，凡二十四篇。

王艮　心齋語録二卷

薛侃　研幾圖一卷　又　圖書質疑

王棟　一庵會語十二卷泰州人，王艮門人。歲貢，泰安州訓導。

李呈祥　古源先生省己録一卷知行二論附。**又　古源山人二語八卷**字時龍，貴池人。正德中貢士，從王守仁問學。

鄒森　鄒子觀心約一卷蔚州人，號漸齋。嘉靖辛卯舉人，未仕卒。

---

① "希憲"，原誤作"憲希"，據《千頃堂書目》卷十一、《四庫全書總目》卷一百三十一乙正。

郭儒　續近思録二卷號一泉，祁縣人。凡十一篇。嘉靖丁酉舉人，官淳化知縣，以清幹稱。

吴文光　朱子感興詩解一卷　又　門人答問録四卷字有明，婺源人。嘉靖丙午舉人，應山知縣。

洪垣　洪子聞言四卷

陳階　道教源流録四卷號芝山。一作二卷。

吴介　理學會通字于石。嘉靖辛卯舉人，知州。

胡明庶　蔡氏性理二書圖解羅田人。嘉靖壬辰進士，未仕卒。

鄭良佐　道學統宗内外二傳字世忠，寧海人。太學生。嘉靖中，上疏，請祀建文死難諸臣，不報。

張倫　格致圖汶上人。嘉靖中户部員外郎。

李義壯　理數或問

聶豹　困辯録一卷[①]**　又　幽居答述録二卷**

何維栢　太極圖解

龐嵩　太極解　又　弼唐遺言

余嘉謨　皇極經世註

殷登瀛　聖學正脉

李元陽　心性圖説

孫應奎　朱子抄十卷

徐階　存齋教言一卷

張敔　皇極經世聲音譜

李承恩　性理三書解一卷

徐爌　定性書釋二卷太倉人。

郭朴　管見一卷

李鐸　補注顏子光化人。郾陽教諭。

---

① “一”，《千頃堂書目》卷十一、《四庫全書總目》卷九十六作“八”。

周思兼　學道記言六卷　又　西齋日録十卷

胡直　胡子衡齊八卷　又　衡廬精舍雜言十五卷《言未》二卷,《明中》二卷,《申言》二卷,《談言》二卷,《微札》二卷①,《傳辨》二卷,《理問》一卷,《續問》二卷。

徐貢元　省身日記繁昌人。嘉靖辛丑進士,南京户部右侍郎,與海瑞等稱"天下四君子"。

汪尚和　紫陽道脈録四卷字節夫,休寧人。

陸樹聲　汲古叢語一卷

盧忠　寧獻子講存二卷②

金賁亨　道南録五卷　又　象山白沙要語一卷　又　台學源流之集七卷

蔡鑁　汶濱語録二十卷

鄭世威　岱陽問答六卷③

李得陽　羲蒼子一卷字伯茂,廣德州人。嘉靖乙丑進士,南京工部侍郎。

尤時熙　擬學小記八卷　又　聖諭衍字季仲,洛陽人。嘉靖中舉人,官户部主事,號"西川先生"。

王時槐　自考録一卷　又　廣仁彙編

劉元卿　諸儒學案八卷　又　思問編　又　先正義方　又儒宗考輯畧二卷　又　劉聘君會語四卷

何遷　友問四卷一作十卷。

王之士　理學緒言　又　信學弘言④　又　道學考源録

吕懷　心統圖説二卷

王宗沐⑤　朱子大全私抄十二卷

---

① "微札",《千頃堂書目》卷十一作"微禮"。

② "寧",《千頃堂書目》卷十一作"守"。

③ "問答",《千頃堂書目》卷十一作"答問"。

④ "弘",《千頃堂書目》卷十一作"私"。

⑤ "沐",原誤作"沫",據《千頃堂書目》卷十一改。

周琦　東溪日談十八卷廣西馬平人。
殷邁懲　慾忿窒編一卷　又　閒雲館野語一卷　又　逍遥館測言一卷
徐應乾　士林正鵠四卷字以清，遂昌人。貢士，官雷州府儒學教授。
羅汝芳　近溪子明道録八卷耿定向編。又　近溪集語十二卷
耿定向　耿子庸言二卷　又　學彖二卷　又　雅言一卷焦竑輯。又　新語一卷　又　教學商求一卷
李渭　先行録十卷字湜之。思南府舉人，官雲南参政，人稱“同野先生”。
李希雒　益言四卷字宗裕，太原人。癸丑進士，吏科給事中。
陳善　自警新編
貢安國　學覺窺斑六卷
王樵　紫薇堂劄記一卷　又　戊申筆記一卷
蕭廪　微言二卷　又　論學緒言
許孚遠　敬庵語要二卷
朱衡　道南源委録十二卷
孫應鰲　論學彙編八卷　又　道林先生粹言四卷　又　教秦總録四卷
高拱　本語六卷①
梁斗輝　聖學正宗二十卷新會人。隆慶丁卯舉人，太平府同知。
張元忭　張子志學録一卷
管志道　七九問辯牘四卷　又　續問辯牘四卷　又　理要酬咨録四卷　又　酬咨續録四卷　又　覺迷蠡測六卷　又師門求正牘二卷　又　八九病榻心宗二卷
王敬臣　俟後編四卷一作六卷。
吕坤　呻吟語四卷　又　小兒語五卷

① “本”前，《千頃堂書目》卷十一有“中玄子”三字。

章潢　大中本旨　又　此洗堂語畧二卷

賀沚　尊聞録　又　敬止堂日劄　又　聖學管窺　又　校刊揚子法言十三篇字汝定,廬陵人。隆慶庚午舉人,蘇州府同知。

鄒德溥　畏聖録二卷

吴炯　吴氏叢語十二卷

鄧球　理學宗旨二卷

張位　警心類編四卷

楊範　道統言行集寧波人。

陳雲渠　浙學譜一卷

唐伯元　二程先生新語八卷

汪應蛟　中詮八卷　又　理學經濟二編陳龍正纂。

李材　教學録十二卷　又　南中問辯録十卷　又　經正録八卷　又　知本同參二卷一作十一卷。又　經世大論四卷　又　見羅先生書二十卷

曾朝節　臆言八卷

鄒德泳　鄒聚所語録三卷

蘇濬　雞鳴偶語三卷

范淶　范子□言十卷[①]休寧人,號晞陽。萬曆甲戌進士,福建左布政使。

鄒元標　南皐仁文會語四卷　又　日新編二卷　又　輔仁編二卷　又　宋儒語畧六卷[②]　又　義語合編四卷

孟化鯉　已千録　又　尊聞録

楊起元　天泉會語[③]　又　證學編二卷　又　楊子學解　又楊子格言　又　識仁編二卷

---

① 空格處,《千頃堂書目》卷十一作“巵”。

② “宋”,《千頃堂書目》卷十一作“宗”。

③ “會”,《千頃堂書目》卷十一作“要”。

黄時熠　知非録六卷
徐師曾　正蒙章句
徐即登　文公全集摘要八卷　又　儒學明宗録二十五卷
錢一本　黽記四卷
顧憲成　小心齋劄記十八卷起甲午，迄辛亥歲，爲一卷。又　東林商語二卷　又　虞山商語一卷　又　當下繹一卷　又　顧涇陽遺書□卷崇禎元年，憲成子舉人與沐進呈。又　顧端文語要三卷　又　證性編八卷
顧允成　季時二大辯三卷[①]一名《朱子二大辯》。
史孟麟　明道會録一卷
李多見　學原前後編八卷
李經綸　衛道録　又　稽中傳
郜永春　三儒言行録十四卷河汾、白沙、陽明。
涂宗濬　隆沙證學記三卷南昌人。萬曆癸未進士，官宫保尚書。一作六卷。
周子義　彀語二十卷　又　日録見聞十卷吏部侍郎，謚文恪。
李元育　一中四册閬中人。元育謂五行各具一中，一行遞主[②]，四行迭輔，而一行之變凡二十有四，五之凡一百二十，各著説以明之。
吴仕期　大儒數言三十三卷
徐三重　庸齋日記八卷　又　信古餘論八卷字伯同。
徐用檢　三儒類要五卷浙江人。敬軒、白沙、陽明。又　友聲編四卷[③]
李廷機　燕居録一卷
來知德　瞿塘日録十二卷
方學漸　心學宗四卷　又　性善繹一卷　又　方子庸言一卷

① “季”，《千頃堂書目》卷十一作“李”。
② “主”，《千頃堂書目》卷十一作“三”。
③ “友”，《千頃堂書目》卷十一作“反”。

又　東游記三卷　又　邇訓二十卷

吴應賓　性善二書五卷　又　宗一聖論二卷

方大鎮　寧澹語八卷　又　田居乙記四卷學漸子。萬曆壬辰進士①,大理寺少卿。

姚舜牧　性理指歸二十八卷

周敬止　志學罪言十二卷

于孔兼　願學齋存語二卷　又　述語四卷　又　憶語四卷　又　續憶語二卷

馮從吾　元儒考畧四卷　又　少墟語録六卷　又　關學編□卷集關中理學,自春秋至明,凡三十七人。又　辯學録□卷

李宗延　輯曾子四卷

唐鶴徵　憲世編六卷

曾鳳儀　明儒見道編二卷

程瞳[②]　閑闢録十卷

郝敬　時習新知六卷　又　閑邪記二卷　又　炳燭孤談十卷

吴道南　輯李澄寶唐語畧一卷

馮柯　馮子求是編四卷　又　迴瀾正論一卷　又　馮子贅言一卷

魯邦彦　就正録十卷歸德人。光禄寺丞。

張恒　學辯撤蔀二卷　又　因明子一卷字伯常,嘉定縣人。江西左參政。

楊東明　性理辨疑　又　山居功課

姚君俞　性命緒言五卷

江□□　續近思録十四卷

---

①　"壬辰",《千頃堂書目》卷十一作"己丑",《明清進士題名碑録索引》同,當據改。

②　"瞳",《千頃堂書目》卷十一、《四庫全書總目》卷九十六作"曈",當據改。

許世卿　太元元言無錫人。萬曆中舉人。

周汝登　聖學宗傳十八卷　又　程門微旨一卷　又　王門宗旨十四卷　又　東越證學録十二卷

馮應京　朱子録要十五卷

何棟如　道一編五卷

高攀龍　正蒙釋四卷徐必達發明。又　朱子節要十四卷　又　就正録二卷　又　高子遺書十二卷門人陳龍正編定。

徐必達　周子全書七卷　又　張子全書十五卷　又　二程全書六十五卷　又　邵子全書二十四卷　又　豫章全書□卷

吴尚學　明四先生要語二卷

鍾韶　明四先生繹訓編四卷

孫慎行　元晏齋困思抄四卷

岳元聲　聖學範圍圖説一卷

劉宗周　理學宗要一卷　又　證人要旨一卷　又　古學經目凡四，曰《小學》，集《曲禮》、《少儀》、《内則》、《玉藻》、《王制》語爲之，曰《大學》，曰《學記上》，以《文王世子》合《大戴禮》傳爲之，曰《學記下》，則本言也[①]。又　合璧連珠凡孔孟之言仁者曰"合璧"，周、程、張、朱五子之言仁者曰"連珠"。又　聖學宗要亦擇五子書之醇者。又　陽明傳信録三卷　又　明道統録　又　選人譜　又　劉子遺書四卷

文翔鳳　太微經[②]

張國綱　續性理十五卷安定人。

葉秉敬　荆關叢語六卷　又　讀書録抄八卷

耿汝忞[③]　廓如編三卷字克勵，黄安人。耿定向子，萬曆中舉人。

① "言"，《千頃堂書目》卷十一作"書"。

② "經"後，《千頃堂書目》卷十二有"十卷"二字。

③ "忞"，《千頃堂書目》卷十一作"志"。

朱之馮　在疚記一卷

張鼐　讀書印一卷

黄道周　榕壇問業十八卷　又　太函經八卷以形、聲、色九九相推,各得七百二十九,本河圖曲折之勢,两其陰陽,以六因之,諸生時作。

姚張斌　尚絅小語三卷

陳龍正　程子詳本二十卷倣《近思録》而類分之,其重複雜記,無關理道者節去。又　參定朱子語類□卷　又　陽明先生要書八卷

吴桂森　息齋筆記二卷字叔英,無錫人。從錢一本學,自稱"東林素衣"。

成勇　消閒録十卷　又　西銘解

金鉉　狷庵先生語録

黄淳耀　語録二卷　又　劄記二卷　又　吾師録一卷

孫奇逢　理學宗傳二十六卷　又　取節録十卷　又　歲寒居劄記十五卷

賀時泰　思聰録一卷江夏人,賀逢聖父。

辛全　養心録

刁包　斯文正統十卷字蒙吉,祁州人。天啓丁卯舉人。録濂、洛、關、閩之文。又　辨道録四卷　又　潛室劄記二卷

陸世儀　思辯録輯要三十卷字道成,號桴亭。太倉諸生。

顔茂猷　迪吉録八卷

陸瑞　家學契三卷金華人。

夏雲蛟　心學直指二卷嘉定縣人。

章世純　留書十卷

喬可聘　讀書劄記四卷

林嗣昌[1]　弟經一卷

顧樞　西疇日抄十三卷

---

① "嗣",《千頃堂書目》卷十一作"胤"。

東萊要語四卷以下不知撰人。

紫陽先生精義四卷

容城先生至論二卷

河東先生粹言二卷

陳子言行録十二卷

西峰明道録八卷

寧獻王權家訓六篇　又　寧國儀範七十四章

唐成王彌鍗家教

周憲王有燉家訓一卷

博平恭裕王安鹹貽後録①

交城王彌鉺宗訓直言

中尉朱勤芺論家邇談二卷②

鄭綺　鄭氏家範二卷字宗文,浦江人。

華宗韡　貞固先生慮得集三卷附録二卷字公愷,無錫人。元季,兵興,奉父幼武避難,造次顛沛,務悦親心。時平還錫,定居延祥里,勤畬耕讀,以修身教家爲務。斟酌古禮,爲是書以訓子孫,遂爲鵞湖華氏始祖。洪武間,屢辟不起。

王士覺　家則一卷浦江人。父經慕同里鄭氏合食同居,戒士覺效之,士覺因爲此書,凡一百八十四條。

程達道　程氏孝則堂家教輯録一卷洪武初人。

周是修　家訓十二卷

楊榮　訓子編一卷

曹端　家規輯畧十四篇

徐履誠　徐氏家規二卷正統時人。

李裕　歸田訓一册　又　正家條約③

① "鹹",《千頃堂書目》卷十一作"鉞"。

② "芺",《千頃堂書目》卷十一作"美"。

③ "家",《千頃堂書目》卷十一作"宗"。

楊廉　家規一卷

張瓛　世訓一卷字孔圭,建安人。成化□□舉人①,贛州府同知。

許相卿　許氏貽謀四則一卷

孫植　孫簡肅公家訓一卷嘉靖間刑部尚書。

史朝賓　史氏内範一卷晉江人。嘉靖丁未進士,南京鴻臚寺卿。集自古父子兄弟美事可法者以訓家。

吴性　宗約一卷　又　家訓一卷

楊繼盛　忠愍家訓一卷在獄中臨命前一日書,以訓其家者。

周凱　家規二卷字希文,龍游人。

葛守禮　端肅公家訓

仇楫　上黨仇氏家範二卷　又　仇氏鄉約集成　又　東山書院儀節楫,潞州人。爲宿州吏目。與其弟儀賓森同立家範,訓其宗,又舉行鄉約範其俗。仇氏自鴻至楫百五十年,六世同居,隆慶初,旌表爲義門。②

萬邦孚　萬氏蒙訓六卷

袁顥　袁氏家訓一卷　又　庭幃雜録一卷

王祖嫡　家庭庸言二卷

楊庭筠　楊氏塾訓六卷

張獻翼　家兒私語一卷

石懋　家訓類編十二卷字蒼蕖③,會稽人。

薛厚　教家類纂十卷嘉善人。

陸應陽　笏谿家訓一卷

費元禄　費氏家訓十卷

郭良翰　齊治要規二卷

太祖女戒洪武六年命儒臣編。

① 空格處,據《千頃堂書目》卷十一作"庚子"。

② "弟"、"表"原脱,據《千頃堂書目》卷十一補。

③ "蕖",《千頃堂書目》卷十一作"渠"。

高皇后内訓一卷

仁孝皇后内訓二十篇后觀《女憲》、《女戒》，採其要而作，永樂五年十一月成。

章聖皇太后女訓一卷獻帝爲序，世宗爲後序。嘉靖九年九月，命禮部同《高皇后傳》、《文皇后内訓》同刊行。

慈聖皇太后女鑒一卷

内則詩一卷世宗因桂萼言，命詞林儒臣方獻夫、李時、董玘、徐縉等撮詩書之關内教者，撰爲詩以便誦習。

王直　女教續編□卷

朱家棟　女則四卷靖江人。歲貢，官鎮江府學教授①。

吕坤　閨範四卷

雜家類

太祖御製資治通訓一卷洪武八年編。凡十四章，首君道，次臣道，又次民用、士用、工用、商用，皆著勸導之意。

太祖輯公子書一卷　又　務農技藝商賈書帝徵儒士熊鼎、朱夢炎至建康，令纂二書，并以恒詞直解之，以訓世臣及庶民子弟。

成祖務本之訓一卷永樂八年，帝以皇太孫生長深宫，不知稼穡艱難，因巡幸北京，命侍行使歷觀民情風俗及田野農桑作苦之事，因采太祖創業事迹及往古興亡得失爲書以示訓。

仁孝皇后勸善書二十卷采三教勸善懲惡之言，附以事實。

衡府高唐王厚煐事親述見十二卷號岱翁。嘉靖時，旌表孝行。

楚府樊山王載埁茹蠅子一卷

輔國將軍宇浹　名獻録一卷

鎮國中尉碩爋　五色石一卷

宋濂　燕書一卷

---

① “靖”，《千頃堂書目》卷十一作“清”。

王廉　迂論□十卷

葉子奇　草木子八卷字世傑，龍泉人。洪武初，爲學教官，坐學吏累繫獄，于獄中研瓦記所得，追釋歸足成之。

陳雅言　天對六篇永豐人。洪武中，領本縣教事。

劉端　百家輯録建文大理寺丞。

王達　筆疇二卷　又　桂林機要

曹安　讕言長語二卷字以寧，上海人。武邑縣儒學教諭。

張楷　增廣事物紀原

趙弼　事物紀原删定二十卷

解延年　物類集説三十四卷　又　策學指歸□卷字世化，栖霞人。正統己未進士，順慶府知府。

羅頎　梅山叢書二百卷　又　物原二卷字儀甫，山陰人。梅山，所隱居地。

陳頎　閒中今古録二卷字永之，號味芝居士，吴人。爲武陽訓導。

陸容　式齋邇察

李蘇　見物二卷

謝理①　**東岑子四卷**字一卿，成化間人。

朱存理　經子鉤玄

鄭瑗　井觀瑣言三卷　又　蜩笑偶書一卷字仲璧，莆田人。成化辛丑進士，南京禮部郎中。

潘府　南山素言一卷

周瑛　祠山雜辨一卷

盧格　荷亭辨論八卷字正夫，東陽人。成化辛丑進士，監察御史。

奚昊　千東子字時享②，華亭人。成化己丑進士，刑部郎中。

黎堯卿　諸子纂要四卷忠州人。弘治癸丑進士。

---

① "理"，《千頃堂書目》卷十二作"里"。

② "時享"，《千頃堂書目》卷十二作"時亨"。

潘塤 楮記室十五卷

游潛 博物志補字用之，豐城人。弘治辛酉舉人，賓州知州。

陸仲[①] 甘泉藁殘録三十卷陸容子，字安甫。□進士。

劉績 補注管子二十四卷 又 補注淮南子二十八卷江夏人。

何孟春 餘冬序録六十五卷 又 閒日分義一百卷

戴鱀 經濟考畧二十卷

敖英 東谷贅言二卷

陶輔 夕川愚特二卷

戴璟 博物策會十七卷

陸琛[②] 同異録一卷 又 傳疑録二卷

孫宜 遯言二卷[③]

鄭文康 平橋漫録二卷[④]

祝允明 祝子罪知録十卷 又 讀書筆記一卷 又 蠶衣一卷 又 浮物一卷 又 祝子通 又 祝子雜 又 金石契一卷

蔡羽 太藪外史五卷

樊鵬 樊子二卷

黄卷 蘧然子三卷

趙釴 鷃林子五卷 又 古今原始二十卷

劉繪 劉子通論十卷

李時行 雲巢子

---

① “伸”，《千頃堂書目》卷十二作“仲”。另，下有小注曰：“别本‘甫’下有‘正德戊辰’四字。”

② “琛”，《千頃堂書目》卷十二、《四庫全書總目》卷九十六作“深”。

③ “遯”，原誤作“遯”，據《千頃堂書目》卷十二、《四庫全書總目》卷一百二十七改。

④ “二”，《千頃堂書目》卷十二作“一”。

羅鉞[①]　**權子雜俎二卷**

朱得之　參元三語十卷

張鳴鸞　游初子筆記三卷

高岱　楚漢餘談一卷

朱麟　芝山野語一卷

胡侍　清凉經一卷

王廷簡　警愚筆記二卷臨邛人。嘉靖壬戌進士。

張時宜　灌園子字仲衡,鶴慶人。嘉靖中貢士,建昌府學教授。

陰秉暘　陰氏讀書抄三卷

陸煥章　鷗峰雜著四卷字子文,常州人。

羅虞臣　原子八卷字熙載,廣東順德人。嘉靖□□進士,官吏部主事,坐劉山東獄,杖黜。葉春及稱其文上追两漢,下揖六朝,方駕作者,其於禮樂,援據古今,擬議尤確。[②]

王杰　經濟總論十卷鄞縣人。嘉靖丙戌進士,大名府推官。

張元諭　篷底浮談十五卷[③]字伯啟,浦江人。嘉靖丁未進士,雲南按察副使。

李豫亨　推篷寤語十二卷

林昺　歸正集十卷字文炯,號方塘。鄞縣諸生。

駱文盛　雜談二卷

沈愷　夜燈管測二卷

賈三近　寧鳩子

陳槐　聞見漫録四卷

黄訓　讀書一得四卷

汪坦　日知録五卷

---

① "鉞",《千頃堂書目》卷十二作"釴"。

② 空格處,《千頃堂書目》卷十二作"己丑",《明清進士題名碑録索引》同。另,"坐劉山東",《千頃堂書目》作"坐列東山"。

③ "十",《千頃堂書目》卷十二卷無。

俞邦時　一書四卷

劉鳳　劉子雜俎十卷

王世貞　弇州劄記二卷　又　短長二卷

沈津　百家類纂四十卷

陳耀文　學圃萱蘇六卷　又　學林就正四卷　又　正楊四卷確山人。嘉靖庚戌進士，陝西行①，太僕寺卿。

陳絳　金罍子四十四卷上虞人。嘉靖□進士。②

王世懋　澹思子一卷

華彦名　擊壤閒録二卷

方弘靜　千一録二十六卷

安世鳳　悟言八卷

勞堪　史編始事二卷

蔣以忠　藝圃球瑯二卷　又　稽古編四卷

陳其力　芸心識餘八卷

周汝礪　萃盤録四卷

鄧伯羔　藝彀二卷　又　中有録一卷　又　論世編二卷

周祈　名義考十二卷

詹景鳳　詹氏小辯六十四卷字東圖，休寧人。舉人，平樂府通判。

蕭騰鳳　天倪子晉江人。隆慶戊辰進士，兩淮鹽運使③。

唐汝迪　嘉議十五卷字吉甫，宣城人。嘉靖丙辰進士，廣西按察使。

殷登瀛　微言辯説辯經傳之誤④。又　九一然犀集闡發史傳之幽微。⑤

---

① "陝"，《千頃堂書目》卷十二作"使"。

② 《千頃堂書目》卷十二此條下小注曰："陳絳係嘉靖甲辰進士。"《明清進士題名碑録索引》同。

③ "淮"，《千頃堂書目》卷十二作"浙"。

④ "誤"，原誤作"談"，據《千頃堂書目》卷十二改。

⑤ "史傳"後，《千頃堂書目》卷十二有一"經"字。

登瀛字子登，宣城人。嘉靖壬戌進士，金華知府，自號“九一居士”。

余溯[①]　**鮒窺膾𣞤十二卷**字毓靈，龍游人。貢生，從鄭守益學，官臨武知縣。

穆希文　穆氏説原十六卷　又　動植紀原四卷

王三聘　事物考八卷

余有丁　子彙三十三卷

朱東光　中都四子書《老子》、《莊子》、《管子》、《淮南子》。

王逢年　天禄閣外史八卷僞託黄憲作。别有《於陵子》、《計然子》[②]，皆不録。

沈節甫　先正由醇録

吴仕期　古今名喻八卷

沈堯中　沈氏學弢十四卷　又　空空子内外篇四卷

陳堯　虚舟子一卷　又　東園日録□卷

徐元太　尸子彙逸二卷《尸子》久亡，元太彙輯散見諸書者。

朱長春　管子榷二十四卷

管子治畧竅言八卷不知撰人。

周夢暘　常談考誤十二卷字啟明，南漳人。萬曆甲戌進士，布政司參政。

周弘鑰　何之子一卷

周弘祖　内篇一卷外篇二卷

徐常吉　諸家要旨二卷

陳深　諸子品節五十卷

徐伯齡　蟫精雋二十卷字延之，錢塘人。博學强記，洞曉音律，擊群甌皆諧律吕。

趙士登　省身至言十卷字應庸，涇縣人。萬曆庚辰進士，南京吏部侍郎。

劉仕義　知新録二十四卷廬陵人。

周循　管埒子九卷[③]

---

① “溯”，《千頃堂書目》卷十二作“湘”。

② “計”，原誤作“記”，據《千頃堂書目》卷十二改。

③ “埒”，《千頃堂書目》卷十二作“浶”。

王志遠　王氏意推四卷

林兆恩　心聖直指一卷　又　宗孔心要六卷　又　心經提要一卷

陳師　覽古評語五卷

屠隆　冥寥子二卷[①]　又　鴻苞四十八卷

黄秉石　黄氏憶言一卷

閔文振　異物類苑五卷一作十八卷。字道充，浮梁人。

胡大愼　天人寤言二卷

朱謀㙔　元覽八卷

俞汝爲　事類異名六卷

林華[②]　微詞什伍二十四卷閩縣人。

趙樞生　含元子十六卷　又　含元子别編十卷

王之垣　桓臺三編四卷一名《惺心樓三編》。《百警編》二卷，《攝生編》一卷，《炳燭編》一卷。

吴安國　纍瓦編十卷　又　纍瓦二編十二卷　三編□卷　四編十卷

龔安卿　蜂鬚集十九卷字長安，莆田人。一作三十卷。

龔錫爵　澹語五卷嘉定縣人。萬曆癸酉舉人。

吴守道　雜録二十四卷將樂縣人。凡爲類十六，解經書詩語及時事雜録。

張萱　張氏疑耀七卷[③]

馮應京　經世實用編二十八卷

郭孔太　正誤二卷江西泰和人。

李鼎　偶語一卷

---

① "子"後，《千頃堂書目》卷十二有一"游"字。

② "華"，《千頃堂書目》卷十二作"曄"。

③ "耀"，原誤作"要"，據《千頃堂書目》卷十二、《四庫全書總目》卷一百十九改。

游日升　臆見彙考五卷

柯壽愷　語叢三十八卷雜取天地古今事物,彙而論之。壽愷,莆田人。萬曆間貢士。

南企仲　痴醒子三十卷渭南人。萬曆庚辰進士,南京吏部尚書,死闖難。

樊衡元　智品十三卷

張大齡　支離漫語四卷

施琮　施氏臆説二卷吴興人,字中黄。凡十六篇。

蔡毅中　濮陽子四卷

蔣鑛[①]　沆瀣子二卷

賈應壁　獨醒子二卷

陳治安　貞言六卷

佘廷璧[②]　事物異名二卷

徐三重　鴻洲雜著十八卷《牖景録》二卷,《采芹録》四卷,《家則》四卷,《蘭芳録》内外篇,《野志》十六篇,《齋居寤志》、《足齋幽事》、《衛生録》各一卷③,《灌園譜》二卷,《垍井編雜志》一卷。

王納諫　會心言四卷字聖俞,江都人。

文翔鳳　太微經十卷

董斯張　廣博物志五十卷

馮猶龍　智囊二十卷

江于脩　江子新言十卷　又　江子初言七卷

朱廷旦　擣堅録三卷字爾兼,嘉善人。天啓中貢士。

林日瑞　漁書十三卷

彭鳳徵　齋居暇録八卷

朱健　蒼崖子一卷

---

① "鑛",《千頃堂書目》卷十二作"璜"。

② "佘",《千頃堂書目》卷十二作"余"。

③ "足",《千頃堂書目》卷十二作"是"。

王□□[1] 物理所一卷金谿人，字化卿。

郭應響 管子鉤玄二卷

方以智 物理小識十二卷

陳仁錫 諸子奇賞前集五十一卷 後集六十卷

戴任 治本書字肩吾，馮應京門人。

程仲彝 紫雲隱書□卷

黃景昉 古今明堂記六卷

皆春居士食色紳言一卷

黃時耀 知非録六卷

知常子縣解集二卷

張文爟 戰國策譚棷十卷

鄭瑄 昨非庵日纂一集二十卷 又 二集二十卷 又 三集二十卷侯官人。崇禎辛未進士，大理寺卿。

陳嘉謨 夢醒紀臆一卷上元人。天啓貢士，吴江訓導。

先秦諸子合編不知名氏。

真如子醒言九卷

農家類

鄺璠 便民圖纂十六卷字廷瑞。弘治癸丑進士，任丘人，吴縣知縣，後官河南右参政。

顧清 田家月令一卷

馬一龍 農説一卷

施大經 澤谷閱古農書六卷松江人，自號“谷陽野父”。曾官崇府審理正。

温純 齊民要書一卷

---

① 空格處，《千頃堂書目》卷十二作“化卿”。

黄省曾　稻品一卷　又　芋經一卷　又　蠶經一卷

李德紹　樹藝考字子問,鄞縣人。光禄寺監事。

袁黄　寶坻勸農書二卷

陳鳴鶴　田家月令一卷

宋公望　宋氏四時種植書一卷字天民,松江太學生。

陳士元　吕氏農書音釋一卷

徐光啓　農政全書六十卷　又　農遺雜疏五卷[①]**　又　宜墾令　又　泰西水法**

周定王　救荒本草四卷王以所封國土曠,庶草蕃廡,多可佐飢饉,乃購之田夫野老,得甲拆句萌諸物四百餘種植圃中,躬自辨别,察其滋長成熟,繪圖而並疏之。

王磐　王西樓野菜譜一卷高郵州人。

周履靖　茹草編四卷

俞貞木　種樹書三卷

王世懋　學圃雜疏三卷

解魯　治圃須知一卷

楊德周　芋記一卷

寧獻王　臞仙神隱書四卷

劉基　多能鄙事十二卷

楊溥　水雲録二卷

李豫亨　三事遡真一卷

陳詩教　灌園史四卷

畢侍御備荒農遺雜疏一卷

吴嘉言　四季須知二卷

馮大成　花藥志三卷

植物紀原四卷以下不知撰人。《穀粟》一卷,《蔬菜》一卷,《百果》一卷,《草木》一卷。

---

① “遺”字原脱,據《千頃堂書目》卷十二、《明史》卷九十八補。

菜譜三卷
歲時種植一卷
種藝雜歷三卷
種莳占書二卷
栽桑圖五卷
老圃書一卷正德十五年，古城山人序。
西北治田説一卷
農舍四時雜鈔一卷

小説家類

秦簡王誠泳　益齋嘉話一卷
益莊王厚燁　勿齋易説二卷
宋濂　蘿山雜言一卷
葉子奇　草木子餘録□卷[1]
陶九成　輟耕録三十卷
張昌齡　飯牛庵雜録一卷
劉績　霏雪録二卷會稽人。
陶輔　桑榆漫筆一卷　又　花影集四卷號夕川老人。應天衛指揮僉事。
瞿佑　存齋類編　又　香臺集三卷佑又有《剪燈新話》，正統七年，祭酒李時勉請禁燬其書，故與李楨《餘話》皆不録。
秦約　師友話言　又　樵史補遺
張綸　林泉隨筆一卷稱淮浦張綸。
陳贇　閒適日抄

① 空格處，《千頃堂書目》卷十二作“三”。

趙弼　效顰集三卷

李賢　古穰雜録二卷

岳正　類博雜言二卷

葉盛　水東日記三十八卷

單宇　菊坡叢話二十六卷字時泰，臨川人。博學有文名，正統己未進士，諸暨、嵊二縣尹。

許浩　復齋日記二卷

杜瓊　耕餘雜録字用嘉，吴縣人。從陳繼學。宣德、正統間，屢以孝廉薦，皆辭不就，學者私謚曰"孝淵"[①]。

倪復　閒居漫讀記　又　見聞欄楯　又　觀古録

陸容　菽園雜記十五卷

左贊　桂坡遇録一卷

劉昌　縣笥瑣探一卷

文林　瑯琊漫抄一卷

馬愈　馬氏日抄一卷

姚福　青谿暇筆二十卷字世昌，號守素道人。南京羽林衛千户。好讀書，與劉昌、欽謨交善。所著述甚夥，别有《窺豹録》、《兵談纂類》、《神醫胗籍》、《避喧録》、《立身警策》、《咏史詩説》、《叙古千文》、《發蒙歌》[②]，皆未見。

尤晉　句吴聞見録二卷

張志淳　南園漫録十卷　又　南園續録十卷

伍餘福　苹野纂聞一卷字君求，又字疇中，吴縣人。正德丁丑進士，鎮遠知府。

王啓　邇言

梅純　續百川學海一百卷

張鈇　郊外農談三卷慈谿人。

王錡　寓圃雜記十卷

---

① "孝淵"，《千頃堂書目》卷十二作"淵孝"。

② "避喧録"，原無"録"字，據《千頃堂書目》卷十二補。

楊循吉　蘇談一卷　又　吴中故語一卷

黄暐　蓬軒類記四卷[①]字日昇，吴縣人。弘治庚戌進士，刑部郎中。

羅鳳　延林堂漫録三十六卷字子文，號印岡，南京府軍右衛人。弘治丙辰進士，官兖州、鎮遠、石阡三府知府。

李詡　戒庵老人漫筆八卷

徐充　暖姝由筆三卷　又　游汴記一卷

唐覲　延州筆記四卷

張誼　宦遊紀聞一卷

湯沐　公餘日録一卷

馬縉　宿庵談録一卷字孔儀，滄州人。馬昂孫。

張衮　水南翰記一卷

徐咸　西園雜記二卷　又　澤山野録

徐泰　玉池談屑四卷字子元，海鹽人。弘治甲子舉人，光澤知縣。

朱存理　野航漫録　又　名物寓言

丁養浩　西軒類編仁和人。成化丁未進士，雲南布政使。

蔣誼　竹石屋閒抄字宣誼，南京太醫院人。成化丙戌進士，南道御史。

張璡　邃言字伯純，澤州人。弘治丙辰進士，陝西按察司僉事。

陳孜　林下農談南陵人。弘治壬子舉人，寧羌州知州。

羅欽德　閒中瑣録二卷弘治己未進士，貴州按察使。

王渙　墨池瑣録□卷[②]字渙之，長洲人。正德己卯舉人，嘉興府通判。

柴奇　嘉樹軒紀聞

陳良謨　見聞紀訓二卷[③]安吉州人。正德丁丑進士，貴州參政。

陳沂　畜德録一卷　又　誨似録　又　拘虚寤言一卷

---

① “軒”、“四”，《千頃堂書目》卷十二分别作“窗”、“五”。

② 《千頃堂書目》卷十二此條下小注曰：“盧校改□爲‘三’。”《明史》卷九十八亦作“三”。

③ “二”，《千頃堂書目》卷十二作“一”。

賀欽　醫閭漫記一卷

皇甫録　近峰聞畧八卷　又　下陴紀談二卷長洲人。弘治丙辰進士，知府。

沈周　客座新聞二十二卷　又　石田雜記

都印　三餘贅筆二卷都穆父。

都穆　玉壺氷一卷　又　聽雨紀談一卷　又　南濠賓語□卷　又　奚囊續要二十卷　又　都公談纂二卷

祝允明　語怪編四十卷一名《支山志怪録》。自一編至四編，每編十卷。又　猥談一卷　又　前聞記一卷　又　祝子小言一卷

徐昌穀　異林一卷

唐錦　龍江夢餘録四卷

沈津　吏隱録四卷

戴冠　濯纓亭筆記十卷

敖英　緑雪亭雜言一卷

侯甸　西樵野記十卷吴郡人。

顧元慶　簷曝偶談一卷

周恭　西洪叢語四卷字寅之，崑山人，自號"梅花主人"。方豪爲崑山令，欲見恭，不可得，題其門曰"鹿門"。

陸奎章　香奩四友傳一卷

王崇慶　海市辯一卷

吴瓚　痴翁臆説十卷　又　纂異集四卷

周禮　警心叢説六卷　又　秉燭清談五卷　又　湖海奇聞五卷字德恭，號静軒，餘姚人。

雷爕　奇見異聞筆坡叢脞二卷

丘燧　剪燈奇録前集三卷　後集三卷

陸粲　庚巳編十卷

陸深　儼山外集四十卷

馬攀龍　株守談畧三十一卷一作四卷。
李濂　汴京匄異記八卷　又　李氏居室記五卷
陸伸　野人信從録　又　儂渠録
陸采　天池聲雋四十卷　又　覽勝紀談十卷
陸延枝　説聽四卷陸粲子。
陸灼　艾子後語一卷長洲人。
楊儀　高坡異纂三卷
胡侍　野談六卷　又　真珠船八卷　又　笑資九卷
王薇　滑稽雜編一卷長安人，號鶴田。
楊慎　丹鉛總録二十七卷　又　丹鉛續録十二卷　又　丹鉛餘録十七卷　又　丹鉛新録□卷[①]　又　丹鉛閏録□卷[②]　又　楊子巵言二卷　又　巵言閏集二卷　又　譚苑醍醐九卷　又　藝林伐山二十卷　又　墐户録一卷　又　清暑録二卷　又　病榻手吷一卷　又　晞鑱瓻筆□卷　又　瑣語編一卷　又　古今諺一卷　又　古今風謡一卷
蘇祐　逌旃瑣言二卷
陸揖[③]　古今説海一百四十二卷
陳霆　两山墨談十八卷　又　水南閒居録　又　緑鄉筆林山堂瑣語
司馬泰　河館閒談四卷　又　文獻彙編一百卷　又　廣説郛八十卷　又　古今彙説六十卷　又　再續百川學海八十卷　又　三續百川學海三十卷　又　史流十品一百卷　又　護龍河上雜言一卷字魯瞻，江寧人。嘉靖癸未進士，官南監察御史，出守懷

① 空格處，《千頃堂書目》卷十二作“七”。
② 空格處，《千頃堂書目》卷十二作“九”。
③ “揖”，《千頃堂書目》卷十五、《四庫全書總目》卷一百二十三作“楫”，當據改。

慶、嘉興、濟南三府。

羅鶴　應庵隨意録十四卷[①]

王文禄　明世學山五十卷　又　竹下寤言二卷　又　雁湖子四卷　又　海沂子五卷　又　機警一卷　又　求志編一卷　又　文昌旅語一卷　又　庭聞紀畧一卷　又　廉矩一卷

姚淶　續筆疇一卷

尤鏜　紅箱集五十卷

伍卿忠　長洲野志一卷　又　耳剽集三卷

姜南　蓉塘詩話二十卷

朱應辰　逍遥館漫抄十卷字拱之[②],寶應人。嘉靖中貢士。

孫緒　無用閒談十二卷　又　陂東新論

楊名　猶及篇一卷　又　觀槿野言

高紈　南郭子二卷臨江人。凡十八類。

蘇志仁　日紀存疑

吴子孝　説守　又　仁恕堂日録

董穀　碧里雜存一卷

黄卿　閒抄　又　漫紀

趙鯤　讀書日記八卷字宗南,壽張人。嘉靖己丑進士,雲南參政。

李得陽　塵外塵談

何良俊　世説新語補二十卷　又　何氏語林三十卷　又　四友齋叢説三十八卷

沈儀　西湖塵談録十卷

丁相　百感録一卷

---

① "意"後,《千頃堂書目》卷十二有一"筆"字。

② "拱",原誤作"洪",據《千頃堂書目》卷十二改。

萬表　灼艾集十卷　又　九沙草堂雜言二卷
陳士元　江漢叢談二卷
高鶴　見聞搜玉八卷山陰人。
秦鳴雷　談資三卷
張翼　農田餘話二卷吴人，一稱“長谷真逸”。
秦禮　畜德集一卷臨海人。
施顯卿　奇聞類記二卷
慎蒙　山栖志一卷
范欽　古今諺一卷
任環　山海漫談長治人①。蘇松兵備副使。
王會　漫齋筆談字延亨，漳浦人②。嘉靖甲午舉人，曲靖府同知。
陶大年　竹屏偶録　又　見聞瑣録　又　官暇私記　又　遠記
蔡潮　編次名言二卷
章衮　隨筆瑣言字汝明，臨川人。嘉靖癸未進士，陝西按察司副使。
沈啓　晴窗便覽
周錫　元亭閒話　又　鳳林備採字子純，太倉人。嘉靖中貢士，潮州府通判。
陳學伊　五譚類抄　又　陳氏宦譜二卷字爾聘，南安縣人。嘉靖壬戌進士，江西分守湖東僉事。
陳麟　歸田漫録字道徵，洛陽人。嘉靖癸丑進士，禮科給事中。
項喬　甌東私録六卷字遷之，永嘉人。嘉靖己丑進士，按察使③。
張時徹　説林二十四卷
王世貞　劄記二卷　又　短長二卷　又　宛委餘編十九卷

① “治”，原誤作“冶”，據《千頃堂書目》卷十二、《四庫全書總目》卷一百七十二改。
② “人”字原脱，據《千頃堂書目》卷十二補。
③ “使”後，原衍一“司”字，據《千頃堂書目》卷十二删。

又　世説新語補二十卷　又　艷異編三十五卷

王可大[①]　國憲家猷五十六卷字元簡，南京錦衣衛人。嘉靖癸丑進士，四爲太守，以瓊州致政歸。神宗時，御史疏言内閣絲綸簿卒無可考，獨是書載之，遂取以進，因大名於世。

劉鳳　太霞雜俎十卷　又　劉子威燕語一卷

陳于陛[②]　玉壘意見一卷

楊豫孫　西堂日記一卷

陸樹聲　清暑筆談一卷　又　長水日抄一卷　又　耄餘雜識一卷　又　病榻寤言一卷

徐伯相　晝暇叢記二十卷字良夫，浦城人。嘉靖庚子舉人，南京户部郎中。

王湖椤　散齋筆記永嘉隱士，與張孚敬善。

姚弘謨　錦囊瑣綴八卷字繼文，秀水人。嘉靖癸丑進士，吏部郎中。

喬烑　臆見録束鹿人。嘉靖癸未進士，苑馬寺卿。

錢體仁　虚窗手鏡十卷[③]常熟人。

徐拭[④]　餘慶録一卷

張瀚　松窗夢語八卷

金鋭　漫叟日録字宗潤，山陰人。舉人，廣信知府。

徐師曾　宧學見聞

李樂　李尚寶見聞雜記三卷字臨川，桐鄉人。隆慶戊辰進士，江西按察司副使[⑤]。

朱一龍　游海夢談四卷惠安人，字于田。嘉靖庚戌進士，江西參政。

朱孟震　河上楮談三卷　又　河上續談一卷　又　浣水續談

---

① "可大"，《千頃堂書目》卷十二作"大可"。

② "于"，《千頃堂書目》卷十二作"丁"。

③ "十"，《千頃堂書目》卷十二作"二"。

④ "拭"，《千頃堂書目》卷十二作"栻"。

⑤ "副使"二字原脱，據《千頃堂書目》卷十二補。

一卷 又 游宦餘談一卷

陳師禮 寄筆談十卷 又 續筆談五卷號貞菴，□□知府。①

徐學謨 歸有園麈談一卷 又 冰廳劄記一卷

帑堪 詞海遺珠四卷

閔文振 游文小史十三卷 又 涉異志一卷 又 異識資諧八卷字道充，浮梁人。

李蓘② 丹浦款言四卷 又 於埂注筆四卷 又 樾蔭瘠語六卷

石槩 菊徑漫談十四卷字民漸，福州長樂人。嘉靖丙午舉人，廣東嶺西參議。

郎瑛 七修類稿五十一卷 又 續稿□卷字仁寶，杭州人。性孝，两刲股愈母疾，内行尤至。

李春熙 道聽録四卷

劉兑 淑世談藪十卷直隸新安人。隆慶丁卯舉人，陝西布政司參議③。

支允堅 異林嘉善人。

張元忭 槎間漫筆④

盛訥 聞見漫録

李豫亨 自樂編十六卷 附録一卷

鄧球 閒適劇談五卷

張鳳翼 談輅三卷⑤

張獻翼 幼于生志一卷 又 幼于自叙一卷 又 留思別案一卷

吴璉 洗炭録

---

① "菴"、空格處，《千頃堂書目》卷十二分別作"亭"、"永昌"。

② "蓘"，《千頃堂書目》卷十二作"衮"。

③ "議"，《千頃堂書目》卷十二作"政"。

④ "筆"，《千頃堂書目》卷十二作"録"。

⑤ "卷"字原脱，據《千頃堂書目》卷十二補。

程涓　千一疏二十卷字巨源，歙人。又　宋説雋八卷
徐渭　青藤山人路史二卷
徐常吉　諧史四卷
劉梧　誕言一卷
王圻　稗史彙編一百七十五卷
劉元卿　賢奕編四卷
汪雲程　逸史搜奇一百卷一作十卷。
倪綰　群談採餘十卷一作二十卷，倪綰作倪宦。
江佐　涉古贅言四卷
周復俊　涇林雜記□卷　又　涇林類記□卷
周玄暐　涇林續記□卷復俊孫，萬曆丙戌進士，官知縣，坐書語誹謗瘦死①。
馮時可　寶善編二卷
張秉文　回生篇二卷
孫能傳　剡溪漫筆六卷　又　益智書
章慈　緑筠贅言二卷龍游訓導。
王應山　風雅叢談六十卷
何淳之　寤言一卷
范守己　御龍子墷談四卷　又　揮麈雅談一卷
陳禹謨　説麈八卷　又　説儲二集八卷
趙世顯　一得齋瑣言一卷　又　芝圃叢談六卷　又　松亭晤語六卷　又　客窗隨筆六卷　又　聽子二卷
余懋衡　説畧八卷
張懋修　墨卿談乘十四卷張居正子，萬曆庚辰一甲一人，居正死，與兄嗣修俱爲民。
蔣以化　西臺漫記六卷　又　使淮續採四卷

---

①　“瘦”，《千頃堂書目》卷十二爲空格，下有小注曰：“别本□作庾。”

田藝蘅 留青日札三十九卷 又 西湖志餘二十六卷
胡應麟 少室山房筆叢三十二卷 又 續筆叢十六卷 又 甲乙剩言一卷字元瑞，蘭谿人。萬曆丙子舉人。
梅鼎祚 才鬼記十五卷 又 才神記□□卷 又 才妖記□卷 又 青泥蓮花記十三卷
李贄 初談集二十八卷[①] 又 姑妄編七卷
屠隆 考槃餘事一卷 又 冥寥子游一卷 又 長松茹退二卷 又 廣桑子游一卷 又 娑欏館清言一卷
郭子章 諺語七卷 謡語七卷 讖語六卷 譏語二卷 諧語七卷 讔語二卷 又 讖論四卷 又 疾慧編二卷
葉向高 説類六十二卷或作林茂槐。
佘翹 偶記四卷桐陵人。萬曆中舉人。[②]
焦竑 焦氏筆乘六卷 又 續筆乘八卷 又 筆乘別集六卷 又 玉堂叢語八卷 又 明世説八卷
潘士藻 闇然堂類纂十卷 又 闇然堂日録八卷 又 闇然堂録最十一卷
郝敬 蜡談六卷
黄汝良 冰署筆談十二卷
朱謀㙔 異林十六卷
郭造卿 海岳山房別稿五卷
游日陞 臆見彙考五卷豐城人。
高仁美 徵信録 又 辨異録字善懷，鄞縣人。舉人，萬曆中廣西副使。
虞初志八卷
湯顯祖 續虞初志八卷

① “談”，《千頃堂書目》卷十二、《四庫全書總目》卷一百三十一作“潭”。
② “佘”、“桐”，《千頃堂書目》卷十二分別作“余”、“銅”。

王同軌　耳談十五卷一名《賞心粹語》。**又　耳談類增五十六卷**字行父,黄岡人。貢士,官南京太僕寺丞。

張鼎思　瑯琊代醉編四十卷

王穉登　虎苑一卷　又　吴社編一卷　又　雨航紀一卷

屠本畯　燕閒彙纂一卷　又　山林友議二卷　又　山林經濟籍二十四卷　又　演讀書十六觀一卷　又　憨子雜俎一卷　又　艾子外語一卷　又　聾觀一卷　又　五子諧策五卷

張邦侗　廣玉壺氷一卷

陳德文　孤竹賓談四卷

顧起元　説畧六十卷　又　初本三十卷

王肯堂　鬱岡齋筆麈四卷

董其昌　畫禪室隨筆二卷[①]

謝肇淛　五雜俎十六卷　又　麈餘四卷　又　文海披沙八卷

徐㶿　徐氏筆精八卷　又　巴陵遊譜一卷　又　客惠紀聞一卷[②]　**又　諧史續二卷**

陳全之　篷窗日録八卷　又　輟櫌述四卷

王兆雲　驚座新書八卷《漱石閒談》一卷,《湖海搜奇》一卷,《向醉瑣言》二卷,《説圃識餘》二卷,《揮麈新談》二卷③。**又　王氏青箱餘十二卷**《緑天脞説》二卷,《廣莫野語》四卷,《驚座摭餘》二卷,《客窗隨筆》二卷,《碣石剩語》二卷。[④]

項鼎鉉　呼桓日記十二卷

江盈科　雪濤閣四小書《譚叢》二卷,《聞紀》□卷,《諧史》二卷,《詩評》□卷。

---

① "二",《千頃堂書目》卷十二、《四庫全書總目》卷一百二十二作"四"。

② "客",原誤作"容",據《千頃堂書目》卷十二改。

③ "向",原誤作"白",據《千頃堂書目》卷十二改。"新談二卷",《千頃堂書目》作"新談五卷"。

④ 《緑天脞説》與《客窗隨筆》的卷數,《千頃堂書目》卷十二俱作"一卷"。

張所望　閲耕餘録六卷　又　續録□卷[①]**　又　梧潯雜佩**字叔翿，上海人。官布政使。

張所敬　秉燭叢談□卷字长輿。

孫克弘　雪堂日抄□卷

焦周　焦氏説楛七卷焦竑子。萬曆庚子舉人。

何宇度　益部談資三卷何遷子，字仁仲。

郭良翰　問奇類林三十六卷　又　問奇類林續三十卷　又問奇一臠三十卷

黄履康　竹素雜考三卷　又　齊諧軼篇一卷　又　廣聞録一卷字堯衢，莆田人。

黄居中　千頃齋雜録十卷

陸應陽　樵史二卷字伯生，嘉興人。

彭汝讓　木几冗談一卷

竇文熙　紀聞彙編四卷字子明，秀水舉人。

姚士麟[②]**　見只篇三卷**

錢希言　桐薪三卷　又　戲瑕三卷　又　獪園十六卷　又聽濫志四卷

張燮　偶記十卷　又　鏡古録三卷　又　邇言原始四卷　又　採壐緒言一卷

王宇　霧市選言四卷　又　升庵新語四卷

費元禄　轉情集二卷

劉世節　瓦釜漫記四卷

陳繼儒　見聞録八卷　又　珍珠船四卷　又　太平清話四卷　又　偃曝餘談二卷　又　讀書鏡十卷　又　群碎録一

---

① 此條，《千頃堂書目》卷十二有小注曰："盧校改□爲一。"

② "麟"，《千頃堂書目》卷十二作"粦"。

卷　又　安得長者言一卷　又　狂夫之言并續五卷　又　巖栖幽事一卷　又　枕譚一卷　又　書蕉二卷　又　筆記二卷　又　寶顔堂虎薈六卷　又　香案牘一卷　又　銷夏録四卷　又　辟寒録四卷

潘之恒　亘史鈔九十一卷

閔元衢　歐餘漫録十二卷　又　增定玉壺冰二卷　又　補一卷

許自昌　樗齋漫録十二卷　又　捧腹編十卷

王學海　筠齋漫録十卷　又　續餘二卷[①]　又　新録一卷　又　別録一卷　又　外録一卷

李日華　六研齋筆記四卷[②]　又　二筆四卷　又　三筆四卷　又　紫桃軒雜綴四卷　又　又綴四卷　又　禮白岳記一卷　又　璽召録一卷　又　薊旋録一卷　又　雅笑録十卷　又　味水軒日記二十卷　又　挂角編四卷

王志堅　硯北瑣言一卷

包衡　清賞録十二卷

夏樹芳　玉麒麟集古人夙慧事。

談修　避暑漫筆二卷　又　呵凍筆談二卷　又　風雩漫録八卷　又　滴露漫録六卷　又　三餘筆録七卷　又　開惑編一卷

陳元齡　思問初編十二卷

張重華　娱耳集十二卷華亭人。

顧成憲　藝林剩語十二卷松江人。

葉繼熙　賓榻悠談八卷

---

① "餘",《千頃堂書目》卷十二作"録",當據改。

② "研",《千頃堂書目》卷十二作"硯"。

趙裔昌　元壺雜俎八卷
包杰　德慧録四卷
胡衮　東水質疑六卷
葉秉敬　書肆説鈴二卷　又　貝典雜説一卷
馬應龍　藝林鉤微録二十四卷字伯光，安丘人。萬曆壬辰進士，禮部主事。
丁此吕[①]**　河上日記**新建人。萬曆戊戌進士，工部主事。
潘景南　衡門晤語二卷
吴亮　四不如類抄十卷
張于壘[②]**　名山藏一百卷**張燮子。
許大受　聖朝佐缺一卷許孚遠子。
陳王政　避暑漫録六卷
劉萬春　守官漫録五卷
王志遠　元亭涉筆十卷
黄一正　偶得紺珠六卷字定父，江都人。
楊玉潤　秋簷漫紀四卷字德潤，萬曆間人。
劉獻芻　談林三卷
顧言　奏雅編二卷
徐廣　二俠傳二十卷　又　譚冶録十二卷浦城人。
劉璞　四事豹斑四卷莒州人。鄢縣知縣。
韓期維　晴窗綴語四卷字光宋，鄢縣人。萬曆中新鄭知縣。
朱師孔　脞録雜言二卷
周暉　山中白雲一卷
陳元素　南牖日箋□卷字古白，長洲人。
沈長卿　沈氏弋説十卷　又　沈氏日旦六卷字幼宰，杭州人。萬曆

---

① “吕”，《千頃堂書目》卷十二作“召”。
② “于”，《千頃堂書目》卷十二作“千”。

舉人。

張大齡　元羽隨筆八卷

馬大壯　天都載六卷字仲履。

李紹文　明世説新語八卷

曹臣　舌華録九卷蘇州人。

張大復　聞雁齋筆談十四卷

薛岡　天爵堂筆餘二卷①

徐良彦　清浪雜録一卷　又　隨風録一卷

徐應秋　談薈三十六卷

戴應鰲　博識考事四卷　又　續編四卷

楊崇吾　檢蠹隨筆三十卷

來斯行　槎庵小乘四十六卷　又　麈談燕語字道之,蕭山人。萬曆丁未進士,福建左布政使。

陳朝錠　崖州城隍除妖記一卷字元之,閩縣人。隆慶庚午舉人,崖州知州,陞同知。

王乾元　雷藪一卷

陳龍光　荒畧一卷

曹司直　劍吹樓筆記四卷字應麟,宜興人,尚書曹三暘子。

沈弘正　蟲天志十卷字率祖,嘉定縣人。

瞿式耜　媿林漫録二卷

胡震亨　讀書雜録三卷②

高道素　藥房隨筆二卷嘉興人。

姚旅　露書十四卷字園客,莆田人。

楊若曾　妬記十卷

王佐　類纂灼艾集十六卷山陰人。□部尚書。

---

① "餘",《千頃堂書目》卷十二作"録"。

② "三",《千頃堂書目》卷十二作"二"。

董斯張　廣博物志五十卷①
陳仁錫　京口紀聞二卷
華繼善　咫聞録五卷
舒榮都　間署日抄二十二卷
周八龍②　挑燈集異八卷
許元祐　捧腹編□□卷
閔元京　凌義渠　湘烟録十六卷
孫令弘　人倫佳事一卷　又　集世説六卷平湖人。
鄭仲夔　雋區八卷　又　耳新八卷　又　冷賞八卷玉山人。天啓丁卯舉人。
茅元儀　暇老齋雜記三十二卷　又　澄水帛十三卷　又　青光十卷　又　青油史漫二卷　又　戌樓閒話四卷　又　福唐寺貝餘五卷　又　六月談十卷　又　掌記六卷　又　西峰談話四卷　又　野航史話四卷
張燧　千百年眼十二卷
王所　日格類鈔三十卷
鄭明選③　秕言四卷
程于止　□□録十卷休寧人。
周應治　霞外麈談十卷
張師繹　蘇米譚史二卷
藍文炳　世林十八卷
劉世偉　厭次瑣語一卷
吴從先　小窗清紀五卷　又　小窗自紀四卷

① “廣博物志五十卷”已出現在雜家類，據《千頃堂書目》卷十二，此條當作“董斯張《吹景集》十四卷”。
② “八”，《千頃堂書目》卷十二作“人”。
③ “鄭”原誤作“郭”，據《千頃堂書目》卷十二、《四庫全書總目》卷一百二十六改。

樂純　雪庵清史五卷沙縣人。

陳槐　聞見漫録二卷

劉烶　劉凝和　筆談二卷

馮夢龍　古今談槩三十四卷　又　情史二十四卷

田賦　野樵雅言

張克儉　梅幌寤言　又　兵行紀畧

謝天瑞　增補鶴林玉露二十四卷杭州人。《玉露》本十六卷,天瑞增補八卷。

王勣　纂言鉤玄十六卷

李九標　枕書二十卷

畢拱辰　蟬雪呢言八卷

汪于沚　醒世外史六十卷

楊德周　興識隨筆十二卷

董鳴瑋　鏡古篇五卷董應舉子。南京都察院經歷。

吴之俊　獅山掌録二十八卷

丘世良　隨筆二卷松江府同知。

周嬰　巵林十卷字方叔,莆田人。

莫是斗　莫氏八林十六卷

閔景賢　快書五十卷

蕭士瑋[①]　汴游録一卷　又　蕭齋日記一卷　又　南歸録一卷　又　日涉園録一卷　又　春浮日録一卷

亡烏子一卷凡四篇。以下皆不知撰人。

書周文襄見鬼事一卷

滑燿編十七卷

墨屎子狐媚叢談五卷

① "瑋",《千頃堂書目》卷十二作"埠"。

鴛湖百家談異録八卷
青隱子古今勝覽奇聞十册
樹瓠子然犀集三卷
釣瀛子瀛槎談苑四册
弁山樵暇語十卷失姓。
思貞子正續資諧八卷
丹鉛續録考証六卷
湖海新聞二卷
說物寓武一卷
益暇録五册
說抄五十卷
隨筆雜鈔三十卷

兵家類

武學經傳二十四卷
劉寅　孫子直解三卷　又　吴子直解三卷　又　尉繚子直解五卷　又　司馬法直解三卷　又　六韜直解六卷　又　三畧直解三卷　又　李衛公問對直解三卷太原人。
閻禹錫　孫子集解二卷　又　吴子集解二卷　又　司馬法集解二卷　又　尉繚子集解五卷　又　李衛公問對集解三卷
李清　武經七書註釋字希憲，松江人。官布政使。
王圻　武學經傳句解十卷
張楷　武經小學
劉源　註司馬法五篇江陰人。正統十一年八月，進于朝，詔賜鈔十錠，遣歸。
黄潤玉　註孫子
陳珂　孫子斷注二卷字希白，錢塘人。弘治庚戌進士，大理寺卿。

趙鶴　孫武子十三篇定本

蘇祐　孫子吴子集解

王崇獻　孫子釋疑

譚愷　孫子集注十三卷

徐昌會　注孫子兵法十三篇一卷

趙本學　孫子本義三卷晋江人。

黄邦彦　孫武子纂注十三卷

鄭靈　孫武子十三篇本義二卷　又　吴子增釋□卷字□山①,同安人。工部主事。

李贄　孫子參同三卷

孫子衍義三卷

孫子注畧四卷二家不知撰人。

孫子握機緯十三卷

劉寅　吴子握機緯二卷

阮漢聞　尉繚子解

鄭芸　武經節要四卷

武經新書一卷

寧獻王權　注素書一卷

王氏素書直説一卷

湯仲謀　握機衍義一卷明初大梁人。

曾啓明　握機經傳解一卷

虞舜卿　握機經注字用賓,錢塘人。

甯杲　武侯將苑一卷

藍汝忠　韜素附録一卷

徐昌會　握機彙鑰六卷

① 空格處,《千頃堂書目》卷十三作"希"。

續武經節要八卷
陳獻 武經節要發揮一卷一作陳珂。
何喬新 續百將傳四卷輯五代迄宋元名將四十人。
顧其言 新續百將傳四卷一名《明百將傳》。
陳元素 古今名將傳十七卷
穆文熙 百將提衡四卷
馮孜 古今將畧四卷
劉儀 諸史將畧十六卷浙江巡撫，都御史劉畿檄，知府毛鋼、教諭黄讓編。
王由道 續將鑑博議字汝元，樂平人。正德丁卯舉人。
尹商 閫外春秋三十二卷
戚繼光 紀效新書十四卷 又 練兵實紀九卷雜集六卷 又 將臣寶鑑一卷
霍文玉 紀效新書續集二卷
類輯戚南塘練兵諸書十八卷①
趙本學 韜鈐内篇一卷
俞大猷 韜鈐續編一卷
劉寅 集古兵法一卷
李晟 經世通畧□卷 又 平胡兵式□卷 又 安攘六論一卷字孔陽，濮州人。成化己丑進士，鄖陽府同知，好言兵，自比武侯，爲世所嗤。
彭程 兵法纂字萬里，甌寧人。成化辛丑進士，宣府兵備僉事。
何瑭② 栢齋兵論一卷
王詔 將評心見二卷
唐樞 木鍾臺未學學一卷
李桂芳 兵機要集一卷

① “輯”，《千頃堂書目》卷十三作“緝”。
② “瑭”，《千頃堂書目》卷十三作“塘”。

吴子孝　葆林一卷　又　問馬集一卷凡十五篇。子孝謫廣平通判時作。

王芑　綱目兵法六卷

穆伯寅　兵鑑撮要七卷

康天爵　司兵便録一卷

劉濂　兵説十三卷①

吴從周　兵法彙編十二卷　又　左傳兵法□□卷　又　綱目武覽□□卷字宗文,邵武府人。嘉靖中貢士,南康縣訓導,有禦倭功,擢國子監博士。

唐順之　荆川武編十二卷　又　兵垣四編五卷

高舉　行師選要一卷

華復元　王文成用兵心法一卷

陳禹謨　左氏兵法畧三十二卷禹謨以《左傳》爲兵家之祖,萬曆三十八年十一月,官兵部司務,緝是書進呈。

蘇志皐　益智録兵類二十卷

何東序　益智兵書一百卷　又　武庫益智録六卷

邵復將　傳畧合法纂要二卷

葉夢熊　運籌綱目十卷一作《兵家運籌勝訣》。

李材　將將紀二十四卷　又　兵政紀畧五十卷　又　兵政淵源十五卷②

王鳴鶴　登壇必究四十卷

何僎　諸史機畧十卷

鄭璧　古今兵鑑三十二卷　又　經世宏籌三十六卷

魏濬　武畧

王有麟　百將傳補遺　古今戰守攻圍兵法六十卷晋江人。萬曆甲戌武進士,官參將。

① "三",《千頃堂書目》卷十三作"二"。

② "兵政",《千頃堂書目》卷十三作"經武"。

何仲升　兵録
郭應響　兵法要畧
黄應甲　兵法節畧字汝第，懷寧人。嘉靖壬戌武舉，破廣西古田賊有功，歷官都督僉事。
姚文蔚　省括編二十二卷
余懋衡　古方畧□□卷[①]
趙大綱　方畧摘要十卷
高折枝　將畧類編二十四卷
施浚明　古今紆籌十二卷
畢懋康　兵畧三册
張汝蘭　文章兵法譜十卷漕運參將。
阮漢聞　詰戎踐墨□卷
楊惟休　武畧十卷
李呈芬　知己知彼制勝三編　又　射經十三篇靈璧人。
茅元儀　武備志二百四十卷崇禎元年三月進呈。
孫元化　經武全編十卷
朱正色　涉世雄談八卷
胡汝桂　歷代當機録六卷
黄正賓　續録一卷
黄仁浦[②]　明經世要畧五卷
顔季亨　明武功紀聖通考八卷[③]
徐標　兵機纂要四卷崇禎中進呈。又　兵書纂要十卷
韓雲　武德内外編

① 《千頃堂書目》卷十三此條下小注曰："别本□□作四十五。"
② "浦"，《千頃堂書目》卷十三作"溥"。
③ "聖"，《千頃堂書目》卷十三作"勝"。

張家玉　百將妙畧

王楧　纛記一卷

沈津　忠武録四卷

瞿汝稷　兵畧纂聞十二卷

閻汝錫[①]　**武學詞範**

歸醇子師尚五卷

圮渭叟十八法一卷

講武全書兵覽三十二卷　兵律三十八卷　兵占二十四卷

兵法心要十論一卷

清華子戎軒小註一卷

兵法八寶箴一卷

必勝奇法一卷

兵機纂備十三卷

籌國勝書四卷

河朔治兵膚言二卷[②]以上皆不知撰人。

徐琳　經世奇謀八卷

陳璠　師律提綱一卷高郵州人,太原左衛千户。凡六篇。

張泰　軍令集成一卷

谷中虚　水兵律令一卷　操法一卷　又　陸兵律令一卷　操法一卷

范景文　師律十六卷

戴安　忠愛八陣圖説字伯寧,永豐人。洪武中廣東提舉。

戴琥　編定八陣圖字廷節,浮梁人。景泰中舉人,廣西左參政。

藍章　八陣合變圖説一卷東萊人。

---

① "汝",《千頃堂書目》卷十三作"禹"。

② "二",《千頃堂書目》卷十三作"一"。

龍正　八陣圖演註一卷
許論　破虜新陣圖説一卷
童昶　八陣圖演義施州衛指揮，任參將，征四川鄢藍賊有功。
徐常　陣法舉要一卷　附八陣圖數一卷
陳棐　八陣圖説　又　火車陣圖考①
霍文玉　八陣圖要訣二卷
孫承宗　車營百八扣一卷
大同鎮戰車營操法二卷
復套陣圖一卷
黄應甲　火器圖説萬曆十九年十月進呈，詔褒之，并賜銀幣有差。
火攻陣法三卷以上不知名氏。
畢侍御　戰陣圖説三卷②
俞大猷　劍經一卷
温綸　利器解一卷
趙士禎　東嘉神器譜四卷
孫堪　弩考
程宗猷　少林棍法闡宗三卷③　又　蹶張心法一卷二書總名《耕餘剩技》。
張濤　孫學詩　西洋火攻圖説一卷
高第　乘城要法一卷
王應遴　備書二十卷
錢旃　城守要畧五卷
冒起宗　守筌五卷
馮清　保生管見一卷集懸石、懸鎗之法。又　固本迂談一卷成化中兵部侍郎。

---

① "火"，《千頃堂書目》卷十三作"大"。
② "卷"字原脱，據《千頃堂書目》卷十三補。
③ "林"，《千頃堂書目》卷十三作"陵"。

火藥妙品一卷

城書四卷

城守要機七卷

武藝要畧二卷

池本理　註奇門遁甲烟波釣叟歌一卷　又　註兵法要畧八門遁法機一卷　又　禽星易見四卷贛州人。

劉翔　奇門遁甲兵機書二十卷成化中進呈。

胡獻忠　八門神書一卷

捷徑六壬端坐書二卷

李克家　戎事類占二十一卷江西人。

舟師占驗一卷

徐舟　邊備須知字楫之,曹縣人。成化丙戌進士。

李文察　磁州保障録一卷

尹耕　塞語十一篇[①]　**又　鄉約一卷**字子莘,代州人。嘉靖壬辰進士,知河間府,擢兵備僉事,管領民兵,被劾罷。

趙坤　籌邊録一卷

李鼎　安邊策六篇　又　海策六篇策平秀吉事,二書皆上於朝。鼎字長卿,新建人,萬曆戊子舉人。王錫爵舉其才,參鄭洛軍事。

武畧神機九邊形勝圖一卷

蜀中邊防記十卷

天文類

大明清類天文分野書二十四卷洪武十七年閏十月,命群臣編輯,書成,賜燕、周、齊、楚等六王。其書以十二分野星次分配天下郡縣,又於郡縣之下,詳載古今沿革之由。

---

① "十一篇",《千頃堂書目》卷八作"一卷"。

天元玉曆祥異賦七卷洪熙元年正月，仁宗初得是書，以示侍臣曰："天道人事未嘗判爲二道，有動於此，即應於彼，此書言簡理當，左右輔臣亦宜知之。"因親製序，頒賜諸公卿。

觀象玩占十卷不知撰人，一本四十九卷，或云劉基輯。

葉子奇　元理一卷

劉基　天文秘畧一卷

李泰　補岳熙載注天文精義賦五卷

楊廉　星畧一卷

儲顒　天文指掌録松江人。

張淵　革象新書　又　天文六壬圖説

程廷策　星官筆記

王應電　天文會通一卷

周述學　神道大編象宗圖　又　周雲淵文選六卷　又　乾坤體義　又　天文圖學一卷字繼志，山陰人。精術數，常入胡宗憲幕，佐平倭有功。所著《神道大編》，凡千餘卷，今僅有存者。

吴琉　天文要義

袁祥　彗星占驗

鍾繼元　渾象析觀字仁卿，桐鄉人。嘉靖壬戌進士，湖廣僉事。

范守己　天官舉正六卷

陸侹　天文地理星度分野集要四卷

王臣夔　測候圖説一卷

黄履康　管窺畧三卷

黄鍾和　天文星象考一卷自稱"清源山人"。

尹遂祈　天文備考　又　璣衡要旨　又　天元玉策解字鏡陽，東莞人。萬曆辛丑進士，同安令，以伉直罷官，通陰陽術數之學。

楊惟休　天文書四卷

潘元和　古今災異類考□卷[①]字寅所，松江人。官黄州知府。

陳鍾盛　天文月鏡字懷我，臨川人。萬曆己未進士，山東副使。

趙宧光　九圜史一卷

余文龍　祥異圖説七卷　又　史異編十七卷字起潛，福建古田人。萬曆辛丑進士，贛州知府，左遷真定同知。

李之藻　渾蓋通憲圖説二卷

琍瑪竇　幾何原本六卷　又　句股義一卷　又　表度説一卷　又　圜容較義一卷　又　測量法義一卷　又　天問畧一卷　又　泰西水法六卷　又　簡平儀説一卷熊三拔。又　測量異同一卷

李天經　渾天儀説五卷崇禎中編。

王應遴　乾象圖説一卷　又　中星圖一卷山陰人。崇禎中，官大理寺評事，誥敕房辦事，中書舍人。

陳嗣昌　天文地理圖説　又　天文躔次　又　歲時占驗字克彝，丹徒人。崇禎中，與徐光啓論曆法，又爲張國維修《吴中水利書》。

李元庚　乾象圖説一卷

陳藎謨　象林一卷

宋應昌　春秋繁露禱雨法一卷

圖註天文祥異賦十卷以下皆不知撰人。

天文玉曆旋璣經五卷

天文鬼料竅一卷

天元玉曆森羅記十二卷

經史言天録二十六卷

天文王瑞圖説一卷

分野指掌

① 空格處，《千頃堂書目》卷十三作“五”。

十一曜躔度
九賢秘典兵政通書
欽天監職事
嘉隆天象録四十五卷
天文必用
璇璣類聚
西洋地震解
西洋測食畧
雷占三卷
風雲寶鑑一卷
天文占驗二卷
顔茂猷　天道管窺
馬承勳　風纂十二卷萬曆初蠡縣人。首卷爲占例,餘則以日辰支干爲叙,以驗風角。
魏濬　緯談一卷
吴雲　天文志雜占一卷
物象通占十卷
白猿經一卷
注釋風雨賦一卷
錢春　五行類應八卷
艾儒畧　幾何要法四卷
五行類事占徵驗九卷
觀乾識變六卷

曆數類

大統曆法四卷
太陽通軌一卷

交食通軌一卷

元統曆法通軌二卷[1]洪武十七年,官欽天監博士,始定曆法,以洪武甲子爲曆元,後官監正。

劉信　曆法通徑四卷

馬沙亦黑　回回曆法三卷《釋例》一卷,《經緯立成》二卷。

左贊　曆解易覽一卷盱江人。

吕柟　寒暑經圖解

顧應祥　授時曆法

曾俊　曆法統宗二卷　又　曆臺撮要一卷字仲才,南海人。正德己卯舉人,知廣西融縣,以廉明著稱,於星緯曆律皆究其指。

周述學　曆宗通議　又　中經測　又　曆草

戴冠　氣候集解長洲人。

戴廷槐　革節卮言五卷字元植,長泰人。隆慶初貢生,遂安知縣。

袁黄　曆法新書五卷黄得曆法於終南隱者陳星川,因訂《大統曆》於前,而著所得新法於後。

何註　曆理管窺一卷

郭子章　枝幹釋七卷

鄭世子載堉　律曆融通四卷　又　音義一卷　又　聖壽萬年曆一卷　又　萬年曆備考二卷　又　曆學新説二卷萬曆二十三年九月進呈。

陳槐　星曆辨析

蕭懋恩　監曆便覽二卷

邢雲路　古今律曆考七十二卷　又　戊申立春攷正一卷　又　庚申冬至正訛一卷　又　太一曆元　又　七政真數□卷字士登,安肅人。官按察僉事。與隱士滿城、魏文魁共訂諸書。

---

① "元",《千頃堂書目》卷十三作"大"。

徐光啓 崇禎曆書一百二十六卷《曆書總目》一卷,《日躔曆指》四卷,《日躔表》二卷,《恒星曆指》三卷,《恒星圖》一卷,《恒星圖系》一卷,《恒星曆表》四卷,《恒星經緯表》二卷,《恒星出没表》二卷,《月離曆指》四卷,《月離表》六卷,《交食曆指》七卷,《交食表》七卷,《五緯曆指》九卷,《五緯表》十卷,《測天約説》二卷,《大測》二卷,《割圓八線表》六卷,《黄道升度表》七卷,《黄赤道距度表》一卷,《通率表》二卷,《元史揆日訂訛》一卷,《通率立成表》一卷,《散表》一卷,《測圓八線立成長表》四卷,《黄道升度立成中表》四卷,《曆指》一卷,《測量全義》十卷,《比例規解》一卷,《南北高弧表》十二卷,《諸方半晝分表》一卷,《諸方晨昏分表》一卷。崇禎二年五月朔,日食,晷刻與推算不符,禮部侍郎光啟疏請重修曆法,帝是之。命與李之藻、王應遴及西洋人羅雅谷、龍華民、鄧玉函、湯若望同修,陸續成書,迄六年九月而竣。**又 曆學小辯一卷又 曆學日辯五卷**

羅雅谷 籌算一卷

王英明 曆體畧三卷大名人。

何三省 曆法同異考

曆法統宗十二卷不知撰人。①

曆法集成四卷

西域日月交食通軌法大全

賈信 臺曆百中經一卷欽天監五官司曆。

貝琳 百中經十卷琳欽天監副,集前監正皇甫仲和遺稿而成。起成化甲午,迄嘉靖癸巳,六十年,後人又續至壬戌年止。

經緯曆書八卷

七政全書四卷俱不知撰人。

五行類

劉基 玉洞金書一卷

馬貴 周易雜占一卷字尚賓,三原人,馬理祖。深于《中庸》、《周易》之學,占事

① “不知”前,《千頃堂書目》卷十三有“以下”二字。

知來,多奇驗。韓邦彦表其墓。①

王鼒　易卦海底眼

胡宏　周易黄金尺一卷正統間鄞縣人。

許本清　周易占法節要二卷　又　策數一卷景泰間人。

盧翰　中庵籤易一卷潁上人。

周恭　卜史

季本　蓍法别傳二卷②

張選　卜筮範占字舜舉,無錫人。嘉靖己丑進士,通政司右參議。

楊元　納甲圖　又　九圭數字務本,永昌人。

周瑞　文公斷易奇書三卷長沙人。

蔡元　谷神易數一卷

張其堤　易卦類選大成四卷

王宇　周易占林四卷福州人。

李新芳　神易斷意　又　太虚甲子經字元德,潞州人。進士,官御史。

劉均　卜筮全書八卷

趙際隆　卜筮全書十四卷

陳嗣昌③　卦變論　又　數學參同辯正

周其久　前知通微集當塗人。

連城璧　易占三墳繇詞字如白,會稽人。崇禎庚辰,特用巡按,廣東御史。

張濡　先天易數二卷

卜家萃覽十五卷

六爻旁通天元賦解七卷　提綱一卷以下不知撰人。

---

① "人"字原脱,據《千頃堂書目》卷十三補。另,"彦",《千頃堂書目》作"奇"。
② "二",《千頃堂書目》卷十三作"一"。
③ "嗣",《千頃堂書目》卷十三作"胤"。

龜經心法一卷
易卦歌斷卜筮元龜二卷
易象類占一卷
祥龜易覽
玉靈照膽經
玉井奥訣四卷
大衍編次周易本義
斷易啓蒙三卷
易占心鏡四卷
觀物微占一卷
神易鉤玄一卷
斷易通天賦一卷
周視考　陰陽定論三卷
劉基　註靈棋經二卷　又　解皇極經世稽覽圖十八卷
楊向春　皇極心易發微六卷
蔡士順　皇極秘數占驗一卷
程玠　大定數字文玉，歙人。成化甲辰進士，究心曆數卜筮之學，丘濬稱爲一代異人。
大定神數十卷
吴琉　皇極經世鈐解　又　玄玄集
陳情　五行奕數二卷
張淵　萬物數註
馮柯　三極通二卷
觀梅數二卷
梅花數二卷
紫微斗數一卷
童軒　夢徵録

張幹山　古今應驗異夢全書四捲揚州衛指揮。

陳士元　夢占逸旨八卷

張鳳翼　夢占類考十二卷

解夢心鏡五卷

古今纂要夢珍故事三卷

古今紀夢要覽二卷

池本理　禽遁大全四卷

鮑世彦　奇門微義四卷　又　奇門陽遁一卷　又　奇門陰遯一卷字穉卿，新安人。

徐之鏌　選擇禽奇盤例定局五卷

李□　甲遁真授秘集三卷

袁善　奇門秘奥天啓中，昆明人。

奇門原古三卷以下不知撰人。

八門禽演碎金經三卷

都天一卷

禽星直指一卷

流光玉曆八卷

胡□□[①]　武侯八門神書一卷績溪人。

遁甲鉤玄集

奇門大成

紫庭秘訣

禽星直指十卷

玄女統甲子六十將軍伐敵一宗符秘訣四卷[②]

周鍔　六甲奇書一卷不知何時人。

① 空格處，《千頃堂書目》卷十三作"獻忠"。

② "敵"，《千頃堂書目》卷十三作"鹵"。

葉容 太一三辰顯異經十卷字可大，蘭溪人。
吴琉 太一統宗寶鑑二十卷 又 太一淘金歌一卷
李元澧 太一九旗曆三卷
太一遁局八卷
太一燭幽經二卷
太一原古三卷
邢雲路 太一書
楊瓚 六壬直指捷要二卷
蔣日新 開雲觀月歌一卷
黄公達 鳳髓靈文一卷
吴琉 六壬金鑰匙
袁祥 六壬大全三十六卷
周正 六壬秘集
徐常吉 六壬釋義一卷
王許 黄金策三卷
來復大 六壬起例一卷字陽伯，三原人。
黄賓廷 六壬六十甲子集應鈐六十卷江西人。
六壬神課金口訣三卷
鄒彬 三奇六壬太一疏畧一卷字文質，臨洮人，居吴。
六壬五要權衡一卷
大六壬五變中黄經二卷
六壬磨鏡藥一卷
官撫辰三式全書
六壬總要四十七卷
六壬原古三卷
選擇曆書五卷洪武九年，欽天監奉敕撰定。
寧獻王權 肘後神樞二卷 又 運化元樞一卷

曆法通書三十卷金谿何士泰景祥《曆法》,臨江宋魯珍輝山《通書》。
熊宗立　金精鰲極六卷　又　通書大全三十卷
王天利　三元節要三卷字履道,壺關人。
徐瓘　陰陽捷徑一卷三山人,徐瓘官通判。
劉寚[1]　選擇類編八卷
萬邦孚　彙選筮吉指南十一卷一作十五卷。又　日家指掌二卷又　通書纂要六卷字汝永,鄞縣人。累官都督僉事,福建總兵官。
何瑭　陰陽管窺一卷
劉黄裳　元圖符藏二卷
周渭　彈冠必用集一卷
黄鍾和　上官涓吉便覽二卷
吴天洪　造命宗鏡集十二卷字元卿,歙人。舉人,任建陽淳安令。
黄汝和　諏擇秘典二卷　又　諏擇曆眼十二卷
筮筴理數日抄二十卷
統曆寶鏡二卷
筮仕涓吉便覽二卷
年月集要五卷
發微通書十卷
三才運用通書十八卷
三辰通載四卷
祝氏選擇神龍經一卷
陽明按索圖五卷
佐元直指圖解九卷
陰陽寶海三元玉鏡奇書二卷
瑩元正經一卷

① “寚”,《千頃堂書目》卷十三作“最”。

趨吉要覽二卷[①]
造葬擇日神殺一卷
曆府鉤玄一卷
通書纂要一卷
尅擇全書二十二卷
差穀奇書十五卷
年月備要二十一卷
選擇賽成書十四卷
洪理　曆府大成二十二卷
曆法便覽時用通書四十卷
劉基　三命奇談滴天髓一卷
歐陽忠　星命秘訣望斗真經三卷
楊源　星學源流二十卷
張□□　神峰闢謬濮州人，號神峰。以《五行禄命書》沿習訛舛，著此以正之。
雷鳴夏　子平管見二卷
李欽　淵海子平大全六卷
萬民育　三命會通十二卷
周鳴鳳　談天碣石編□卷金谿人。
陸位　星學綱目正傳二十卷　又　星學大成十八卷　又　張果星宗命格十卷　又　文武星案六卷
西牕老人蘭臺妙選三卷
陸昂　蘭臺金匱元機素要書
鄧史喬　拗星論一卷
星平會海十卷以下不知撰人。
星平總會十卷

---

① “二”，《千頃堂書目》卷十三作“一”。

果老子平大成三卷

星學全書三十卷

五星玉鏡四卷

中天八卦數命一卷

河洛神數六卷三命。

青蘿曆一卷三命。

占命録二卷

子平淵海大全五卷

琴堂虛實五星指要四卷

竹羅三限幽妙集一卷三命。

經世祝氏鈐

麻衣易髓二卷三命。

袁忠徹　古今識鑒八卷　又　人象賦

鮑栗之　集麻衣相法成化中，官揚州府同知。

李廷湘　人相編十二卷

神相類編十卷

相法總龜二卷

焉廋集四卷不知何人編，末附李巒《相法》。

人倫大統賦一卷

唐子卿　截相編

吴緝　神相編秀水人。

一行相字詩一卷

拆字林一卷

觀梅相字易數兆訣一卷

周繼　陽宅真訣二卷字志齋，歷城人。進士。萬曆中，官南京户部右侍郎。

周其久　八宅周書當塗人。

王君榮　陽宅十書四卷益都人。萬曆間舉人，河間府通判。

陳夢和　陽宅集成九卷
李邦祥　陽宅真傳二卷
張萱　八宅周書
彭好古　陽宅陰宅一訣千金二卷
周經　陽宅新編二卷
胡經　松盛舊編二卷
八宅四書四卷
相宅通天竅十卷
陽明正範秘書一卷
營宅圓機
卜居圖解
卜居全集四卷
八宅抽爻分房秘訣二卷
相宅圖説一卷
陽宅大全十卷
劉基　金彈子三卷　又　披肝露膽一卷　又　一粒粟一卷
　又　地理漫興三卷
趙汸　趙氏葬説一卷
鄭謐　註郭璞葬書字彦淵，金華人。從葉儀、范祖幹學。
劉明章　葬書新注新喻人。宋濂爲序。
瞿佑　陳氏葬説一卷
熊宗立　注雪心賦一卷　又　注天元賦一卷
符觀　地理集奇
謝昌　地理四書四卷字子期，新安人。《郭璞葬書注》一卷，《地理發微注》一卷，《劉氏地理囊金注》一卷，《雪心賦解注》一卷。①

---

① “葬書”、“解注”，《千頃堂書目》卷十三分别作“葬經”、“句解”。

曾直　地理書字叔温，吉水人。弘治壬戌進士，太僕寺卿。

董潛　四神秘訣　又　水法字德彰，德興人。精於相地，事母有孝行。

謝廷柱　堪輿管見二卷字邦用，長樂人，别號“雙湖”。弘治己未進士，湖廣按察司僉事。

周孟中　地理真機十五卷

馬森　地理正宗集要

項喬　風水辯一卷

李經綸　地理括要一卷

秦雲　地理正脈字起和，崑山人。彝陵州判官。

徐善繼　徐善述　人子須知三十五卷德興諸生。

程天昭　道法雙脩　又　撼龍疑龍注解德興人。

吴鵬　五寶經一卷萬曆中合肥人。

張鳳　地理仙婆集

陳國幹　葬書古文衍義二卷

鄭之惠　葬書演一卷錢塘人。

韓性之　郭子翼一卷

董章　堪輿秘旨六卷

徐國柱　地理正宗八卷

趙祐　地理紫囊八卷

郭子章　校定天玉經七注七卷

陳時陽　堪輿真諦三卷

劉潛　堪輿秘傳一卷

楊益　青囊奥旨一卷

王崇德　地理見知四卷

范有學　地理粹裒編二卷

李迪　人天眼目九卷

繆希雍　葬經翼一卷　又　畫莢圖解一卷

徐之鏌　羅經簡易圖解一卷　又　地理琢玉斧十三卷

地理全書五十一卷

邢雲路　金雞靈應

張萱　陰宅四書

相山骨髓

青囊正源

葬法心印

地理正源

陰陽定論六卷

地理泄天機十二册

地理直説二卷

俯察要覽一卷

通天照砂斗輪經一卷

一寸金穴法一卷

玉尺經二卷

地理天機會元三十五卷[①]

草木幽微經一卷

吴天洪　造福秘訣三卷

王繼芳　郭璞葬書考三卷

王文禄　葬度一卷

李國本　理氣秘旨七卷　又　地理形勢真訣三十卷

徐燉　堪輿辯惑一卷

---

① “卷”，原誤作“年”，據《千頃堂書目》卷十三改。

醫家類

趙簡王補刊素問遺篇一卷世傳《素問》王砅注本[①],缺七十二篇《刺法論》,七十三篇《本病論》注,簡王得全本補行之。

吕復　内經或問號"滄洲翁",明初名醫。

汪機　素問抄□卷[②]　又　内經補注一卷

楊慎　素問糾畧三卷

陰秉暘　内經類考十卷

孫兆　素問注釋考誤十二卷

潘弼　刪次内經　又　運氣考正字夢徵,興化縣人,號"西泉居士"。

周詩　内經解字以言。一名《素問箋解》。

沈應善　素問箋釋二卷新建人。

馬蒔　素問發微

馬懸臺　素問注□卷

張玠賓[③]　張氏類經四十二卷字景岳,别號"通一子",浙江山陰人。

素問心得一卷不知姓名。

吕復　難經附説

徐述　難經補註洪武間常州名醫。

熊宗立　圖註難經四卷　又　難經大全四卷

張世賢　圖註難經八卷　又　圖注脈訣四卷

吕復　靈樞經脈箋

高士　靈樞經摘注十卷[④]字志學,鄞縣人。

靈樞經心得二卷

---

① "砅",《千頃堂書目》卷十四作"冰",當據改。

② 空格處,《千頃堂書目》卷十四作"三"。

③ "玠",《千頃堂書目》卷十四作"介"。

④ "摘",《千頃堂書目》卷十四作"補"。

永寧王□經緯八卦脉訣一卷

吕復　切脈樞要　又　五色胗奇眩　又　脈緒脈系圖　又運氣圖釋　又　運氣常變釋

李詷　集解脈訣十二卷字孟言，錢塘人，號"樗散生"。從楊維楨學，賣藥于金陵市，賢而隱于醫。

劉醇　刊正王叔和脈訣□卷字文仲①，祥符人。洪武中周府右長史。

楊文德　太素脈訣一卷洪武初樂平人。

方炯　脈理精微字用晦，莆田人。善詩，工醫術。

蔣主忠　脈訣本義蔣用文子。

錢寶　運氣説二卷　又　醫案四卷字文善，鎮江人。以醫名，程敏政志其墓。

汪機　重集脈訣刊誤二卷　又　運氣易覽二卷　又　醫學原理□卷　又　推求師意二卷

樓英　氣運類注四卷字全芳，金華人。

吴球　脉訣疏義□卷　又　方脈主意二卷

張世貞　圖注王叔和脈訣四卷

李先芳　醫家須知論氣運。

盧志　脈家奥要

劉浴德　訓解宋劉元賓脈書三卷

劉仕聰　方脈全書浙江西安人。

方穀　脈經直指七卷萬曆初錢塘人。

吴崑　脈語二卷

彭用先　潛溪太素啟蒙二卷廬陵人。

李言聞　四胗發明八卷李時珍父，號"月池翁"。

李時珍　瀕湖脈學一卷　又　奇經八脈考一卷

---

① "仲"，《千頃堂書目》卷十四作"中"。

程伊　脉薈一卷

王三傑　運氣指明二卷

寧獻王權　乾坤生意四卷　又　乾坤生意秘韞一卷　又　活人心三卷①

王履標　題原病式一卷　又　溯洄集一卷　又　百病鉤玄二十卷　又　醫韻統一百卷

劉純　玉機微義五十卷　又　醫經小學六卷采《素》、《難》之言，以便誦習，凡十八篇。純字宗厚，泰州人，洪武中名醫，父叔淵，朱震亨弟子。

沈繹　平治治法吴人。洪武中，以事累戍蘭州，以醫名。

沈宗學　十二經絡治療淵源字宗起，蘇州人。與王賓友善。

許宏　通玄録字宗道，建安人。

戴思恭　證治要訣十二卷　又　類證用藥一卷　又　金匱鉤玄三卷字原禮，浦江人。洪武時，官御醫。永樂初，擢院使，乞歸卒，帝自製文賜祭。

彭用先　體仁彙編十卷

徐子宇　致和樞要□卷②金陵人。與趙友同、吴訥友善，崑山鄭文康序其書。

劉長春　青囊雜纂八卷一作三卷。號淵然，仁宗時進士。③

趙瀛　紺珠經四卷嘉興知府。

王璽　醫林集要八十八卷永平人，鎮守甘肅，平羌將軍總兵官。

程玠　松崖醫徑二卷④

楊珣　丹溪心法四卷

程用光　重定丹溪心法□卷

王綸　明醫雜著八卷　又　節齋醫論一卷　又　醫論問答一

① "心"後，《千頃堂書目》卷十四有一"法"字。

② 空格處，《千頃堂書目》卷十四作"九"。

③ "八"、"進士"，《千頃堂書目》卷十四分别作"四"、"道士"。

④ "崖"，《千頃堂書目》卷十四作"巖"。

卷字汝言，慈谿人。成化甲辰進士，巡撫湖廣，都御史。

濮鏞　杏莊集字景鳴①，太平府人。官良醫副。

談倫②　醫家便覽一卷號野翁，上海人。天順丁丑進士，總督易州山廠，工部侍郎。

周禮　醫學碎金四卷

盧和　丹溪纂要八卷字廉夫，東陽人。

符觀　醫家纂要新喻人。

楊廉　醫學舉要一卷　又　明醫録一卷

樓英　醫學綱目四十卷

劉全脩　注解病機賦二卷浙江西安人。

俞子容　續醫説十卷

虞摶　醫學正傳八卷　又　方脈發蒙□卷字天民，義烏人。能詩，有《百字吟》、《半齋稿》。

吴球　諸症辯疑四卷　又　用藥玄機一卷　又　活人心統一卷

葛林　杏塢秘訣一卷字茂林，錢塘人。正德中太醫院判。

陳諫　藎齋醫要十五卷字直之，錢塘人。

盧志　醫學百問辯　又　增定醫學綱目字宗尹，崑山人。正德中，官太醫院判。武宗南巡不豫，志言於大臣曰："帝冬得夏脈，法在不治，願定國儲，安社稷。"宫車晏駕，例應逮治，因是得免。

沈應文　醫約四卷字守静，浦城人，自號"句曲山人"。

石泉子　醫畧正誤一篇正德中人。敖英爲序。

周恭　事親須知五十卷　又　醫説續編五十卷

汪宦　醫學質疑□卷祁門人。

徐春甫　古今醫統一百卷　又　醫學捷徑□卷字汝元，祁門人。從

---

① "鳴"，《千頃堂書目》卷十四作"明"。

② "倫"，《千頃堂書目》卷十四作"綸"。

汪宦學,後官太醫院。

何瑭　醫學管見

葉文齡　醫學統旨字德徵,仁和人。太醫院判,世宗御書忠愛額其堂。

盛端明　程齋醫抄撮要五卷

方廣　丹溪心法附餘二十四卷字約之,號古庵,新安人。

俞橋　醫學大原海寧人。南京太醫院院判。

趙銓　體仁彙編　又　岐黄奥旨　又　諸家醫斷廬陵名醫。與羅洪先善,洪先有《贈石亭子》詩。

陳嘉謨　醫學指南祁門人。

賀岳　明醫會要二卷　又　醫經大旨字汝瞻,嘉興人。

傅滋[①]　**醫學集成十二卷　又　醫學權輿四卷**

許紳　聖諭對録録嘉靖中頒降御札。

許己　家居醫録六卷[②]字新甫,號立齋,吴人。正德間,選爲御醫,擢南京太醫院院判,進院使。

徐魯源　醫經原旨□卷無錫人。

龔信　古今醫鑑八卷

何繼高　軒岐新意一卷

馮鸞　醫學大成七卷　又　醫説補遺一卷

白飛霞　韓氏醫通一卷

李先芳　壺天玉鏡

蔣達善　醫鏡二十卷常州人。

芮養謙　醫經原始　又　醫學發明

閔守泉　醫學類纂俱直隸太平府人。

錢萼　醫林會海四十卷嘉善人。

邵弁　醫學綱目四十卷　又　十二經絡發揮

---

① “傅”,《千頃堂書目》卷十四作“溥”。

② “許”,《千頃堂書目》卷十四、《明史》卷九十八作“薛”。“録”後,有一“十”字。

張浩　仁術便覽四卷萬曆初人。

李梴　醫學入門七卷

費傑　名醫抄字世彦，浙江山陰人。

方隅　醫林繩墨八卷

羅周彦　醫宗粹言十四卷

張受孔　醫便五卷休寧人。

解禎　醫學便覽四卷

徐常吉　古今醫家經綸彙編五卷①

朱儒　醫四書□卷秀水人。萬曆初太醫院使，嘗諫神宗戒暴怒以平氣，寡嗜欲以養精，神宗納之，令中官陸敬書其語於屏。

黄維亮　醫林統要四卷

趙金　醫學經畧烏程人。

劉起宗　名醫三要三卷

陳朝璋　扶生堂醫書臨川人。萬曆中選貢，常州府通判。

王肯堂　證治準繩八卷　又　王氏醫論四卷

傅懋先　醫宗正脈五卷

周倫　醫畧四卷

趙獻可　趙氏醫貫□卷②字養葵，寧波人。

黄承昊　折肱漫録六卷　又　評註薛氏内科醫案三卷附方一卷字闇齋，秀水人，黄洪憲子。萬曆丙辰進士，工科左給事中，歷福建按察使。

萬全　保命活訣三十五卷羅田人③。

繆希雍　廣筆記二卷

喻嘉言　醫門法律

---

① "綸"，《千頃堂書目》卷十四作"論"。

② 空格處，《千頃堂書目》卷十四作"六"。

③ "羅"，原字缺損，據《千頃堂書目》卷十四補。

李中梓　頤生微論十卷

畢懋襄　醫薈十八卷字君平,歙人。

繆氏識病捷法十卷失名。

簡明醫要八卷不知撰人名氏。

李濂　醫史十卷

周恭　增校醫史四卷　又　醫效日鈔四卷

程伊　醫林史傳四卷　又　史傳拾遺一卷　又　醫林外傳四卷

許忠　注石山醫案九卷

趙銓　石亭醫案

江瓘[①]　名醫類案十二卷

周普　蘭谷醫案□卷　又　蘭谷用藥歌訣一卷

楊珣　針灸詳説二卷

姚良　考古針灸圖經字長卿,吴人。

解延年　經穴圖解　又　本草集畧

汪機　針灸問對二卷

徐鳳　徐氏針灸六卷　又　針灸大全七卷

徐師曾　經絡全書

孝宗皇帝類證本草三十一卷

徐彦純　本草發揮四卷浙江山陰人,朱丹溪弟子。

沈宗學　本草發揮精華

楊溥　用藥珍珠囊詩括二卷溥繫獄時,括爲韵語,以便檢藥[②]。

熊宗立　原醫圖藥性賦八卷

王綸　本草集要八卷

徐彪　本草證治辯明十卷字文蔚,華亭人。正德中太醫院院判。

---

① "灌",《千頃堂書目》卷十四作"瓘"。

② "以便"後,《千頃堂書目》卷十四有"誦讀"二字。

徐東齊　本草權度三卷
滕弘　神農本經會通十卷甌寧人。
汪穎　食物本草二卷江陵人。正德中,官九江知府。本盧和所爲,書而成之。
甯源　食鑑本草一卷鎮江人。
吴源　食品集二卷附録一卷吴江人。
王機　本草會編二十卷
陳嘉謨　本草蒙筌十二卷字廷采。嘉隆間祁門醫士。
李時珍　本草綱目五十二卷字東璧,蘄州人。楚府奉祠。時珍辨疑訂説①,肆力者四十年,始成其書。分一十六部,部各有類,增藥三百七十四種。萬曆二十四年,子諸生李建元進於朝,命宣付史館。
許希周　藥性粗評四卷
方穀　本草集要十二卷
梅得春　藥性會元三卷
馮鸞　藥性賦一卷
姚能　藥性辯疑海鹽人。
程伊　釋藥二卷
徐昇泰　本草正譌補遺字世平,會稽人。補《本草綱目》所未備。
繆希雍　本草經疏二十卷　又　方藥宜忌考十二卷
李言聞　人參傳一卷　又　艾葉傳一卷
世宗皇帝易簡方一卷　又　袖珍方□卷嘉靖中,命太醫院官編緝。
寧獻王權　壽域神方四卷
周定王普濟方一百六十八卷
唐□王□□神妙秘方②
醫方選要十卷　又　外科驗方二卷興獻王命本府良醫周文寀輯。

① "説",《千頃堂書目》卷十四作"誤"。
② 此條,《千頃堂書目》卷十四作"唐王神妙秘方"。

吕復　四時燮理方

倪維德　考定東垣試效方[①]

李恒　袖珍方四卷字伯常,合肥人。洪武初,爲周府良醫,奉憲王命集。恒,永樂間致仕,王親賦詩以餞,命長史瞿佑序其事。

沈繹　醫方集要

方炯　杏林肘後方十卷

雷伯宗　千金寶鑑建安人,名勳,以字行。洪武中醫學正科。

戴思恭　證治類方四卷

胡濙　衛生易簡方四卷濙爲禮部侍郎,出使四方,輯所得醫方進於朝。一作十二卷。

劉均美　拔萃類方二十卷錢塘人,號閱耕。以醫名。洪、永間,徙家金陵,與解、楊諸公友善。一作四十卷。

吴奐　古簡方十二卷字德章,蘭溪人。博雅善書,有詩號《蘭渚漁歌》[②]。

熊宗立　山居便宜方十六卷　又　温隱君海上方一卷　又備急海上方二卷

金忠　廣惠集方一卷字尚義,麗水人。天順甲申進士,南京貴州道御史。

王英　杏林摘要方一卷裕州人。

談倫　試驗小方一卷

方賢　奇效良方六十九卷成化人[③]。

丘濬　群書日抄一卷

何孟春　群書續抄一卷　又　軍中備急方一卷　又　群方樞要一卷

錢原濬　集善方三十六卷字彦深,丹徒人。

金弘　金氏集效方一卷

---

① "效",《千頃堂書目》卷十四作"驗"。

② "歌"字,《千頃堂書目》卷十四無。

③ "化"後,《千頃堂書目》卷十四有一"初"字。

楊廉　諸方選要二卷

鄒福　經驗良方十卷甌寧人。善察脈，逆知人生死。

孫鈍　試驗集成[①]字公鋭，錢塘人。

劉淳　道濟方一卷　又　續方一卷漢中知府。南平山人。

丁毅　醫方集宜十卷字德剛，江浦人。精於醫道，見殯者棺下流血，毅熟視之曰："此生人血也。"止舁者欲啓視。喪家不之信，隨至墓所。强啓之，乃孕婦也。胗之，以針刺其胸，産一兒，婦亦甦。蓋兒手握母心，氣踣身殭耳。通邑稱神。[②]

王鏊　本草單方八卷

趙叔文　救急易方八卷字季敷，吴郡人。

經驗良方三卷鳳陽府同知石首張維國持集二卷，襄陵知縣虞城李高集一卷[③]。

陳謹　精選良方二卷　又　續方一卷武進人。

顧鼎臣　經驗方一卷

史琳　醫説妙方十卷一作張琳。巡撫保定，都御史。

吴昊[④]　**扶壽精方二卷**

張時徹　攝生衆妙方四卷　又　急救良方二卷

張用謙　醫方摘元

白飛霞　方外奇方

許紳　經驗方

周正　集古奇方

萬表　萬氏家抄濟世良方五卷　又　積善堂活人滋補方一卷　又　積善堂活人經驗方一卷一作萬邦孚[⑤]，六卷。

龔廷賢　萬病回春八卷　又　種杏仙方四卷

---

① "驗"，《千頃堂書目》卷十四作"效"。

② "隨至墓所"、"氣踣"，原誤作"隨墓所"、"氣賠"，據《千頃堂書目》卷十四補、改。

③ "陵"，《千頃堂書目》卷十四作"陽"。

④ "昊"，《千頃堂書目》卷十四作"旻"。

⑤ "邦"字，《千頃堂書目》卷十四無。

陳仕賢　經驗良方十卷字邦憲，福清人。嘉靖壬辰進士，官副都御史。

李先芳　中流一壺急救方。

李齊芳　宦邸便方二卷

徐師曾　途中備用方二卷

王宗顯　醫方捷徑四卷一作二卷。

鄒元標　馮嘉會　仁文書院集驗方七卷

吴崑　醫方考六卷

王肯堂　證治類方八卷

程伊　釋方四卷

費傑　經驗良方

松篁閣劉氏經驗方二卷

王象晉　簡便驗方一卷

叚成冕　經驗良方一卷

陳鍾盛　宦邸便方四卷

鄭夢圃　墨寶齋集驗方□卷新安人。

本草單方六卷不知撰人名氏。

急救仙方十一卷　又　急救仙方一卷

吕復　長沙論傷寒十釋

劉醇　纂述傷寒秘要一卷　又　傷寒治例一卷

方炯　傷寒書

沈貞　傷寒會通號絶聰老人，崑山沈愚祖。其書取李浩《傷寒或問》、郭雍《補亡》及他書論傷寒者，以合於仲景之論。

陶華　傷寒六書六卷《瑣言》、《家秘的本》、《殺車搥法》、《截江網》、《一撮金》、《明理續論》。又　傷寒直格標本論一卷　又　傷寒治例點點金一卷　又　傷寒治例直指一卷　又　傷寒九種書九卷　又　傷寒全書五卷字尚文，餘杭人。永樂中，官本縣訓科。

熊宗立　傷寒運氣全書十卷　又　傷寒活人指掌圖論十卷

楊珣　傷寒撮要二卷
吴恕　傷寒活人指掌五卷字如心，錢塘人。太醫院御醫。
鄒彬　傷寒運氣或問一卷
高昶　傷寒鈐法書一卷益都人。
吴綬　傷寒蘊要全書錢塘人。太醫院判。
彭浩　傷寒秘問字養浩，杭州人。
徐彪　傷寒纂例二卷
姚能　傷寒家秘心法
汪機　傷寒選録
馮鸞　傷寒統會七卷
馬宗素　傷寒醫鑑一卷
李如庵　傷寒易覽一編黄岡人。
萬全　傷寒摘錦二卷　又　傷寒撮要六卷
王肯堂　傷寒證治準繩八卷
董養學　傷寒尚論編①
項昕　脾胃後論明初名醫。
樓英　雜症治例一卷
吴球　平治大法一卷
彭浩　雜病正傳
徐彪　論咳嗽分條二卷②
趙原陽　上清紫庭追勞方一卷一作九卷。
梁學孟　痰火耑門四卷武昌人。
吴洪　痰火膚見三卷芝城人。

① 此條作者與書名對應有誤。據《千頃堂書目》卷十四，應爲“董養學《傷養指掌補注》三卷，甌寧人”與“喻嘉言《傷寒尚論編》”二條目。

② “分”字，《千頃堂書目》卷十四無。

邵懋臣　陰虚爕理篇一卷新安人。
凌漢章　流注辯惑
沈宗學　外科新録
陶華　癰疽神效秘方一卷
趙原陽　外科序論一卷　又　仙傳外科秘方十一卷
汪機　外科理例八卷
薛己　外科心法七卷　又　外科經驗方一卷　又　癘瘍機要三卷　又　正體驗要二卷
白士偉　中流一壺一卷潼川州人。爲桃源教官。
陳寔功　外科正方四卷
王肯堂　外科證治準繩六卷
外科精要三卷不知撰人。
倪維德　原機啓微集二卷字仲賢，開封人。家於吴。
顧鼎臣　醫眼方論一卷
顧可學　眼科對症經驗方一卷
薛己　原機啓微集附録一卷
吴復　養生雜言
劉醇　壽親養老補遺
郭晟　家塾事親五卷鳳陽人，武定侯英裔孫。
鄭達　尊生録十卷字汝達，襄陽人。宣德乙卯舉人，知盩厔、崑山二縣。
劉宇　安老懷幼書四卷字志大，潁川人。山西副使。
周宏　衛生集四卷
周臣　厚生訓纂二卷
孫禎　石雲先生江滸迂談一卷丹徒人。
萬全　養生四要五卷
馮□　尊生彙言一卷
吴倫　養生類要二卷歙縣人。

邵之翰　調理四時切要□卷

保身節録一卷

魏直　二難寶鑑二卷字廷豹，蕭山人。能詩，以醫名吴越間。

趙輝　便産須知三卷①

高懋齊②　胎産須知二卷　又　胎産育嬰録一卷

皇甫泰　産寶錢塘人。與同邑孫鈍齊名。

丁毅　蘭閣秘方□卷

趙繼宗　益後全方二卷一作《江陰高賓》。

薛己　校註婦人良方二十四卷

王肯堂　女科證治準繩五卷　又　嗣産全書四卷③

蔡毅中　胎産須知□卷

徐用先④　袖珍小兒方十卷徽州人。

葛哲　保嬰集字明仲，崑山人。官趙府良醫輯進，宣宗賜晏獎勞。

省翁活幼口義二十卷

熊宗立　丹溪治痘要法一卷　又　祈男種子書二卷

魏直　博愛心鑑二卷天順間高陽人。

寇衡　全幼心鑑四卷天順間高陽人。

王鑾　幼科類萃二十八卷字元吉，烏程人。爲德清縣訓科，召入太醫院。

王綸　節齋小兒醫書

袁顥　痘疹全書嘉興人。

徐春甫　幼幼類集二卷

薛鎧　保嬰撮要二十卷字良武，吴人，薛己父也。少爲諸生，專精醫理，弘治中，徵入爲太醫院。

---

① “便”，原誤作“辯”，據《千頃堂書目》卷十四改。

② “懋”，《千頃堂書目》卷十四作“茂”。

③ “嗣”，《千頃堂書目》卷十四作“胤”。

④ “先”，《千頃堂書目》卷十四、《四庫全書總目》卷一百五作“宣”。

丁毅　痘疹玉函集
汪機　痘疹理解
李言聞　痘疹証治
姚能[①]　小兒正蒙
孫禎　痘疹論三卷
沈堯中　保赤全書二卷
彭用先　原幼心法二卷
王肯堂　幼科證治準繩九卷
陳履端　幼科新書吳人。
萬全　廣嗣紀要十六卷　又　幼科發揮二卷　又　痘疹心法二十二卷　又　萬氏痘疹全書十一卷[②]一名《痘疹格致要論》。全，羅田人。
萬邦孚　痘疹方論六卷
周子蕃　小兒推拏秘訣一卷
吳洪　痘疹會編十卷
黃廉　秘傳經驗痘疹方四卷
趙金　廣嗣全書
齊德成　全嬰寶鑑字中孚，聞縣人。
薛己　家居醫録十六種
吳勉學　醫統正脈四十二種
華氏心法四卷以下不知撰人。
崔真人脈訣一卷
見證秘傳一卷　又　脈學秘傳一卷
歷代醫粹一卷
脈訣集成四卷

① "能"，《千頃堂書目》卷十四作"熊"。
② "二十二"、"十一"，《千頃堂書目》卷十四分別作"二十四"、"十二"。

胗脈須知五卷　又　胗脈要訣三卷
脈訣補註三卷
保生餘録五卷
保生備録四卷
杏林春意
太素心要一卷
醫學發蒙二十三卷
難經正義九卷
名醫類案三十卷
保生心鑑一卷
老老餘編二卷
西方子銅人針灸經十五卷
本草圖形四卷
藥類證明二卷
伊尹湯液仲景廣爲大法十卷
太乙紫金丹方一卷[①]
洪州丘先生傷寒類粹一卷
風科集論名方二十八卷
外科樞要四卷
外傷金鏡録一卷
眼科龍木論一卷
石光明家傳方一卷
明目至寶四卷
眼科撥雲圖集二卷
銀海精微二卷

① “一”,《千頃堂書目》卷十四作“十”。

女科樞要四卷
辨疑集三卷
產症須知一卷
婦科心鏡二卷
保嬰直指五卷
治痘三法一卷
增定痘疹彙書
保嬰金鏡録一卷
保嬰奇方五卷
葉玠　五運指掌賦圖一卷以下不知時代。
楊退修　通神論十四卷
周與權　難經注解一卷
鮑叔鼎　圖經脈證類擬二卷
章秀　醫經脈要録一卷
孫一奎　赤水元珠十卷　又　醫旨緒餘二卷
鄭鎰　雲嶠醫説十卷
森立夫　如庵脈訣一卷　又　經驗痘疹方一卷
蕭昂　醫萃一卷
葉文遜　世醫通變大法二卷
宋心德　醫學指歸三卷
錢桂逵　醫經蒙引八卷
張繼宗　敬齋醫賦一卷
尹覺　家塾事親九卷
劉奇舉　元微秘要八卷
樊駟　抵金集一卷
詹瑞方　本草類要十卷

李元恭[1] 李氏集秘方一卷

鄭鸞 傳信方八卷

劉党 緊要二十四方一卷 又 不自秘方一卷

曹金 傳信尤易方八卷

李樓 怪症方二卷

劉國翰 奇效單方九卷[2]

孫天仁 萬應方四卷

潘思敬 用藥指掌一卷

董炳 避水集驗方四卷

藺道 接骨仙方二卷

楊清叟 外科集驗方一卷

王伯學 痔漏論一卷

謝天錫 瘡瘇症治一卷

楊得春 瘡科通神論三卷

胡永平 明目方一卷

張聲道 產科大通元論一卷

錢大用 活幼全書八卷

孟孔 治痘詳說三卷

藝術類

曹昭 格古要論十四卷字仲昭，松江人。洪武初，爲此書；至天順間，吉水王均增輯。

沈津 欣賞編十卷字潤卿。

---

① "元"，《千頃堂書目》卷十四作"允"。

② "九"，《千頃堂書目》卷十四作"二"。

茅一相　續欣賞編十卷

吴繼　墨蛾小録四卷

周履靖　江左周郎藝苑一百卷

朱存理　鐵網珊瑚二十卷

朱凱　圖畫要畧一卷字堯民,吴人。爲諸生,能詩。

都穆　寓意編一卷　又　本朝名畫記

唐寅　畫譜三卷

韓昂　明畫譜一卷

鎮國中尉觀熰畫法權輿二卷

劉璋　明書畫史三卷字圭甫,嘉定縣人。末一卷同邑童時補正,時字尚中。

羅周旦　古今畫鑑五卷

李開先　中麓畫品一卷

王勣　畫史二十卷南直隸通州人。

何良俊　書畫銘心録一卷

王世貞　畫苑十卷　又　畫苑補遺二卷

莫是龍　畫説一卷

沈襄　梅花譜二卷

吴金陵　畫鑑直指字邦畿,龍泉人。生於金陵,故名。

宋懋晉　畫苑字明之,華亭人。

周履靖　周氏繪林十六卷　又　畫藪七種九卷

劉世儒　雪湖梅譜四卷

王穉登　吴郡丹青志一卷

鄭德中　繪事指蒙一卷

徐㓉　閩畫記一卷

曹學佺　蜀中畫苑四卷

李日華　畫賸一卷　又　續畫賸一卷　又　書畫想像録四十卷　又　墨君題語三卷

盛時泰　元牘紀一卷

陳繼儒　書畫史一卷　又　書畫金湯一卷　又　妮古録四卷

茅維　南隅書畫録一卷

安□[①]　墨林快事□卷

張丑　清河書畫舫十二卷字清父[②]，吴郡人。

松齋梅譜十五卷

圖繪宗彝八卷

畫家要訣四卷

珊瑚木難

珊瑚林二卷

南城消遣小棋譜

寧獻王權　爛柯經一卷

林應龍　適情録二十卷　又　棋史二卷永嘉人。精篆籀，爲鑄印局大使。

汪廷訥　坐隱先生訂棋譜八卷

王思任　奕律一卷

顧成憲　廢奕解一卷

項世芬　玉局鉤玄一卷

汪貞友　奕志二卷

馮元仲　奕旦評一卷

邵棣　玉局藏機二卷

文會堂奕選一卷以下不知撰人。

奕正二卷

忘憂清樂集二卷

---

① 《千頃堂書目》卷十五此條下有小注曰："别本□作世鳳。"

② "清"，《千頃堂書目》卷十五、《四庫全書總目》卷一百十三作"青"。

手談萃要一卷
象棋金鵬十八變二卷
象棋秘訣九卷
夢入神機十卷
石室秘傳
橘叟元談
秋仙遺譜
奕粹搜元
方子振　奕微
楊維禎[①]　除紅譜一卷一作《朱河》。
臧懋循　六博碎金八卷
王良樞　詩牌譜一卷
顧應祥　牌譜一卷
汪道昆　嬴詘令名譜一卷[②]
屠本畯　兼三圖一卷
潘之恒[③]　葉子譜一卷　又　續譜一卷
張大命　骰譜一卷
玉局先生訂補李易安馬戲圖譜一卷
徽府校刻蹴踘譜二卷
坎離牌譜一卷
袁福徵　拇陣篇一卷
張昇　酒籌一卷
梅花令譜一卷

---

① "禎",《千頃堂書目》卷十五作"楨"。
② "嬴",《千頃堂書目》卷十五作"贏"。
③ "恒",《千頃堂書目》卷十五作"烜"。

徐爾謙 悦生近語一卷臨清人。

楊惟休 博古一卷

孫作 邯鄲枕一卷

沈宗學 墨法集要

繡法二卷①

營造正式六卷

群物奇制一卷

十友譜一卷

屠隆 考槃餘事四卷

文震亨 長物志十二卷字啓美，吴人。崇禎中，官中書舍人。

類書類

永樂大典二萬二千二百一十一卷永樂元年閏七月丙子朔，帝諭翰林學士解縉等曰："天下古今事物，散載諸書，篇帙浩繁，不易檢閲，朕欲悉采各書所載事物類聚之，而統之以韻，以便考索。嘗觀《韻府》、《回溪》二書，事雖有統，而采摭不廣，紀載太畧，爾等其如朕意。凡書契以來，經史子集百家之書，至于天文、地理、陰陽、醫卜、僧道、技藝之言，備輯爲一書，毋厭浩繁。"二年十一月丁巳成書，賜名《文獻大成》。既而帝覽以爲未備，遂命重修，而敕太子少師姚廣孝、刑部侍郎劉季篪及翰林學士兼右春坊大學士解縉總之，命翰林學士王景、侍讀學士王達、國子祭酒胡儼、司經局洗馬楊溥、儒士陳濟爲總裁，翰林院侍講鄒緝，脩撰王褒、梁潛、吴溥、李貫、楊觀、曾棨、編修朱紘，檢討王洪②、蔣驥、潘畿、王偁、蘇伯厚、張伯穎、典籍梁用行，庶吉士楊相、左春坊左中允尹昌隆、宗人府經歷高得暘、吏部郎中葉砥、山東按察司僉事晏璧爲副總裁，命禮部簡中外官及四方宿學老儒有文學者充纂脩，簡國子監及在外郡縣學能書生員繕寫，開館於文淵閣，命光禄寺給朝暮酒饌。永樂五年十一月，書成，更賜名《永樂大典》，帝自製序以冠之。其文曰："昔者聖王之治天下也，盡開物

① "二"，《千頃堂書目》卷十五作"一"。

② "檢"，原誤作"簡"，據《千頃堂書目》卷十五改。

成務之道,極裁成輔相之宜,備禮樂而明教化,闡□□而□人文①。粤自伏羲氏始畫八卦,通神明之德,類萬物之情,造書契以易結繩之治,神農氏爲耒耜之利,以教天下,黄帝堯舜氏作通其變,使民不倦,神而化之,使民宜之,垂衣裳而天下治,禹叙九疇,湯修人紀之數。聖人繼天立極,皆作者之君,所謂治法興王之道,非有述於人者。暨乎文武相繼,父作子述,監乎二代,郁郁乎文。孔子生周之末,有其德而無其位,承數聖人之後,制作已備,乃贊《易》、序《書》、修《春秋》,集群聖之大成,語事功則有賢於作者。周衰接乎戰國,縱横捭闔之言②,興家異道,而人異論,王者之迹熄矣。迨秦有燔禁之禍,而斯道中絶。漢興,六藝之教漸傳,而典籍之存可考,由漢而唐,由唐而宋,其制作沿習,良有足徵。然三代而後,聲名文物所可稱述者,無非曰漢唐宋而已。洪惟我太祖高皇帝膺受天命,混一輿圖,以神聖之資,廣造作之典,興造禮樂制度,文爲博大悠遠,同乎聖帝明王之道。朕嗣承鴻基,緬思纘述,尚惟有大混一之時,必有一統之制作,所以齊政治而同風俗,序百王之傳,按歷代之典,世遠祀綿,簡編繁夥,恒慨其難一,至於考一事之微,汎覽莫周,求一切之實,窮力莫究,譬之淘金於沙,探珠於海,戛戛乎其不可易得也。乃命文學之臣,纂輯四庫之書。及購募天下遺籍,上自古初,逮于當世,旁搜博采,彙聚群分,著爲典奥。以氣者天地之始也,有氣斯有聲,有聲斯有字,故用韻以統字,用字以繫事。揭其綱而目必張,振其本而末具舉,包括宇宙之廣大,統合古今之異同,巨細精粗,粲然明備,其餘雜家之言,亦皆得以附見。蓋綱羅無遺,以存考索,便觀者因韻以求字,因字以考事,自源徂流,如射中鵠,開卷而無所隱。始於元年之秋,成於五年之冬,總若干卷,名之曰《永樂大典》。臣下請叙其首,蓋嘗論之,未有聖人,道在天地,未有六經,道在聖人。六經作,聖人之道著。所謂道者,彌綸乎天地,貫通乎古今,統之則爲一理,散之則爲萬事,支流蔓衍,其緒紛紜,不有以統之,則無以一之,聚其散而兼總其條貫,於以見斯道之大,而無物不該也。朕深潛聖道,志在斯文,業常討論其旨矣,然萬機浩繁,實資流覽,姑述其槩,以冠諸篇,將以垂示無窮,庶幾有裨於萬一云。"其書凡一萬一千九十五册,賜纂脩廣孝等二千一百六十九人鈔有差。

張九韶　群書備數十二卷

袁均哲　群書纂數十二卷字庶明,建昌人。增廣九韶所著。

沈易　博文編四卷

吴相　滄海遺珠十卷

---

① 空格處,《千頃堂書目》卷十五依次作"至"、"理"、"宣"。

② "捭",原誤作"押",據《千頃堂書目》卷十五改。

吴綬　詩壇叢韻二十八卷字孟章，滁州人。成化間錦衣指揮僉事。
楊循吉　奚囊手鏡二十卷　又　雲峰廣要
群書集事淵海四十七卷《百川書志》云弘治時人編。
博平恭裕王安減錦囊詩對
蔡潮　對偶菁華一卷
楊慎　哲匠金桴五卷　又　均藻四卷　又　謝華啓秀七卷又
群書麗句二卷
凌瀚　群書類考二十二卷蘭溪人。從學章懋，舉嘉靖乙酉，官周府紀善。
浦南金　脩辭指南二十卷
顧充　古雋考畧十卷上虞人。
吴琉　經史文編三十卷　又　三才廣志三百卷
趙繼宗　正韻詩押二十二卷正德中人。
唐順之　荆川稗編一百二十卷
李先芳　拾翠軒雜纂四十卷類編象緯、堪輿、歲時人物事。
鄭若庸　類雋三十卷
王世貞　王氏類苑詳註三十六卷
陳耀文　天中記六十卷
凌迪知　文林綺繡七十卷[①]　又　文選錦字二十一卷[②]　又
左國腴詞八卷　又　太史華句八卷
張之象　楚騷綺語六卷
慎懋官　華夷花木鳥獸珍玩考十二卷
徐璉　群書纂要一百九十六卷
曹大同　藝林華燭一百六十卷南直隸通州人。
陳禹謨　駢志二十卷　又　補注北堂書鈔一百六十卷

---

① “七十”，《千頃堂書目》卷十五作“五十九”。

② “錦字”後，《千頃堂書目》有“録”字。

茅絢　學海一百六十四卷

徐常吉　事詞類奇三十卷

王圻　三才圖説一百六卷[①]　又　古今考□卷

徐元太　喻林一百二十卷字汝賢,宣城人。嘉靖乙丑進士,南京刑部尚書。

馮琦　經濟類編一百卷

章潢　圖書編一百二十七卷字本清。南昌諸生。萬曆間,知府范淶薦授府學訓導,月給以米。

何三畏　何氏類鎔□卷[②]

陸應陽　唐彙林□卷

彭大翼　山堂肆考二百四十卷

卓明卿　卓氏藻林八卷

郭子章　黔類十八卷

詹景鳳　六緯擷華十卷

焦竑　焦氏類林八卷　又　編次楊升庵外集一百卷

沈堯中　玉府鉤玄六卷

彭好古　彭氏類編雜説六卷

陳壐　經籍要覽

程廷策　三才管見

王家佐　古今元屑八卷

况叔祺[③]　考古詞宗二十卷

朱謀㙔　金海一百二十卷

林濂　詞叢類採八卷　又　續詞叢類採八卷

潘晟　三才括典四卷

① "説",《千頃堂書目》卷十五作"會"。

② 空格處,《明史》卷九十八作"二十"。

③ "况",原誤作"祝",據《千頃堂書目》卷十五、《四庫全書總目》卷一百三十七改。

俞安期　唐彙函二百卷[①]彙《初學記》、《藝文類聚》、《北堂書鈔》、《白氏六帖》、杜氏《通典》、《歲華紀麗》爲書。

宋應奎　翼學編十三卷

陳世寶　古今類腴十八卷

陳懋學　事文類纂十六卷福清人。

劉曰寧　博古奇句聯珍十二册

袁黄　群書備考二十卷

周獻臣　鴻乙通□卷字竂六，臨川人。萬曆丙戌進士，知太康縣。抄撰群籍，網羅古今異言奇事，分置甕中，故一名《甕書》。

徐鑒　諸書考畧四卷

凌以棟　五車韻瑞一百六十卷字雅隆，湖州人。[②]

劉仲達　劉氏鴻書一百八卷宣城人，字九逵。

劉嗣昌　劉氏類山十卷字燕及，桐城人。萬曆甲辰進士，興化知府。

黄一正　事物紺珠四十六卷

汪宗姬　儒數類函六十二卷字肇邰。

劉國翰　記事珠十卷

吴楚材　彊識畧二十四卷[③]

彭儼　五侯鯖十二卷

商濬　博聞類纂二十卷

范泓　典籍便覽八卷

楊淙　事文玉屑二十四卷

倪鉅　廣韻府群玉　又　廣蒙求字偉長，常熟人。

徐袍　事典考畧六卷蘭溪人，字叔章。嘉靖甲午舉人。

---

① “彙”，《千頃堂書目》卷十五、《明史》卷九十八作“類”。

② “六”、“雅”，《千頃堂書目》卷十五分别作“八”、“穉”。按，據《四庫全書總目》卷三十“春秋左傳評註測義”條，明凌稚隆字以棟。

③ “識”，《千頃堂書目》卷十五作“域”。

朱東光　玉林摘粹八卷

王光裕　客窓餘録二十二卷

劉業　古今事類通考十卷

夏樹芳　詞林海錯十六卷

麗句集十二卷

王路清　珠淵十卷

唐希言　事言要元集二十二卷

錢應允　史學璧珠十八卷

胡尚洪　子史類語二十四卷

沈夢熊　三才雜俎五卷

唐汝諤　經史詞林□卷

盧一元　事物別名三卷　又　古今合字二卷字復初，無錫人。

陳懋仁　雨牘二卷[①]

徐良彦　續抄二卷字季良，新建人。萬曆戊戌進士，南京工部侍郎。

陳仁錫　潛確居類書一百二十卷　又　經濟八編類纂二百五十五卷一作二百八十五卷。

林琦　倫史鴻文二十四卷福清人。

張元玘　閱古類奇□卷字采初，松江人。建寧知府。

程良孺　茹古畧八十卷字穉修，孝感人。天啓貢士，户部主事。

鄧志謨　故事白眉十二卷

雷金科　文林廣記三十一卷

徐應秋　駢字憑霄二十卷字雪林，衢州西安人。萬曆丙辰進士，福建右布政使。

枳記二十八卷

類林雜説十五卷楊士奇《文籍志》云明初人所編。

---

① “二”，《千頃堂書目》卷十五作“一”。

居家必用事類全集十卷一云熊宗立編。
編年拔秀三卷[①]
稽古彙編十二卷
儒學樞要六卷
廣志二百四十册
日用便覽事類十卷
學山一百卷
經史子集名數六卷
音注對類二十卷
文苑豹斑十二卷
喻林髓十卷
續韻府群玉四十卷
陶宗儀 説郛一百卷
袁褧 前四十家小説四十卷 又 廣四十家小説四十卷 又 後四十家小説四十卷 又 金聲玉振集二十卷
屠隆 漢魏叢書六十卷
胡文煥 格致叢書五十卷 又 百家名書□卷
周履靖 夷門廣牘一百二十卷
吴勉學 古今逸史
胡震亨 姚士麟[②] 秘册彙函二十卷
沈節甫 紀録彙編二百十六卷
祁承爜 國朝徵信叢録二百十二卷 又 淡生堂餘苑六百四卷
范欽 天一閣藏書二十卷

① "三",《千頃堂書目》卷十五作"二"。
② "麟",《千頃堂書目》卷十五作"粦"。

商濬　稗海四十六種　又　續稗海二十七種共三百六十八卷
陳繼儒　秘笈二十卷　又　續秘笈二十卷　又　廣秘笈五十卷　又　普秘笈□卷　又　彙秘笈□卷
李一如[①]　**藏説小萃十一種十九卷**
高承埏　稽古堂群書秘檢二十二卷
毛晉　津逮秘書十五集
樊玉衡　鹽邑志林
烟霞小説十四種三十三卷
稗乘四十五卷
梓吴十種十卷
浣花居叢書十種

道家類

太祖御注道德經二卷帝以諸家之注,各有異見,因自爲注以發其義,洪武七年成。**又　周顛仙傳一卷**
成祖神仙傳永樂十七年,命侍臣編。
寧獻王權　庚辛玉册八卷[②]　**又　救命索一卷　又　造化鉗鎚一卷**
朱升　老子旁注
黄潤玉　道德經注解二卷
鄭瓘　道德經正解字温卿,蘭溪人。成化庚戌進士,官通判。
王道　老子億二卷
黄省曾　老子玉署

---

① "一如",《千頃堂書目》卷十五作"如一"。
② "八",《千頃堂書目》卷十六作"一"。

薛蕙　老子集解二卷
李先芳　老子本義一卷
張時徹　老子解一卷
皇甫濂　道德經輯解三卷
王樵　老子解
萬表　道德經贅言一卷
田藝蘅　老子指玄二卷
邵弁　老子彙註
徐學謨　老子解二卷
焦竑　老子翼二卷　又　考異二卷　又　附録二卷[1]
李登　老子約筌二卷
張位　張洪陽道德經解一卷
郭子章　老子解二卷
黄洪憲　老子解
李贄　老子解二卷
僧德清　道德經發隱二卷
林兆恩　道德經釋畧六卷
陶望齡　陶周望老子解二卷
沈一貫　道德經解二卷
龔錫爵　老子疏畧一卷
陸長庚　老子道德經元覽二卷
陳嘉謀　老子疏述一卷
吴伯敬　老子臺懸一卷
吴德明　老子真詮一卷
諸萬里　解老悟道編二卷

① 三個“二”,《千頃堂書目》卷十六俱作“一”。

吴汝紀　老子疏畧二卷

鄭孔肩　老子解一卷

鍾繼元　道德要覽

曾如春　道德經解一卷

張正學　道德經測言潼川州人。萬曆中,官吏科給事中。

高聲　郭子翼莊一卷

楊慎　莊子闕誤一卷

孫應鰲　莊義要删十卷

胡以遜　莊子補剔

王宗沭[①]　南華經別編二卷

張位　南華標畧二卷

黄洪憲　蒙莊獨契

焦竑　莊子翼八卷　又　南華真經餘事雜録二卷　又　拾遺一卷

陸長庚　南華副墨八卷

李贄　莊子内篇解二卷

陶望齡　陶周望莊解五卷[②]

吴伯敬　莊子臺縣四卷

羅勉道　南華循本三十卷

李騰芳　説莊三卷號湘洲,長沙人。萬曆壬辰進士,由庶吉士歷官少詹事。

袁宏道　廣莊一卷

僧如愚　莊子旦暮解一卷

郭良翰　南華經薈解三十三卷

鄭之惠　測莊一卷錢塘人。

---

① “沭”,《千頃堂書目》卷十六作“沐”。

② “莊”後,《千頃堂書目》卷十六有一“子”字。

諸萬里　莊子止樸編二卷
樂氏談莊一卷
顧起元　遯居士批莊子内篇一卷①
葉秉敬　莊子膏肓四卷
李光縉　南華膚解二卷字衷一。萬曆乙酉福建解元。
吕繼儒　莊子註字明谷，新昌人。
譚元春　譚子遇莊三卷
釋通潤　漆園逸響
錢士升　莊子内篇註二卷
方以智　藥地炮莊八卷
方允文　南華經註六卷
朱得之　三子通義二十卷《老子》二卷，《莊子》十卷，《列子》八卷。
吴伯與　老莊因然八卷
潘基慶　老莊解字良耜，烏程人。萬曆末貢士。
歸起先　老莊畧二卷
潘恩通　元真經節要一卷
黄諫　亢倉子音釋一卷
盛端明　玉華子四卷饒平人。弘治壬戌進士，歷官南京糧儲都御史，以方術特授太子少保，禮部尚書，贈太子太保，謚"榮簡"。
黄潤玉　陰符經註
鄭瓘　陰符經正解
李先芳　陰符經解一卷
張位　注陰符經一卷
虞淳熙　陰符經演一卷
陸長庚　陰符經測疏一卷

① "遯"後，《千頃堂書目》卷十六有一"園"字，當據補。

焦竑　陰符經解一卷
沈宗霈　百谷子陰符經釋義三卷[①]
僧如愚　石頭和尚陰符經解一卷
陳嘉謨　讀陰符大旨一卷
夏元鼎　陰符經註三卷字宗禹。
王潼　陰符經補註
靳昂　黄庭心印尉氏人,靳於中子。
黄彦西　黄庭經注莆田人。
周瑛　周易參同契本義
商廷　試訂註叅同契經傳三卷會稽人。嘉靖辛丑進士,陝西行太僕寺卿。
徐渭　分釋古注參同契三卷
王一言　訂註古文參同契真詮三卷
徐獻忠　參同契心測一作《分節參同契》。
徐夢易　大易參同契解松陽人。嘉靖中貢士,官武學教授。因當時方士謬妄,著是書闢之。
陸長庚　周易參同契測疏一卷　又　參同契口義一卷
林兆恩　常清浄經注釋畧一卷
劉長春　增注感應篇一卷字淵然。
顧亮　注太上感應篇二十卷
陳嘉謨　太上感應篇句解八卷
吴應賓　感應篇註
王志堅　感應篇續傳二卷
冒起宗　太上感應篇增注十六卷
武當嘉慶圖三卷
孫希化　真武全傳八卷

① “經”字原脱,據《千頃堂書目》卷十六補。

蔡叔達[1]　真武化書七卷

漢天師世家一卷

張三丰真仙遺事一卷

張三丰外傳

王崇慶　元風録辯衍一卷

五真元脈八卷

七真仙傳七卷俱不知撰人。

王世貞　曇陽子傳一卷

王士騏　宜真子傳一卷

范守己　文昌帝君傳一卷

文昌化書□卷

胡文焕　神事日搜二卷

楊爾曾　仙媛紀事九卷

曹學佺　蜀中神仙記十卷

池顯方　國朝仙傳二卷

陳繼儒　香案牘一卷

夏元鼎　悟真篇講義七卷

陸長庚　悟真篇小序一卷

陳應循　元林群玉集二卷弘治中道士，任真人。

桑喬　大道真詮四卷字子木，江都人。

敖英　霞外雜俎一卷一作鐵脚道人，或云魏郡杜巽才著。

趙古蟾　心書一卷

李先芳　蓬元雜録十卷

萬表　元門入道資糧一卷

王惟一　景陽明道篇　又　先天易贊括蒼道士。

---

① “叔”，《千頃堂書目》卷十六作“淑”。

卓上陽　寤言録號晚春,莆田人。
靳昂　龍砂一脈一卷
王世懋　望崖録内外篇二卷
劉黄裳　元圖符一卷
林兆恩　元宗大道二卷
趙台鼎　脈望六卷内江人,大學士趙貞吉子。
吴允如　聖教心宗三卷
尹真人性命圭旨四卷
朱多鸞　龍砂八百純一元藻二卷
傅兆際　寰有詮六卷
池顯方　玄訣二卷
楊守業　洞天玄語五卷
徐成名　保合編十二卷
華後承　烟霞集二卷
周履靖　赤鳳髓三卷　又　海外三珠四卷　又　鶴月瑶笙二卷
彭齡　龍砂筏一卷　又　彭幼朔庸言一卷不知何許人,萬曆初,居潼川州,自稱鄭長春,後來吴稱江鶴,號甑甀子,在楚稱祝萬壽,號梅團①,後更今名。談百餘年事如指掌。
彭好古　度身筏二卷
許樂善　尊生要旨
顧元　紫府奇元十一卷
陸長庚　方壺外史八卷
俞明時　道門微旨
陶宗儀　金丹密語一卷
張三丰　金液還丹捷徑口訣一卷　又　金丹直指一卷　又金

①　"梅團",《千頃堂書目》卷十六作"海團"。

　丹秘旨一卷
劉太初　金丹正惑一卷稱“柯山野叟”，洪武初人。
通靈真人道法權衡元髓歌一卷
王惟一　金丹扼要
陳深　丹經刊誤長興人。嘉靖中，官雷州推官。
陸長庚　龍眉子金丹印證測疏一卷　又　金丹就正篇一卷又　金丹大旨圖一卷　又　張紫陽金丹四百字測疏一卷　又　崔公入藥鏡測疏一卷
夏元鼎　崔公藥鏡解
彭文質　讀丹録一卷
脩真秘要一卷正德中，王棻序。
沈概　攝生要義一卷河上文人注。概字一之，嘉善人。
錦身機要三卷
魯至剛　採真機要三卷常州人。
陳士元　隄疾恒談十五卷
高濂　尊生八箋二十卷
大洞解悟真經八卷
闕經二卷
朱載埠　葆真通十卷
楊循吉　經進華陽求嗣齋儀十卷世宗時進①。
袁黄　祈嗣真詮一卷
王惟一　祈禱問答　又　行雷心傳　又　道法精微
修真十書二十三卷
道書全集七十二卷

① “時進”，原誤作“時道”，據《千頃堂書目》卷十六改。

白□□[①]　道藏目録詳註四卷

葛寅亮　金陵道觀志□卷

熊常靜　鐵柱延真萬年紀録類編明初進士[②]。

釋家類

太祖集注金剛經一卷成祖御製序。

成祖御製諸佛世尊如來菩薩尊者名稱歌曲一卷　又　普法界之曲四卷　又　神僧傳九卷

仁孝皇后夢感佛説第一希有大功德經一卷　又　佛説五十三佛大因緣經三卷　又　諸佛世尊如來菩薩尊者神僧名經四卷

宋濂　心經文句一卷

宗泐　全室禪師注心經一卷　又　金剛經注一卷

溥洽　金剛經注解附録二卷

如玘　金剛經注解一卷　又　圓覺心經合注

真可　心經要論一卷　又　心經直談一卷　又　心經淺説一卷　又　心經出指一卷字達觀，吴江人。世稱紫柏大師。

林明壽　心經妙義一卷建寧人。

德清　心經直説一卷　又　金剛決疑一卷字澄印，號憨山，全椒人。

李贄　心經提綱一卷

林兆恩　心經釋畧一卷　又　金剛經統論四卷

洪恩　金剛經解義一卷[③]　又　心經説一卷號雪浪，金陵僧。

---

① 空格處，《千頃堂書目》卷十六作“雲霽”。

② “進士”，《千頃堂書目》卷十六作“道士”。

③ “經”字，《千頃堂書目》卷十六無。

曾鳳儀 金剛般若宗通二卷 又 心經釋一卷字舜徵，耒陽人。萬曆癸未進士，禮部主事。

陳翰臣 心經新解一卷

楊時芳 心經集解一卷

如愚 金剛筏喻二卷 又 金剛重言一卷 又 心經鉢柄一卷字蘊璞，江夏人。

何湛之[①] **金剛經偈論疏注二卷**字冲伯，南京留守左衛人。萬曆己丑進士，浙江左參議。

俞王言 金剛標指一卷 又 心經標指一卷

張二果 金剛經註釋東莞人。天啓丁卯舉人，隱廬山。

通潤 金剛心經解字一雨，吴縣人。

張有譽 金剛經義趣廣演三卷

李通 華嚴疏鈔四十卷雲南人，李元陽祖。

方澤 華嚴要畧二卷嘉善人，字雲望。與唐順之、方豪爲友。

德清 華嚴法界境一卷 又 法華通義七卷

曹嗣儒 華嚴指南四卷

明河 華嚴十門限 又 法華節要字汰如，南直隸通州人。

如愚 法華經智者考證一卷

通潤 法華大窾七卷

大祐 彌陀金剛二經真解 又 法華撮要圖 又 浄土解行二門圖字啟宗。洪武間僧録司左善世。

袾宏[②] **阿彌陀經疏鈔四卷**

鎮澄 楞嚴正觀疏十卷 又 般若照真論一卷

傳燈 楞嚴元義四卷 又 楞嚴圓通疏前矛二卷天台僧。

---

① “湛”，原誤作“堪”，據《千頃堂書目》卷十六、《明史》卷九十八改。

② “袾”，《千頃堂書目》卷十六作“袾”。下同。

汪道昆　楞嚴纂注十卷

曾鳳儀　楞嚴宗通十卷　又　楞伽宗通八卷　又　圓覺宗通□卷

交光法師　楞嚴正脈十卷

陸長庚　楞嚴述旨十卷

沈宗霈　楞嚴約旨二卷①　又　徵心百問一卷

俞王言　楞嚴標指十二卷　又　圓覺經標指一卷②

通潤　楞嚴合轍十卷　又　楞伽合轍□卷③

袁宏道　楞嚴模象記二卷

鍾惺　楞嚴如説十卷

錢士升　楞嚴外解

王應乾　楞嚴圓通品四卷

張二果　楞嚴正脈

方允文　楞嚴經解十二卷淳安人。

弘道　注解楞伽經字存翁，吴江人。洪武中，與梵琦同被召。

德清　觀楞伽記四卷

明河④　楞伽解

李登　般若約抄字士龍，上元人。以貢授新野令，左遷崇仁教諭。

袁中道　音注彌陀經二卷

袾宏　佛説遺教經論疏節要補注一卷　又　菩薩戒義疏發隱五卷　又　戒疏發隱事義一卷　又　菩薩戒明辯一卷

通潤　圓覺近釋　又　圓覺正疏　又　思益梵天經直疏□卷　又　梵網初釋　又　起信續疏　又　琉璃品駁　又

---

① “二”，《千頃堂書目》卷十六作“一”。

② “指”，《千頃堂書目》卷十六作“旨”。

③ 空格處，《千頃堂書目》卷十六作“四”。

④ “明”前，《千頃堂書目》卷十六有一“釋”字。

明論集解　又　所緣論　又　發硎論釋　又　因明集釋　又　三支比量釋　又　六離合釋　又　杜妄説辯謬
明河　圓覺蛟飲甘露門[①]
德清　肇論畧註三卷
曾文饒　大乘百法明門論註一卷
蕭士瑋　起信論解一卷
成唯識論俗詮十卷
一清　華嚴圓覺楞嚴楞伽諸經論吴中僧。
沈士榮　續原教論二卷建安人。以儒士舉至京，疏陳時政，帝嘉之，手詔褒諭，授翰林待詔。
姚廣孝　佛法不可滅論一卷
盧璣　續三教平心論
石顯　西方合論十卷
智順　善才五十三參論一卷
傳燈　般若融心論一卷　又　淨土生無生論一卷　又　楞嚴壇表法一卷　又　首楞嚴壇海印三昧二卷　又　菩薩戒懺一卷
管志道　龍華懺儀式一卷
袁黄　袁生懺法一卷
袾宏　諸經日誦集要二卷
大祐　淨土指歸二卷　又　淨土真如禮文　又　天台授受圖
仁潮　法界安立圖六卷
梵碕[②]　楚石禪師語録二十卷
清礎　毘盧正印　又　語録

① “蛟”，《千頃堂書目》卷十六作“蚊”。
② “碕”，《千頃堂書目》卷十六作“琦”。

智及　四會語録字以中,吴人。洪武初,召居天界。

克庵禪師語録一卷洪武時僧。

懷信　五會語録

伯瑩　四會録

元瀞　三會語録二卷

溥洽　雨軒語録五卷

法聚　玉芝語録六卷　又　玉芝和尚内語二卷

法舟和尚剩語一卷嘉靖間僧。

鄧豁渠　南詢録一卷

李贄　禪談一卷　又　龍湖閒話一卷

達觀和尚語録　又　圜中語録一卷

德清　憨山大師雙徑録一卷　又　憨山緒言一卷

袁宏道　德山暑談一卷

大艤　禪警語一卷　又　宗教答響一卷　又　歸正録一卷又　博山語録二十二卷號博山,天啟中僧。

圓悟　天童密雲禪師語録

元賢　永覺禪師語録二卷

梵琦　西齋浄土詩二卷

劉璉　無隱集偈頌三卷

惟則　鵶臭吟　又　頌古百二十偈字天真,吴興人①,洪武中僧。

普慈　頌古詩字海舟,常熟人,洪武間僧。②

都穆　方外集

楊愼　禪藻集六卷

陸樹聲　禪林餘藻一卷

---

① “興”,《千頃堂書目》卷十六作“縣”。

② “武”,《千頃堂書目》卷十六作“永”。

袁黄　詩外别傳一卷
李贄　文字禪四卷
宋文憲　護法録十卷不知何人輯。
大同寶林編類集古今人所爲寺宇碑版詩文。
來斯行　拈古頌一卷
周汝登　宗傳咏古十卷
俞彦　擬詩和頌一卷
四家禪喜集十九卷王荆公、蘇東坡、潁濱、黄山谷。
沈泰鴻　慈向集十三卷
王應遴　慈無量集四卷
姚希孟　佛法金湯文録十卷
袁宏道　宗鏡攝録十二卷
陶望齡　宗鏡廣删十卷
李登　宗鏡約抄　又　覺海同符
如卺　禪宗正脈十卷
姚廣孝　道餘録一卷
四家評唱二十三卷
古音　一礶醍醐二卷　又　禪源諸詮一卷正德間僧。
一元　歸元直指四卷隆慶中四明僧。
王肯堂　參禪要訣一卷
袁黄　静坐要訣一卷
李樹　乾竺乾宗解四卷
袁宏道　金屑編一卷
汪昌朝[①]　無如子贅言一卷
李贄　古德機緣三卷

---

① "朝",《千頃堂書目》卷十六作"期"。

林兆恩　性寶宗旨二卷　又　教外別傳一卷
張蔚然　蓬居問疑二卷
池顯方　禪髓二卷
張二果　白業卮言
楊惟休　佛宗一卷
張明弼　兔角詮十卷
王正位　赤水元珠一卷　又　旃檀林一卷
徐可求　禪燕二十卷　又　禪燕別集二卷
伯瑩　續集傳燈録字文琇，號南石，崑山僧，與修《永樂大典》。
王埜　五燈集要
周紹節　中峰祖燈録字希元，松江人。
章有成　金華分燈録一卷
瞿汝稷　水月齋指月録三十二卷字元立，瞿景淳子。以父任官長蘆運使，加太僕寺少卿。
施沛　續傳燈録□卷　又　草堂禪集字沛然，松江人。官南康府同知。
祖心　冥樞會要四卷
浄喜　禪林寶訓四卷
景隆　緇門警訓二卷　又　尚直編一卷　又　尚理編一卷正統中吴中沙門。
方晟　宗門崇行録四卷
袾宏　緇門警訓續集一卷　又　緇門崇行録一卷　又　僧訓日記一卷　又　自知録二卷　又　禪關策進一卷　又　雲栖共住規約一卷　又　正訛集一卷
陳實　大藏一覽十卷明初寧德縣人。
一如　三藏法數十八卷一作五十卷。會稽人，洪永間僧，任僧録司闡教。永樂修《大典》，命如掌其事。
景隆　大藏要畧五卷

楊慎 禪林鉤玄九卷
劉鳳 釋教編六卷
陳士元 象教皮編六卷
釋氏源流二卷
龔弘 方外別志字元之，嘉定縣人。成化戊戌進士，工部尚書。
皇明護法録□卷
管志道 憲章餘集 又 續憲章餘集
林兆恩 三教會編九卷
丘東昌 法喜隨筆五卷
曾大奇 通書翼四卷①
夏樹芳 法喜志四卷 又 續法喜志四卷 又 冰蓮集四卷
方士雄 增定佛法金湯十卷
周夢秀 知儒編一卷
元賢 弘釋録三卷
顏從喬 僧世説□卷字若齡，懷寧人。
萬善同歸集三卷
趙古蟾 注心賦一卷
李贄 淨土訣一卷 又 三教品一卷 又 李氏道古録二卷
屠隆 發曚篇一卷
德清 長松茹退二卷
宗林 寒燈衍義二卷
大韈 博山和尚信地説一卷
轉因録四卷
袾宏 戒殺放生文一卷 又 往生集三卷
李贄 李氏因果録三卷 又 業報案二卷
張位 好生編一卷

① “書”，《千頃堂書目》卷十六無。

郭子章　牛禁集五卷

陳薦夫　廣放生論一卷

趙宧光　護生品二卷

李長科　廣仁品十八卷

問羊集四卷

釋迦觀音志一卷

屠隆　彌陀靈應録一卷

劉鳳　吴釋傳一卷

祩宏　皇明名僧輯畧一卷

傳燈　天台山方外志三十卷

曹學佺　蜀中高僧記十卷

林應起　全閩祖師録三卷

夏樹芳　栖真志四卷

虞淳熙　雲栖大師傳一卷

雲栖大師塔銘一卷

達觀大師塔銘一卷

憨山大師年譜二卷

明河　續高僧傳

葛寅亮　金陵梵刹志五十二卷

吴之鯨　武林梵刹志十二卷

俞汝爲　長水塔院記六卷

祩宏　雲栖紀事一卷

德清　曹溪志四卷

程嘉燧　破山寺志四卷

王應遴　瞻禮阿育舍利記一卷

大明三藏聖教目録四卷

教苑清規十卷

四　集部（上）

集之類八，一曰制誥類，二曰表奏類，三曰騷賦類，四曰别集類，五曰詞曲類因《文獻通考》例録。**六曰總集類，七曰文史類，八曰制舉類**。自宋熙寧用荆舒之制，以經義取士，其後或用或否，惟明遵行不廢。三百年來，程式之文與士之自課者①，不可勝録，然而典制所在未能廢也。緣《通考》録擢犀擢象之類，録程式之文二三種，以見一代之制，而二三塲之著者，亦附見焉。

制誥類

太祖□□詔稿一卷②起元年，迄五年止。**又　御製書稿三卷**未即位前與群雄書。**又　賜諸番詔敕一卷**賜元君臣及西番、安南諸國③。**又　御製誥敕文一卷**諸司誥敕體式。

國初詔令一卷洪武一代。

高皇帝詔諭輯畧三卷楊起元輯。

燕王令旨一卷

太宗敕諭文武群臣注疏一卷即位賜群臣敕諭，德安縣訓導鄭德隅注疏，永樂二年進呈。

平安南敕諭一卷

两朝詔令二卷永樂、洪熙二代。

英宗皇帝玉音一卷

敕諭録一卷嘉靖九年，敕諭户、禮二部及都察院。

---

① “式”，原誤作“士”，據文意改。

② 空格處，《千頃堂書目》卷三十作“御製”。

③ “西”字原脱，據《千頃堂書目》卷三十補。

隆慶詔令一卷

萬曆絲綸録六卷周永春編。

崇禎絲綸録□卷

密諭二十八册

聖諭簿三十四册

明詔制八卷起洪武元年,迄嘉靖八年。

傅鳳翔　皇明詔令二十一卷

明詔敕三十卷總目要畧五卷起永樂二十三年,迄嘉靖十二年。

國朝□□令[①]

王世貞　□言彙録□卷[②]録太祖及神宗初年制誥。

金立敬　聖諭注一卷

明外制集八卷

内閣制誥[③]

徐尊生　制誥二卷字大年,國初淳安人。預修《元史》。

夏言應　制集十卷

王材　王盱江外制集三卷

高拱　綸扉集一卷　又　外制集二卷

瞿景淳　内制集一卷

申時行　外制集十卷

黄洪憲　鑾坡制草五卷

韓日纘　代言草三卷字緒仲,博羅人。萬曆丁未進士,選庶吉士,歷官禮部尚書,謚文恪。

姚希孟　薇天集二卷　又　丹黄集二卷

---

① 空格處,《千頃堂書目》卷三十作"大詔"。

② 第一個空格處,《千頃堂書目》卷三十作"天"。

③ "誥",《千頃堂書目》卷三十作"詔"。下"徐尊生《制誥》二卷"條同。

黄景昉　甌安館制草十卷

倪元璐　代言録五卷

表奏類

成祖諭輯歷代名臣奏議三百五十卷初，帝諭翰林儒臣黄淮、楊士奇等採古名臣如張良對漢高、鄧禹對光武、諸葛亮對昭烈，及董賈、劉向、谷永、陸贄奏疏之類，彙輯以便觀覽，永樂十四年十二月書成。

吴訥　歷代名臣諫疏

王恕　歷代諫議録一百卷一作一百二十四卷。

謝鐸　赤城論諫録十卷鐸與郡人黄孔昭同輯台人文之有關治道者，宋十人、明六人，凡六十六首。

程敏政　瀛賢奏對録十首①

劉誠　典謨遺旨②取漢唐宋詔誥章疏可爲訓者。

楊慎　名奏菁英

黄訓　名臣經濟録五十二卷

陳九德　删次名臣經濟録十八卷號遜齋，樂城人。監察御史。

萬表　經濟文録四十四卷

張瀚　明疏議輯畧三十七卷

孫甸　明疏議七十卷③萊陽人。萬曆甲戌進士，由行人擢御史，累官操江都御史。

汪□□　明奏疏類抄六十一卷

張鹵　嘉隆疏抄二十卷

張國綱　明代名臣奏疏二十卷安定人。萬曆中舉人，南陽府推官。

---

① “首”，《千頃堂書目》卷三十作“卷”。

② “旨”，原字缺損，據《千頃堂書目》卷一補。

③ “議”後，《千頃堂書目》卷三十有一“鈔”字，當據補。

吴亮　萬曆疏抄五十卷字采于,武進人。萬曆辛丑進士,巡按宣大,御史。采輯萬曆癸酉迄己酉諸臣奏疏。

莊莅政　神宗留中奏疏四十卷

馮琦　唐策十卷　又　明策三卷

李廷機　經國鴻謨八卷

陳子壯　昭代經濟言十四卷

朱吾弼　明留臺奏議二十卷

熙朝奏議十二卷不知編次姓氏。

王萁　古今諫議集疏金谿人。正德辛未進士,官浙江提學副使,武宗時任刑部主事。疏請擇宗子之賢者一人,育之宫中,俟皇子生,然後封以親藩,禮遣之國,如宋仁宗故事,不報。

邵寶　宋大儒大奏議六卷輯二程及朱子書疏。

陳塏　名家表選八卷

朱東觀　禎朝詔疏九卷①詔一卷,疏八卷,崇禎十六年止。

危素　奏議二卷

桂彦良　太平十三策一卷

葉兑　武事綱目一卷

董儒　太平直言一卷洪武十八年,儒官太子贊善上於朝②。

解縉　解學士奏議一卷

張徽　國泰民安策一卷洪熙元年,蘇州府同知張徽進。

王暹　奏議二十卷字景陽,山陰人。永樂戊戌進士,右都御史。

于謙　忠肅奏牘十卷

孫原貞　尚書奏議八卷

何文淵　鈍庵奏議一卷

陳泰　奏議十卷邵武人。永樂癸卯舉人,漕運都御史。

---

①　"禎"前,《千頃堂書目》卷三十有一"崇"字,當據補。

②　"上"字原脱,據《千頃堂書目》卷三十補。

軒輗　憲臺奏議四卷

姚夔　文敏奏議三十卷

林聰　莊敏奏議八卷

吴琛　奏議十二卷繁昌人。景泰辛未進士，两廣都御史①。

楊鼎　奏議五卷陕西人。太子少保，户部尚書。

商輅　文毅奏議一卷

葉盛　西垣奏草九卷　又　邊奏存稿七卷　又　两廣奏草十六卷　又　上谷奏草八卷　又　文莊奏議五十卷

朱英　誠庵奏議

張瑄　奏議八卷

章律　都憲奏議一卷常熟人。景泰甲戌進士，巡撫雲南，都御史。

金紳　青瑣獻納稿上元人。景泰甲戌進士，南京刑部右侍郎。

彭時　彭文憲奏疏一卷

李裕　三朝奏議七卷

余子俊　肅敏奏議六卷

韓雍　襄毅奏議一卷

章綸　進思録②

王恕　三原奏稿十五卷

馬文升　端肅奏議十六卷

劉大夏　忠宣奏議一卷

韓文　質庵奏議五卷

彭韶　從吾奏議五卷

謝鐸　謝文肅公桃溪奏議四卷

王珣　奏稿十卷曹縣人。成化己丑進士，巡撫寧夏，都御史。

---

① “都”字原脱，據《千頃堂書目》卷三十補。

② “進”，《千頃堂書目》卷三十作“近”。

程宗　奏議二十卷常熟人。景泰辛未進士,南京工部尚書。

任漢　奏議十卷四川温江人。成化丁未進士,南京大理寺卿。

王鼎　两臺疏草二卷字器之,福州中衛人。成化辛丑進士,右都御史。

虞臣　竹西奏草三卷　又　丙辰奏草二卷崑山人。成化戊戌進士,四川右参政。

朱欽　奏議一卷字懋功①,邵武人。成化壬辰進士,巡撫山東,都御史。

蔣琬　奏議二卷太保,兼太子太傅、定西侯。

畢亨　奏議一卷

楊廷和　題奏録二卷　又　辭謝録四卷

許進　憲臺議

陶諧　南川奏議二卷

何鑑　五川奏議新昌人②。兵部尚書。

鄭紀　奏議四卷仙遊人。南京户部右侍郎,進尚書致仕。

叢蘭經略録三卷

王時中　奏議十卷黄縣人。弘治庚戌進士,太子少保,兵部尚書。③

馬中錫　東田奏議三卷④

王憲　督府奏議東平人。弘治庚戌進士,兵部尚書。

陳鳳梧　靜齋奏議十卷

楊廉　月湖奏議四卷

羅玘　圭峰奏議一卷

劉瑞　禁垣奏議

雍泰　奏議稿五卷

張欽　閉關三疏一卷

---

① “功”,《千頃堂書目》卷三十作“恭”。

② “人”字原脱,據《千頃堂書目》卷三十補。

③ “少保”,《千頃堂書目》卷三十作“太保”。

④ “議”,《千頃堂書目》卷三十作“疏”。

陳洪謨　督府奏議
李孟暘[1]　奏議一卷
徐讚　奏議八卷字朝儀，永康人。弘治乙丑進士，工部右侍郎。
戴銑　翀峰奏議□卷
范兆祥　奏議一卷號半松，豐城人。弘治丙辰進士，由檢討出爲王府長史。
劉玉　執齋奏議三卷
陳玉　奏議四卷字德卿，高郵人。弘治進士，南京右都御史。
殷雲霄　石川諫草一卷
程昌　和溪奏議一卷字時言，祁門人。正德戊辰進士，四川按察使司。
方鳳　改亭奏草一卷
林俊　貞肅奏議七卷
王瓊　本兵敷奏十四卷　又　户部奏議四卷　又　晉溪奏議六卷
彭澤　幸庵行稿十二卷
楊一清　吏部題稿五卷　又　吏部獻納稿一卷　又　綸扉奏議三卷　又　督府奏議八卷　又　關中奏議十八卷　又　制府經略三疏一卷
張孚敬　文忠奏議七卷
桂萼　文襄奏議八卷
霍韜　渭厓疏略二卷
唐文　江西奏議二卷　又　雲南奏議一卷　又　督府奏議二卷　又　總制奏議十册
吴廷舉　西巡類稿八卷　又　東湖奏疏
胡世寧　端敏奏議十卷　又　新河初議一卷
樊繼祖　雙厓奏疏十五卷　又　建築疏稿一卷鄆城人。正德辛未進

① “孟”，《千頃堂書目》卷三十作“夢”。

士，工部尚書。

夏言　桂洲奏議二十卷　又　南宫奏議五卷　又　奏謝録二卷　又　諫垣時政奏議二卷

嚴嵩　嘉靖奏對録十六卷　又　南宫奏議三十卷　又　安南奏議一卷　又　歷官表奏□卷

王廷相　浚川奏議十卷　又　按晋疏草一卷

湛若水　獻納稿三卷

吕柟　史館獻納一卷　又　南省奏議一卷

徐恪　少司馬奏議五卷

趙璜　莊靖奏議八卷安福人。

王承裕　諫垣奏章

廖道南　疏牖集十卷　又　郊廟奏疏一卷嘉靖九年進。

潘潢　樸溪奏議十卷

潘希曾　奏議四卷

曾銑　襄敏奏議二卷　又　復套議一卷

毛伯温　東塘奏議二十卷

梁材　儉庵疏議十卷　又　十四卷

王以旂　襄敏奏議十卷一作十二卷。

何孟春　文簡疏義十卷①

黄衷　鐵橋奏議十卷

馬卿　撫漕奏議二卷

潘塤　撫臺奏議五卷　又　掖垣奏議二卷

張鉞　南巡題草八卷字文輔，安仁人。正德戊辰進士，南京工部侍郎②。

孫懋　毅庵奏疏□卷　又　南垣奏疏□卷慈谿人。正德辛未進士，應

---

①　"義"，《千頃堂書目》卷三十作"議"。

②　"工部"後，《千頃堂書目》卷三十有一"右"字。

天府府尹。

汪玉　撫畿奏稿二卷

劉夔　奏議十卷字舜弼，襄垣人。正德辛未進士，巡撫保定，僉都御史。

底蘊　河曲諫稿二卷文安人。正德甲戌進士，巡撫甘肅，副都御史。

程啓充[①]　**西臺奏議三卷**字以道，嘉定州人。正德戊辰進士，監察御史，議大禮謫戍，贈光禄寺少卿。

張芹　歉齋奏議新淦人。弘治壬戌進士。

彭汝實　兑陽集□卷一册。

楊子器　吏部奏稿三卷　又　琴堂奏草一卷

鄭繼之　山谷奏議一卷[②]

毛玉　琢庵奏議四卷

田汝耔　水南奏議五卷

錢薇　海石疏草二卷

張原　玉坡奏議字士元，三原人。正德甲戌進士，兵科給事中，諫大禮被杖死。[③]

鄧顯麒　夢虹奏議二卷字文瑞，奉新人。正德甲戌進士，行人司副，諫南巡被杖。

馮恩　子仁奏疏一卷

龍誥　東曹奏議一卷攸縣人。正德戊辰進士。

黄洪毗　翠巖奏疏一卷

王邦瑞　襄敏奏議八卷

許讚　三曹奏議

許誥　莊敏奏議二卷　又　道統奏議一卷

許論　三捷録三卷

---

① “充”，《千頃堂書目》卷三十作“克”。

② “山”，《千頃堂書目》卷三十作“少”。

③ “兵科”至“杖死”十一個字，原作“行人司副，諫南巡被杖”，蓋涉下“鄧顯麒”條而誤，據《千頃堂書目》卷三十改。

胡瓚　巡邊録八卷　又　奏議四卷永年人。南京工部尚書。

李承勛　奏議□卷四册。

史道　鹿野雲中奏議四卷　又　撫夏奏疏八卷

林庭㭿　小泉奏議

孫應奎　東穀奏議二卷河南衛籍,長洲人。南京户部尚書。

朱紈　秋崖奏議十卷[①]長洲人。巡撫閩浙,都御史。

吴鵬　歷任疏稿十一卷一作三十卷。

馬坤　石渚奏議四卷直隸通州人。嘉靖癸未進士,户部尚書。

鄭曉　端簡奏疏十四卷　又　淮揚奏稿十卷

張時徹　芝園别集十一卷

龔輝　西槎疏草二卷字實卿,餘姚人。嘉靖癸未進士,工部左侍郎。

翁萬達　總督奏議　又　三鎮兵守議□卷一册。

馮岳　軍門疏稿四卷　又　軍門行稿五卷

周倫　奏議二卷

蘇祐　穀原奏議十二卷

顧寰　漕河奏議十卷　又　两廣奏議二十卷　又　京營奏議十二卷鎮遠侯。

林富　奏議二卷　又　两廣疏畧二卷

馬從謙　奏疏一卷

林希元　奏疏□卷二册。

沈漢　水西諫疏二卷

趙漢　諫議疏稿四卷字鴻逵,平湖人。正德辛未進士,選授給事中。劾蕭敬、谷大用等,多著直聲,出爲廣西參議。

茅瓚　密勿論一卷

周天佐　蹟山疏稿一卷

---

① “崖”,《千頃堂書目》卷三十作“厓”。

周怡　訥溪疏草一卷

黎貫　韶山奏議二卷從化人。嘉靖中御史。

劉繪　嵩陽奏議二卷

葛木[①]　恤刑疏草□卷四册。刑部郎中，恤刑江西題奏。

楊溥[②]　襄毅奏疏四卷　又　歷官奏議七十卷　又　經略疏議二卷　又　職方郎官疏六卷　又　撫臺疏議二卷　又　本兵疏議二十四卷　又　太宰楊公獻納稿十卷

胡松　莊肅奏疏五卷　又　督撫江西奏議二卷

葛守禮　與川奏議□卷一册。

雷禮　古和疏稿

吕光洵　皆山堂奏稿七卷

傅頤　奏陳録一卷

吴□　吴劍泉奏議三卷

毛愷　奏議八卷

張瀚　臺省疏稿八卷　又　督撫奏議十六卷

趙炳然　歷官奏議

胡應文　疏草十卷

吴嘉會　奏議十卷代州人。嘉靖乙未進士，兵部右侍郎。

陳棐　禮垣六事疏二卷　又　大同撫臺奏議六卷

胡宗憲　督府奏議六卷　又　續督府奏議六卷[③]　又　三巡奏疏□卷　又　平倭奏議

翁大立　督撫江西奏議二卷　又　審録江西奏議五卷　又總理河道奏議二卷

---

① “木”，《千頃堂書目》卷三十作“本”。

② “溥”，原誤作“博”，據《千頃堂書目》卷三十改。

③ 兩“府”字，《千頃堂書目》卷三十作“撫”。

李遂　本兵奏稿　又　督撫經畧[1]　又　公移八卷
陳紹儒　國漕疏要二卷
張鹵　滸東奏議□卷十册。
黄中　西野奏議二卷嘉靖中御史。
薛廷寵　諫垣奏議四卷字汝承,福清人。嘉靖壬辰進士,吏科都給事中。
張選　張纘曾　祖孫臺諫奏議二卷
何棟　督府奏議
田秋　都諫奏議□卷
張達　青瑣奏議二卷
張翀　太常奏議二卷潼川州人。
吴巖　維石奏議二卷吴江人。正德戊辰進士。
何以尚　鳴梟存稿□卷
孫枝　諫垣疏草□□卷工科都給事中。
高拱　掌銓題稿三十四卷　又　南宫奏牘四卷　又　綸扉外稿二卷　又　獻忱集五卷
嚴訥　館閣表奏二卷
高儀　文瑞奏議十卷字子象,錢塘人。文淵閣大學士兼禮部尚書,贈太子太保。
王崇古　督府奏議五卷一作十卷。又　陳脩邊務疏一卷
方逢時　督府奏議六卷[2]
朱衡　漕河奏議五卷
曹忭　前川奏議二卷
周鑑　河南疏議□卷隆慶間都御史。
吕懷　司直奏議一卷
張居正　奏對稿十卷

① “奏”、“撫”,《千頃堂書目》卷三十分别作“疏”、“府”。
② “府”,《千頃堂書目》卷三十作“撫”。

譚綸　襄敏奏議十卷

趙錦　端肅奏議九卷餘姚人。

石茂華　三邊奏議　又　甘肅奏議益都人。嘉靖甲辰進士，總督三邊，兵部尚書，贈太子少保，謚恭襄。

吴桂芳　督撫两廣奏議十六卷

梁夢龍　歷官表奏抄

陸光祖　奏議

張學顔　司馬司農奏議二十卷　又　撫遼奏議十卷一作十五卷。

王遴　疏草八卷　又　奏議十卷

凌雲翼　總督两廣奏議十二卷　又　大征三疏一卷　又　永濟河疏一卷　又　總督漕河疏□卷[①]十一册。

劉應節　薊門奏議八卷

徐栻　南臺奏疏四卷

王宗沭[②]　**漕撫奏疏十卷**

宋儀望　垂楊館奏議七卷

李祐　撫粤疏草八卷字吉甫，清平衛人。嘉靖丁未進士，巡撫廣東，都御史。

張肖甫　督撫奏議七卷銅梁人。

潘季馴　歷官奏疏二十卷

郭應聘　奏議三十六卷《粤西奏議》、《總制两廣疏議》、《留樞疏草》。

董傳策　奏議輯畧一卷

王一鶚　督撫奏議十卷

魏學曾　遼陽奏議

孟重　三撫奏議四卷字汝器，渭南人。嘉靖癸丑進士，累官兵部右侍郎。

龐尚鵬　百可亭奏議十卷

---

① “漕河”，《千頃堂書目》卷三十無“河”字。

② “沭”，《千頃堂書目》卷三十作“沐”。

楊兆　奏議三集十四卷

耿定向　天臺疏畧一卷

耿定力　叔臺疏畧一卷①

趙用賢　文懿奏議一卷

吴中行　復庵奏疏一卷

李世達　宫保奏議四卷

吴文華　督撫奏議　又　留都疏稿

林潤　願治疏稿八卷莆田人。嘉靖丙辰進士,巡撫應天,都御史。

曾同亨　歷官奏議八卷

劉燾　薊遼奏議□卷十册。　**又　關中奏議□卷**五册。　**又　廣福奏議□卷**三册。

舒化　淮峰諫疏二卷

沈節甫　奏議八卷　又　代庖公案八卷烏程人。嘉靖己未進士,工部左侍郎。

葉春及　應詔書一卷歸善舉人。隆慶初,官閩清教諭,應《求言詔》上書二十五篇,凡三萬餘言。

龐尚鴻　戇言一卷南海人。萬曆初,以候選訓導,上言天壽山陵寢,後官鉛山知縣。

申時行　綸扉奏草十四卷　又　綸扉笥草四卷

王錫爵　文肅奏議二十卷　又　密揭辯議一卷　又　請儲瀝疏二卷

蹇達　督撫奏疏十二卷②

陳有年　奏議

張國彦　薊門奏議六卷

蕭大亨　蕭岳峰奏議十卷

---

① "叔",《千頃堂書》卷三十作"督"。

② "撫",《千頃堂書目》卷三十作"府"。

溫純　督撫奏疏十一卷

褚鈇　臺中疏稿八卷

張學顔　撫遼奏議十六卷

王基　雲中奏議益都人。南京户部尚書。

徐元太　撫蜀奏議

顧養謙　撫遼奏議四卷

宋應昌　經畧朝鮮奏議十二卷

陳察　虞山奏議十卷

蕭廩　司馬奏議八卷萬安人。嘉靖乙丑進士，兵部右侍郎，贈尚書。

曾如春　督撫天中奏疏三十四卷臨川人。嘉靖乙丑進士，總督河道，工部右侍郎。

張應治　奏疏四卷字體微，秀水人。嘉靖壬戌進士，官南京户科給事中①，陞山東副使。

沈一貫　敬事草十九卷

趙志皐　文懿奏事十六卷　又　奏題稿十卷

張位　館閣疏揭二卷

朱賡　文懿奏議十二卷一作八卷。

裴應章　諫草焚餘八卷

徐學謨　南宫題奏稿十卷

于慎行　春曹奏議

馮琦正　士風文體疏一卷

余懋學　禮垣疏草五卷　中宇奏議六卷

趙參魯　端簡奏疏六卷字宗傳，鄞縣人。隆慶辛未進士，南京刑部尚書。

金學曾　撫閩奏疏六卷字子曾，錢塘人。隆慶戊辰進士，巡撫福建，副都御史。

郭子章　撫黔奏疏十六卷

---

① "户科"後，《千頃堂書目》卷三十有一"都"字。

管志道　比部奏議四卷一作《刑曹奏議》五卷①。

蕭彦　撫滇疏草三卷　又　諫垣疏草涇縣人。隆慶辛未進士。

趙世卿　司農奏議□□卷八册。

賀一桂　文南奏疏一卷廬陵人。嘉靖乙丑進士,大理寺卿②。

李化龍　撫遼疏草六卷

李三才　漕撫小草十五卷一作《奏草》十七卷。

楊時寧　督撫奏議十五卷

汪應蛟　撫畿奏疏十卷　又　海防奏議一卷　又　計部奏議二卷

張棟　可庵奏疏六卷字伯任,崑山人。萬曆丁丑進士,兵科都給事中。

林熙春　掖垣疏草一卷　又　出山疏草一卷海陽人。□進士,户部左侍郎。③

趙珣　方齋奏議二卷

梅國楨　西征疏草二卷

江東之　黔中疏草一卷

王士昌　三垣摘稿一卷

鍾化民　督撫中州學正書七卷

周世延　撫梁奏疏十卷

項篤壽　小司馬奏草六卷

戴士衡　奏疏二卷

項應祥　東嘉問夜草七卷

周孔教　中丞疏稿十八卷　又　西臺疏稿二卷　又　江南疏稿九卷　又　中州疏稿五卷字明行,臨川人。萬曆庚辰進士,巡撫應天,副都御史。

---

① "刑曹奏議",《千頃堂書目》卷三十作"刑曹疏議"。

② "卿"字原脱,據《千頃堂書目》卷三十補。

③ 據《明清進士題名碑録索引》,林熙春爲萬曆癸未進士。

于孔兼　春曹書疏五卷

方大鎮　侍御二疏一卷　又　寧淡居奏議六卷

王萬祚　侍御疏稿四卷

沈裕　慎庵奏議一卷字以寧，浙江人。萬曆壬辰進士，廣東道御史。

姚文裕[①]**　掖垣疏草五卷**

翁憲祥　奏議十二卷萬曆時掌科，官至太常寺卿。

王元翰　未焚草二卷字伯舉，雲南寧州人。萬曆辛丑進士，工科右給事中，謫刑部檢校[②]，稍遷工部主事。

喬世昌　掖垣奏牘一卷寧陵人。萬曆戊子解元，己丑進士，刑科都給事中。

鮑應鰲　祠曹題疏稿五卷

梅守峻　銓諫草三卷

錢一本　西臺疏稿二卷

楊天民　掖垣諫草四卷□□人。萬曆中，官禮科給事中。[③]

徐文華　西臺奏議二卷

朱國祚　册立疏草一卷

王士騏　司勳代庖録四卷

李植　言事紀畧五卷

伍袁萃　疏議檄書四卷

朱吾弼　留臺奏議二卷

楊光訓　西臺疏草二卷渭南人。萬曆丙戌進士，順天府府丞。

郝敬山　草堂諫草二卷

蔣科　南臺奏議□卷二册。

沈儆炌　安攘疏草八卷

① “裕”，《千頃堂書目》卷三十作“蔚”。

② “檢校”，原誤作“簡較”，據《千頃堂書目》卷三十改。

③ 《千頃堂書目》卷三十此條下小注曰：“别本□□作太平。”

徐鑾　職方疏草十三卷

熊尚文　撫楚奏疏六卷　又　從祀疏草　又　督撫楚臺奏議豐城人。萬曆乙未進士,刑部右侍郎。

葉向高　綸扉奏草三十卷

吴道南　綸扉奏草一卷　又　南宫續草一卷　又　大政議一卷

翁正春　南宫奏草四卷

李汝華　計部奏疏三十六卷

李宗延　祝鳩氏奏議十五卷

鄒元標　忠介奏疏五卷

鍾羽正　掖垣疏稿

毛士龍　疏稿一卷

王昺　摘進名臣奏議畧一卷駙馬都尉。

林材　天垣疏草四卷閩縣人。萬曆癸未進士,官南京通政使。

嚴一鵬　東巡疏畧四卷

江秉謙　西臺疏草一卷

孫瑋　奏草二十四卷　又　部院奏草六卷南京吏部尚書。

周炳謨　仲覲疏草一卷

張輔之　司空奏議四卷

馮從吾　西臺疏草一卷

王德完　希泉歷朝奏議十二卷

鄧渼　南中奏牘十八卷

金忠士　西臺建白疏二卷

陳邦瞻　粤西疏草四卷

歸子顧　工垣疏草一卷

孫承宗　奏議三十卷

張銓　忠烈奏疏三卷

熊廷弼　按遼疏稿六卷　又　經略疏稿六卷　又　按遼書牘六卷　又　經略書牘六卷

王象乾　經理牂牁奏議十四卷　又　督府奏議□卷　又　行邊奏疏□卷四册。

何士晉　疏稿一卷

孫慎行　文介奏議二卷

葉初春　疏稿一卷

左光斗　忠毅奏疏三卷

周宗建　忠毅奏議四卷

周朝瑞　兩朝奏議

侯震暘　天垣疏畧一卷嘉定縣人。萬曆庚戌進士，吏科都給事中，贈太常寺少卿。

徐學聚　撫閩疏草三卷　又　公移十卷蘭溪人。萬曆癸未進士，副都御史。

鄒維璉　樞曹奏疏二卷　又　撫閩奏疏政稿十卷

曾大奇　治平言二卷字端甫。泰和諸生。

徐民式　江南平役疏稿一卷

王在晉　撫齊疏稿八卷　又　總部疏稿八卷　又　經畧疏稿六卷　又　復命疏稿二卷　又　署部疏稿二卷

錢士升　綸扉奏草

楊嗣昌　地官集十七卷　又　中樞奏議□卷

申用懋　司馬疏草十四卷

畢懋康　疏草二十卷

丘禾嘉　蔬水堂疏稿一卷

畢□□　按秦奏疏十卷

陳于廷　摘稿一卷

錢士晉　經濟録十卷

鄭三俊　焚餘疏草六卷

吴履中　疏稿二卷

李繼貞　津門奏草

許如蘭　奏議十卷

曹時聘　奏疏五卷

南居益　撫閩疏四卷

熊文燦　撫閩奏疏文移十卷①

倪元珙　回奏復社疏一卷號三蘭,上虞人。天啟壬戌進士②,光禄寺丞。

魏呈潤　樞垣疏稿二卷號倩石,龍溪人。崇禎戊辰進士,兵科給事中,以言事外謫。

顔繼祖　三垣疏稿四卷

何楷　入垣疏草二卷

湯開遠　寒光堂疏草

華允誠　疏稿一卷

盧象昇　忠烈疏畧一卷

孫傳庭　撫秦疏草　又　督師奏議　又　謀國集

范景文　罪言一卷　又　味元堂疏稿一卷

李邦華　忠肅奏議六卷

凌義渠　諫垣奏議

倪元璐　奏牘三卷

王家彦　忠端奏議五卷

黄道周　石齋藏業一卷　又　解齊環□卷③　又　解遼環一卷

葉廷秀　奏疏一卷

① "十",《千頃堂書目》卷三十作"七"。

② "天啟",原誤作"崇禎",據《千頃堂書目》卷三十、《明清進士題名碑録索引》改。

③ 空格處,《千頃堂書目》卷三十作"二"。

王家禎[①] 總理奏議七卷
陸完學 撫浙疏草八卷
吕維祺 南庾奏疏三卷 又 南樞奏疏一卷
蔡懋德 忠襄撫晉疏草五卷
陳龍正 秘垣疏草四卷
劉士禎 秉丹堂奏議二卷號須彌，萬安人。天啓壬戌進士，工部右侍郎。
李日宣 西臺奏草四卷 又 吴中奏稿十二卷 又 祀戎奏議十六卷 又 按豫勿喜録二十卷 又 銓曹奏稿八卷 又 河東文告三卷吉水人。萬曆癸丑進士，吏部尚書。
陳新甲 保邦十策一卷 又 邦政紀略一卷
周鑣 奏疏一卷字仲馭，金壇人。崇禎戊辰進士，禮部員外郎。
徐憲卿 留垣封事存畧一卷字邦亮，太倉人。
程世昌 疏摘二卷 又 直綫一卷 又 臯草一卷光山人。崇禎辛未進士，巡撫，都御史。
路振飛 两浙摘畧 又 漕撫奏議 又 閩吴疏草 又 保障東南稿號皓月，曲周人。天啓乙丑進士，總督漕運，都御史。
李若珪 撫鄖疏稿六卷
沈珣 侍御疏稿四卷
方震孺 按遼奏疏二卷 又 两臺奏疏二卷 又 賫恤奏疏一卷 又 幾灰草一卷字孩未，壽州人。萬曆癸丑進士，巡按廣東，都御史。[②]
朱泰禎[③] 雲中疏草八卷海鹽人。萬曆丙辰進士，御史，外謫，後官兵部主事。
趙洪範 奏疏一卷嘉定人。天啓壬戌進士，監察御史。
葉紹顒 按粤疏草二卷字慶繩，吴江人。天啓乙丑進士，大理寺卿，湖廣副使。

---

① “禎”，《千頃堂書目》卷三十作“楨”。
② “两臺”、“廣東”，《千頃堂書目》卷三十分别作“两臺”、“廣西”。
③ “禎”，《千頃堂書目》卷三十作“楨”。

吴煥　按秦奏疏四卷　又　西臺奏疏一卷吴江人。萬曆丙辰進士。

錢春　留計奏議六卷

周鼎　總河疏草六卷

蔣允儀　侍御疏草四卷宜興縣人。萬曆丙辰進士,巡撫鄖陽,都御史。

李喬崙　西臺疏草一卷

李若星　總河奏議一卷　又　總督川貴奏議一卷息縣人。萬曆甲辰進士,總督川貴,侍郎。

陳堯言[1]　**留省焚餘一卷**永嘉人。萬曆己未進士,陝西參議。

陸澄源　奏疏一卷字芝房,平湖人。天啓乙丑進士,職方司員外郎。

陸清源　疏畧一卷字岫青,平湖人。崇禎甲戌進士,雲南道御史。

戴東旻　督撫鄖中疏稿二卷建德人。萬曆己未進士,巡撫鄖陽,都御史。

金光宸　雙岩封事集凡九種。光宸字天樞,全椒人。崇禎戊辰進士,左僉都御史。

錢嘉徵　疏草一卷嘉興縣貢生。

騷賦類

林兆珂　楚辭述註

趙南星　離騷經訂詁一卷

黄省曾　騷苑四卷

陳第　屈宋古音義三卷

汪瑗　楚辭集解十五卷　又　楚辭蒙引二卷

張之象　楚範六卷

黄文煥　楚辭聽直八卷字維章,福州永福人。天啓乙丑進士,海陽、山陽知縣,考選授翰林院編脩。

---

① “言”,《千頃堂書目》卷三十作“年”。

張燦　擬離騷二十篇字藴之①，嵊縣人。

黄道周　續離騷一卷　又　謇騷一卷

陳雅言　天對六篇

李□②　賦苑八卷字漸卿，吴人。

劉世教　賦紀一百卷字少彝，海鹽舉人。

王守志　賦騷□卷③

俞王言　辭賦標義十八卷

陳山毓　賦畧五十卷　又　賦畧外篇十五卷嘉善人。天啓丁卯解元。

施重光　賦珍八卷

楊維禎④　麗則遺音古賦程式三卷丁卯同年進士黄清老評。

陶振　紫金山等三賦一卷字子昌，吴江人。洪武初，爲本學訓導，坐佃居官房，逮至京，進三賦稱旨，釋其罪，擢安化教諭。三賦者，《紫金山》、《金水河》及《飛龍在天》三篇。

董璘　明皇都賦一卷

桑悦　两都賦二卷　又　古賦三卷門人徐威註。

莫旦　明一統賦補四卷字景周，吴江人。成化乙酉舉人，南京國子監學正。别有《鱸鄉集》。

廖世昭　明一統賦三卷

余光　两京賦二卷嘉靖□年，上命宣付史館，賞新鈔一千貫。光字晦之，號古峰，江寧縣人。嘉靖壬辰進士，官浙江道監察御史。

黄佐　两都賦二卷

盛時泰　两都賦二卷字仲交，江寧人。嘉靖末貢士。

馬斯臧　二都賦四卷字駿伯，寧波衛籍。官揚州都司。

---

① "藴"，原誤作"温"，據《千頃堂書目》卷三十一改。

② 空格處，《千頃堂書目》卷三十一作"鴻"。

③ "騷"，《千頃堂書目》卷三十一作"藻"。

④ "禎"，《千頃堂書目》卷三十一作"楨"。

黄器先　两京賦一卷

帥機　南京賦一卷　又　北京賦一卷萬曆中奏進。

楊通　奉天一覽賦一卷

貢汝成　三大禮賦一卷[①]嘉靖十六年表上。

廖道南　詞垣賦頌四卷

奉國將軍拱榣聖嗣誕慶賦一卷

歐陽雲　碧溪賦畧二卷

丁奉　虞鄉三賦一卷

陳鳳　東還賦一卷

董晟　四明攬勝賦一卷[②]

劉寛　河西賦甘州中衛人,學者稱“心古先生”。

方寛　嚴陵賦一卷字敬敷,壽昌人。

王養端　遂昌三賦一卷字茂成,遂昌人。嘉靖乙卯舉人。

丘兆麟　麻姑山賦一卷

范槲明　蜀都賦一卷

董越　朝鮮賦一卷

張進　朝鮮賦一卷

劉繪榮　樂賦一卷

盧柟　浮丘四賦一卷　又　次梗賦三十七篇一卷

張之象　叩頭蟲賦并注一卷

康祥卿　天游山人賦一卷

沈朝焕[③]　**抱膝長吟賦一卷　又　快士賦一卷**字伯含,仁和人。萬曆壬辰進士,福建參政。

---

① “一”,《千頃堂書目》卷三十一作“三”。

② “攬”,《千頃堂書目》卷三十一作“覽”。

③ “焕”,《千頃堂書目》卷三十一作“瑛”。

文翔鳳　南都新賦六篇一卷

張應鳳　北堂上壽賦一卷

張士昌　聽雪齋二賦一卷莆田人，字隆父。布衣。

湯開先　過庭詩賦二卷字季雲，湯顯祖子。

劉鑾　賦篇一卷

林古度　林茂之賦一卷福清人。

晉陽四賦一卷

幽憤三賦集一卷俱不知撰人。

顧禄明　混一頌一卷

陳循　神功聖德詩頌一卷循謫戍鐵嶺，天順三年，撰進成祖、仁宗、宣宗及英宗功德，爲頌四章，詩二十章。

潘淵　嘉靖龍飛頌嘉靖五年三月，天台起復知縣潘淵獻。凡六十四圖，五百段，一萬二千章，倣蘇蕙織錦迴文體。帝以其文字縱横，不可辨識，令圖寫正文再上①。

白鷴賦頌集一卷嘉靖十年，鄭王進白鷴一雙，輔臣翟鑾、李時及群臣所爲賦頌。

奉國將軍拱榣聖嗣頌一卷嘉靖十五年，同賦進呈。

廖道南　宗廟禋頌二卷

新樂王載璽洪武聖政頌一卷凡十五章。**又　皇明政要頌一卷**

帥機　平西夏頌　又　皇太子出閣講學頌萬曆中進。

别集類

太祖御製文集三十卷甲集二卷，乙集三卷，丙集文十四卷，詩一卷，丁集十卷。**又　御製文集類編十二卷　又　詩集五卷**

仁宗御製文集四十四卷② **又　詩集六卷　又　御製二教文一**

---

① “再上”，原誤作“在上”，據《千頃堂書目》卷三十一改。

② “宗”，《千頃堂書目》卷十七作“宣”。

卷　又　御製祖德詩□卷世宗和韻。

憲宗御製詩集四卷

獻帝含春堂稿一卷出閣時作。又　恩紀詩集七卷分藩時作,俱嘉靖五年命司禮監刊行。

世宗御製詩賦集一册　又　翊學詩一卷嘉靖七年,聽經筵講官講《大學衍義》,帝製五言古詩一章並序,大學士楊一清等恭和。又　宸翰録一卷御書七言詩賜張孚敬者。又　輔臣贊和詩集一卷嘉靖六年除夕,御製五言詩示楊一清,一清與謝遷等恭和。又　詠和録一卷嘉靖十年,帝同大學士張孚敬,及禮部尚書李時西苑觀稼,抵先蠶壇位御製詩,孚敬等恭和。又　詠春同德録一卷與輔臣費宏等倡和。又　白鵲贊和集一卷　又　祭祀記一卷　又　忌祭或問一卷嘉靖七年製。又　火警或問一卷

神宗御製詩文一卷

仁孝皇后詩集一卷以上帝后。

周定王橚　元宮詞一卷舊以爲周憲王,又作周恭王,何喬遠以爲定王。考其自序作於永樂四年,定王之薨在洪熙元年,則似屬定王,非憲、恭也。

蜀獻王椿　獻園集十七卷

寧獻王權　采芝吟四卷

遼簡王植　遺稿二册

漢王高煦　擬古感興詩一卷凡二十八篇,《列朝詩》云:"其臣僚嘗爲鏤版行世。"

周憲王有燉　誠齋新録三卷　又　誠齋集三卷牡丹、梅花、玉堂詩各百咏。又　誠齋遺稿一册定王子。①

楚莊王孟烷　勤有堂文集□卷　又　勤有堂詩集□卷

楚憲王季堄　毓秀軒詩②　又　維藩清暇録管延枝有序。

---

① "玉堂"後、"定王"後,《千頃堂書目》卷十七分别有一"春"字、"長"字。

② "詩",《千頃堂書目》卷十七作"集"。

慶康王秋埄[1] 慎德軒集
寧靖王奠培 懶仙竹林漫稿三卷 又 擬古詩二百篇 又却掃吟獻王子[2]。
瀋安王詮鉌 凝齋稿初封靈川王，謚恭懿，以長孫㢑移嗣王進封[3]。
秦康王志潔[4] 默庵集□卷
楚端王榮滅 正心詩集
蜀定王友垓文集十卷
唐成王彌鍗 甆天小稿十二卷
唐恭王彌鉺 謙光堂集四卷[5]本封交城王，以子宇温嗣王進封。
秦簡王誠泳 經進賓竹小鳴稿十卷紀善强晟編。嘉靖元年，從孫定王惟焯表上，詔送史館。
蜀惠王申鑿 惠園集
肅藩安和世子 真淤星海詩集二卷子弼桄嗣封，追封王，謚曰"靖"。
瀋憲王㢑移[6] 保和齋稿
蜀成王讓栩 長春競辰稿十六卷楊慎爲序。
瀋宣王恬烄 緑筠軒稿
趙康王厚煜 居敬堂集十二卷
益莊王厚燁 勿齋文集五卷
韓昭王旭櫏 冰壺遺稿五卷
蜀端王宣圻 端園集
瀋□王□□ 詩集一册

① "秋埄"，《千頃堂書目》卷十七作"秩熣"。
② "子"，《千頃堂書目》卷十七作"孫"。
③ "㢑移"，《千頃堂書目》卷十七作"胤栘"。
④ "潔"，《千頃堂書目》卷十七作"㓗"。
⑤ "堂"後，《千頃堂書目》卷十七有一"詩"字。
⑥ "㢑移"，《千頃堂書目》卷十七作"胤栘"。

鄭□王□□　退思録四册
雙泉詩集三卷[①]
徽□王□□　邇卑吟集一卷
襄□王□□文集一卷
益王　東館缶音四卷號仙源。
永壽王□□　東軒詩集一卷[②]秦藩。
鎮平恭靖王有爌　德善齋詩集一卷　又　梅花百咏一卷　道統論
博平王□□　養正餘力録一卷周藩。
慶成王□□　宗川集二卷晋藩。
武岡保康王顯槐　文集　又　少鶴山人續集八卷　又　詩集八卷
東會王□□　清正吟集二卷
靈丘榮順王遜烇　雲溪稿
靈丘世子俊格　天津集榮順王五世孫,嗜學好文,聚書萬卷,未嗣封卒。
安塞宣靖王秩炅　滄洲漁隱録六卷　又　樗齋隨筆二十卷
豐林端康王台瀚　平齋集
石城安恪王宸浮　孤憤詩草一卷
弋陽端惠王拱樻　訓忠堂集四卷
清源王□□　咏史續編一卷凡百四十九首。號"懶雲"。
光澤王寵瀼[③]　雅音叢和一卷遼藩。
安慶□□王恬壠[④]　嘉慶集自號"西池道人"。

① 此條,《千頃堂書目》卷十七放在"徽□王□□《邇卑吟集》一卷"之後。
② "一",《千頃堂書目》卷十七作"五"。
③ "瀼",《千頃堂書目》卷十七作"瀤"。
④ "壠",《千頃堂書目》卷十七作"壟"。

保定惠順王埕坦[①] **清苑山房集**

德平榮順王磨梃[②] **集書樓稿**

三城康穆王芝垝 **進脩橋**

承休昭毅王彌鋠 **復齋存稿**

棗陽榮肅王祐楒 **朱仲子集三卷** **又** **方城集一卷**

富順□□王厚焜 **東蘄集二卷**

樊山王載玲 **大隱山人集十七卷**人稱"昇甫先生"。

新樂□□王載壐 **樓居稿一卷** **又** **田居稿一卷**[③]號誠軒。有博雅稱，建博文書院。□□中，賜敕獎諭。

商河□□王載塨[④] **松庵集**《秇苑卮言》稱其工玉筯大小篆。

周藩奉國將軍安溉 **河上集**字思甫[⑤]，鎮平王孫。

魯藩鎮國中尉觀熰 **濟美堂遺稿二卷**字中立，有孝行。

周藩鎮國中尉睦㰘 **陂上集二十卷**

寧藩奉國中尉多燌 **詩集十二卷**字宗良，博雅，好修。萬曆初，薦堪宗正者，首舉之。

寧藩奉國將軍多煃 **芙蓉園稿**字用晦[⑥]，與李攀龍、王世貞善，世貞《續五子詩》，多煃其一也，右俱瑞昌王孫。

攝石城府事鎮國中尉謀㙔 **枳園近稿八卷**字鬱儀，與周藩睦㰘，皆以通經學古，并重於朱邸。謀㙔著書一百二十種，不能盡見，録其著者於別類。

寧藩弋陽王孫拱檜 **負初集二卷**

寧藩奉國將軍多烶 **五遊編六卷** **又** **倦遊編一卷**字貞吉，有盛

---

① "埕"，《千頃堂書目》卷十七作"珵"。

② "磨"，《千頃堂書目》卷十七作"胤"。

③ "田"，《千頃堂書目》卷十七作"由"。

④ 空格處，《千頃堂書目》卷十七作"康順"。

⑤ "甫"，《千頃堂書目》卷十七作"浦"。

⑥ "用晦"，《千頃堂書目》卷十七作"晦用"。

名，門人私謚“情敏先生”[①]，弋陽王府。

寧藩弋陽奉國將軍多煇[②]　**委蛇集四卷**

寧藩弋陽王孫多照　默存自娱集二十二卷字孔暘。

寧藩中尉謀城　退省稿六卷字幼晉。

寧藩中尉謀堚　入山詩三卷多炡子[③]，自稱來鯤，字子魚，出遊吴越間，别號天池。

寧藩樂安中尉謀㙺集四卷[④]　**又　西堂詩一卷　又　廬山詩一卷**字公退，初字康侯。讀書修詞，才名蔚起。

寧藩□□統鍗　我法居集[⑤]字章華，寧獻王九世孫。崇禎戊辰進士，選庶吉士，授檢討，歷官南京國子監祭酒。

寧藩建安輔國將軍拱樋　瑞鶴堂詩集二卷　又　爽臺集二卷

寧藩建安鎮國中尉多熔　支離市隱集北郭了魚樂詞三十卷

唐藩鎮國中尉碩勳　巨勝園集十卷　又　友聲集十卷字孔炎，定王五世孫。博雅慷慨，工爲文章。

唐藩輔國中尉器封　參遊集字子厚，碩勳子。萬曆初，與父同舉宗正，人榮之。

成臯　孟横詩草三卷

潘□□□　雲仙集十四卷

朱載埠　泊如軒草六卷　又　夢古齋稿畧三卷　又　艮野小集四卷

朱誼㵾　大業堂詩草五卷

朱翊鋋[⑥]　**天倪閣集二卷**

---

① “情敏”，《千頃堂書目》卷十七作“靖敏”。
② “煇”，《千頃堂書目》卷十七作“煌”。
③ “多”，原誤作“字”，據《千頃堂書目》卷十七改。
④ “集”前，《千頃堂書目》卷十七有一“初”字。
⑤ “王”後，《千頃堂書目》卷十七有一“權”字。
⑥ “鋋”，《千頃堂書目》卷十七作“鈛”。

朱拱搖　既白詩稿七卷

朱安淤[1]　習靜樓集三卷

朱程楷　滄海披沙集一卷以上宗藩。

宋濂　潛溪文集十卷　後集十卷　續集十卷皆前元時作。又　潛溪文粹十七卷[2]劉基選定。又　續文粹十卷方孝儒、鄭濟同選定[3]。又　宋學士文集七十五卷《鑾坡前集》十卷,《後集》十卷,《翰苑續集》十卷,《別集》十卷,《芝園前集》十卷,《後集》十卷,《別集》十卷[4],《朝天集》五卷。又　潛溪先生集十八卷弋陽黄溥選定。又　宋學士全集三十三卷高淳韓叔陽彙諸家本定爲全集,然亦多遺落,不稱善本。又　宋學士詩集五卷

劉基　覆瓿集二十四卷拾遺二卷前元時作。又　犁眉公集四卷　又　文成集二十卷合并諸集及《郁離子》、《春秋明經》諸書。

陶安　辭達類抄十九卷　又　姚江類抄一卷　又　知新稿五卷　又　江行雜咏一卷　又　黄岡寓稿一卷　又　鶴沙小紀一卷　又　別類一卷　又　鄱陽新録一卷　又　玉堂稿八卷　又　陶學士文集二十卷合并諸集成編,前附《陶學士事迹》一卷。

李習　橄欖集五卷字伯羽,當塗人。元延祐四年鄉舉,明太祖下太平,以爲郡太守。

汪廣洋　鳳池吟稿十卷

孫炎　左司集四卷門人蔣敬編次。敬字行簡,金陵人。

夏煜　允中集□卷與孫融皆學《詩》於天台丁仲容。明初,官行中書省博士,改浙東總制。

劉炳春　雨軒集十卷字彦昺,鄱陽人。洪武初,官中書博士,諳議典籤。

劉迪簡　劉尚賓文集五卷字商卿,安福人。洪武初尚賓館副使,出使安南。

---

① “淤”,《千頃堂書目》卷十七作“游”。

② “七”,《千頃堂書目》卷十七無。

③ “儒”,《千頃堂書目》卷十七作“孺”。

④ “别”,《千頃堂書目》卷十七作“續”。

郭奎　望雲集五卷字子章，巢縣人。師事青陽余闕，明初中書行省掾。

王褘　忠文集二十四卷

張以寧　翠屏集四卷　又　淮南集一卷　又　南歸紀行一卷

危素　學士集五十卷[①]　又　悦學集□卷

詹同　天衢吟嘯集一卷　又　海岳涓埃集二卷一作《海涓集》。

劉崧　槎翁集十八卷　又　槎翁詩集八卷　又　職方集九卷

魏觀　蒲山牧唱四卷

朱善　一齋集十卷　又　遼海集五卷　又　廣遊集一卷

黄肅　黄子邕詩集一卷江南新城人[②]。元禮部主事。洪武五年，官工部尚書，出爲廣西行省參議。

吴沉　㶇川集字濬仲，吴師道子。明初，召爲翰林待制，官至東閣大學士，坐懿文太子故，被讒死。

羅復仁　玉堂倡和稿吉水人。明初弘文閣學士。

陶凱　陶尚書集

桂彦良　清節集　又　清溪集　又　拄笏集　又　老拙集　又　和陶集[③]名德稱，以字行，慈谿人。元時舉鄉薦，平江路文學掾，洪武中太子正字，子正字晉王府右傅。

顧輝　守齋類稿三十卷字德潤，鄞人。十歲善屬文，博士俞希魯以神童舉，辭不就，與桂彦良爲外兄弟。一名淵，字德輝。

朱升　楓林文集十二卷

趙汸　東山文集十五卷

汪克寬　環谷集八卷

汪叡　蓉峰集□卷　又　清溪集十帙左春坊左司直郎。

---

①　“學士集五十卷”，《千頃堂書目》卷十七無，有“説學齋集五十卷”。

②　“江南”，《千頃堂書目》卷十七作“江西”。

③　“拄”，原誤作“挂”，據《千頃堂書目》卷十七、《浙江通志》卷二百四十九改。另，“和陶集”中“集”字，《千頃堂書目》作“詩”。

朱模　白沙行稿二卷休寧人,字子範。初從學陳櫟,洪武初,爲六安州判官,捕逃丁被害。

唐桂芳　白雲集畧四十卷　又　武夷小稿字仲實,唐元子。元官南雄州學正,太祖至歙,與朱升同被召,尋攝紫陽書院山長,學者稱“白雲先生”。

李勝原　盤谷遺稿五卷字原澤,寧國太平人。明初,從太祖取江州,有繡袍銀盌之賜,後乞歸,卒,太祖遣之祭。

胡翰　胡仲子集十卷　又　長山先生集字仲申,金華人。明師下金華,召見,授衢州教授。洪武初,分修《元史》,學者稱“長山先生”。

蘇伯衡　蘇平仲文集十六卷字平仲,金華人,蘇轍裔孫。明初國子學録,預修《元史》,授編修。

葉儀　南陽山房稿二十卷字景翰,金華人,受學許謙。明師下金華,召爲五經師,以老疾辭。

范祖幹　栢軒集□卷[①]字景先,金華人。與葉儀同被召,辟爲諮議,以親老辭,學者稱“純孝先生”。

王冕　竹齋詩集二卷　又　竹齋咏梅詩一卷字元章,諸暨人。舉進士不第,棄去,明兵至邑,胡大海授咨議參軍,一夕病死。

朱廉　朱伯清文集十七卷字伯清,義烏人。以布衣預脩《元史》,授翰林院編修,楚府長史。

梁寅　石門集二卷字孟敬,新喻人。元辟集慶路儒學訓導。明初,徵入禮局議禮,書成不受官,歸石門山,學者稱爲“梁五經”。

張九韶　吾樂山房稿

陳謨　海桑集十卷洪武初,與梁寅皆徵至南京議禮。謨字心吾,吉安泰和人。門人楊士奇編。

周霆震　石初集十卷字亨遠,安成人。及見故宋諸老學有淵源,門人晏璧編。

何淑　螻闇集八卷字伯善,撫州樂安人。元至正辛卯進士,授武岡丞。洪武四年,召爲太子賓客,辭不就,又召至京,以老病辭,自號“螻闇”。

熊太古　燹餘集　又　熙真集字隣初,豫章人,熊朋來子。中元至順三年鄉

---

① 空格處,《千頃堂書目》卷十七作“四”。

舉,南臺御史平章趙子敬辟爲廣東廉訪司書吏,轉湖廣省掾,授翰林編修,國子助教,江南行省員外郎。元末,隱榴山著書。洪武三年,徵校雅樂,告老歸卒。

李祁　雲陽先生集十卷字一初,茶陵州人。至順癸酉進士,江浙儒學副提舉。元亡避居永新山中,明徵力辭不起。五世從孫李東陽傳其集。

王子讓　長留天地集　又　滄海遺珠集廬陵人。與李祁善。

涂幾　涂子類稿十卷　又　東游集字守約,宜黃人。洪武初,進時政十九書及上皇帝書。

熊釗　幾亭文集字伯幾,南昌人。洪武初,聘校書會同館,胡儼其門人也。

劉秩　聽雪篷詩集六卷字伯序,豐城人。洪武初崇明知州,奏免租課,民立祠祀之,未幾被誣,子孫,孫年十二,上書頌冤得白。

楊維禎[1]　**東維子集二十卷　又　東維子詩集□卷　又　古樂府十卷　又　樂府補六卷　又　復古詩集六卷　又　鐵崖文集五卷**字廉夫,山陰人。元泰定丁卯進士,授天台尹,改錢清塲司令,别號鐵崖,又號東維子。洪武三年,召至京議禮,有疾乞歸卒。

張憲　玉笥集十卷字思廉,會稽人。受詩法於楊維禎。明成化中,全椒黃璨刻行其詩,憲常爲張士誠樞密院都事。

吴復　雲槎集十卷字見心,富陽人。與張憲同學於維楨,樂府歌詩與憲齊名。

倪瓚　雲林詩集六卷　又　清閟閣集十五卷裔孫錦搜輯。

高啓　缶鳴集十二卷　又　鳧藻文集五卷　又　槎軒集十卷啓詩有《鳳臺》、《吹臺》、《江館》、《青丘》、《南樓》、《槎軒》諸集。成化中,吴人張習緝爲是編,總名曰《槎軒》。**又　高季迪大全集十八卷**

楊基　眉庵集十二卷

徐賁　北郭集六卷一作十卷。

張羽　靜居集六卷

陳基　夷白齋集二十卷一作二十五卷。**又　夷白齋尺牘□卷**字敬初,臨海人。少從黃溍學,游京師,授經筵檢討,淮兵起爲江浙行省郎中,參張士誠軍事,士誠稱王,基諫之,幾被殺,已而進秩内史,遷學士院學士。明初,召修《元史》,賜金

---

① "禎"、"二十",《千頃堂書目》卷二十九分别作"楨"、"三十"。

而還。

劉仁本　羽亭稿□卷字德元,天台人。元中乙科[1],方國珍行省左右司郎中。

張昱　張光弼詩集二卷[2]廬陵人。爲楊完者參軍,遷江浙行省左右司員外郎,行樞密院判官。明祖徵入京,問其年,曰:"可閒矣。"因自號"可閒老人",僑寓西湖以終。

王彝　王常宗集四卷一名《嫗蜼子集》,一名《三近齋文稿》。

王行　半軒集十二卷補遺一卷　又　楮園集十五卷　又　學言稿十二卷　又　四六劄子二卷

袁凱　海叟詩集四卷　又　在野集二卷

孫作　滄螺集六卷

王廉　交山集　又　南征録出使安南時作,使歸,擢工部員外郎,以躐等辭,改澠池丞。

徐一夔　始豐類稿十五卷字大章。

朱右　白雲稿十二卷字伯賢,臨海人。徙上虞,洪武三年,宋濂薦修《元史》及《日曆》,官晉府長史。一作九卷。

錢宰　臨安集十卷字子予,會稽人。洪武初,辟修《禮》、《樂書》,爲國子監助教。

徐尊生　懷歸還鄉等稿二十卷字大年,嚴陵人[3]。兩脩《元史》,尊生皆在列,又入禮局議禮,不肯受官歸。

揭軌　新河集□卷字孟同,揭奚斯後。洪武初,舉明經,任清河主簿[4],遷知縣,被召較定書傳。

錢甦　謙齋存稿一册字更生,常熟人。太祖命代撰祭元幼主文,蒙嘉賞。甦初名沂,字伯與。坐事當刑,子迪代死,改今名。

貝瓊　清江貝先生文集三十卷《海昌集》一卷,《雲間集》七卷,《兩峰集》三卷,《金陵集》十卷,《中都集》九卷,《歸田稿》一卷附。**又　詩集十卷**

---

① "元中",《千頃堂書目》卷二十九作"中元"。

② "二",《千頃堂書目》卷二十九作"三"。

③ "嚴陵",《千頃堂書目》卷十七作"淳安"。

④ "主"字原脱,據《千頃堂書目》卷十七補。

顧禄　經進集二十卷字謹中,華亭人。辟太學典簿[①],太祖喜其詩,嘗置案頭,故名集曰"經進"。

張適　甘白先生集六卷《樂圃集》二卷,《江館》、《南湖》、《江行》、《滇池集》各一卷。適字子宜,吴人。明初,爲都水司郎中,出爲廣西行省理問。

傅著　味梅齋稿字則明,常熟人。與張適皆預修《元史》,後官潞州知州。

張率　張嘉定集八卷字孟循,廣信人。吴元年,知嘉定州。

張簡　張仲簡詩集吴人。元季爲黄冠,後反初服,爲饒介客。

張宣　青暘集字藻仲,江陰人,張端子。官翰林院編脩,太祖稱爲"小秀才"。

吕敏　無碍居士詩集字志學,無錫人。初爲黄冠,與高啓善,所謂北郭十子之一,舉明經訓導。

陶宗儀　南村詩集四卷　又　滄浪櫂歌一卷字九成,黄巖人。居松江,至正間,累辭辟舉。洪武六年,舉人才至京,以疾辭,建文中卒。

答禄　與權文集十卷蒙古人。元河南北道廉訪司僉事。洪武六年,以薦爲秦府紀善,改監察御史,擢翰林修撰,降典籍,九年陞應奉,十一年致仕,居河南永康,吴人黄省曾序傳其集。

滕克恭　謙齋稿字汝卿,祥符人。元進士,集賢學士。洪武初,命典鄉試。

張昌　存齋集一卷臨汾人。元進士。洪武二年,聘至禮局議禮,授國子監助教,授皇太子經,又爲經筵講官,尋致仕。

李延興　一山文集九卷字繼本,士瞻子。至正丁酉進士,官太常奉禮兼翰林院檢討。入明不仕,郡邑聘爲教官。

張籌　一梧集字唯中,無錫人。元舉江浙行省鄉試。明初,以薦爲禮部尚書。

鄭潛　白沙稿　又　樗庵類稿二卷字彦昭,歙縣人。元泉河路總管,明潞州同知。

李惟馨　知非齋稿一卷字庭芳,潞州人。元兵部尚書。明初,召入禮局議禮,授以官,辭歸。

方道叡　愚泉詩稿十卷字以愚,方逢辰曾孫。至順二年進士,江西行省員外郎。洪武初,兩被召,皆不起。

---

① "太學",《千頃堂書目》卷十七作"太常"。

鮑恂　西溪漫稿嘉興人。洪武初，召授文華殿大學士，以老辭還。

杜斆　拙庵集十卷壺關人。太祖時以布衣召授四輔官兼太子賓客，司夏季上旬。斆孫矩官松江推官編次。

吴毅　學海集南城人。洪武初，徵辟，官博士典籤，預修《大明律令》，學者稱"學海先生"。

吴源　托素齋集八卷字性傳，莆田人。元泉州路訓導。洪武中，徵爲四輔官。

劉駟　愛禮文集十卷字宗道，龍溪人。以俊秀被徵辭歸，從學於三山趙彦進氏，造詣益深，復起赴京，試者八千人，居第一，授試都御史。坐事謫滇南，或言其逃者，命捕其父，駟聞之，投水死。

宋訥　西隱集十卷

劉三吾　坦齋集二卷一作《坦翁集》十二卷。

張孟兼　孟兼文集六卷名丁，以字行，浦江人。洪武初山東副使。

程國儒　雪崖集□卷江西德興人，字邦民。元衢州都事，明獲之，不屈，後授内省都事、洪都知府，坐事因自經①。

劉丞　直雪樵詩集字宗弼，贛州人。元進士，明浙江按察司僉事。②

王翰　梁園寓稿九卷　又　敝帚集五卷　又　山林樵唱一卷夏縣人。官廣州教授，死於獠賊。

方克勤　愚庵集二十卷字去矜，寧海人③，方孝孺父。洪武二年，以訓導辟知濟南府。

劉仕貊　悠然集十卷安福人。洪武初，舉賢良，官廣東按察司僉事。

時季照　夢墨稿十卷名銘，以字行，慈谿人。洪武中，官四川按察司僉事。

林興祖　棠陰清趣集七卷福清人。明初舉孝廉，官廣西布政使司參議。

葉兑　四梅集字良仲，寧海人。嘗獻武事一綱三目於明太祖，晚植四梅於庭，因以名其集。

吴伯宗　南宫使交成均三集二十卷　又　玉堂稿四卷

---

① "因"字，《千頃堂書目》卷十七無。

② "丞"、"贛"，《千頃堂書目》卷十七分别作"承"、"贛"。

③ "寧海"，《千頃堂書目》卷十七作"臨海"。

杜隰　雙清集十卷　又　紀行詩一卷字宗原,松江人。洪武初,舉詞科,爲太常贊禮郎。奉使麓川,諭其主入貢,擢禮科給事中,以疾歸。太祖兩賜手書存問,卒年三十三。

鄭真　滎陽外史集一百卷慈谿人。洪武初,試浙闈爲榜首,官廣信府教授。

盛祥　寅清集十卷字天瑞,丹徒人。洪武乙丑進士,道州知州貢舉考作盛安。

倪峻　靜寄集字克明,無錫人。洪武庚午舉人,給事中,改行人,出使占城。

張紳詩集濟南人。博學工詩,少從事兵間,後官浙江布政。

唐肅　丹崖集八卷一作十卷。翰林院供奉。

謝肅　密庵集十卷與唐肅稱二肅,福建僉事。

謝徽　蘭庭集六卷字元懿,長洲人。洪武初,徵修《元史》,授編修。

謝恭　蕙庭集□卷字元幼,徽弟。

戈鎬　鳳臺集鎮江人。洪武初禮部主事。

偶桓　江雨軒集二十卷　又　醉吟録三卷字武孟,太倉人。舉秀才,荆門吏目。

盧熊　鹿城隱書　又　蓬蝸集　又　幽憂集　又　清溪集字公武,崑山人。兖州知府。

郭翼　林外野言八卷字羲仲,崑山人。洪武初,徵授訓導。

易恒　陶情集六卷字以成,崑山人。

秦約　樵海漫稿字文仲,崇明人。洪武中涞陽教諭①。

殷奎　强齋文集十卷　又　婁曲叢稿　又　渭城寤語字孝章,一字孝伯,崑山人,咸陽教諭。

申屠衡　扣角集②字仲權,長洲人,自號"樹屋傭"。洪武中翰林院修撰,召草《諭蜀書》。

周南老　拙逸齋稿字正道,長洲人。元季,爲省掾。明初,徵入議禮。自號"拙逸老人"。

---

① "涞",《千頃堂書目》卷十七作"溧"。

② "扣",《千頃堂書目》卷十七作"叩"。

袁華　可傳集字子英，崑山人。洪武初郡學訓導。

馬麐　醉漁草堂二集字公振，崑山人。

盛彧　歸胡岡集一卷常熟人。

朱應辰　漱芳集三卷字文奎，吴人。明初爲本郡訓導。

顧文昱　蔗境吟稿字光遠，嘉定縣人。明初爲廣東行省右司郎中。

吴文泰　愚庵集字文度，吴縣人。洪武中涿州同知。

史公謹　獨醉亭詩集太倉人。洪武中應天府推官，左遷湘陰丞，僑居金陵。

顧德輝　玉山璞二卷　又　玉山草堂集一卷①字仲英，别名阿瑛，崑山人。元時舉茂才，授會稽教諭，不就。淮張辟之，避居嘉興，入明徙濠州卒，自號"金粟道人"。

徐達左　耕漁文集六卷字良夫，吴郡人。明初薦起爲建寧訓導，卒官。

馬文璧　灌園集名琬，以字行。

朱吉　三畏齋稿四卷字季寧，吴郡人，朱德潤子。洪武間，以才授户科給事中②，改中書舍人，擢湖廣僉事，永樂中卒。

虞堪　鼓枻稿一卷③字克用，一字勝伯，長洲人，虞允文後。洪武中，爲雲南府學教授，卒于官。

陳登　西掖稿字從善，句容人。元季，隱句曲山中。明初，入幕，與孫炎、夏煜才名相頡頏。

朱潤祖　寓軒集十卷溧水人。洪武初淳安縣教諭。

吴海聞　過齋集四卷字朝宗，一字魯客，閩縣人。明初，秦從龍薦之，不出。

戴良　九靈山房集三十卷字叔能，浦江人。至正辛丑，薦授淮南江北行中書省　儒學提舉。洪武中，召至京，欲官之，以老病辭。卒於寓舍，錢謙益云蓋自裁也。

王逢　梧溪詩集七卷字元吉，江陰人。至正中，獻《河清賦》，臺臣薦之，稱疾辭歸，避地上海，自號"最閒園丁"。洪武召之④，不出。子掖爲通事司令，以逢老叩頭，

---

① "二"、"一"，《千頃堂書目》卷二十九分别作"一"、"二"。

② "才"前，《千頃堂書目》卷十七有一"人"字。

③ "一"，《千頃堂書目》卷十七作"四"。

④ "洪"字前原衍一"丑"字，據《千頃堂書目》卷二十九删。

泣請乃免。

貢性之　南湖集二卷字友初,宣城人,號南湖先生。元季,爲閩省理官。明初,隱居山陰,更名悦。

華幼武　黄楊集三卷　續集一卷字彦清,無錫人,號栖碧老人。師陳方子貞,子貞題其集曰:"黄楊言其欲爲詩而奪於事,猶黄楊之厄閏也。"一作六卷。

謝應芳　龜巢集二十卷　又　龜巢摘稿四卷字子蘭,毘陵人。元辟山長不就。明初,隱芳茂山。

浦源　舍人集十卷字長源,無錫人。官晉府引禮舍人。

李琛　確軒文集　又　確軒吟稿字伯器,無錫人。與浦源善,號雲泉生。

葛天民　野樵逸響一卷江陰人。洪武中,以人材爲大理府同知。

馬治　海漁集六卷字孝常,宜興人。建昌府同知。

朱昇　九峰樵唱集字彦昇,無錫人。洪武中,舉明經,爲本縣訓導。

謝林　雪樵集　又　煮雪窩稿①謝應芳子,官新鄭教諭。

朱昶　雪江集字明通,靖江人。洪武中秦府長史。

儲可求　五松清響集宜興人,名才,以字行。洪武初,舉明經,累官禮部右侍郎。

邵亨貞　蛾術文集十六卷字復孺,嚴陵人。明初,爲松江訓導。

袁宗彦　菊莊集三卷字宗,以字行,松江人。洪武中,官長史,後謫戍滇南。

華希顔　東湖集一卷辟長洲訓導②,以老病辭職,隱居東湖。

董紀　西郊笑端集一卷字良史,上海人。洪武初,官江西按察司僉事。

張存　雪澗集字性中,丹陽人。洪武中江西安遠主簿③。

王震文集一卷　又　詩集二卷字震之,高郵州人。洪武中本州訓導。

張源湜　樵歌集字仲源,高郵州人。洪武中辰州知府。

陳擇善　漁隱集字從之,安東人。洪武中御史,能詩。

吴玉林　松蘿吟稿二十卷新安人,字伯岡。明初,辟爲參軍,未幾棄去。解大

---

① "稿",《千頃堂書目》卷十七作"集"。

② "長洲",《千頃堂書目》卷十七作"常州"。

③ "主"字原脱,據《千頃堂書目》卷十七補。

紳志其墓。

方幼學　𦊓山集十二卷字擇民①，績溪人。洪武中，舉人材，台州教授。

朱同　□集十卷②字大同，朱升子。舉明經，洪武十五年，官禮部侍郎。明年，坐事死。

姚璉　鳳池山房集字廷用，一字汝器，歙人。元太平路儒學教諭。明祖至徽，與唐仲實同召見。

范準　虀甕稿　又　西遊率稿　又　繆稿　又　塞白稿　又　何陋軒稿休寧人。師事朱升、趙汸、汪叡，嘗訂汸《春秋集傳》行世。洪武中，官工部主事。

葉宗茂　茂齋集名保翁，以字行，休寧人。洪武初饒州知府。

程彌壽　仁山遺稿字德堅，祁門人。明初，爲江西行樞密院都事。

烏斯道　春草齋集十卷字繼善，慈谿人。洪武初，知石龍、永新二縣，斯道學文於僧噩夢堂。

葉砥　坦齋集字履道，上虞人。洪武辛亥進士，永樂中，爲饒州知府。

陳汝言　秋水軒詩稿字惟允。與兄汝秩皆有才名，爲張士誠參謀，用事親信，入明，官濟南府經歷，坐事死。

陳秀民　寄情稿字庶子，温州人。元時知常熟州③，後仕張士誠，爲學士。

陳雷　竄庵集字公聲，秀民子。

貝翱　舒庵集十卷貝瓊子，官楚府紀善。

徐舫　瑶林集　又　滄江集桐廬人，字方舟，別號"滄江散人"。死而自題其墓曰"詩人徐方舟之墓"。

葉見泰　蘭莊集字彝仲，臨海人。洪武中刑部主事。

葉顒　樵雲獨唱集六卷金華人。洪武中，舉進士，官行人司副，集皆元時所作詩。

沈夢麟　花溪集三卷歸安人。元時以明經領鄉薦，累除武康縣令。入明，三校

---

① "擇"，《千頃堂書目》卷十七作"澤"。

② 空格處，《千頃堂書目》卷十七作"覆瓿"。

③ "常"，原誤作"嘗"，據《千頃堂書目》卷十七改。

文閩浙,两同考會試,屢以賢良薦不起。

桂衡　桂孟平文一卷　又　紫薇稿仁和人。洪武中錢塘縣訓導,谷府紀善。

胡奎　斗南詩集海寧人。洪武中,以人才薦,官教授。①

錢遜　謙齋集二十卷字謙伯,山陰人。洪武中,以薦官寧夏水利提舉司吏目,陞知縣,坐累謫交趾,起文昌縣主簿。

郭樌　暢軒稿□卷字德茂,台州人。官知縣。

許伯旅　介石稿字廷順,天台人。洪武中,爲刑科給事中。以詩名,號"許少杜"。

高明柔　克齋集二十卷永嘉人。即高則誠也,登至正乙酉鄉薦,累官福建行省都事。明初被召,以疾辭。

葉子奇　通靜齋集②字世傑,龍泉人。從學王毅叔剛。洪武初,官巴縣主簿。

李公紀　栖白齋集字仲脩,龍泉人。龍飛八年③,同葉子奇薦起,累官應天府治中。

劉璉　自怡集一卷字孟藻,劉基子。官江西參政。

劉璟　易齋稿十卷　又　無隱稿一卷

劉廌　盤谷集十卷字士端。襲祖基誠意伯爵,後坐事謫甘肅,太祖崩,放歸,永樂中卒。

宋禧　庸庵文集三十卷　又　庸庵詩集十卷字無逸,餘姚人。受學楊維楨,中元江浙副榜,爲繁昌教諭。洪武初,召修《元史》,再與桂彦良被徵,主考福建。初名元禧,後改今名。

俞慶　養□齋詩八卷④金華人。明初義烏訓導。

俞恂　尚志齋稿二十卷慶子,官本郡訓導。

林温　栗齋集永嘉人。初仕元,爲福建行省左司郎中。入明,官秦府長史。宋濂極稱其詩。

---

① "南"後、"官"後,《千頃堂書目》卷十七分别有"老人"、"宁府"諸字。

② "齋"後,《千頃堂書目》卷十七有一"詩"字。

③ "飛八",《千頃堂書目》卷十七作"鳳元"。

④ 空格處,《千頃堂書目》卷十七作"素"。

練魯　倥侗集八卷　又　外集四卷字希曾，松陽人。元鄉薦，國初徵之不出。

俞深　雜詩十卷字魯淵，桐廬人。明初建寧教授。

凌雲翰　柘軒集五卷[①]字彦翀，仁和人。後至元鄉薦，入明，官成都府學教授。

鄭淵　遂初齋稿十卷浦江義門鄭氏，有孝行，宋濂謚之"貞孝處士"。

鄭栢　進德齋稿字叔端，浦江人。蜀王賜號"清逸處士"。

林靜　愚齋集二十卷字子山，吴興人。宋濂弟子。

郭濬　郭太學遺稿字子淵，寧海人。洪武初，取入太學，名重一時。爲祭酒所譖，坐法死。

王琦　操縵稿寧海人。與郭濬皆以文名，林右稱其如月墮澄江，上下一色，净絶垢氛，清明之氣可掬。坐事，謫滇南。

童子倫　利故生集□卷蘭谿人，自名其堂曰"恒德"。吴履爲之記。

邢沂　雙崖集一卷字師魯，金華人。受經范祖幹，隱於虎崖、雀崖之間，故名其集曰"雙崖"。

李曄　草閣集七卷字東表，錢塘人。明初，官國子監助教。集爲門人唐仲進所編[②]。《南雍志》作臨安人。

李轅　筠谷集曄子。亦能詩，爲宜倫縣丞。

傅淳　視志稿字伯厚，慈谿人。洪武中徵士。

楊芾　百一稿□卷　又　無逸齋稿□卷　又　鶴崖集二十卷字仲章，一字質夫，義烏人。徙東陽，從黄溍、陳樵學，明初薦舉。

唐光祖　委順夫集永康人。隱居教授，爲文典實有法。

吕熒　雙泉文集字慎明，永康人。從宋濂遊，文有奇氣，以薦官刑部郎中。

韓循仁　南山集字進之，永康人。與宋濂、吴履交。

許孚　樗散雜言字存禮，許謙子。洪武初，薦起爲北平教授，坐誣累死。

金信　春草軒集字仲孚，金華人。與楊椎楨友善，工詩。

---

① "五"，《千頃堂書目》卷十七作"三"。

② "仲進"，《千頃堂書目》卷十七作"仲暹"。

王淵　蓮塘集字如淵,永嘉人。洪武初本學訓導。

楊大中　隨手録三十卷臨海人。元秘書省著作郎。洪武中,徵之,不起。

王桓　明白先生集字彦貞,慈谿人。洪武中,舉明經,盧氏縣丞。

樂良遺稿五十卷定海人。受學程端禮,洪武中,爲本縣教諭。

張冠　北山樵隱行吟集字士毅,桐廬人。洪武十四年,官蘇州知府。

劉明詩集四卷字峻明,龍泉人。國初,李文忠聘之,不起。

許汝霖　東岡集　又　禮庭遺稿字時用,嵊縣人。元國史院編修,明初,召至京,乞歸。宋濂有《送還家序》。

張翼　桂宇集字翔南,秀水人。領元鄉薦,明初,徵入禮局,書成,以老辭官。

陳世昌　希賢集[①]錢塘人。元至正初,由布衣入爲翰林修撰。洪武初,徵入修《禮》、《樂書》,授太常博士。

徐原强　學齋文集　又　崖峰集字均善,蘭谿人。洪武中,舉賢良,官翰林院待詔,兩主福建、江西鄉試。

蔣允汶　蒼崖文集字彬夫,永嘉人。元進士。洪武初薦,起爲温州府學訓導。

楊範　栖芸稿字九疇,鄞縣人。隱居不仕,楊守陳、守阯,其孫也。

朱希晦　雲松巢詩二卷[②]樂清人。明初,召至京師,不受官歸。

方行　東軒集□卷字時敏,方國珍子。江浙行中書省參知政事。宋濂爲集序。

鄭璧　完軒集二卷字伯規,仁和人。張宣爲作《孝子傳》。

項昕　竹齋小稿字彦章,號抱一翁,永嘉人。明初名醫。

李存　俟庵文集三十卷字仲公,安仁人。元季,以高蹈丘園舉,不起,洪武中卒。

劉養晦　雪樵集四卷萬安人。

劉永之　山陰集五卷字仲修,臨江人。洪武中,召修禮書,以疾歸。

甘復　甘克敬詩集餘干人。洪武二十三年,官國子監學正。成化中,同里趙琥刻其集。一名《山窗餘稿》。

---

① "賢",《千頃堂書目》卷十七作"言"。

② "詩",《千頃堂書目》卷十七作"集"。

龔斆　鷺湖集六卷鉛山人。洪武初，舉明經，官國子監助教。

吴勤　匡山樵者集　又　黄鶴山樵集　又　幽翁集　又　六義齋集字孟勤，永新人。洪武中武昌教授，永樂初，預修《太祖實録》，改開封教授。

聶鉉文集字器之，清江人。洪武辛亥進士，授廣宗縣丞，累官國子監助教。胡儼序其集。

朱弘祖　東皋耕叟詩八卷字彦昌，臨川人。明初都税大使。一作《東皋舒嘯集》九卷。

王沂　徵士集八卷　又　竹亭遺稿一卷字子輿，泰和人。福建鹽運副使。

王祐　長江萬里稿五卷字子啓。沂弟，四川崇慶知州。

曾子永　遼海詩畧一卷泰和人。洪武中禮部主事，坐事謫遼東。

徐素　澹湖集十卷字淡如，鄱陽人。爲文善叙事，詩有氣格，陶安稱爲儒者。

劉宗玉　清華集字潤芳，鄱陽人。陶安爲賦《積善堂歌》。

陳仲述　古文先生集五卷名繼先，以字行，江西泰和人。洪武乙丑進士，監察御史。一作《古陳先生喬梓集》九卷。

董彝　平橋詩文集字宗文，樂平人。元至正間，領鄉薦，明初國子監學録。自號"太平橋迂士"。

解開集四十卷字開先，吉水人，解縉父。元末，入胄監。明初，徵至京，命爲本邑司訓。

金固　雪崖集五卷字守正，新喻人，金幼孜父。官臨江府學訓導。

胡壽昌　胡延平詩四卷字子祺，吉水人，胡廣父。洪武初延平知府。

羅性　羅德安集一卷字子理，泰和人。洪武初，爲德安府同知，坐事謫戍西安。

蕭岐　正固先生集一卷字尚仁，泰和人。洪武中陝西平凉府學訓導。

雷貫　知非稿四卷

羅閏　陳庵詩集十卷①字存禮，瑞州人。爲蕭山税使，遷刑部司務。

周啓　咏萊稿字孟啓，貴溪人。洪武中後軍都督府經歷。

---

① "閏"後，《千頃堂書目》卷十七有一"玄"字。"陳"，《千頃堂書目》作"楝"。

周恒　樗隱集本開封人,徙臨江。洪武初,聘修《禮書》。

曾修[①]　**卧雪齋稿三卷**董彝序。

洪楫　協趣集二十卷

黎明愚　浦鳴稿十卷俱明初樂平人。

余應鳳　雲山樵唱集[②]字士韶,德興人。洪武十七年,以隱逸徵,官山東布政使司參議。

李衡　中山文集字元成,崇仁人。洪武初本府訓導。

章喆　擊壤餘音　又　江湖漁唱集字子愚,新喻人。梁寅弟子。

王時寶　天涯芳草集號守軒,江西樂安人。洪武中刑部主事,左遷東流教諭。一作名時保。

朱叔服　采芹集大學士朱善子。

吴從敬　康衢集貴溪人。洪武中秦府長史。

蔡深　散木齋稿字淵仲,樂平人。元徽州路學教授,饒州府太守,陶安薦其學行,辭不赴。

歐陽貞　餘學初集　又　龍江叢稿　又　東齋寓録　又　貧樂集字元嘉,分宜人。從揭奚斯學,工古文,洪武初以《易》魁江西省試,官考城主簿。

梁蘭畦　樂詩集一卷附録一卷[③]字廷芳,南昌人,一字不移。於楊士奇爲先輩。集爲歌詩律絶,凡二百五十四篇。

朱智　煮雪稿字存禮,鄱陽人。洪武中靖江王府紀善。

林鴻　鳴盛集四卷字子羽,福清人。官膳部員外郎,世稱林膳部。

陳亮　滄州集三卷字景明,長樂人。明初,累徵不起,作《讀陳摶傳詩》見志。

趙迪　鳴秋集六卷字景哲,閩縣人。閩中十子之一。

周元　宜秋集八卷字又元。

---

① "曾",《千頃堂書目》卷十七作"魯"。

② "集",《千頃堂書目》卷十七作"稿"。

③ "樂詩集",《千頃堂書目》卷十七作"樂先生集"。

唐泰　善鳴集十卷字亨仲，侯官人。洪武甲戌進士，陝西副使。

鄭定　澹齋集一卷字孟宣，閩縣人。陳有定辟爲記室①，洪武末，官國子監助教。以上皆閩中十才子。

林弼　林登州集六卷龍溪人。元進士。入明，爲考功司郎中，登州知府。

鄭闗　石室遺音六卷字公啓，一名迪。洪武中布衣。

陳仲進　南雅集四卷名伯康，以字行，長樂人。洪武中明經，江山知縣。

鄭旭　咏竹稿一卷字景初，閩縣人。洪武中南安訓導。

莊希俊　擊壤集福清人。薦辟官臨洮同知。

王堅　三山樵唱二卷字子正，長樂人。洪武三年，薦辟嘉興府同知。

林同　銅魚集字子野，閩縣人。洪武中訓導。

危德華　北溪觀海等集光澤人。善屬文，尤工詩。洪武十五年，知縣金川姚伯和序其詩而傳之。

邢奇　繩庵集字彦美，長溪人。明初爲河泊官。

沈得衛　東崖樵唱集字輔之，連城人。爲陳有定幕客②。入明，以薦官訓導。

俞日强　俞伯莊文集福州古田人，居太倉州。

林枝　古平集一卷字昌達，閩縣人，布衣，號"古平山人"。

孫蕡　西庵集九卷　又　孫典籍集句一卷　又　和陶集

黄哲　雪篷集六卷翰林院編脩。

王佐　聽雨軒集二卷

趙介　臨清集二卷字伯貞。

李質　樵雪集德慶州人。靖江王府右相。自孫蕡以下稱"廣州五先生"。

李德　易庵集字仲修，番禺人。洪武中廣西義寧教諭。

藍山詩集六卷　藍澗詩集六卷山名仁，字静之，澗名智，字明之，俱建寧人。智官廣西按察司僉事。

張昌齡詩集一卷字有年，建安人。從杜本、蔣易學詩。洪武中，官福建按察司

---

① "有定"，《千頃堂書目》卷十七作"友定"。

② "有定"，《千頃堂書目》卷十七作"友定"。

僉事。

蘇仲簡　敬所小稿四卷名境,以字行。洪武中訓導。

趙良士文集一卷字志道,甌寧人。洪武中國子監助教。《南雍志》作趙友仁。

胡宗華　草澗集六卷龍溪人。洪武中明經官訓導。

黎貞　秫坡集[①]新會人。從孫蕡學,隱居不仕,坐事謫遼東。

謝員　鳴窮集字友規,鄞縣人。洪武初,以户役充浙江憲司吏,稱疾求退,調臨洮府,謫戍興州衛。員,善爲文。

鄒奕　吴樵稿字弘道,吴人。元贛州守,明初,謫隴右。

徐蘭　自鳴稿一卷字與善,開化人。洪武中,舉京闈鄉試,拜郃陽令,坐事謫戍,後官國子監助教。

管訥　蚓竅集十卷　又　管長史紀行詩一卷　又　秋香百咏一卷字時敏,華亭人。洪武中,官楚府左長史。

陸闓　友蘭集十卷　又　續古樂章字伯陽,興化人。洪武中楚府伴讀。

陸中　蒲栖集二十卷字與權,興化人。少從楊維楨學,不干禄仕。

舒頔　華陽真素齋集七卷[②]字道原,績溪人。至元丁丑,辟貴池教官,轉台州學正。入明,聘之,不仕。

吕則耕　得月稿六卷新昌人,生而聾,自號"石鼓山聾者"。洪武初,被薦,以病辭。

王文靜　蠅聲集五卷宜興人。隱士。

逯昶　逯光古詩五卷　又　清華軒集　又　方外集字光古,脩武人。博通經史,隱居不仕。

劉醇　菊莊集四卷字文中,祥符人。洪武中周府右長史。

丁遜　學詩集一卷名敏,吴人。

韓奕　韓山人集一卷[③]字公望,吴人。與王賓同爲郡守姚善所禮。

---

① "秫",原誤作"林",據《千頃堂書目》卷十七、《四庫全書總目》卷一百七十五"秫坡詩稿"條改。

② "真",《千頃堂書目》卷十七作"貞"。

③ "山人"後,《千頃堂書目》卷十七有"蒙齋"二字。

丁鶴年　海巢集三卷本西域人，後家武昌。性至孝，永樂中始卒。楚憲王命長史管延枝刻其集。

歐陽謙　滄海集字伯貞，沔陽州人。洪武中，舉明經，官考功司郎中。

陳南賓　安老堂集□卷名光裕，以字行，茶陵州人。元進士。洪武二年，應聘至京，除無棣縣丞，後官蜀府長史。

岳仲明　貽安集固始人，岳飛七世孫。洪武七年，舉孝廉，不出，號“純學先生”。

吴仲昭文集十卷銅梁人。洪武中，以國子監生官浙江布政使。

潘若水　退庵集鄞縣人。明初翰林院待詔，以罪謫陝西，行太僕寺吏。

林大同　範軒文集九卷字逢吉，常熟人。洪武中，由明經授開封學訓導，病歸。永樂二年，被召，不出。

韓經　恒軒集七卷字本常，浙江山陰人。洪武初，屢以經明行修薦，皆以病辭，家居教授，日以吟詠爲樂。

詹俊　公餘小稿一卷字用章，當塗人。從學陶安。洪武初，以薦官磁州同知，遷汝寧府通判。

以上洪武

方孝孺　遜志齋集三十卷拾遺十卷黄孔昭、謝鐸同輯。**又　二十四卷附録外紀二卷**今行本。

卓敬　卓氏遺書五十卷門人黄朝光輯。

練子寧　金川玉屑集六卷

茅大芳　希董堂集五卷儲瓘輯編①。

程本立　巽隱集四卷

王艮　翰林集十卷吉水人，王充耘孫。

王叔英　静學集二卷②字原采，一作名元采，以字行。

① “瓘”，《千頃堂書目》卷十八作“巏”。

② “學”後，《千頃堂書目》卷十八有一“齋”字。

周是修　芻蕘集六卷　又　進思録□卷[①]名德,以字行,泰和人。洪武中,薦爲霍丘訓導,擢周府奉祀,建文改衡府紀善,預修纂翰林。靖難兵至,自經於應天府學。

鄭居貞　閩南關隴集五卷歙縣人,鄭潛子,潛官於閩,居貞遂爲閩人。建文中,官河南左參政,坐方黨死。

程通　貞白先生遺稿十卷字彦亨,績溪人。洪武庚午,以尚書舉應天鄉試,後官遼府長史。

梅殷　都尉集三卷

劉端　懷古詩集南昌人。永樂十一年大理寺右丞,與左寺丞王高同以縱奸惡外親,棄市。

任亨泰　任狀元遺稿二卷襄陽人。洪武戊辰狀元,官禮部尚書。

王紳　繼志齋文集三十卷一作二十卷。王禕子,官國子博士。

唐愚士　萍居集二十卷名之淳,以字行。唐肅子,官國子博士。

王稌　青巖類稿□卷[②]王紳子,受業方孝孺,收其遺骸。

俞貞木　立庵稿名楨,以字行,更字有立,吴人。官都昌令。建文時,勸太守姚善起兵,坐累死。

許繼觀　樂生詩集五卷字士修,寧海人,自號"觀樂生"。方希直稱其善爲詩,有魏晉人格。

林右　林公輔集□卷[③]臨海人。洪武間,爲中書舍人,與方孝孺、王叔英友善,奉璽書行邊歸,進春坊大學士,輔導皇太孫,後以事謫中都教授,掛冠歸。成祖兵入,聞方王死,爲位哭於家。永樂戊子,島倭亂,有司强右起視,共禦鄉里有功。成祖聞而召之,不赴,命武士械至京,對語不遜,劓其鼻死。

石允常　遇安軒集寧海人。河南僉事,謫常州同知,永樂初授御史,不受。過金陵痛哭,不食而死。

孫鎮　沖元稿字希武,合肥人。洪武中,舉明經行修,爲衛輝知府,以守城抗節。永樂初,謫戍山海。宣德初,御史薦授上饒丞,不就。

---

① "録",《千頃堂書目》卷十八作"集"。

② 空格處,《明史》卷九十九作"十"。

③ 空格處,《千頃堂書目》卷十八作"二"。

劉亨　竹軒集　又　寫心集　又　隨寓録字嘉會，廬陵人。洪武中，徵辟。建文初，言國子監祭酒師表天下，士班不宜在太僕下，采用之。永樂中，屢薦，不出，卒。

龔詡　野古集二卷

王賓　王仲光詩集二卷吴人。有高行。

張紞　鷃庵集一卷[①]字季昭，富平人。洪武中，舉通經，爲東宫侍書。建文中，召拜吏部尚書。

樓璉　居夷集五卷謫戍雲南洱海時作。

高遜志　嗇齋集二卷字士敏，蕭縣人。元末，居嘉興，爲鄮山書院山長。太祖二年，召修《元史》，爲翰林院編修。建文初，以太常寺少卿兼學士。

以上建文。

解縉　學士集三十卷　又　解春雨集十卷[②]　**又　似羅隱集二卷**

黄淮　省愆集二卷　又　介庵集　又　歸田稿

胡廣　胡文穆公集十九卷　又　晃庵扈從集[③]

楊榮　兩京類稿三十卷　又　玉堂遺稿十二卷　又　文敏公集二十五卷附録一卷曾孫楊亘、楊旦合前二稿重編。

楊士奇　東里集二十五卷　又　東里詩集三卷　又　東里續集六十六卷初名寓，以字行。

胡儼　頤庵集三十卷　又　吴國倫選頤庵文集十二卷

金幼孜　金文靖公集十卷外集一卷　又　北征集一卷

夏原吉　夏忠靖公集六卷一作三卷。

---

① “鷃”，《千頃堂書目》卷十八、《明史》卷九十九作“鸚”。

② “解春雨”，《千頃堂書目》卷十八作“春雨齋”。

③ “晃”，原誤作“冕”，據《千頃堂書目》卷十八、《四庫全書總目》卷一百二十二“胡文穆雜著”條所載改。

王鈍　野莊集六卷

鄭賜　聞一齋集四卷甌寧人。禮部尚書。

趙玒　傖父集三卷

茹瑺　忠誠伯詩集一卷

黄福　黄忠宣家集三十卷　又　集十八卷　又　後樂堂使交文集十七卷　又　後樂續集

鄒濟　頤庵集九卷餘杭人。永樂初,薦舉,官少詹事兼翰林侍讀學士,贈太子少保,謚"文敏"。

王達　天遊集十卷　又　天游别集二卷　又　天游雜稿十卷

陳全　蒙庵集八卷字果之,福州長樂人。永樂丙戌廷試第二人,侍講學士,署南京翰林院事。

曾棨　西墅集十卷　又　巢睫集五卷

林環　絅齋文集十卷　又　詩集三卷字崇璧,莆田人。永樂丙戌狀元,翰林院侍講。

馬鐸　梅岩集二卷字彦聲,長樂人。永樂壬辰進士,一甲第一人,官翰林院修撰。

林志　節齋集十五卷字尚默,閩縣人。永樂壬辰進士第一人,廷試第二人,歷官右諭德兼翰林院侍讀。

董璘　玉堂清餘集高郵州人。永樂戊辰進士第一人,選庶吉士,官修撰。

王汝玉　青城山人詩集八卷名璲,以字行,吴人。舉元鄉試。洪武末,薦授應天訓導,永樂中,官贊善,坐事死,仁宗立,贈太子賓客,謚"文靖"。

沈度　滇南稿洪武中,謫滇時作。　又　隨筆録　又　西清餘暇　又自樂稿字民則,華亭人。翰林院學士。

吴溥　古厓集一卷字德潤,臨川人。建文庚辰進士第一,授翰林院編修,與修《太祖實録》及《永樂大典》,副總裁,遷國子監司業。

張洪　歸田集二卷　又　攬轡集字宗海,常熟人。洪武中,以明經官行人,屢使外國,後爲翰林修撰。

王紱　王舍人友石詩集五卷一作六卷。字孟端,無錫人。官中書舍人。

梁潛　泊庵集十二卷字用之,江西泰和人。洪武丙子舉人,授蒼溪訓導,陞知縣，預脩《太祖實録》，擢翰林修撰，尋以本官兼右春坊贊善輔導仁宗於東宫，坐讒死。

梁本之　坦庵集八卷名混，以字行。潛弟官魯府紀善。

劉髦　石潭集五卷永新人。永樂戊子舉人，不仕。

劉子欽　横山集二卷吉水人。永樂甲申進士，選庶吉士，終新淦縣訓導。

宋子環　田心集二卷字文瑩，吉水人。洪武甲申進士，□王府長史。

張嗣祖　苦淡齋集字伯穎，吉水人。洪武甲子舉人，翰林院修撰。

鄒緝　素庵集十卷字仲熙，吉水人。永樂初，由國子監助教擢翰林院侍講，陞左庶子，與修《太祖實録》及《永樂大典》。

徐旭　玉堂集字孟昭，江西樂平人。國子監祭酒，左遷翰林院修撰。

王偁　虚舟集五卷福州永福人。洪武中舉人，官翰林院檢討，坐解縉事死獄。

王褒　養静齋集十卷字中美①，侯官人。洪武中舉人，翰林院修撰，爲《永樂大典》總裁，後改漢府紀善。

王恭　白雲樵唱集二卷　又　草澤狂歌五卷　又　鳳臺清嘯□卷字安中，閩縣人，自稱"皆山樵者"。永樂四年，以儒士薦起，脩《大典》，官翰林院典籍。

高棅　嘯臺集二十卷　又　木天清氣集十四卷自王偁以下爲閩中十才子之四。棅字彦耿，仕名廷禮，長樂人，别號"漫士"，以薦官翰林典籍。

陳登　石田集三卷字思孝，以善書爲中書舍人。

陳航　溪山集五卷字思濟，布衣，俱福州長樂人。

黄壽生　東里文集十卷莆田人。永樂辛卯進士，選庶吉士，預修《五經四書》、《性理大全》，官檢討卒。

黄約仲　静齋詩集四卷莆田人。永樂中，以楷書選，大臣薦其能詩，授翰林檢討。

楊慈文集五卷字則蕙②，莆田人。永樂戊子解元，辛卯成進士，選庶吉士。

蘇伯厚　履素集十卷③名垿，以字行，建安人。洪武中薦舉，永樂中，預修《太祖

---

① "中美"，《千頃堂書目》卷十七作"仲美"。

② "則蕙"，《千頃堂書目》卷十八作"惠叔"。

③ "素"後，《千頃堂書目》卷十八有一"齋"字。

實録》,官檢討。

陳仲完　簡齋集四卷名完,以字行,福州長樂人。以王褒薦,官左春坊左贊善兼翰林院編修。

劉本　雲泉集五卷字惟源,慈谿人。永樂丙戌進士,翰林院編修。

余鼎　南坡文集星子人。永樂甲申進士,翰林院修撰,預修《太祖實録》及《聖學心法》。

董轟　待詔集三卷字文雷,奉化人,徙家徐州。博通經史,詞翰俱美,以大學士權謹薦,爲承天門待詔。

鄭棠　道山集二十卷字叔美。浦江義門也,受業宋濂。永樂初,預修《大典》,後選侍仁宗於東宫,授檢討,告歸卒。

劉均　拙庵集八卷字宗平,吉水人。舉人,爲大寧都司教授,預修《太祖實録》,改翰林待詔,陞檢討,爲《永樂大典》副總裁,坐罪謫,再薦爲天長教官卒。

趙友同　存齋集一卷字彦如,金華人。洪武間,辟爲華亭校官。永樂時,姚廣孝薦其善經方,召爲太醫院御醫,預脩《五經》、《四書大全》,後從夏原吉治水吴中。

梁敏　雲萍集字以訥,高安人。洪武壬子舉人,永樂初,官春坊贊善,以忤旨謫枝江訓導。

虞謙　玉雪齋詩集二卷字伯益,金壇人。洪武中,由太學生擢刑部山東司郎中,歷官大理寺卿。

朱逢吉　朱以貞集四卷嘉興人。洪武初,應詔陳用賢五事,授寧津知縣,後官大理寺丞,按逢吉爲《徐達左傳》,署銜大理卿而列卿表皆不録,未知孰是。

徐永達文集二十卷　又　詩集十卷字志道,歸德人。洪武丙子舉人,永樂十年,任南京鴻臚寺卿,出爲湖廣山西按察使。

王洪　毅齋集八卷字希範,錢塘人。禮部主事。

蕭儀　襪線集二十卷字德容,江西樂安人。永樂中,由進士官吏部主事,三殿災,應詔陳言被殺。儀嘗爲《石中美傳》,楊士奇謂可比韓愈《毛穎傳》。

尹昌隆集八卷[①]字彦瑾,泰和人。洪武丁丑進士,永樂初,官春坊中允,改禮部主事,爲尚書吕震所誣死。

---

① "隆"字後,《千頃堂書目》卷十七有兩個空格。

黄裳　黄郎中集十卷字迪吉，番禺人。洪武癸酉舉人，刑部郎中。

張得中　江村吟稿　又　思牧齋集鄞縣人。永樂初，擢進士第，授刑部主事，改江寧知縣，以廉能稱，嘗預修《永樂大典》。

陳鏞　桂林稿四卷[①]字叔振，錢塘人。永樂乙未進士，禮部主事，死交趾事。

蘇鑑　金臺寓稿字良金，建寧人，蘇伯厚子。永樂中，舉明經，官吏部郎中。

袁珙　柳莊集一卷

袁珪　清白先生詩集一卷字廷珪，廷玉弟。永樂初，官禮科給事中。

袁忠徹　符臺外集五卷　又　鳳池吟稿　又　拙休稿

蔣用文　静學齋集名武生，以字行，儀真人。以醫事仁宗，官太醫院使，謚"恭靖"。

高得暘　節庵集[②]字孟升，錢塘人。宗人府經歷，預修《永樂大典》，後坐解縉事，下獄死。

張顯　惷叟稿字緝熙，奉新人，國子監丞。北都建，移北國學，能盡厥職，卒於官，两京人士皆灑泣。

羅師程　寫心集　又　歸田集名恢，以字行，永豐人。國子監博士。

周靜　滇南集安福周霆震子。明初寶鈔提舉，坐事謫畢節衛，薦起官行人，使榜葛剌國，被羈，久乃歸，人比之蘇子卿。

侯復　觀光詩集十卷字祖常，進賢人。永樂中，官國子助教。

錢蒙　緑苔軒詩六卷字子正，無錫人。

錢子義　種菊庵詩四卷子正弟，漢府長史。

錢仲益　錦樹齋詩六卷名允昇，以字行，蒙從子。洪武中，爲太常博士，後官長史，預修《太祖實録》。

孫子良　螺城集四卷錢塘人。永樂甲申進士，武選郎中，出爲交趾參議。

陸顒　頤光集二十卷字伯瞻，揚州興化人。洪武中，舉明經，官户部員外郎，與修《太祖實録》，奉使朝鮮得專對之體，爲時所稱。

---

① "稿"，《千頃堂書目》卷十八作"集"。

② "集"後，《千頃堂書目》卷十八有"三卷"二字。

鄧林　退庵集字士齊,新會人。洪武丙子舉人,廣西貴縣教諭,遷吏部主事。宣德初,以事忤旨,謫居杭州。

鄭珞　訥庵集四卷字希玉。庶吉士,寧波知府。

鄭瑛　玹齋集一卷珞兄,俱侯官人。永樂乙未同榜進士,教諭。

任勉　薇庵集華亭人。洪武甲戌進士,福建右參政。

王源　偉庵集龍巖人。永樂甲申進士,潮州知府,有惠政,潮人比之韓愈。

姚肇　蒙庵詩集富陽人。洪武中,舉孝廉,福建布政使。

武信　節齋詩二卷滁州人。洪武甲戌進士,交趾順化知府。

林士敏　芹邊稿四卷　又　匡廬小稿名懋,以字行,莆田人。洪武中鄉貢,淮安知府。

高暐　復庵集字汝晦,浙江臨安人。永樂甲申進士,四川按察司僉事。

瞿祐[①]　**宗吉集四卷　又　存齋樂全集三卷　又　香臺集三卷　又　香臺百咏一卷　又　存齋咏物詩一卷**錢塘人。洪武中,官訓導,歷周府長史。

趙文慎　獨齋稿一卷[②]字宗文,長洲人。永樂中鄱陽知縣。

葉銘臻　厚澤堂稿一卷[③]慈谿人。永樂甲申進士,韓府伴讀。

胡粹中　興復齋稿名由,以字行,山陰人。楚府右長史。

毛肇宗　耶溪集二十卷山陰人。永樂甲申進士,周王府教授。

賴添貴詩一卷字景望,清流人。永樂乙酉舉人,鄭府長史。

曾真保　樵溪漁叟集一卷字文鼎,邵武人。永樂辛丑進士,浮梁知縣,奏最加秩六品。

葉生　明德集二十五卷字則存,慈谿人。永樂甲申進士,蜀府伴讀,預脩《四書五經大全》。

徐曦　大方笑集十卷字叔睿,開化人。永樂初,預脩《大典》,爲楚府伴讀。

---

① “祐”,《千頃堂書目》卷十八作“佑”。

② “稿”,《千頃堂書目》卷十八作“集”。

③ “稿一”,《千頃堂書目》卷十八作“詩集二”。

劉璹　虚庵集十卷字伯玉，當塗人。永樂甲申進士，魯府教授，改官閩縣丞，人稱“哦松先生”。

龔澐　泮宫稿一卷永樂間臨江訓導。

廖謹　澹交集字慎初，南海人。南安府學教授。

鄭閻①　**抑齋集一卷**字公望，閩縣人。永樂壬辰進士，廣信府學教授。

陳道曾　吴下集　又　筠陽稿　又　濡須稿字端誠，晉江人。永樂戊戌進士，無爲州學正。

李卓　效顰集永豐人。永樂辛丑進士，長沙府學教授。《貢舉考》作黄卓。

郭廑　鏡湖清唱四卷字敬夫，閩縣人。永樂中布衣。

鄧定　耕隱集二卷字子静，閩縣人。永樂中，薦辟不仕。

王肇　蒙齋集六卷字開若。永樂中，薦辟不仕，王褒子。

蘇鉦　竹坡吟稿二十卷字良聲，建安人。永樂中高士。

楊讓　澹庵集二十卷楊榮子。

雷境　閒居叢稿字彦遇，建安人。永樂中，以孝薦，固辭，學者稱“慎齋先生”。

徐驥　皇華詩一卷字尚德，浦城人。永樂中太學生。

童叙　文房選粹十卷字景和，甌寧人。永樂四年，舉孝廉，以親老辭。

李揆　盤州集一卷②字伯葵，廬陵人。李昌祺父，工爲詩，人稱“李五言”。

謝貞　鶴鳴集一卷字仕復，安福人。隱居不仕，善爲五言詩，有高岑風，集稱青山謝貞。

朱韞珉　海上詩稿一卷鄱陽人。從鄭和使西洋，録所見作。

丁晉　樵雲集崑山人。洪武中，謫戍莊浪，永樂選爲肅府校尉。

祖儁　丹淵詩集二卷字其遠，當塗人。永樂中，預修《大典》。

羅泰　覺非集五卷字宗讓，閩縣人，别號“覺非道人”。布衣，宣德初，聘典應天京闈，辭不就。集爲徐𤊹所輯。

---

① “閻”，原誤作“閻”，據《千頃堂書目》卷十八、《四庫全書》本《明詩綜》（以下簡稱《明詩綜》）卷二十一“鄭閻”條改。

② “州”，《千頃堂書目》卷十八作“洲”。

周鳴　退齋稿六十卷字岐鳳,吉水人。官漢府紀善,每諫以當守藩臣禮,庶人,怒選於朝,仁宗察其誣,但謫長洲諭,後官兵部員外郎,子叙翰林院學士。

以上永樂

楊溥　楊文定公集十二卷　詩集四卷

陳山詩稿

胡濙　芝軒集

向寶[①]　**疏庵日稿**字克忠,進賢人。洪武乙丑進士,都察院右都御史兼詹事府詹事。

熊槩　芝山集四十卷　又　公餘集三十卷

章敞　質庵稿一卷字尚文,會稽人。永樂甲申進士,禮部左侍郎。

李衡　淡軒集當塗人。永樂甲申進士,南京兵部左侍郎。

俞士吉　樸庵自怡稿象山人。洪武丙子舉人,南京刑部右侍郎。

吴訥　思庵集十一卷　又　思庵續集十卷　又　思庵詩集八卷　又　思庵文粹□卷[②]

羅汝敬　寅庵先生集三卷名肅,以字行,吉水人。永樂甲申進士,工部侍郎。

周述　周孟簡　周氏兄弟集二卷述字崇述。永樂甲申,與弟孟簡同及第,成祖親閱其卷,獎賞極至,同授翰林院編修,預修《永樂大典》,述累官左庶子。孟簡累官襄府長史。**又　周孟簡翰林集一卷　又　西垣詩集一卷**

陳繼　怡庵集二十卷字嗣初,吴人。以楊士奇薦,授國子博士,改五經博士,直弘文閣備顧問,預修《實録》,遷檢討致仕。

賴世隆　玉堂稿選二卷字德受,清流人。宣德庚戌進士,官編修。

姜弘[③]　**松岡集十一卷**字啓洪,江西樂安人。宣德癸丑進士,翰林院修撰,預修

---

① "向",原誤作"何",據《千頃堂書目》卷十八、《四庫全書》本《明名臣琬琰録》卷二十"都御史向公神道碑銘"改。

② "□卷",《千頃堂書目》卷十八作"四册"。

③ "弘",《千頃堂書目》卷十九作"洪"。

《宣宗實録》。

李齡　宫詹遺稿六卷字景熙，潮陽人。宣德己酉舉人，詹事府丞。

潘文奎　愚莊集一卷字景明，永嘉人。宣德初，官春坊司直郎，預修太宗、仁宗《實録》，後官福建參議。

胡溉　燕岡集一卷吉水人。永樂乙未進士，宣德時，官中書舍人。

楊復　土苴集五十卷字遂初，長興人。永樂丙戌進士，南京大理寺少卿。

潘賜　容庵集字天錫，浦城人。永樂甲申進士，鴻臚寺少卿。

孔諤　舞雩春詠集二卷曲阜聖後。

黄澤　旂峰詩集十四卷字敷仲，閩縣人。永樂壬辰進士，浙江布政使。

陳輝　琴邊清唱十卷字伯煒，閩縣人。永樂乙未進士，廣東按察使司。

孫貞　竹齋文集字宗正，豐城人。洪武癸酉舉人，國子監博士。

戴冔　西澗集一卷字士儀，浮梁人。洪武癸酉舉人，嘉興府學教授。

王愷　雲谷集字時舉，蒲圻人。永樂甲申進士，廣東布政司參議。

林實　朴齋集一卷字仲美，福州長樂人。永樂辛卯進士，廣東按察司僉事。

梁萼　真趣軒集二十卷字紹理，臨川人。衡州府學教授，預修太宗、仁宗《實録》。

高旭　榕軒集二卷字伊旭，侯官人。宣德癸丑進士，江西按察司僉事。

賀確　友菊詩集八卷字存誠，上元人。隱居不仕，周叙薦修宋遼金三史，辭不就。

劉績　嵩陽稿[①]　**又　穿雲集**字孟熙，山陰人。隱士，别號西江。

羅紘　蘭坡集十二卷　又　會稽百咏一卷字孟維，山陰人。

王珙　竹居集一卷字廷珪，常熟人。

高均　武夷百咏一卷高旭子，一作《木軒稿》。

徐遠　居學齋集六卷字文穆，錢塘人。居應天，隱士。

胡鎮　涵素詩集三卷字大寧。亦錢塘隱士。

---

① “稿”，《千頃堂書目》卷十八作“集”。

沈璵　崑岡文稿字吾温,太倉州人。洪武中,謫戍滇南,宣德初,始歸,教授鄉里,學有原委。

楊賁　春庵集字彦華,滁州人。中書省右司郎中楊元杲子,官楚府紀善。

王旭　鳴樵詩集字士熙,蒲州人。性孝友,洪武間,代叔戍陝右,與曹端友善。

丁嵩　橫峰樵唱永昌人。洪熙初,舉懷才抱德不就,宣德間,應詔言六事徵,至道病卒。

王亶　篤齋集一卷字彦誠,侯官人。王肇子,宣德中布衣。

程式　蘭省遺音二卷常熟人。宣德癸丑進士。

黎久　未齋稿十六卷　又　明鐃歌鼓吹曲一卷字之大,臨川人。宣德中,應薦試優等,爲高要知縣,以直諫下獄者十年。作《鐃歌太平頌》以獻,宣宗欲官以侍從,不果,後爲泌陽知縣。

蕭韶　蕭鳳儀文一卷常熟人。生宣德間,有俊才。

壺敏　竹松集□卷　又　吴楚資糧四卷字仲行①,宣德間人。善繪事。

鄭亮　蒙齋集一卷字汝明,閩縣人。宣德癸丑進士,工部主事。

以上洪熙、宣德

馬愉　淡軒文集八卷②

陳循　芳洲集十卷　又　續集六卷　又　詩集四卷　又　東行百咏八卷

高穀　文義公集十卷

張益　文僖公集五卷

黄宗載　損齋文集豐城人。洪武丁丑進士,南京吏部尚書。

王直　抑庵集四十二卷一作六十二卷。

王英　泉坡文集六卷　又　詩集五卷

錢習禮　錢文肅集十四卷　又　應制集一卷　又　詞垣續

---

①　"仲",《千頃堂書目》卷十九作"中"。

②　"八",《千頃堂書目》卷十九作"七"。

稿 又 歸田稿

陳鎰 陳僖敏集六卷

魏驥 魏文靖公摘稿十卷

王淪 退翁集六卷王鈍子，南京户部右侍郎。一作《退庵集》。

陳璉 琴軒稿三十卷

金問 青楊集 又 桂芳集[1] 又 恥庵集吴縣人。永樂中，以楷書薦。正統中，官南京禮部右侍郎，攝部事。

魯穆 竹素稿 又 游思稿

蔡錫 鄮山稿鄞縣人。永樂癸卯舉人，巡撫湖廣，大理寺卿。

李奎 九川集六卷弋陽人。永樂辛卯舉人，大理寺右少卿。一本二十卷。

曾鶴齡 松䕶集三卷江西太和人。永樂辛丑進士第一人，翰林院侍講學士，攝南院事。

黎恬 觀過稿 又 徵士集 又 斐然稿清江人。永樂壬辰進士，右春坊右諭德，預修《宣宗實録》。

龔錡 蒙齋集十卷建安人，字台鼎。宣德庚戌廷試一甲第二人，授編修，坐累去官。正統初，鄧茂七亂，錡應募爲大軍鄉導，被賊害。

陳叔剛 絅齋集十卷名根，以字行，閩縣人。永樂辛丑進士，以監察御史預修永樂、洪熙《實録》，改翰林院修撰，後纂修《宣宗實録》，陞侍讀，遭父喪卒。

陳叔紹 毅齋集一卷名振，以字行，叔剛弟。正統乙丑進士，選監察御史，出爲湖廣按察副使。

王鑑 翰林集一卷字欽止，吉水人。正統丙辰進士，選庶吉士。

周旋 畏庵文集十卷[2]永嘉人。正統丙辰廷試第一人，官右春坊左庶子兼翰林院侍講。

劉球 两谿集二十四卷

周忱 雙崖集八卷

---

① “芳”，《千頃堂書目》卷十九作“坊”。

② “文”字，《千頃堂書目》卷十九無。

張楷　和唐音二十八卷　又　和李杜詩十二卷　又　陝西紀行集

羅亨信　覺非集十二卷字用實,東莞人。永樂甲申進士,巡撫宣府,副都御史。

陳贄　蒙軒集三卷　又　和唐音三卷　又　和陶詩□卷　又　西湖百咏詩字惟成,餘姚人。由薦舉官翰林院待詔,歷太常寺少卿。

李時勉　古廉文集十一卷　又　詩集一卷

陳敬宗　澹然文集　又　澹然詩集□卷

邢旭　退省集字景陽,邢沂子。永樂甲申進士,正統初四川布政使。

柯暹　東岡集十二卷池州建德人。永樂乙酉舉人,預修《大典》,授刑科給事中,疏時政,被謫,後官雲南按察使司。

方勉　怡庵集十五卷字懋德,歙縣人。永樂乙未進士,選庶吉士,歷官湖廣右參議。

李昌祺　容膝軒草　又　運甓漫稿[①]名楨,以字行,李揆子。河南左布政使。

丘陵　芸庵集三十卷字志高,蘭陽人。宣德己酉鄉試第一人,初官平鄉知縣,歷陝西右布政使。

林文秸　梅湖集二卷懷安人。與弟文秩同舉永樂乙未進士,官岳州府通判。

彭琉　息軒集安福人。永樂戊戌進士,雲南左布政使。

應履平　東軒集奉化人。建文庚戌進士,雲南左布政使。

陳璲　逸庵集字廷嘉,臨海人。永樂己丑進士第一人,江西提學僉事。

陳員韜　勿齋稿一卷臨海人,陳選父。宣德庚戌進士,歷福建右布政使。

左瑆　訥庵集字世瑄,南城人。永樂戊戌進士,山東參議。

花潤生　介軒集字蘊玉,邵武人。永樂甲申進士,浙江按察司僉事。

沈慶　拙庵集字汝會,餘杭人。宣德中舉人,湖廣僉事,有平寇功。

王訓　寓庵文集三十卷貴州衛人。宣德己卯舉人,本衛教官。

---

① "漫"字原脱,據《千頃堂書目》卷十九、《四庫全書總目》卷一百七十補。

金實　覺非齋文集二十八卷字用誠，開化人。永樂初，詣闕上書稱旨，命入翰林預脩《太祖實録》，授典籍，又預修《大典》，授春坊司直郎，改授衛王府長史。

聶大年　東軒集四十卷一作四卷。大年字壽卿，臨川人。薦舉爲仁和訓導，遷教諭，景泰六年卒。

沐昂　素軒集十二卷黔寧王第三子，鎮守雲南總兵，官左都督，贈定邊伯，謚“武襄”。

沐僖　□□集二卷昂子，南京錦衣衛千户，贈都督同知。

沐璘　繼軒集四卷字廷璋，僖子。鎮守雲南總兵，官都督同知，贈右都督。①

王清　建櫜集二卷字一寧，合肥人。臨清衛指揮，爲廣東都指揮使，死黄蕭養之難。

陳愷　恒拙稿字元之，武進人。正統乙丑進士，户部郎中。

鮑寧　謐齋集十卷字廷謐，歙人。正統初薦舉，不就。

秦樸　抱拙集六卷無錫人，秦金曾祖父。布衣。

謝復　西山類稿六卷字一陽，祁門人。

謝晉　蘭亭集一卷字孔昭，吴縣人，號葵丘。

沈以潛　潛齋集吴人。宣德初，徵入爲醫士，以蔣用文薦，授御醫。

張宥　夢庵集字繼孟，吴人。張芸己子，從宋濂學。

陶元素　松雲集字希文，上元人。正統丙辰進士，以親老乞終養，遂不復仕。天順己卯、成化辛卯，两主浙江、河南鄉試。

李澄　竹軒手稿字文淵，句容人。鉅野縣學訓導。

蹇英　草堂集　又　寓懷稿字伯榮，巴縣人，蹇義子。以父任，官太常寺少卿。

陳勉　秋林集一卷字進之，無錫人。以貢入太學，受知祭酒李時勉，後官工部員外郎。

劉泰　菊莊晚香集　又　雪餘倡和集字士亨②，錢塘人。隱士。

---

① “四”、“璋”，《千頃堂書目》卷十九分别作“三”、“章”。

② “亨”，《千頃堂書目》卷十九作“亨”，當據改。

張倬　毅齋集二十卷　又　筆録十卷字士昭,山陰人。正統中舉人,崑山訓導。

葉瑗　薰風吟五卷字仲美,慶元人。隱居薰山。

徐履誠　城南集二卷龍游人。正統間,累辟明經,不就。

王阜詩集一卷字公大,福州長樂人。正統丁卯舉人,河源教諭。

鄭鯨　雲遨摘稿八卷字騰海,歙人。集爲程敏政選定。

周鼎　土苴集八卷[①]　**又　土苴詩集二卷**字伯器,嘉興人[②],一名鑄,字九鼎。有文名,從金濂平鄧茂七有功,授沐陽縣典史。

黎擴　善鳴稿字大量,臨川人。正統初,舉賢良,爲蘇州府學教授。

馮善　戒軒集

王佐　雞肋集字汝學,瓊州臨高人。正統丁卯舉人,臨江同知。

方冕　志雲詩集字元服,錢塘人。正統中翰林侍讀學士,周叙薦之朝,不報,後爲平江伯陳□客[③]。

以上正統

彭時　彭文憲公集四卷一作八卷。

商輅　商文毅公集三十二卷　又　集十一卷

江淵　觀光錦榮鳴玉全生休休子等集

王一寧　王文通集八卷[④]　**又　節齋文集三十六卷**名康,以字行。

蕭鎡　尚約集二十卷　又　詩集十卷

于謙　節闇集八卷

何文淵　東園遺稿四卷

曹義　默庵集二卷句容人。永樂乙未進士,南京吏部尚書。

---

① "土苴集"前,《千頃堂書目》卷十九有"桐村疑舫齋"五字。

② "嘉興",《千頃堂書目》作"嘉善"。

③ 空格處,《千頃堂書目》卷十九作"氏"。

④ "八",《千頃堂書目上》卷十八作"二十"。

徐琦　徐尚書文集六卷錢塘人。永樂乙未進士，南京兵部尚書。

孫元貞[①]　**歲寒集二卷**德興人。永樂乙未進士，巡撫浙江，都御史兼兵部尚書。

張純　紀遇集十二卷江陵人。永樂辛丑進士，南京兵部尚書。

楊寧　白雲稿　又　臥雲稿錢塘人。宣德庚戌進士，南京刑部尚書。

習嘉言　使西稿　又　尋樂集名經，以字行，新喻人。永樂戊戌進士，詹事府詹事兼太常寺少卿。

周叙　石溪集八卷　又　石溪類集十一卷字伯叙，吉水人。永樂戊戌進士，翰林院侍講學士，攝院事。

俞山　梅莊集字積之，秀水人。永樂癸卯舉人，太子少傅，吏部左侍郎。

楊翥　晞顔先生詩一卷吴縣人。正統初，薦舉郕王長史，十四年，擢兵部右侍郎，不治事，後加禮部尚書。

宋琰　學言稿十五卷[②]字廷崇，奉化人。永樂乙未進士，南京兵部右侍郎，預修《宣宗實録》。

劉清　樗庵集字廉夫，滁州人。正統戊辰進士，刑部右侍郎，謫四川右參議。

王來　抑齋集字元之，慈谿人。宣德丙午舉人，南京工部尚書兼大理寺卿。

洪英　澹成集字實夫，懷安人。永樂乙未會試第一人，巡撫浙江，右都御史。

王暹　慎庵集四十卷紹興山陰人。永樂戊戌進士，巡撫河南，都御史。

王詢　誠齋集公安人。宣德庚戌進士，國子監祭酒。

賈恪　林居集一卷字惟恭，通許人。正統己未進士，官御史，歷山東右參議，自號“林居子”。

黄潤玉　南山稿字孟清，鄞縣人。永樂時舉人，歷湖廣按察使。

趙謐　貞齋集一卷字子安，涇陽人。正統甲子陝西解元，景泰辛未進士，江西右參議。

段堅　容思集字可久，蘭州人。景泰甲戌進士，南陽知府。

章瑄　竹莊集四十卷字用暉，會稽人。景泰甲戌進士，遼東行太僕寺少卿。

---

① “元”，《千頃堂書目》卷十八作“原”。

② “學言稿”，《千頃堂書目》卷十八作“拙庵學言集”。

吴宣　野庵先生集十六卷字師尼，崇仁人。景泰癸酉舉人，順慶知府。

王佐　梅軒集一卷字彦弼，王褒從孫。景泰辛未進士，廣東參政。

陸杲　螢窗集　又　秋臺集　又　閩海集　又　雲泉集字孟昭，常熟人。景泰辛未進士，福建參議。

朱諲[①]　**紀行集一卷**字元肅，會稽人。景泰中舉人，官國子監學録，嘗與福建、雲南試事。

蔣主孝　務本集　又　樵林摘稿一卷

蔣主忠　慎齋集七卷與兄主孝皆在景泰十才子之列。

沈愚　篔籟集二十卷　又　吴歈集五卷[②]字通理，崑山人。以詩名吴下。

湯公讓　東谷遺稿十三卷公讓所著有《五雲清唱》、《風雅遺音》、《蛙池鼓吹》、《六體香奩》，諸集皆佚。

劉溥　草窗集二卷字原博。世以醫名，宣德初，授惠民局副使，調太醫院吏目。與晏鐸、蘇平、湯公讓、王淮、沈愚、鄒亮等稱十才子。

晏鐸　青雲集字振之，富順人。永樂戊戌進士，官監察御史。

蘇平　雪溪漁唱六卷　又　雪壑集[③]字秉衡，海寧人。永樂中，舉賢良方正，與其弟正俱在景泰十才子之列。

鄒亮　潄芳等集二十卷[④]字克明，長洲人。正統初，用郡守况鍾薦，授吏部司務，擢監察御史。

王淮　大媿集字栢源，慈谿人，亦十才子之一，又有駙馬都尉永春侯王寧子貞慶亦在其列，集未見。

錢曄　避庵詩集四卷字允暉，常熟人。錢甦孫，入貲爲浙江都司經歷。

賀甫　感樓集一卷字美之，吴人。集楊循吉所選定。正統間，詔有司舉士，無錫以甫名，上以非本邑，罷歸。

---

① “諲”，《千頃堂書目》卷十九作“禋”。

② “歈”，《千頃堂書目》卷十九作“歈”。

③ “雪壑”前，《千頃堂書目》卷十九有“蘇正”二字。

④ “潄芳”前，《千頃堂書目上》卷十九有“鳴珂”二字。

鄭文康　平橋集十八卷字時乂，崑山人。正統戊辰進士，觀政大理寺，移疾歸，遂不仕。

桑琳　鶴溪集二十卷字廷貴，太倉人。桑悦父。

陳頎　適楚録　又　游梁録字永之，長洲人。景泰間，授武陽訓導。

錢洪　竹深堂詩集四卷常熟人。與景泰十才子同時。

劉英　賓山詩集六卷　又　蕉雪稿□卷　又　竹東小稿□卷　又　湖山咏録□卷字邦彦，仁和人。景泰天順中，舉明經，不起，以詩名。

以上景泰

徐有貞　武功集八卷

許彬　東魯先生集十卷　又詩集□卷

薛瑄　敬軒集四十卷　又　河汾詩集八卷

李賢　古穰集三十卷　又　古穰續集二十卷

吕原　介軒集十二卷①

岳正　類博稿十卷

陳文　褧齋稿一卷　又　需軒遺稿一卷②

沈固　耐翁稿丹陽人。永樂乙酉舉人，户部尚書。

劉廣衡　雲庵集三十卷萬安人。永樂甲辰進士，□部尚書。

耿九疇　西秦彙稿平定州人。永樂甲辰進士，南京刑部尚書，謚清惠。

劉鉉　劉文恭公詩集六卷長洲人。永樂庚子舉人，少詹事兼翰林院侍讀，贈禮部侍郎，謚文恭。

劉儼　文介集三十二卷吉水人。正統壬戌狀元，太常寺少卿兼侍講學士③，攝院事，贈禮部侍郎，謚文介。

---

① "軒"，《千頃堂書目》卷十九作"庵"。

② "遺"，《千頃堂書目》卷十九作"逸"。

③ "侍講"，《千頃堂書目》卷十九作"侍讀"。

林文　澹軒稿十二卷字恒簡,莆田人。宣德庚戌進士,廷對第三人,官太常寺少卿兼翰林院侍讀學士,卒贈禮部侍郎,謚"襄敏"。

黃諫　蘭坡集一卷　又　使南稿蘭州人。正統壬戌一甲第三人,翰林院侍講學士,謫廣州通判。

吴與弼　康齋文集十二卷

黃士儁詩文二十卷①富順人。正統壬戌進士,刑部右侍郎。

陳泰　拙庵集二十五卷光澤人。永樂癸卯舉人,總督漕運,右副都御史。

王宇　厚齋集三卷祥符人。正統己未進士,大理寺卿。

趙昂　貽安集　又　叢桂集　又　竹溪小稿字伯顒,永清左衛人。正統乙丑進士,通政司右參議。

金潤　静虚稿　又　静虚外稿　又　南山十秀集字伯玉,上元人。正統戊午舉人,南安知府。

張和　篠庵集十卷

張穆　勿齋集二十卷

劉昌　五臺集二十二卷字欽謨,吴人。正統乙丑進士,廣東左參政。胥臺、鳳臺、金臺、嵩臺、越臺等稿。

劉珏　完庵集字廷美,長洲人。正統戊午舉人,山西按察司僉事。

杜庠　楚游稿②　**江浙歌風集**字公序,長洲人。景泰甲戌進士,攸縣知縣。

成始終　澹軒紀行集七卷字敬之,無錫人。正統己未進士,湖廣按察司僉事。

卞榮　蘭堂集七卷字華伯,江陰人。正統乙丑進士,户部郎中。

孫瓊　鹿城遺稿崑山人。正統戊辰進士,刑部郎中。

沈彬　蘭軒集十卷字原質,武康人。正統壬戌進士,刑部郎中。

楊述　蘭谷集二卷桐鄉人。遼府右長史。

左贊　桂坡文集三十卷　又　桂坡遇録一卷　又　梅花百咏一卷字時翊,南城人。天順丁丑進士,廣東右布政使。

---

①　"士",《千頃堂書目》卷十九作"仕"。

②　"稿"字原脱,據《千頃堂書目》卷十九補。

饒秉鑑　雯峰集字憲章，廣昌人。正統甲子舉人，廉州知州。

涂謙　觀風稿　又　朝天稿字恒謙，豐城人。正統乙丑進士，貴州按察使。

孟玘　山房類稿四卷字廷振，閩縣人。正統己未進士，廬州知府。

陳維裕　友竹集四卷字饒初，福州長樂人。天順庚辰進士，官御史。

張濬　孝友堂遺稿一卷字哲之，閩縣人。天順己卯舉人，饒平令。

蕭儼　竹軒稿二十卷字畏之，内江人。正統壬戌進士，貴州左布政使。

尹淳　陶冶集二十卷崇慶州人。正統中舉人，參政。

周瑩　郡齋新稿十卷字次玉，莆田人。正統乙丑進士，撫州知府，以詩名。

杜瓊　東原集一卷字用嘉，吴縣人，自號"鹿冠老人"。

羅周　梅隱稿十八卷字汝濟，山陰人。羅紘子，嘗辟儒官，不就。

羅新　介軒集八卷周弟。

盧楷　可齋詩集一卷①字中夫，東陽人。天順壬午解元。

潘琴　竹軒稿七卷　又　咏史詩一卷字舜絃，景寧人。天順丁丑進士，興化知府。

伍方　柳庵集十八卷字公矩，嘉興人。景泰甲戌進士，官御史。

陸昂　吟窗涉趣字元俌，錢塘人。少游劉菊莊之門。

朱元振　壽梅集一卷松江人。

張城　西莊稿四卷

朱祐　葵軒集一卷

以上天順

劉定之　呆齋存稿二十一卷　又　續稿五卷　又　藏稿八卷

劉珝　劉古直文集十六卷

彭華　彭文思公集十卷

尹直　澄江集二十五卷

---

① 此條書名，《千頃堂書目》卷十九作"三峰盧氏可齋集一卷附録一卷"。

李秉　公餘集　又　江南雜集　又　雲中集[①]　又　歸田集

姚夔　姚文敏公集十卷一名《蠢蠹堆稿》。

李裕　古澹集四卷　又　東藩倡和集一卷

楊鼎　助費稿二十卷

翁世資　冰崖集

倪謙　玉堂稿一百卷　又　南宫稿二十卷　又　上谷稿八卷　又　歸田稿四十二卷　又　倪文僖公集三十二卷

周洪謨　箐齋集五十卷　又　南皐子集二十卷

程信　晴洲釣者集

項忠　項襄毅公遺稿一卷

王越　王襄敏公集四卷

林聰　見庵集十四卷

張瑄　觀庵集十五卷　又　南征録三卷　又　粉署餘閒稿一卷　又　凝清集八卷　又　關洛紀巡録十七卷

胡拱辰　雞肋集　又　錦官稿　又　敬所雜著稿[②]　又　志拙齋詩集　又　山居雜咏

謝一夔　古源文集六卷一名《謝文莊公集》。

羅箎　知庵集□卷南京右都御史。

韓雍　韓襄毅文集十五卷

朱英　誠齋遺稿　又　認真子集[③]

柯潛　竹巖集八卷

孫賢　鳴盛録三卷杞縣人。景泰甲戌廷試一甲第一人,官太常寺少卿兼翰林院侍講學士,贈禮部左侍郎,謚"襄敏"。

---

① "雲",原誤作"雪",據《千頃堂書目》卷十九、《四庫全書》本《山東通志》卷三十四改。

② "稿",《千頃堂書目》卷十九無。

③ "集"後,《千頃堂書目》卷十九有"一卷"二字。

吴希賢　聽雨亭稿五卷莆田人。天順甲申進士，南京翰林院侍讀學士，攝院事。

張泰　滄洲集八卷字亨父，太倉人。天順甲申進士，翰林院脩撰。

陸釴　春雨堂稿三十卷

王臣　北山集三卷廬陵人。成化己丑進士，選庶吉士，授編修，歷廣西參政。

葉盛　水東文稿二卷　又　水東詩稿二卷　又　菉竹堂小稿一卷　又　涇東小稿一卷　又　菉竹堂集□卷

楊守陳　楊文懿公集三十卷《晉庵稿》一卷，《鏡川稿》四卷，《東觀稿》十卷，《桂坊稿》五卷，《金坡稿》九卷，《銓部稿》一卷。

范理　丹臺稿十卷

楊瑢　宜閒集十二卷無錫人。正統乙未進士，户部右侍郎，尋改都察院左副都御史，巡撫河南。

程萬里　閒情集華容人。天順丁丑進士，户部右侍郎。

邢讓　辟雍稿一卷襄陵人。正統戊辰進士，禮部右侍郎。

章綸　拙稿　又　困志集

廖莊　漁梁集二卷字安止，吉水人。宣德庚戌進士，刑部左侍郎。

曾翬　龍坡集□卷吉安泰和人。宣德癸丑進士，刑部左侍郎。

林鶚　畏齋存稿十卷台州太平人。景泰辛未進士，刑部右侍郎，贈尚書，謚“恭肅”。

金紳　心雪稿　又　江西巡視稿上元人。景泰甲戌進士，南京刑部右侍郎，視部事。

黄孔昭　定軒存稿字世顯，台州太平人。天順庚辰進士，南京工部左侍郎。①

羅倫　一峰集十卷一本十四卷。

莊杲　定山集十卷

黄仲昭　永軒集十三卷

陳獻章　白沙集二十二卷　又　白沙子八卷　又　白沙遺編

① “工部左侍郎”，《千頃堂書目》卷十九作“刑部右侍郎”。

六卷　楊起元白沙文編六卷
張弼　東海文集五卷　又　東海詩集四卷
胡居仁　敬齋集三卷
陳真晟　布衣存稿九卷
夏寅　夏文明公集四十卷　又　備遺録二十三卷
張寧　芳洲文集二十二卷①字靜之,海寧人。景泰甲戌進士,汀州知府。
閻禹錫　自信集字子與,洛陽人。正統甲子舉人,監察御史。
夏時正　瀛嶼稿一卷　又　留餘稿三十五卷
何衷　靜齋稿新淦人。天順丁丑進士,南京大理寺右寺丞。
畢亨　復齋小稿六卷洛陽籍,單縣人。景泰甲戌進士,巡撫應天,副都御史。
張瓚　土苴内外集　又　東征紀行録　又　征夷雜紀孝感人。正統戊辰進士,總督漕運,副都御史。
高明　終養録　又　征閩録　又　安定録
汪浩　恒庵集石首人。景泰辛未進士,巡撫四川兼理貴州,副都御史。
吴琛　愚庵集繁昌人。景泰辛未進士,總督两廣,都御史。
盧祥　行素集東莞人。正統壬戌進士,巡撫延綏,都御史。
丁川　東陵文集新昌人。天順甲申進士,巡撫②,都御史。
盛顒　冰壑集無錫人。景泰辛未進士,巡撫山東,都御史。
方漢　壽山文集字孔殷,淳安人。景泰庚午舉人,南京太僕寺卿。
陳鑑　方庵集長洲人。正統戊辰一甲第二人,國子監祭酒。
岳璿　仕優小稿字文璣,祥符人。景泰辛未進士,山東左參政。
夏塤　嶺南集　又　江西行稿③　又　三巴稿字宗成,天台人。景泰辛未進士,巡撫四川,都御史。

① “芳”、“二十二”,《千頃堂書目》卷十九分别作“方”、“四十”。
② “巡撫”後,《千頃堂書目》卷十九有“延綏”二字。
③ “江西”前,《千頃堂書目》卷十九有“嶺南”二字。

鄭環　栗齋稿[①]字瑶夫，仁和人。天順庚辰一甲第三人，南京太常寺少卿。

王徽　辣齋集[②]　**又　引笑集**字尚文，江浦人。天順庚辰進士，南京禮科給事，陝西参議。

沈鍾　休齋集一卷　又　晉陽稿一卷字仲律，上元人。天順庚辰進士，按察司副使提督，湖廣、山東、山西學政，在郎署時與羅倫、章懋、黄仲昭、莊昶、周孟申、林孟和、支立、項麒、陳壯稱十君子。[③]

任彦常　克齋稿上元人。天順壬午鄉試第一，舉成化壬辰進士，福建按察司僉事，提督學政。

蔣誼　紀行集　又　吹吷餘音字宣誼，上元人。成化丙戌進士，南京河南道御史。

李昊　坦拙稿十卷　又　謫居集四卷字志遠，上元人。成化己丑進士，檢討改禮科給事中，歷廣西太平知府。

朱貞　息軒稿南京旗手衛人。天順丁丑進士，四川布政司參議。

伊乘集八卷字德載，上元籍，吴縣人。成化戊戌進士，四川提學僉事。

秦夔　五峰遺稿二十四卷無錫人。天順庚辰進士，江西右布政使。

丁璣　補齋集八卷字玉夫，丹徒人。成化戊戌進士，廣東提學副使。

張稷　竹西稿字世用，寶應人。成化壬辰進士，監察御史。

陸容　式齋集三十八卷　又　浙藩稿十卷

孫衍　雪岑集四卷一作八卷。衍字世延，華亭人。成化戊戌進士，延平知府。

張遜　鈍軒稿字時敏，無錫人。舉人，福州知府。

張素　檜泉集　又　和續咏史詩　又　咏物詩字元卿，山陽人。成化己酉舉人，河陰令。

張愷　蚓竅餘音字元之，無錫人。成化中甲辰進士，福建鹽運使。

薛綱　三湘集二卷字之綱，山陰人。天順甲辰進士，雲南布政使。

張昺　歸田集　又　楝莊集　又　寓鳴集慈谿人。成化壬辰進士，四

① "齋"，《千頃堂書目》卷十九作"庵"。
② "辣"，《千頃堂書目》卷十九作"竦"。
③ "周孟申"、"支立"，《千頃堂書目》卷十九分别作"周孟中"、"支玄"。

川副使。

姜璉　凝香稿字廷器,蘭溪人。天順庚辰進士,永平知府。

金忠　甕天稿三卷　又　東甌童子吟稿三卷字尚文,麗水人。天順甲申進士,南京道御史。

金文　晉陽稿　又　讞獄餘興二卷　又　履素閒吟　又　東遊稿　又　塤篪和聲　又　鏡潭新咏字尚德,金忠兄。景泰辛未進士,開封知府。

司馬軫　端齋杜撰十二卷字古式,山陰人。□舉人,國子監助教。

王汶　齊山文集字允達,王禕曾孫。成化戊戌進士,中書舍人。

王弼　南郭集八卷字存敬,黄岩人。成化乙未進士,興化知府。

姚綬　雲東集十卷字公綬,嘉善人。天順甲申進士,監察御史,出知永寧府。

倪輔　類劇藏稿　又　獻笑存稿字良弼,平湖人。天順甲申進士,湖廣參議。

沈棨　熙貞貞[①]字元節,平湖人。天順甲申進士,貴州參政。

盧格　荷亭文集十四卷字正夫,東陽人。成化辛丑進士,監察御史。

方佖[②]　**二宜軒集**衢州人。天順庚辰進士,貴州按察司僉事。

周瑛　翠渠摘稿七卷字梁石,莆田人。成化己丑進士,四川右布政使。

張瓛　慎庵小稿六卷　又　錦江雜咏四卷字孔圭,浦城人。成化庚子舉人,蘇州同知。

宋端儀　立齋稿字孔時,莆田人。成化辛丑進士,廣東僉事。

江沂　虚舟集十卷字本達,建安人。成化丙戌進士,四川副使。

陳煒　恥齋集十一卷閩縣人。天順庚辰進士,浙江布政使。

陳崇德　三峰集一卷字季廣,長樂人。成化辛丑進士,浙江布政使。

孫治　鳴春集清江人。成化辛丑進士,知縣,以忤汪直棄歸。

丘霽　草堂集字時雍,鄱陽人。天順丁丑進士,蘇州知府。

---

① "熙貞貞",《千頃堂書目》卷十九作"頤貞集",當據改。

② "佖",《千頃堂書目》卷十九作"泌"。

段正 介庵集三十卷 又 課程日紀十卷字以中,澤州人。成化丙戌進士,江西參政。

閻仲實 葵庵集隴州人。景泰丙子鄉試第一人,成化己丑進士,河南參政。

嚴永濬 两山集字宗哲,華容人。成化戊戌進士,南安知府。

黄瑜 雙槐集香山人。景泰戊子舉人,長樂知縣。

李冕 崇岡集一卷青城人。天順甲申進士,陝西按察使司。

劉時敷 素庵集三卷字用行,内江人。天順甲申進士,山東僉事。

滕楨 永昌百咏 又 歸田録字秀之,永昌人。成化丁未進士,南京户部郎中。

易貴 竹泉文集十五卷字天爵,貴州宣慰司人。景泰甲戌進士,辰州知府。

蔣琬筠 清軒集十卷 又 雜文一卷太保兼太子太保,定西侯,追封凉國公,謚襄毅。

陳文朴 庵歸休稿□卷長興人。温州衛指揮同知,以征閩功陞浙江都指揮僉事。成化初,總督两浙漕運。

王桓 雪航集十卷字公玉,華亭人。

朱翰 石田清嘯十四卷[①]一作六卷。成化中嘉興布衣。字漢翔,號石田。

王佐 王古直存稿四卷字仁甫,黄岩人,自號"古直老人"。

顧文淵 滄江集四卷字静卿,錢塘人。諸生。

鄭伉 蛙鳴集字孔明,常山人。從學吴與弼。

洪貫 太白山人稿五十卷字唯卿,鄞人。成化丁酉舉人,崇化知縣。

張冐 西溪集十五卷字仲翼,嵊縣人。年十三爲《雪賦》,楊信民薦其經學該博,才堪任使,不報,自號"西溪子"。

丁元吉文集六十四卷字无咎,丹徒人。與陳獻章善,號"易洞先生"。

唐成 天傭集二十卷 又 瓢稿十卷字伯敬,丹徒人。

曾仲質 蘭軒集四卷 又 和馮海粟梅花百咏一卷字應文,南豐人。陰陽訓術。

---

① "嘯"後,《千頃堂書目》卷十九有一"集"字。

吕楨　澗松遺稿十六卷贛縣人。成化歲貢,睢寧縣丞。

尹東郊　櫟亭集四卷字敬孚,嘉定州人。博學,善爲詩,郡守魏瀚嘗薦之朝,不就。

謝省　逸老堂浄稿十九卷台州人。景泰甲戌進士,官知府。

劉敔　鳳巢小鳴稿六卷字中和,廬陵人。成化丙午舉人,賓州知州。

林景清　竹窗小稿二卷字清夫,[①]連江人。貢士,興國州判官。

葉元玉　古厓集十七卷字廷璽,清流人。成化辛丑進士,潮州太守。

安康　青鸞溪集字汝錫,思南人。景泰癸酉舉人,澂江知府。

桑悦　民懌文集十六卷[②]常熟人。成化舉人,柳州通判。

徐威　畸所漫稿二卷字廣威,江西泰和人。弘治壬子舉人,鄖西教諭,桑悦弟子。

楊光溥　沂川集六卷沂水人。成化己丑進士,江西副使。

陳烓　留餘存稿十四卷字文用,閩縣人。成化戊戌進士,浙江僉事。

程楷　念齋集十四卷字正之,樂平人。成化丁未進士第一人,官編修。

瞿俊　留餘堂集十卷常熟人。成化己丑進士,官御史。

龍瑄　鴻泥集二十卷　又　燕居集□卷字克温,宜春籍,金陵人。與丘濬、陳獻章友善。

以上成化

徐溥　徐文靖公集七卷　又　謙齋集□卷

劉健　晦庵集

丘濬　瓊臺類稿五十二卷　又　瓊臺吟稿十二卷

李東陽　懷麓堂文集三十卷　詩集二十卷　又　後集三十卷　詩集十卷　又　懷麓堂續稿二十卷　又　西涯古樂府二卷何孟春注。**又　講讀録一卷　又　東祀録一卷　又　南行**

① "清夫",《千頃堂書目》卷二十作"靖夫"。

② "民懌文",《千頃堂書目》卷二十作"思玄"。

稿一卷　又　北上稿一卷　又　求退録三卷

謝遷　歸田稿十卷

陸簡　龍皐稿十九卷詹事府詹事兼翰林院侍讀學士，贈禮部右侍郎。

程敏政　篁敦文集九十三卷①　又　外集十二卷　又　別集二卷　又　行素稿一卷　又　拾遺一卷　又　雜著十卷　又　篁墩文粹二十五卷族子程曾輯。

吴寬　匏庵家藏集七十七卷　補遺一卷

張元禎　東白先生文集二十四卷②

王恕　王端毅公集九卷

耿裕　青崖稿　又　澹庵稿

倪岳　青谿漫稿二十四卷

倪阜　東岡小稿六卷字舜薰，倪岳弟。成化丁未進士，四川布政使。

馬文升　馬端肅公集一卷

王佩　思軒集十二卷

楊守阯　碧川文鈔二十九卷　又　詩二十卷③　又　碧川文選四卷

鄭紀　東園遺稿十三卷仙遊人。天順庚辰進士，南京户部尚書。

徐瓊　東谷文集

熊翀　止庵集

張昇　張文僖集二十二卷

黎淳　龍峰集十三卷

江瀾　銓曹稿　又　東川稿　又　春亭稿

童軒　枕肱集二十卷　又　清風亭稿十卷

---

① "敦"，《千頃堂書目》卷二十作"墩"。

② "禎"，《千頃堂書目》卷十九作"貞"。"先生文"三字，《千頃堂書目》無。

③ "詩"後，《千頃堂書目》卷二十有一"鈔"字，當據補。

劉大夏　東山詩集二卷

張悦　張莊簡集五卷

何喬新　椒丘文集三十二卷附録一卷

彭韶　惠安文集十一卷　又　從吾浄稿八卷

閔珪　閔莊懿公集十卷

張錦　秋壑小稿　又　宣政録岷州人。成化己丑進士,刑部左侍郎。

劉璋　梅坡集南平人。天順丁丑進士,太子少保,工部尚書。

徐貫　餘力集十二卷字原一,淳安人。天順丁丑進士,太子太保,工部尚書,贈少保,謚"康懿"。

程宗　司空集八卷　又　撫夷集字源伊,常熟人。景泰辛未進士,南京工部尚書。

劉宣　冲淡集安福人。景泰辛未進士,南京工部尚書,謚"文懿"。

董越　董文僖文集四十二卷

李孟暘　南岡吟稿三卷

張敷　華介軒集

謝鐸　桃溪浄稿四十五卷　又　桃溪詩三十六卷[①]**　又　偲山集七卷**

陳音　愧齋集十卷一作十二卷。

鄒智　立齋遺文四卷

李文祥　檢齋遺稿二卷

夏鍭　赤城集七卷[②]天台人。成化丁未進士,南京大理寺評事。

賀欽　醫閭集九卷

李承箕　大崖集二十卷字世卿,嘉魚人。少讀書大厓山,舉成化丙午鄉試,師陳獻章,不仕。

李承芳　東崖集承箕弟,弘治庚戌進士,大理寺寺副。

---

① "詩"後,《千頃堂書目》卷十九有一"稿"字。

② "七",《千頃堂書目》卷二十作"四"。

張吉　古城文署四卷　又　古詩署十卷[1]餘干人。成化辛丑進士，貴州布政使。

張詡　東所先生集十卷　又　南海雜詠十卷字廷實，番禺人。成化己丑進士，通政司參議。

林光　緝熙集十卷字緝熙，東莞人。成化乙酉舉人，襄府左長史。

羅璟　北上稿一卷江西泰和人。天順甲申進士，南京國子監祭酒。

張天瑞　雲坪集四卷字天祥，山東清平人。成化辛丑進士，一甲第二人，官春坊庶子兼翰林院侍讀。

劉戩　晉軒集字景元，安福人。成化乙未進士，一甲第二人，右春坊右諭德。

劉震　雙谿集安福人。成化壬辰進士，一甲第二名，國子監祭酒。

錢福　鶴灘文集六卷華亭人。弘治庚戌狀元，翰林院修撰。

敖山　石稜粲然稿一卷字靜之，莘縣人。成化戊戌進士，翰林院編修，江西提學道副使。

謝士元　詠古詩集三卷字仲仁，福州長樂人。景泰甲戌進士，巡撫四川，副都御史。

張賁　六可翁集七卷字彥質，成都前衛籍，瀘溪人。成化丙戌進士，南京太僕寺少卿。

王珣　南軒詩稿二卷曹縣人，王崇文等父。成化己丑進士，巡撫寧夏，副都御史。

周孟中　畏齋集十卷字時可，吉水人。成化己丑進士，廣東布政使，詔陞副都御史，致仕。

徐源　瓜涇集二卷字仲山，長洲人。成化乙未進士，巡撫山東，副都御史。

李應禎遺集四卷長洲人。景泰癸酉舉人，南京太僕寺少卿。

楊循吉遺集《齋中雜咏》一卷，《都下贈僧詩》一卷，《菊花百咏》一卷，《攢眉集》一卷，《燈窗末藝》一卷。

趙寬　半江集十一卷字栗夫，吴江人。成化辛丑會試第一人，廣東按察使司。

---

① "古"後，《千頃堂書目》卷二十有一"城"字，當據補。

邵珪　半江集六卷字文敬,宜興人。成化己丑進士,思南知府。

陳章　西潭詩集字一夔,華亭人。成化戊戌進士,高州知州。

董時　望雲峰集十三卷江西樂安人。成化甲辰進士,監察御史。

胡爟[1]　**蒲塘集□卷**字仲□,蕪湖人。弘治癸丑進士,庶吉士,户部主事。

吴瑞[2]　**西谿集　又　宦游稿　又　居閒稿**字德徵,崑山人。成化乙未進士,工部郎中。鑿高郵内湖以避風濤,至今賴之。

祁順　巽川集二十卷　又　使東稿　又　冷庵翠渠倡和　又　寶安雜咏字致和,東莞人。天順甲辰進士,江西布政使。

杭濟　澤西詩集六卷[3]宜興人。弘治癸丑進士,福建布政使。

蕭顯　海釣遺風四卷　又　鎮寧行稿　又　歸田録字文明,山海關人。成化壬辰進士,福建按察司僉事。

潘珏　三覲稿　又　澹翁稿　又　雲萍倡和字玉汝,婺源人。成化甲辰進士,福建僉事。

楊璡　弦齋集字用章,祥符人。成化乙未進士,山東僉事。

郭緒　學吟稿　又　撫夷録字繼業,太康人。成化辛丑進士,四川右參政。

虞臣　竹西亭稿　又　竹西回文一卷字元凱,吴縣人。成化戊戌進士,四川右參議。

高鑑　鉄溪集信陽州人。成化戊戌進士,夔州知府。識何景明于童時,以女妻之。

陳欽　自庵稿□卷[4]　**又　海山聯句録四卷**南京欽天監人。成化丁未進士,廣東提學副使。

龐泮　諫垣稿　又　薇垣稿　又　歸田稿字原化,天台人。成化甲辰進士,廣西布政使。

朱繼祖　雙溪存稿高安人。成化甲辰進士,楚雄知府。

---

① "爟",原誤作"灌",據《千頃堂書目》卷二十一、《四庫全書》本《江南通志》(以下簡稱《江南通志》)卷一百四十九"胡爟"條改。另據《江南通志》,胡氏字仲光。

② "瑞",《千頃堂書目》卷二十作"瑀"。

③ "詩"字,《千頃堂書目》卷二十一無。

④ "欽"與空格處,《千頃堂書目》卷二十分别作"矩"、"一"。

姚文灝　學齋稿貴溪人。成化甲辰進士，湖廣提學道僉事。

劉績　蘆泉集四卷字用熙，江夏人。弘治庚戌進士，鎮江知府。

李德恢　節庵集二卷東安人。成化乙未進士，浙江布政使。

吴元應[①]　**雁蕩山樵詩集十五卷**字順德，樂清人。尚書章綸子，復姓吴。成化乙未進士，廣東布政。

王廷　醯雞集六卷遷安人。弘治癸丑進士，兵科給事中，出爲山東僉事。

李麟　心齋稿六卷字仁仲，鄞人。弘治癸丑進士，貴州布政使。

李汎　鏡山稿十三卷字彦夫，祁門人。弘治乙丑進士，思恩知府。

顧潛　靜觀堂集十四卷字孔昭，崑山人。弘治丙辰進士，御史，出爲馬湖知府。

唐貴　黄門集二卷武進人。弘治庚戌進士，户科給事中。

童品　含章子集字廷式，蘭溪人。弘治丙辰進士，南京兵部員外郎。

鄭汝美　白湖集八卷閩縣人。弘治癸丑進士。

文林　文温州集十二卷字宗儒，長洲人。成化壬辰進士，温州知府。

皇甫録　萍溪集二卷長洲人。弘治丙辰進士。

吕㦂　九栢集六卷吕原任子，南京太常寺卿。

沈周　石田詩集三卷　又　耕石齋石田詩鈔十卷錢謙益編。

史鑑　西村集八卷字明古，吴縣人。

祝允明　祝氏集畧三十卷　又　懷里堂集三十卷　又　祝氏小集七卷金縷、醉紅、窺簾、暢哉、擲果、拂絃、玉期，共七種。

戴冠　濯纓文集[②]　**又　和會稽懷古詩**字章甫，長洲人。貢士，紹興府學訓導。

唐寅　唐伯虎集二卷　又　重編唐伯虎集四卷

朱存理　野航漫録一卷　又　鶴岑隨筆　又　野航集字性甫，吴縣人。

繆恭　茆山穢稿字敬思，浙江太平人。弘治初，上疏請擇宗室賢者封之，以嗣懿

---

① “吴元應”，《千頃堂書目》卷二十作“章玄應”。

② “纓”後，《千頃堂書目》卷二十一有一“子”字。

文太子,後格不得上而罷。

童琥　梅花詩二卷　又　梅花集句二卷　又　寫懷集字廷瑞,號草窗,蘭溪人。弘治庚戌進士,工部郎中,按察司副使。

張鍾靈　白湖遺稿四卷字一卿,武昌人。弘治戊午解元。

劉昂　蘭谷詩文抄　又　書香窩裡吟字孟頫,開封人。貢士,官訓導,學者稱"蘭谷先生"。

朱訥　江陵集二卷字存仁,寶應人。成化丁酉舉人,江陵知縣。朱應登,其子也。

魏時敏　竹溪集八卷莆田人。弘治中,以掾史謁銓,太宰尹旻聞其能詩,召試之,大加稱賞,俾丞無錫,後故桃源,致仕。

顧磐　海涯集十卷字子安,一字安甫,南直隸通州人。三歲能識字,八歲能爲文,舉鄉貢,不第卒。

張綬　卓齋集十卷無錫人。弘治中貢士,東陽訓導。

毛良　心夔稿十卷字舜臣。世襲南寧伯。

孔弘泰　東莊稿孔子六十一代孫,字以和。襲封衍聖公。

孔公璜　北窗文稿字輔文,號"北窗逸叟",曲阜人。至聖裔,官三氏學録。

劉嘉綃遺稿二卷①字協中,劉昌欽謨子。年十六爲諸生,文章與中表楊循吉相頡頏,年二十四卒,都穆序其首。

朱凱　句曲紀游詩一卷字堯民,長洲人。與存理齊名。

李瑛　名山百咏一卷字廷玉,别號璞庵,句容人。弘治中隱士,與徐霖、顧璘倡和。

劉教正　思堂遺稿十卷字因吾,安福人。弘治中舉人。

李河　彭邨集二卷長安人。弘治中衛輝府教授。

李學曾　鶴村詩選二卷②字宗魯,茂名人。弘治壬戌進士,吏科都給事中。

陳塀　栢厓集一卷字德階,閩縣人。弘治乙丑進士,副使。

繆璉　雪崖集一卷字宗貴,福安人。弘治中隱士。

---

① "綃",《千頃堂書目》卷二十一作"綃"。

② "村",《千頃堂書目》卷二十一作"林"。

王朝卿　野堂集一卷字振之，新建人。弘治丙辰進士，安陸知州。

以上弘治

王鏊　震澤先生文集三十六卷

楊廷和　石齋集八卷一作二十二卷。

劉忠　埜亭遺稿十卷

梁儲　鬱洲集九卷

費宏　鍾石先生文集二十四卷　又　自慚漫録

靳貴　靳文僖公戒庵集二十卷

楊一清　石淙類稿四十五卷　又　石淙詩集二十卷

蔣冕　湘皐集三十三卷

毛紀　鰲峰類稿二十六卷

白鉞　怡情稿南宫人。成化甲辰廷對一甲第二人，官禮部尚書兼翰林院學士，掌詹事府事，贈太子太保①，謚“文裕”。

李遜學　悔軒集四卷上蔡人。成化丁未進士，禮部尚書兼翰林院學士，掌詹事府事，贈太子太保，謚“文簡”。

徐穆　南峰稿一卷字舜和，吉水人。弘治癸丑一甲第二人，官翰林院侍讀學士②。

韓文忠定集四卷　又　質庵存稿　又　歸田稿

許進　東崖集

黄珣　惕庵集③　又　東山文集　又　素庵詩集字廷璽，餘姚人。成化辛丑進士，南京吏部尚書，謚“文僖”。

王華　垣南草堂稿④　又　龍山稿　又　讀書雜録共四十六卷

---

① “太保”，《千頃堂書目》卷二十作“少保”。

② “侍讀”，《千頃堂書目》卷二十一作“侍講”。

③ “集”，《千頃堂書目》卷二十作“稿”。

④ “垣”，原誤作“坦”，據《千頃堂書目》卷二十、《浙江通志》卷二百四十九改。

高銓　平山遺安二稿江都人。成化己丑進士,南京户部尚書,贈太子少保。

張縉　玉堂遺稿字朝用,陽曲人。成化己丑進士,南京户部尚書,嘗忤逆瑾,下獄。

雍泰　正誼堂詩集六卷陕西咸寧人。成化己丑進士,南京户部尚書。

吴文度　交石集十卷江寧人。成化壬辰進士,户部尚書。

林翰　林文安公集二十五卷

吕獻　甲軒文集一卷　又　使交集一卷字貢夫,新昌人。成化甲辰進士,南京兵部右侍郎①。

屠勳　東湖遺稿十二卷　又　家藏集六卷

李堂　堇山集十五卷鄞縣人。成化丁未進士,總理河道,工部尚書兼僉都御史。

陳鎬　矩庵漫稿南京欽天監籍,會稽人。成化丁未進士,巡撫湖廣,右副都御史。

汪舜民　静軒集十六卷婺源人。成化戊戌進士,撫治鄖陽,右副都御史。

徐節　蟬噪集②字時中,壽昌人。成化壬辰進士,巡撫山西,右副都御史。忤劉瑾,削籍,瑾誅復職,致仕。

劉介　東峰咏稿　又　北都集　又　南都集清澗人。弘治癸丑進士,南京太常寺少卿。

孫需　清簡公集二卷一名《冰檗稿》。

羅玘　圭峰文集十八卷　又　續集十四卷

儲瓘③　**柴墟文集十五卷**

孫交　晚節園集鍾祥人。成化辛丑進士,户部尚書,贈少保,謚"榮僖"。

石玠　東濠漫稿④藁城人,石瑤兄。成化丁未進士,太子少保,户部尚書,贈太子少傅。

韓鼎　斗庵集一卷合水人。成化辛丑進士,户部右侍郎。

王鴻儒　凝齋集九卷　又　别集二卷

---

① "文集"、"集"、"貢夫",《千頃堂書目》卷二十分别作"稿"、"稿"、"貢父"。

② "集"後,《千頃堂書目》卷二十有"十二卷"三字。

③ "瓘",《千頃堂書目》卷二十作"巏"。

④ "稿"後,《千頃堂書目》卷二十有"一卷"二字。

張志淳　南園集　又　永昌二芳記雲南永昌衛籍，江寧人。成化甲辰進士，南京户部右侍郎。

傅珪　北潭集二卷　又　文毅公集八卷

王瓚　甌濱集永嘉人。弘治丙辰一甲第二人，南京禮部右侍郎，贈尚書。

吴儼　吴文肅公摘稿宜興人。成化丁未進士，南京禮部尚書，贈太子少保。

邵寶　容春堂前集二十卷　又　後集十四卷　又　續集十八卷　又　别集九卷　又　泉齋勿藥集十四卷

章懋　楓山文集九卷　又　遺文一卷

楊廉　月湖文集六十二卷

喬宇　白巖集二十卷

胡汝礪　竹岩集溧陽人，寧夏中衛籍。成化丁未進士，兵部尚書。

何鑑　五山吟稿新昌人。成化己丑進士，太子太保，兵部尚書兼督團營。

李貢　舫齋集字惟正，蕪湖人。成化甲辰進士，兵部右侍郎。

黄瓚　雪洲文集十二卷　又　雪洲續集四卷儀真人。成化甲辰進士，南京兵部右侍郎。

楊茂元　鱗洲存稿字志仁，鄞縣人。楊守阯子，刑部右侍郎。

林廷選　竹田集二卷福建長樂人。成化辛丑進士，南京工部尚書。

馬中錫　東田詩集六卷

王鼎　新齋集五卷　又　巡吴録二卷福州衛人。成化辛丑進士，都察院右副都御史①，掌院事，贈工部尚書。

張綸　敬亭稿字大經，富峪衛人。成化甲辰進士，右都御史，掌院事，贈太子少保。

陳玉友　石亭集四卷字德卿，高郵人。弘治癸丑進士，南京右都御史②，掌院事，贈太子太保。

陳世良　青嶼稿臨海人。成化丁未進士，南京僉都御史，提督江防。

李浩　南莊稿　又　歸田集曲沃人。成化甲辰進士，太子少保，禮部尚書，掌

① “右副”，《千頃堂書目》卷二十作“左”。

② “右都御史”，《千頃堂書目》卷二十一作“左都御史”。

通政事,贈太子太保,謚“莊簡”。

陳珂　東瀛集　又　九溪吟稿嵊縣人。弘治庚戌進士,大理寺卿。

陳恪　詠史詩歸安人。成化丁未進士,大理寺卿。凡百三十篇。

任漢詩六卷温江人。成化丁未進士,南京大理寺卿。

周南知[1]　白齋稿　又　盤錯集　又　和許郢州詩集[2]字文化,縉雲人。成化戊戌進士,提督两廣,右都御史,贈太子少保。

林廷玉　南澗文録七卷侯官人,平凉衛籍。成化甲辰進士,總督南京糧儲,都御史。

袁經　犀潭集寧鄉人。弘治庚戌進士,巡撫遼東,副都御史。

馮清　濯庵集二卷宛平籍,餘姚人。弘治癸丑進士,總督宣大,侍郎。

孫緒　沙溪稿四十卷故城人。弘治己未進士,太僕寺少卿。

文森　中丞集一卷字宗慶,長洲人。成化丁未進士,巡撫南贛,都御史。

蔡清　虚齋文集五卷一作十二卷。

魯鐸　文恪公集十卷　又　已有園稿二卷　又　續稿一卷字振之,景陵人。弘治壬戌進士,國子監祭酒,贈禮部侍郎,謚“文恪”。

王敕　漫游稿　又　雲芝稿歷城人。成化甲辰進士,南京國子監祭酒。

王雲鳳　虎谷集二十一卷　又　博趣齋稿二十三卷

王萱　青岩集字時芳,金谿人。弘治壬戌進士,通政司右參議。

姚繼岩　海山集字元肖,南直隸通州人。弘治乙丑進士,太常寺少卿,徐問嘗稱爲“清苦名臣”。

毛澄　毛文簡公類稿十八卷　又　遺稿二卷

楊潭　紫泉集直隸新城人。成化丁未進士,户部尚書。

彭澤　幸庵集一卷　又　懷古集一卷

李昆　東岡小稿□卷字承裕,高密人。弘治庚戌進士,兵部右侍郎。

魏英　赧古集字上華,慈谿人。成化辛丑進士,巡撫貴州,都御史。

---

① “知”字,《千頃堂書目》卷二十無。

② “詩集”,《千頃堂書目》卷二十作“詩”。

王哲　好齋集十卷吴江人。弘治庚戌進士，巡撫江西，都御史。

白圻　中丞遺稿二卷字輔之，武進人。成化甲辰進士，總督南京糧儲，副都御史。

林俊　見素文集二十八卷　又　續集十二卷　又　詩集十四卷

李夢陽　弘德集三十三卷　又　空同全集六十六卷

康海　對山集十九卷

王九思　渼陂集十六卷　又　續集三卷

何景明　大復集三十七卷　又　集二十六卷　又　大復遺稿一卷

鄭善夫　鄭文十五卷　又　鄭詩十四卷　又　鄭少谷全集二十五卷

徐禎卿　迪功集六卷　又　迪功五集五卷

朱應登　淩谿集十八卷　又　存笥集一卷

王廷陳　夢澤集十七卷　又　集二十一卷字稺欽，黄岡人。正德丁丑進士，由庶吉士補吏科給事中，諫南巡，謫知裕州。

段炅　河濱集蘭州人，段堅子。弘治乙丑進士，翰林院檢討。

康阜　康德瞻集四卷康海兄，年十九蚤卒，海集其所爲詩賦百十二篇。

康栗　子寬集五卷康海子。

康河　漳川集一卷字德清，海從弟。嘉靖癸未進士，贛州知府。

王九峰　白閣山人遺稿字壽夫，鄠縣人，王九思弟。正德戊辰進士，山西副使。

李兆先　李徵伯存稿十一卷　又　東行稿一卷李東陽子。

熊卓　熊士選集一卷豐城人。弘治丙辰進士，官監察御史。

張鳳翔　張伎陵集七卷字光世，洵陽人。弘治己未進士，户部主事。

景暘　前谿集十四卷左春坊左中允，管南京國子監司業事。

王韋　南原家藏集八卷字欽佩，王徽子。弘治乙丑進士，南京太僕寺少卿。

陳沂　拘虚集十二卷[①]　**又　續集二卷　又　詩集五卷　又紀遊集五卷**字魯南,南京太醫院籍,鄞縣人。正德丁丑進士,山西行太僕寺卿。

都穆　南濠文畧　又　南濠詩畧　又　南濠文跋六卷

殷雲霄　石川集五卷　又　遺集二卷

田汝耔　水南集十八卷字勤父,祥符人。弘治乙丑進士,官湖廣副使。

楊子器　早朝詩一卷　又　排節宫詞一卷　又　詠史詩一卷字名父,慈谿人。成化丁未進士,河南左布政使。

韓邦靖　汝慶集二卷朝邑人,韓邦奇弟。正德戊辰進士,山西右參議。

張賢　二渠巴語一卷　又　宕渠倡和一卷　又　名賢珠玉字堯臣,祥符人。成化甲辰進士,太原知府。

張琦　白齋集九卷字君玉,鄞縣人。弘治己未進士,興化知府。

盧雍　古園集十二卷字師邵,長洲人。正德辛未進士,四川提學副使。

顔木　燼餘稿四卷字惟喬,隨州人。正德丁丑進士,亳州知州。

江暉　亹爰子集四卷錢塘人。正德丁丑進士,以庶吉士諫南巡,被杖,歷官河南按察司僉事。

趙鶴　具區集字叔鳴,江都人。弘治丙辰進士,山東提學副使。

鄭瑗　蜩笑集八卷莆田人。成化辛丑進士,官禮部郎中。

吴昂　南皐集

齊之鸞　入夏録三卷　又　蓉川全集字瑞卿,桐城人。正德辛未進士,河南提學副使。

方豪　棠陵集三卷開化人。正德戊辰進士,湖南副使,諫南巡被杖。

祝鑾　筸谿文集字鳴和,當塗人。正德戊辰進士,諫南巡被杖,後官四川參政。

陳霆　水南集十七卷　又　續集□卷德清人。弘治壬戌進士,刑科給事中。忤劉瑾,謫判六安州,後官山西僉事。

田登　偶山集四卷字有年,長安人。弘治乙丑進士,官刑部郎中,諫南巡被杖,後

---

① "十二",《千頃堂書目》卷二十二作"五"。

官湖廣参政。①

羅柔　弦齋集□卷無錫人。弘治庚戌進士，建寧知府，有廉聲。

許天錫　黄門集三卷　又　交南詩一卷閩縣人。弘治癸丑進士，工科給事中。

毛憲　古庵集十卷武進人。正德辛未進士，禮部右給事中。

倫文叙　迂岡集十卷　又　白沙集十二卷

熊相　台峰集六卷字尚弼，高安人。正德戊戌進士，監察御史。

王鑾　西冶遺稿南京錦衣衛籍，吴縣人。正德辛未進士，吏部驗封司郎中，諫南巡被杖。

戚雄　雪厓文集字世英，金華人。正德辛未進士，南道御史。嘉靖初，坐劾李福達、郭勛，免職。

陸淞　東濱先生遺稿一卷②字文東，平湖人。弘治己酉解元，庚戌進士，南京光禄寺卿，嘗忤逆瑾，下詔獄。

陳九川　明水先生文集字惟濬，臨川人。正德甲戌進士，爲太常寺博士，諫南巡被杖，後官主客郎中。

黄鞏　後峰集□卷

陳茂烈　孝廉集五卷

王守仁　陽明文録二十卷　又　文録别集八卷　又　續録八卷　又　陽明全書三十八卷　又　居夷集三卷

龍光齊遺稿四卷字冲虚，吉水人。布衣，佐守仁平宸濠及廣西盧蘇二寇，有功。

陸完　水村集二十卷

唐錦　龍江集十四卷上海人。弘治丙辰進士，江西提學副使。

朱諫　蕩南詩集一卷③字君佐，樂清人。弘治丙辰進士，吉安知府。

史後　知山稿　又　慕陶集　又　歸得園集　又　處園稿字巽仲，溧陽人。弘治丙辰進士，光禄寺少卿。

---

① "中"、"被杖"原脱，據《千頃堂書目》卷二十一補。

② "先生遺"，《千頃堂書目》卷二十一作"逸"。

③ "詩"，《千頃堂書目》卷二十一無。

韓智　澹庵稿滋陽人。弘治庚戌進士，工科都給事中。

陳仁　三渠稿字子居，莆田人。成化丁未進士，浙江右布政使。

史學　埭谿集二十卷溧陽人。成化丁未進士，山東左參政。

邢珣　采芹餘興　又　章貢雜稿　又　江藩隨筆　又　歸田野語字子用，當塗人。弘治癸丑進士，江西左布政使。

任儀　錦屏集十卷閬中人。成化丁未進士，山西右參政，忤逆瑾，謫西安府同知。

徐瑶　石林稿字信之，江寧人。弘治庚戌進士，浙江布政使司參議。

符觀　活溪存稿六卷新喻人。弘治庚戌進士，浙江布政使司參議。

許莊　康衢集一百卷　又　梅花百詠一卷字德徵，灤州人。弘治癸丑進士，陝西右參政，嘗預修《孝宗實録》。

李熙　尚友集　又　明農集[①]字師文，上元人。弘治丙辰進士，浙江副使[②]。

馬騤　梅軒集六卷　又　手簡一卷字世用，夏縣人。弘治丙辰進士，鄖陽知府。

華昶　雙梧集字文光，會稽人。弘治丙辰進士，福建布政使。

徐聯　畏齋稿字成章，長淮衛人。弘治丙辰進士，陝西按察司副使。

潘鏜　團山集十卷字宗節，六安州人。弘治丙辰進士，廣東按察司僉事。

汪循　仁峰文集二十五卷字進之，休寧人。弘治丙辰進士，順天府通判。

錢仁夫　水部詩曆十二卷　又　歸閒文集十八卷常熟人。弘治己未進士，歷官工部員外郎，學者稱"東湖先生"。

徐璉　玉峰集十五卷　又　五言詩五卷武邑人。弘治己未進士，知府加布政使。

左經　武昌集字載道，耀州人。弘治己未進士，湖廣僉事。

程鉒　十峰集十卷字仲申，金華人。弘治己未進士，四川副使，一字瑞卿。

熊桂　石厓稿字世芳，新建人。弘治己未進士，山東參政。

閻睿　晉郊集字汝思，祁縣人。弘治己未進士，浙江副使。

---

① "集"，《千頃堂書目》卷二十一作"稿"。

② "浙江"後，《千頃堂書目》卷二十一有"按察司"三字。

張嘉謨　雲岩集　又　西行稿字舜卿，寧夏衛人。弘治壬戌進士，山東僉事。

蔡潮文集十卷臨海人。弘治乙丑進士，河南布政使。

徐文溥　燕程集　又　留都拾遺　又　諫議稿　又　南巡稿　又　東巡録　又　梧山集開化人，字可大。正德辛未進士，廣東左參議。

黄琮　求志稿　又　行義稿　又　楚征日録　又　青田稿　又　謫游稿　又　郯城稿　又　嶺南日課　又　嶺南續課　又　東歸稿　又　乞養堂稿字元質，上元人。弘治乙丑進士，崇府左長史，預修《孝宗實録》。

南大吉　瑞泉集一卷字元善，渭南人。正德辛未進士，紹興知府。

顧彦夫　瀛海集十三卷①字承美，無錫人。正德庚午舉人，河間府通判。

王嶹　石洲文集崇陽人。正德戊辰進士，四川副使②。

湯𩗗　石池集二十卷潼川州人。正德辛巳進士，溧陽知縣，居憂廬墓，遂不仕。

張文宿　白厓詩集五卷字拱辰，仁和人。正德癸酉舉人，晉江知縣，有詩名。

頓鋭　鷗汀集二卷涿州人。正德辛未進士，□府長史。③

唐琉　永州集三卷武進人。正德庚午舉人，永州知府。

周秀　甕山集字公全，歷城人。貢士，上元知縣，擢懷慶府同知。

沐崑　玉岡詩集六卷字元中。黔寧王五世孫，鎮守雲南總兵，官征南將軍，黔國公，謚“莊襄”。

楊宏　容堂雜稿　又　自考録字希仁，海州人。世襲指揮，歷官中軍都督府都督，同知督理漕運。

陳鐸秋　碧軒集五卷字大聲，上元人，睢寧伯陳文曾孫。世襲濟川衛指揮，工聲

---

① “顧”，原誤作“顔”，據《千頃堂書目》卷二十二、《明詩綜》卷四十二“顧彦夫”條改。另“十三”，《千頃堂書目》作“十二”。

② “四川”後，《千頃堂書目》卷二十二有“按察司”三字。

③ “鷗汀”後，《千頃堂書目》卷二十二有“漁嘯”二字。另，“二”、空格處，《千頃堂書目》分别作“十”、“代”。

律,人稱“樂王”。

黄省曾　五岳山人集三十八卷

黄雲　丹崖集十卷字應龍,崑山人。正德中歲貢,高安教諭。

桂華　古山先生文集二十卷安仁人,桂蕚兄。正德癸酉舉人。

孫一元　太白山人漫稿五卷

汪湜　檗庵集二卷祁門人,字介夫。

徐霖　麗藻堂文集　又　徐子仁詩集四卷

謝承舉　謝子象詩集十五卷一名璿。上元人。

王寵雅　宜山人集十卷字履仁,更字履吉,吴縣人。貢士。

薛章憲　鴻泥堂集八卷　又　續集十卷字堯卿,江陰人,號“浮休先生”,薛甲父。

張鈇　碧溪詩集六卷字子威,慈谿人。正德中布衣。**又　詠史百絶**

錢文　鴻山詩集七卷字希翁。正德中無錫諸生。

徐璘[①]　**在笥集十卷**字紹卿,吴縣人,徐縉弟。弘治中隱士,與黄省曾等倡和。

徐文彪　貞晦集四卷字望之,上虞人。正德初貢士,以吏部試。文刺劉瑾,下獄,謫戍鎮番,瑾誅得釋。

和春　南遊集一卷

和夏　己卯集二卷山西陵川人,家於開封。

傅汝舟　行己外篇六卷[②]　**又　唵囈棄存六卷　又　粤吟稿一卷　又　丁戊山人集十二卷　又　拘虚集五卷**侯官人。與同邑高瀫齊名,皆鄭善夫友。

傅汝楫　臥芝集四卷字木剡,汝舟弟。

高鑑　時庵文稿二卷字孔明,侯官人,高瀫父。歲貢,官清遠教諭。

高瀫　石門集一卷字宗吕,侯官人,自號“霞居子”,又稱“鬈仙子”。善畫,工詩,與鄭善夫、傅汝舟齊名。

---

① “璘”,《千頃堂書目》卷二十一作“繗”。

② “行己”前,《千頃堂書目》卷二十二有“前丘生”三字。

張璨[①] **駿齋集二十卷**字韞之，嵊縣人。從羅頎學，天性孝友，父跛不能行，身自負之，弟病養之終身，人稱爲“古一行”。

許隥 **嘉會齋稿二卷**上元人。

蕭雍 **酌齋遺稿四卷**字宜用，萬安人。正德中貢士。

王希旦 **石溪集八卷**字文周[②]，侯官人。正德癸酉舉人，禮部郎中。

張倬 **穀齋集二十卷** **又** **筆録十卷**山陰人。正德間舉人，閩縣知縣。

李循義 **珠玉遺稿二卷**字時行，鄞縣人。正德中舉人。

王瀛 **西湖冶興二卷**字元溟，會稽人。正德中布衣。

陳良貴 **南坡集四卷**字文介，福建長樂人。正德歲貢，陽朔教諭。

陳文沛 **古槐集二卷**[③]字惟德，福建長樂人。正德丁丑進士，行太僕寺卿。

郝鳳升 **九龍集四卷**[④]字瑞竹，汀州衛人。正德辛未進士，大理寺副。

嚴時泰 **牢盆集一卷**餘姚人。正德中舉人，福建運同。

游璉 **效顰南行集二卷**字世重，連江人。正德辛未進士，江西參政。

王磐 **西樓集**字鴻漸，高郵人。

張綖 **南湖集四卷**字世文，王磐壻。正德癸酉舉人，光州知州。

羅熹 **淵泉集二卷**字元溥，上元人。歲貢，官光縣主簿[⑤]。

以上正德

金皐 **谷庵遺稿一卷**綿州人。正德辛未進士，春坊左贊善。

---

① “張”，原誤作“高”，據《千頃堂書目》卷二十、《浙江通志》卷二百四十九改。

② “文周”，《千頃堂書目》卷二十二作“維周”。

③ “古槐集”，《千頃堂書目》卷二十二作“世槐堂稿”。

④ “九龍”後，《千頃堂書目》卷二十二有“山房”二字。

⑤ “縣”，《千頃堂書目》卷二十作“澤”。

五　集部（下）

石珤　熊峰集四卷

賈詠　南塢集十卷

席書　元山文選五卷

張孚敬　張文忠公詩集三卷

桂萼　桂文襄公集

方獻夫　西樵遺稿五卷

霍韜　渭厓集十卷　又　霍文敏公集十五卷

陸深　儼山文集一百卷　又　續集十卷

張邦奇　紓玉樓集十卷[①]　又　覲光樓集十卷　又　養心亭集八卷　又　四友亭集二十卷　又　靡悔軒集十二卷　又　環碧堂集十六卷　又　張文定公集五十卷　又　張文定公文選四十八卷字常甫，鄞縣人，弘治乙丑進士，南京兵部尚書參贊機務，贈太子太保，謚“文定”。

豐熙　白庵集　又　一齋集鄞縣人，弘治己未一甲第二人，翰林院學士，以諫大禮謫戍鎮海衛。

郭維藩　杏東文集十二卷儀封人，正德辛未進士，太常寺少卿兼翰林院侍讀學士。

廖道南　藝苑集六卷　又　詞垣集五卷　又　講幄集三卷　又　拱極集一卷　又　卿雲文集二卷　又　元素子集五十卷　又　詩集□卷[②]

---

① “紓”，原誤作“紆”，據《千頃堂書目》卷二十一、《浙江通志》卷二百五十“張文定公集五十卷”條改。

② 空格處，《千頃堂書目》卷二十二作“三”。

楊旦 惜陰小稿楊文敏榮曾孫，南京吏部尚書。

羅欽順 整庵存稿二十卷 又 續稿十三卷

何孟春 何文簡公集十八卷

董玘 中峰文集六卷 又 中峰文選十一卷[①]

余祐 訥齋集 又 續集鄱陽人。弘治己未進士，吏部右侍郎。

徐縉 文敏公集六卷吴縣人。弘治乙丑進士，吏部右侍郎。

席春 席太史文集遂寧人，席書弟。正德丁丑進士，吏部右侍郎。

吴一鵬 吴文端集十六卷南京吏部尚書。

林文俊 方齋存稿莆田人。正德辛未進士，南京吏部右侍郎，謚"文修"。

秦金 鳳山詩集十卷太子太保，南京兵部尚書，贈少保，謚"端敏"。

鄒文盛 默庵集 又 公安鄒莊簡公存稿□卷公安人。弘治癸丑進士，户部尚書，贈太子少保，謚"莊簡"。

唐胄 西湖存稿[②]瓊山人。弘治壬戌進士，户部左侍郎。

鍾芳詩文二十卷厓州人。正德戊辰進士，户部右侍郎，總督糧儲。

王承裕 孝經堂集 又 星軺集 又 庚寅集 又 辛卯集 又 童子吟稿王恕子。弘治癸丑進士，南京户部尚書，謚"康僖"。

顧清 東江文集四十二卷

劉瑞 五清集十八卷内江人。弘治丙辰進士，南京禮部侍郎，贈尚書。**又 外臺集六卷**

趙永 類庵稿 又 瀛州詩[③] **又 北歸稿**字爾錫，長陵衛籍。臨淮人，南京禮部右侍郎。

胡世寧 胡端敏詩文集二卷

鄭岳 山齋浄稿二十四卷 又 西行紀四卷莆田人。弘治癸丑進士，兵部右侍郎。

---

① "選"，原誤作"集"，據《千頃堂書目》卷二十一改。

② "湖"，《千頃堂書目》卷二十一作"洲"。

③ "州"，《千頃堂書目》卷二十一作"洲"。

陳洪謨　靜芳堂摘稿二卷[①]武陵人。弘治丙辰進士,兵部左侍郎。

潘希曾　竹澗集八卷金華人。弘治壬戌進士,兵部左侍郎,贈尚書。

李克嗣　梧山集内江人。成化丁未進士,南京兵部尚書,謚"康和"。

劉龍　紫巖文集四十八卷襄垣人。弘治己未一甲第三人,南京兵部尚書,贈太子太保,謚"文安"。

劉夔　黄岩集　又　金陵稿　又　恒陽集字舜弼,龍弟。正德辛未進士,巡撫保定,僉都御史。

王時中　海山集　又　宦轍聯句一卷黄縣人。弘治庚戌進士,太子少保,刑部尚書。

劉玉　執齋集二十卷安福人。弘治丙辰進士,刑部左侍郎,贈尚書,謚"端毅"。

劉節　梅國集四十一卷大庾人。弘治乙丑進士,刑部右侍郎。

方良永　簡肅集十卷莆田人。弘治庚戌進士,南京刑部尚書,謚"簡肅"。

周倫　貞翁稿十二卷崑山人。弘治己未進士,南京刑部尚書。

周廣　玉岩集九卷太倉州人。弘治乙丑進士,南京刑部右侍郎。

趙璜文稿一卷　又　述夢餘閒一卷安福人。弘治庚辰進士,工部尚書,贈太子少保,謚"莊清"[②]。

吴廷舉　東湖詩集蒼梧人。成化丁未進士,南京工部尚書。

章拯　樸庵文集八卷字以道,章懋從子。弘治壬戌進士,工部尚書。

江曉[③]**　瑞石稿十卷　又　歸田録十卷**字景熙,仁和人。正德戊辰進士,工部右侍郎。

張嵿　蒼榆館近稿六卷蕭山人。成化丁未進士,南京工部尚書。

邊貢　華泉詩集八卷　又　華泉文稿[④]

王廷相　王氏家藏集五十四卷　又　内臺集七卷　又　家居

---

① "稿"後,《千頃堂書目》卷二十一有一"十"字。

② "清",《千頃堂書目》卷二十一作"靖"。

③ "江",原誤作"汪",據《千頃堂書目》卷二十二、《浙江通志》卷一百五十八"江曉"條改。

④ "稿"後,《千頃堂書目》卷二十一有"一卷"二字。

集一卷　又　近海集一卷

顧璘　息園文稿九卷　又　息園詩稿十四卷　又　憑几集七卷　又　浮湘稿四卷　又　山中集四卷　又　緩慟集一卷

劉麟　清惠公集十二卷

崔銑　洹詞十二卷

吕柟　涇埜集三十七卷　又　别集十二卷①

何塘　栢齋文集十一卷②

王爌　南渠存稿十六卷黄岩人。弘治壬戌進士，南京都察院右副都御史。

張璿　家藏集　又　東巡録　又　撫寧録字仲齊，晉州人。正德戊辰進士，南京右僉都御史兼提督江防。

黄河　清蓮峰集十三卷福建南安人。弘治壬戌進士，南京右通政。

湯沐　湯廷尉家藏集四卷

杭淮　雙溪詩集八卷宜興人。弘治己未進士，總督南京糧儲，户部侍郎。

陳鳳梧　修辭録六卷　又　西行稿一卷　又　南巡録一卷江西泰和人。弘治丙辰進士，巡撫應天，右僉都御史，贈工部尚書。

周季鳳　未軒漫稿寧州人。弘治癸丑進士，巡撫應天，右都御史，贈刑部尚書，謚“康惠”。

馬卿　馬氏家藏集　又　公家集四卷林縣人。弘治乙丑進士，總督漕運，副都御史。

錢宏　江樓遺稿字可宏③，錢塘人。正德戊辰進士，巡撫南贛，都御史。

蔣曙　竹堂遺稿八卷字景明，全州人。弘治丙辰進士，工部右侍郎兼右僉都御史，奉使四川採木。

黄衷　矩洲文集十卷　又　詩集十卷南海人。弘治丙辰進士，工部右侍郎兼僉都御史，採木四川。

---

① “十二”，《千頃堂書目》卷二十二作“十三”。

② “塘”，《千頃堂書目》卷二十一作“瑭”。

③ “可宏”，《千頃堂書目》卷二十二作“可容”。

宋滄　**有臺文稿十卷**鉅野人。正德戊辰進士，巡撫四川，副都御史。

汪玉　**敝篋留稿二卷**字汝成，鄞縣人。正德戊辰進士，巡撫順天，都御史。

唐澤　**南岡集**歙縣人。弘治己未進士，巡撫甘肅，右副都御史。

張鰲山　**南松堂稿六卷**安福人。正德辛未進士。

蔡天祐　**石岡集二卷**睢州人。弘治乙丑進士，巡撫大同，兵部右侍郎，僉都御史。

管楫　**平田稿二卷**陜西咸寧人。正德辛未進士，巡撫山東，都御史。

陳達　**虚窗小稿十二卷**字德英，閩縣人。弘治乙丑進士，巡撫山西，都御史。

陳鼎　**大竹集三卷**登州衛人。弘治乙丑進士，應天府尹。

柴奇　**黼庵遺稿二卷**崑山人。正德辛未進士，應天府尹。

邵鋭　**端峰集二卷**[①]仁和人。正德戊辰進士，太僕寺卿，贈副都御史，謚"康僖"。

胡鐸　**支湖集二十卷**字時振，餘姚人。弘治乙丑進士，南京太僕寺卿。

夏尚朴　**語録文集**字敬夫，永豐人。正德辛未進士，南京太僕寺少卿。

魏校　**莊渠文録十六卷　又　遺書十卷　又　詩稿全編四卷**

陳察　**虞山集十三卷**常熟人。弘治壬戌進士，南贛都御史。

陳寰　**琴溪集六卷**常熟人。正德辛未進士，南京國子監祭酒。

楊慎　**升庵文集八十一卷　又　升庵合併集二十卷　又　升庵遺集二十六卷　又　升庵詩五卷　又　南中集七卷　又　七十行成稿一卷　又　歸田集　又　晚秀集　李贄讀升庵集二十卷　林兆珂升庵詩選二卷**

張翀　**張太常文集二十卷**潼川州人。正德辛未進士，禮科都給事中，諫大禮廷杖，贈太常寺少卿。

舒芬　**梓溪集五卷　又　内外集十八卷　又　東觀録**

王思　**改齋集十卷**王直曾孫。正德辛未進士，授翰林院編修，諫大禮廷杖卒。

夏良勝　**東洲初稿十二卷　又　詩集八卷**南城人。正德戊辰進士，吏

---

① "集"，《千頃堂書目》卷二十二作"存稿"。

部郎中，議大禮被杖，削籍，後官南京太常寺卿。

姚鏌 東泉文集八卷慈谿人。弘治癸丑進士，兵部尚書，總督三邊，右都御史。

胡瓚 紫山詩稿字伯珩，永年人。弘治癸丑進士，南京工部尚書。

江潮 鍾石遺稿四卷字大信，貴溪人。弘治己未進士，巡撫山西，副都御史。

王尚絅 蒼谷集十二卷字錦大①，郟縣人。弘治壬戌進士，浙江布政使。

樂護 木亭雜稿三十六卷字鳴吾，臨川人。弘治乙丑進士，河南左參政。

周宣 秋齋集字彦道，莆田人。弘治乙丑進士，廣東布政使。

羅欽德 浮漚雜草 又 續草羅欽順弟。弘治己未進士，貴州按察使。

王崇文 兼山遺稿二卷曹縣人，王珣子。弘治癸丑進士，巡撫保定，副都御史。

王崇獻 雙溪詩集 又 韻語拾遺崇文弟。弘治丙辰進士，南京太僕寺少卿。

王崇儉 五桂堂稿字叔度，崇獻弟。嘉靖辛丑進士，庶吉士。

孫承恩 孫文簡公集二卷 又 使郢稿一卷太子少保，禮部尚書兼翰林院學士，掌詹事府事，贈太子太保，謚"文簡"。

江汝璧 碧洋摛稿三卷貴溪人。正德辛巳進士，詹事府少詹事兼翰林院侍讀學士②。

黄佐 泰泉集六十卷香山人。正德辛巳進士，少詹事兼侍講學士。

姚淶 明山文集八卷姚鏌子。嘉靖癸未一甲第一人兼翰林院侍講學士。

華察 岩居稿四卷無錫人。嘉靖丙戌進士，侍講學士，掌南翰林院事。

童承叙 内方集十卷沔陽州人。正德辛巳進士，右春坊右庶子兼翰林侍講。

倫以訓 白山集十卷南海人，文叙子。正德丁丑進士第一人，廷試一甲二人，南京國子監祭酒。

倫以諒 石溪集十卷以訓弟。正德辛巳進士，南京通政司右通議。

倫以詵 穗石集十卷以諒弟。嘉靖戊戌進士，南京兵部郎中。

唐龍 唐漁石集四卷 又 關中稿二卷

---

① "錦大"，《千頃堂書目》卷二十一作"錦夫"，當據改。

② "侍讀"，《千頃堂書目》卷二十二作"侍講"。

周用　周恭肅公集十一卷[①]

歐陽鐸　歐陽恭簡公集二十二卷江西泰和人。正德戊辰進士,吏部右侍郎,贈工部尚書。

王道　王文定公文録十二卷

李廷相　南銓稿二卷　又　聯句一卷户部尚書兼太子賓客,贈太子太保,謚"文敏"。

王暐　克齋集四卷句容人。正德丁丑進士,户部尚書,總督糧儲。

周金　上谷稿　又　榆陽稿武進人。正德戊辰進士,南京户部尚書。

徐問　養齋三集二十四卷　又　山堂萃稿四卷　又　續稿四卷

黄綰　久庵文選十六卷　又　石龍集二十八卷

費寀　費文通集選四卷宏從弟。正德辛未進士,少保兼太子太保,禮部尚書。

蔡昂　頤貞堂稿淮安衛籍。正德甲戌探花,禮部左侍郎,贈尚書。

馬汝驥　西元詩稿十卷綏德州人。正德丁丑進士,禮部右侍郎,贈尚書,謚"文簡"。

許成名　龍石集四卷聊城人。正德辛未進士,禮部右侍郎。

崔桐　東洲集三十卷　又　東洲續集十八卷[②]海門人。正德丁丑進士,禮部右侍郎。

樊繼祖　雲朔行稿　又　南園漫興字孝甫,聊城人。正德辛未進士,兵部尚書,總督宣大軍務。

毛伯温　東塘集十卷

王以旂　石岡集四卷字士招,江寧人。正德辛未進士,太子太保,總督宣大,兵部尚書,贈少保,謚"襄敏"。

劉儲秀　西陂集四卷陝西咸寧人。正德甲戌進士,總儲,户部尚書。

陶諧　莊敏集八卷會稽人。弘治丙辰進士,兵部左侍郎,贈尚書。一作《南川集》

---

① "一",《千頃堂書目》卷二十一作"六"。

② "八",《千頃堂書目》卷二十二無。

十卷。

詹榮　南山集四卷山海衛籍，尤溪人。嘉靖丙戌進士，兵部右侍郎。

湛若水　甘泉集六十六卷　又　後集三十三卷　又　外編十二卷　又　甘泉文録二十一卷

韓邦奇　苑洛集二十二卷

簡霄　蓉泉集號一溪，新喻人。正德甲戌進士，南京兵部左侍郎。①

劉棟　艮所文稿四卷山陰人。正德辛未進士，南京兵部右侍郎。

劉訒　春岡集六卷　又　省臺集一卷鄢陵人。正德丁丑進士，刑部尚書。

屠僑　東洲雜稿　又　南雍集鄞縣人。正德辛未進士，太子太保，都察院左都御史，贈少保，謚"簡肅"。

戴時宗　初庵存稿長泰人。正德甲戌進士，右僉都御史。

樊深　漣漪亭稿九卷河間衛人。嘉靖壬辰進士，刑部右侍郎。

林時集七卷字懋易，汝陽人。正德丁丑進士，南京右通政使，自號"立山介人"。

孟洋　孟有涯集十七卷信陽衛人。弘治乙丑進士，南京大理寺卿。

汪文盛　白泉文集□卷　又　選稿十二卷崇陽人。正德辛未進士，大理寺卿。

杜枘　納言集二十四卷臨潁人。正德辛巳進士，左僉都御史。

張寰　川上稿二卷崑山人。正德辛巳進士，通政司右參議。

林大輅　槐瘖集十六卷　又　借聲堂稿四卷莆田人。正德甲戌進士，巡撫湖廣，都御史。

許宗魯　少華山人前後續集共五十二卷陝西咸寧人。正德丁丑進士，巡撫遼東，副都御史。

陳卿　自庵集一卷宜賓人。弘治乙丑進士，巡撫甘肅，兵部侍郎。

胡纘宗　鳥鼠山人集十八卷　又　詩集七卷　又　木蘭堂集二卷　又　可泉文集十二卷　又　可泉文録三卷　又　辛巳集四卷　又　丙辰集四卷　又　擬漢樂府二卷　又　擬

---

① "集"、"左"，《千頃堂書目》卷二十二分別作"稿"、"右"。

西涯古樂府一卷秦州人。正德戊辰進士,巡撫河南,副都御史。

李宗樞　石疊集四卷富平人。嘉靖癸未進士,巡撫河南,都御史。

方鵬　矯亭集十八卷　又　續集八卷　又　詩集八卷崑山人。正德戊辰進士,南京太常寺少卿。

方鳳　改亭存稿十卷　又　續稿六卷鵬弟。正德戊辰同舉進士,廣西提學。

穆孔暉　穆文簡公宦稿二卷　又　玄庵晚稿二卷棠邑人。弘治乙丑進士,南京太常寺卿,贈禮部右侍郎,謚"文簡"。

汪佃　東麓遺稿十卷弋陽人。正德丁丑進士,南京太常寺少卿。一作五卷。

吕顓　省垣稿一卷陝西寧州人。嘉靖癸未進士,應天府尹。

張衮　水南文集十二卷江陰人。正德辛巳進士,南京光禄寺卿。

王同祖　太史集六十卷崑山人。正德辛巳進士,國子監司業。

鄒守益　東郭集十二卷　又　東郭先生遺稿十三卷安福人。正德辛未會試第一人,廷試第一甲第三人,南京國子監祭酒。

夏言　桂洲集二十卷　又　賜閒堂集十卷　又　應制集四卷

顧鼎臣　顧文康集二十四卷

嚴嵩　鈐山堂全集四十卷　又　楊慎批點介溪詩十六卷

張璧　陽峰集二十六卷

張治　龍湖文集十四卷

許讚　松皋集二十六卷

張潮　玉溪稿内江人。正德辛未進士,禮部尚書兼翰林院學士,掌詹事府事。

程文德　松溪集三十二卷吏部左侍郎兼翰林院學士,掌詹事府事。

李默　群玉樓稿七卷　又　困亨別稿一卷

萬鏜　治齋文集四卷進賢人。弘治乙丑進士,太子少保,吏部尚書。

吴鵬　飛鴻堂稿二十卷秀水人。嘉靖癸未進士,太子太保,吏部尚書。

歐陽必進　白雲山稿安福人。正德丁丑進士,少保兼太子太保,吏部尚書。

李士翱　長白先生集二卷長山人。嘉靖癸未進士,户部尚書。

歐陽德　南野先生集三十卷禮部尚書兼翰林院學士，贈太子少保，謚“文莊”。

朱廷立　两厓文集八卷　又　两厓詩集八卷通山人。嘉靖癸未進士，禮部右侍郎。

王崇慶　端溪集八卷開州人。正德戊辰進士，南京禮部尚書，贈太子少保。

翁萬達　東厓集十七卷揭陽人。嘉靖丙戌進士，兵部尚書，贈太子少保。

王邦瑞　襄毅集二十卷宜陽人。正德丁丑進士，協理戎政兵部尚書，贈太子少保，謚“襄敏”。

聶豹　雙江集十八卷永豐人。正德丁丑進士，太子太保，兵部尚書，贈少保，謚“貞襄”。

許論　默齋集四卷許進子。嘉靖丙戌進士，太子太保，兵部尚書。

潘鑑　方塘文集十卷婺源人。正德戊辰進士，總督两廣軍務，[1]兵部尚書，都御史，贈太子太保，謚“襄毅”。

潘潢　樸溪集九卷婺源人。正德辛巳進士，南京兵部尚書。

潘滋　浮槎稿十卷婺源人。嘉靖戊子舉人。

張時徹　芝園定集五十一卷[2]　又　芝園别集十一卷　又　芝園外集二十四卷鄞縣人。嘉靖癸未進士，兵部尚書。

屠大山　司馬詩一卷鄞縣人。嘉靖癸未進士，兵部右侍郎兼僉都御史，提督南直軍務。

鄭曉　端簡公文集十二卷

詹瀚　比部集　又　浙東集　又　振美堂集　又　致政録字汝修，玉山人。正德丁丑進士，刑部左侍郎。

鄭大同　居俟堂存稿二卷莆田人。嘉靖己丑進士，刑部右侍郎。

顧應祥　崇雅堂集十四卷長興人。弘治乙丑進士，南京刑部尚書。

翁溥知　白堂稿□卷諸暨人。嘉靖己丑進士，南京刑部尚書。

趙文華　世敬堂集四卷　又　祗役紀畧八卷

---

① “两廣”，《千頃堂書目》卷二十二作“湖廣”。

② “五十一”，《千頃堂書目》卷二十三作“五十六”。

林庭㭿　小泉稿六卷　又　康懿公集十卷林瀚子。弘治己未進士，太子太保，工部尚書，贈少保。

林庭機　世翰堂集十二卷庭㭿弟。嘉靖乙未進士，南京禮部尚書。

周延　周簡肅遺稿二卷吉水人。嘉靖癸未進士，太子少保，左都御史，贈太子太保。

潘恩　笠江集十二卷　又　笠江近稿十二卷上海人。嘉靖癸未進士，左都御史。

史褒　善沱村文集開州人。嘉靖壬辰進士，大理寺卿兼南京右僉都御史，提督江防。

汪宗元　春谷集崇陽人。嘉靖己丑進士，通政使。

張鵬　北還集一卷　又　遺文諫草八卷　又　東巡録沁州人。嘉靖丙戌進士，大理寺右寺丞。

李中　谷平集五卷字子庸，吉水人。正德甲戌進士，督儲，右副都御史。

沈教　巡南雜咏　又　巡東漫紀慈谿人。正德甲戌進士，督儲，副都御史。

張經　半洲詩集四卷侯官人。正德丁丑進士，提督浙直軍務，兵部尚書兼右副都御史。

魏有本　淺齋文集餘姚人。正德辛巳進士，右都御史，贈兵部尚書。

陳儒　芹山集四十卷錦衣衛籍，交趾人。嘉靖癸未進士，漕運右都御史。

劉大謨　蜀游集六卷　又　東阜集儀封人。正德戊辰進士，巡撫四川，都御史。

朱紈　甓餘雜集十二卷長洲人。正德辛巳進士，巡撫，都御史。

胡森　九峰文集湯溪人。正德辛巳進士，南京鴻臚寺卿。

鄭一鵬　抑齋遺集四卷字九萬，莆田人。正德辛巳進士，吏科左給事中，諫大禮廷杖，贈光禄寺少卿。

薛蕙　考功集十卷　又　西原集二卷字君采，亳州人。正德甲戌進士，考功司郎中。

胡侍[①]　**蒙谿集十一卷　又　續集五卷**字承之，胡汝礪子。正德丁丑進

① “侍”，原誤作“待”，據《千頃堂書目》卷二十二、《明詩綜》卷四十一“胡侍”條改。

士，鴻臚寺少卿。

程昌 和溪文集字時言，祁門人。正德戊辰進士，四川按察使司。

徐愛 徐橫山集二卷字曰仁，餘姚人。正德戊辰進士，南京工部郎中。

薛侃 鍾離集四卷字尚謙，揭陽人。正德丁丑進士，行人司正。

王艮 心齋文集六卷泰州布衣。

王畿 龍谿先生文集二十卷山陰人。嘉靖壬辰進士。

錢德洪 緒山集二十四卷字洪甫，餘姚人。嘉靖壬辰進士，刑部郎中。

賀鈞 龍岡摘稿字信夫，廬陵人。正德丙子舉人，應天教授。

蔡宗兖 寓莆集十卷山陰人。正德丁丑進士。

董穀 碧里四存稿九卷字碩甫，海鹽人。正德丙子舉人，漢陽知府。

戴冠 邃谷集十二卷 又 詩集二卷字仲鶡，信陽州人。正德戊辰進士，山東提學副使。

蘇恩 三同集字從仁，華亭人。正德戊辰進士，湖廣道御史。

孫璽 峰溪集五卷平湖人。正德戊辰進士，山西按察司僉事。

錢琦 臨河集十四卷①海鹽人。正德戊辰進士。

丁奉 吏部文選八卷常熟人。正德戊辰進士。

黄卿 編苕集八卷字時庸，益都人。正德戊辰進士，江西布政使。

尹襄 巽峰集字舜弼，永新人。正德辛未進士，司經局洗馬。

孫繼芳 石磯集二卷華容人。正德辛未進士，雲南提學副使。

孫宜 洞庭山人集五十三卷②繼芳子。嘉靖戊子舉人。

趙漢 漸齋集四卷

范輅 遠咎子詩一卷字以載，桂陽人。正德辛未進士，福建布政使。

何鰲 沅溪詩集七卷字子魚，廣東順德人。正德戊辰進士，湖廣布政使。

周廷用 八厓文集字子賢，華容人。正德辛未進士，江西按察使。

① 《千頃堂書目》卷二十二有“錢琦《臨江遺集》十四卷”。

② “山”，《千頃堂書目》卷二十三作“漁”。

汪必東　南雋集二十卷字希會,崇陽人。正德辛未進士,河南參政。

常倫　評事集三卷沁水人。正德辛未進士,大理寺評事,謫判壽州。

何鉞　東谿稿字勳伯,江寧人。正德辛未進士,常德知府。

曾嶼　少岷存稿四卷忠州人。正德戊辰進士,建昌知府。

孫存　豐山集四十卷滁州人。正德甲戌進士,河南布政使。

張原[①]　**黄花集　又　蛩鳴稿**字士元,三原人。正德甲戌進士,兵科給事中。

蕭鳴鳳　靜庵文集十五卷山陰人。正德甲戌進士,廣東提學副使。

吴仕　頤山私録十卷字克學,宜興人。正德甲戌進士,福建提學副使,四川參政。

周鳳鳴　東田集二卷字于岐,崑山人。正德甲戌進士,大理右寺丞。

周佐　北澗集十卷字廷臣,廣信永豐人。正德甲戌進士,山西僉事。

金賁亨　一所文集四卷字汝白,臨海人。正德甲戌進士,江西提學副使。一作十二卷。

顧璪　寒松齋稿四卷[②]字英玉,顧璘從弟。正德甲戌進士,河南按察司副使。清介絶俗,罷官後,授經自給。

蔣山卿　南泠集十二卷字子雲,儀真人。正德甲戌進士,河南布政司參政。

劉天民　游蜀稿二卷　又　蛩吟集一卷　又　田間集一卷又　愧庵集□卷　又　南行稿□卷　又　函山先生集十卷字希尹,歷城人。正德甲戌進士,四川按察司副使。

黄焯　濟美堂政録五卷　又　貽光堂集南平人。正德甲戌進士,湖廣左參政。

李濂　嵩渚集一百卷　又　嵩渚外集□卷　又　嵩渚緒集□卷字川甫,祥符人。正德甲戌進士,山西按察司副使。

高叔嗣　蘇門集八卷祥符人。嘉靖癸未進士,湖廣按察使。

---

① "原",原誤作"厚",據《千頃堂書目》卷二十二、《四庫全書》本《陝西通志》卷七十五"黄花集"條、《明清進士題名碑録索引》改。

② "齋"後,《千頃堂書目》卷二十二有一"存"字。

左國璣　南郭詩集七卷[1]字舜齊，祥符人。舉人。

鄭作　方山子集二卷字宜述，歙人。集爲李夢陽所選定。

程誥　霞城集二十四卷字自邑，歙人。與鄭作皆以詩見知於李夢陽。

周祚　周氏集十五卷字天佐[2]，山陰人。正德辛巳進士，工科左給事中。

周沛　周山人集十四卷祚子，字允大。入貲爲鄭州同知。

林炫　榕江集十卷字貞孚，林庭㭿子。正德甲戌進士，通政司參議。

林釴　半厓集一卷字克相，閩縣人。正德辛巳進士，御史。

張治道　太微集十二卷　又　太微後集四卷　又　嘉靖集長安人。正德甲戌進士，刑部主事。

劉雋[3]　**潛夫一斑集**字振道，崇仁人。正德甲戌進士，山東參議。

顧可久　在署草八卷　又　在疚草三卷　又　温陵集六卷　又　虔州集一卷　又　珠崖草一卷　又　在澗集十九卷字與新，無錫人。正德甲戌進士，廣東按察司副使。

謝汝儀　果庵集[4]鄞縣人。正德甲戌進士，江西按察使。

吴稷　自得園稿　又　石湖漫稿　又　宦遊稿字舜弼，華亭人。正德甲戌進士，衡府右長史。

趙可與　青石遺稿

林士元文集十卷字舜卿，瓊山人。正德甲戌進士，浙江按察使。

林春澤　人瑞翁集十二卷字德敷，侯官人。正德甲戌進士，程番知府。生於成化庚子，迨萬曆己卯始卒，凡百有四歲。

林應亮　少峰草堂詩集二卷春澤子。嘉靖壬辰進士，督儲，右侍郎。

林如楚　碧麓堂集十二卷應亮子。嘉靖乙丑進士，官工部尚書。

王臬　退庵集字汝陳，金壇人。正德丁丑進士，山東副使。

---

① "詩"字，《千頃堂書目》卷二十一無。

② "天佐"，《千頃堂書目》卷二十二作"天保"。

③ "雋"，《千頃堂書目》卷二十二作"嶲"。

④ "果"，《千頃堂書目》卷二十二作"杲"。

王畢　樗庵先生集七卷金壇人。嘉靖乙未進士,山東僉事。

汪應軫　青湖先生文選十四卷字子宿,山陰人。正德丁丑進士,江西按察使。

陳琛　紫峰先生文集十二卷晉江人。正德丁丑進士,江西提學副使。

王漸逵　青蘿山人集十六卷番禺人。正德丁丑進士,刑部主事,贈光禄寺少卿。

汪思　方塘文集字得之,婺源人。正德丁丑進士,選庶吉士,改兵科給事中,歷雲南兵備副使。

戴鱀　中丞遺集八卷字時量,鄞縣人。正德丁丑進士,巡撫四川,都御史。

戴鰲　少山集鱀弟。嘉靖乙未進士,工部主事。

閻閎　葦齋文紀　又　詩紀　又　南行稿　又　北還稿共四十卷臨清州人。正德丁丑進士,貴州副使。

王鳳靈　筆峰詩文集十五卷　又　淮陽急稿莆田人。正德丁丑進士,陝西提學副使。

李鶴鳴　雙杉亭集三卷[①]字九皐,義烏人。正德丁丑進士,大理寺丞。

吴仲　鴻爪集八卷字亞父,[②]武進人。正德丁丑進士,南京太僕寺少卿。

許相卿　雲村集十四卷字子仲,海鹽人。正德丁丑進士,禮科給事中。**又　黄門集十二卷**

黎貫文集六卷從化人。正德丁丑進士,監察御史,黎民表父。

楊士雲　弘山集十二卷雲南太和人。正德丁丑進士,庶吉士,户科左給事中。

朱豹　朱福州集八卷字子文,上海人。正德丁丑進士,福州知府。

李士允　山藏集十卷字一中,祥符人。正德丁丑進士,陝西苑馬寺卿。

吴鼎　泉亭集七卷字惟新,錢塘人。正德丁丑進士,廣西左參議。

鄭洛書　思齋集二卷字啓範,莆田人。正德丁丑進士,河南道御史。

尹耕文集□卷字子莘,代州人。嘉靖壬辰進士,河南兵備僉事。

---

① “集”,《千頃堂書目》卷二十二作“草”。

② “亞父”,《千頃堂書目》卷二十二作“亞甫”。

陳逅　省庵集四卷常熟人。正德丁丑進士。

劉淮　平岡集二十六卷睢州人。正德丁丑進士。

王謳　王彭衙集四卷白水人。正德丁丑進士，山西按察僉事。詩以年紀，起正德戊辰，迄嘉靖丙戌。

陸釴　少石子集十三卷字舉之，鄞縣人。正德辛巳一甲第二人，山東提學副使。

詹泮　少華山人集四卷玉山人。正德辛巳進士。

陳騰鸞　浴江遺稿二卷字士遂，莆田人。正德辛巳進士，户部郎中。

張逵　久庵詩集六卷餘姚人。正德辛巳進士。

敖英　心遠堂文草一卷　又　續草一卷　又　詩草一卷字子發，清江人。正德辛巳進士，□□布政使①。

田頊　秬山詩集二卷字太素，尤溪人。正德辛巳進士，貴州提學副使。

張羽　東田集三卷②崑山人。正德辛巳進士，刑部員外郎，諫大禮被杖。

邵經邦③　**弘藝録三十二卷　附録十五卷**字仲德，號弘齋，仁和人。正德辛巳進士，刑部員外郎。嘉靖八年十月日食，陳言，謫戍鎮海衛者三十年。多所著述，附録爲奏疏、雜著、家乘之類。

陳講　中川集十三卷　又　如烏集三卷遂寧人。正德辛巳進士，巡撫山西，副都御史。

丘養浩　集齋類稿十八卷字以義，晉江人。正德辛巳進士，巡撫四川，都御史。

吴檄　兵部集一卷字用宣，桐城人。正德辛巳進士，陝西參政。

張寅　曉川文畧六卷字仲明，太倉人。正德辛巳進士，官監察御史，改春坊司直郎。

姚鳴鸞　亦雲集六卷莆田人。正德辛巳進士。

---

① 空格處，《千頃堂書目》卷二十二作“河南右”。

② “三”，《千頃堂書目》卷二十二作“二”。

③ “經”，原誤作“繼”，據《千頃堂書目》卷二十二、《明史》卷九十九、《浙江通志》卷二百五十改。

楊言　后江集三卷鄞縣人。正德辛巳進士,户科給事中,湖廣參議。

陳大濩　雙拙稿四卷　又　擬杜詩四卷　又　擬陶詩四卷福建長樂人。正德辛巳進士,思恩府同知。

熊爵　乾州集二卷祥符人。正德辛巳進士。

吕本　期齋集十六卷

徐階　世經堂集二十六卷　又　世經堂續集十四卷　又　少湖文集十卷

袁煒　袁文榮公詩集八卷

嚴訥　嚴文靖公集十二卷

李春芳　詒安堂稿十卷

郭朴　郭文簡公集五卷　附録一卷　補遺一卷

胡松　莊肅公集八卷　又　栢泉續集二卷滁州人。嘉靖己丑進士,吏部尚書,贈太子少保。

茅瓚　見滄先生文集十五卷錢塘人。嘉靖戊戌進士,一甲第一人,吏部左侍郎兼翰林院學士。

王用賓　三渠先生文集十六卷陝西咸寧人。正德辛巳進士,太子太保,南京吏部尚書兼翰林院學士。

馬坤　石渚遺稿八卷直隸通州人。嘉靖癸未進士,户部尚書。

鄒守愚　俟知堂集十三卷莆田人。嘉靖丙戌進士,户部左侍郎,贈右都御史。

蔡克廉　可泉集晉江人。嘉靖己丑進士,南京户部尚書。

董份　泌園全集三十七卷烏程人。嘉靖辛丑進士,禮部尚書兼翰林院學士。

閔如霖　午塘集十六卷烏程人。嘉靖壬辰進士,南京禮部尚書。

孫陞　文恪公集二十卷餘姚人,孫燧子。嘉靖己未一甲第二人,南京禮部尚書,贈太子少保。

李璣　西野集十三卷字邦在,豐城人。嘉靖乙未進士,南京禮部尚書。

尹臺　洞麓堂集三十八卷　又　思補軒稿八卷永新人。嘉靖乙未進士,南京禮部尚書。

范欽　天一閣集十九卷鄞縣人。嘉靖壬辰進士,兵部右侍郎。一作三十一卷。

丁以忠　世美堂稿新建人。嘉靖戊戌進士，南京兵部右侍郎。

喻時　喻吴臯集十二卷　又　海上老人别集二卷光州人。嘉靖戊戌進士，南京兵部右侍郎。

萬虞愷　楓潭集三卷南昌人。嘉靖戊戌進士，刑部右侍郎。

陳堯　梧岡文集五卷　又　梧岡詩集三卷　又　梧岡續集五卷　又　貴陽行紀一卷　又　西巡録一卷　又　大觀樓漫録一卷　又　哀玉集一卷南直隸通州人。嘉靖乙未進士，刑部左侍郎。

馮岳文集八卷　又　恤刑稿四卷字望之，慈谿人。嘉靖丙戌進士，南京刑部尚書。

趙大佑　燕石集五卷浙江太平人。嘉靖乙未進士，南京刑部尚書。

虞守愚　東厓文集　又　虔臺拙稿字惟明，義烏人。嘉靖癸未進士，南京刑部右侍郎。

何遷　吉陽文集二十卷　又　詩集□卷德安衛人。嘉靖辛丑進士，南京刑部右侍郎。

雷禮　鐔墟堂摘稿二十卷豐城人。嘉靖壬辰進士，少傅兼太子太傅，工部尚書。

郭鋆　一泉稿高平人。嘉靖壬辰進士，工部左侍郎。

郭鏊　翰林詩稿　又　窮居集鋆從弟。嘉靖乙未進士，南京工部右侍郎。

黄廷用　少村漫稿三卷莆田人。嘉靖乙未進士，工部右侍郎。

康太和　留省稿二十卷　又　停雲館摘稿十二卷石城許穀選。**又　禾城集四卷　又　編年集十四卷**莆田人。嘉靖乙未進士，南京工部尚書。

王昺　海東宦紀三卷字承晦，章丘人。嘉靖癸未進士，南京工部右侍郎。

范嵩　衢村集六卷字邦秀，甌寧人。弘治壬戌進士，南京工部右侍郎。

蔡汝楠　自知堂集二十四卷德清人。嘉靖壬辰進士，南京工部右侍郎。

張永明　臨溪存稿六卷烏程人。嘉靖乙未進士，左都御史，謚“莊僖”。

趙鏜　留齋漫稿七卷一作十三卷，江山人。嘉靖丁未進士，都察院右僉都御史。

楊訓　執齋稿　又　朝京稿　又　教吴稿　又　指衙録江西泰

和人。楊士奇五世孫,貢士,華亭教諭。

楊載鳴　大拙堂集九卷　又　困喻録字虞卿,訓子。嘉靖戊戌進士,提督騰黄,右通政。

章焕　華陽漫稿十三卷吴縣人。嘉靖戊戌進士,總督漕運,副都御史。

周滿　晚秀集二卷　又　續集□卷四川漢州人。嘉靖壬辰進士,提督南贛,都御史。①

車純　百山集　又　解組稿字秉文,上虞人。正德丁丑進士,巡撫湖廣,都御史。

陳仕賢　四留堂存稿六卷字邦憲,福清人。嘉靖壬辰進士,巡撫湖廣,副都御史。

徐南金　承恩堂文稿十二卷字體乾,豐城人。嘉靖辛丑進士,巡撫湖廣,副都御史。

葉照　溝盈集慈谿人。嘉靖癸未進士,撫治鄖襄,右副都御史。

張鶚翼　中丞詩選六卷字習之,上海人。嘉靖辛丑進士,巡撫貴州,都御史。

于湛　素齋先生集五卷　附褒恤録一卷字瑩中,金壇人。正德辛未進士,撫治鄖襄,都御史。

雷賀　粤藩稿二卷　又　中丞詩六卷　又　中丞律選一卷　又　寶氣樓藏草十卷字時雍,豐城人。嘉靖辛丑進士,巡撫四川,都御史。

李義壯　三洲初稿十五卷南海人。嘉靖癸未進士,巡撫,都御史。②

高翀　玉華詩文稿　又　歸與稿字允升,安陸衛籍新淦人。嘉靖丙戌進士,巡撫貴州,都御史。

趙釴　無聞堂稿十七卷桐城人。嘉靖甲辰進士,巡撫貴州,都御史。

張岳　净峰稿四十六卷　又　小山類稿選二十卷惠安人。總督川湖,都御史,贈太子太保,謚"襄敏"。③

鄭絅　葵山集一卷莆田人。嘉靖己丑進士,總督两廣,兵部侍郎。

---

①　據《千頃堂書目》卷二十三,周氏爲汀漳右副都御史。

②　據《千頃堂書目》卷二十三,李氏爲巡撫貴州,都御史。

③　"太保"、"襄敏",《千頃堂書目》卷二十二分别作"少保"、"襄惠"。

楊守謙　兵部集長沙人，彭城衛籍。嘉靖己丑進士，巡撫保定，兵部侍郎，謚“恪愍”。

蘇志皋　抱罕集一卷　又　寒村集四卷固安人。嘉靖壬辰進士，巡撫遼東，都御史。

萬潮　五溪文集進賢人。正德辛未進士，巡撫延綏，副都御史。

柴經　柴中丞集字季常，鄞縣人。正德丁丑進士，南京副都御史兼督江防①，諫南巡被杖。

陳棐　文岡先生集二十卷鄢陵人。嘉靖乙未進士，巡撫甘肅，都御史。

胡汝霖　青厓集四卷字汝霖，綿州人。嘉靖乙未進士，巡撫甘肅，都御史。

汪宗凱　棠溪集二十卷字子才，崇陽人。嘉靖乙未進士，□□少卿。

蘇祐　穀原詩集八卷　又　文集十卷　又　三巡集一卷濮州人。嘉靖丙戌進士，總督宣大，侍郎。

蘇濂　伯子集十三卷字子川，祐子。以父任官通判。

蘇潢　元夕倡和集　又　榮善倡和集　又　遊梁詩草官審理。

蘇澹　仲子集七卷字子仲②。舉人。

蘇□　叔子集俱蘇祐子。

柯相　獅山文集□卷貴池人。正德丁丑進士，巡撫河南，都御史。

陸埛　陸蕡齋文集十二卷嘉善人。嘉靖丙戌進士，巡撫河南，都御史。

張烜　吉山集四卷廣西慶遠人。嘉靖己丑進士，總督漕運，都御史。

謝東山　近譬軒集四十卷　又　近譬軒詩抄四十卷射洪人。嘉靖辛丑進士，巡撫山東，都御史。

萬恭　洞陽子集十八卷　又　續集南昌人。嘉靖甲辰進士，巡撫山西，都御史。

孟淮　衛原集四卷　又　入蜀稿字豫州③，祥符人。嘉靖戊戌進士，應天府尹。

---

① “江防”後，原衍一“先”字，據《千頃堂書目》卷二十二刪。

② “子仲”，《千頃堂書目》卷二十三作“子沖”。

③ “豫州”，《千頃堂書目》卷二十三作“豫川”。

王鶴　見薇堂集八卷長安人。嘉靖甲辰進士,應天府尹。

扈永通　會溪類稿四卷字一貫,曹縣人。嘉靖壬辰進士,順天府尹,出爲河南布政使司。

張忠　玉林集任丘人。嘉靖己丑進士,光禄寺少卿。

馬從謙　竹湖遺稿二卷溧陽人。嘉靖乙未進士,光禄寺少卿。

李舜臣　愚谷集十卷　又　符臺集二卷山東樂安人。嘉靖癸未會試第一人,太僕寺卿。

周復俊　涇林詩集十卷字子籲,崑山人。嘉靖壬辰進士,南京太僕寺卿。

王激　雀山文集二卷[①]**　又　文江集**永嘉人。嘉靖癸未進士,國子監祭酒。

晁瑮　鏡湖文集一卷開州人。嘉靖辛丑進士,國子監司業。

晁東吴　遺文四卷瑮子。嘉靖癸未進士,庶吉士。

龔用卿　雲岡集二十卷懷安人。嘉靖丙戌一甲第一人,南京國子監祭酒。

王維楨　存笥集二十卷　又　全集四十二卷華州人。嘉靖乙未進士,南京國子監祭酒。

王材　念初堂集六十五卷江西新城人。嘉靖辛丑進士,太常寺卿,掌南京國子監事。

吕懷　巾石先生類稿三十二卷廣信永豐人。嘉靖壬辰進士,南京太僕寺少卿。

朱大韶　經術堂集華亭人。嘉靖丁未進士,南京國子監司業。

馬一龍　玉華子游藝集十九卷溧陽人。嘉靖丁未進士,南京國子監司業。

陳謹　環江遺稿一卷閩縣人。嘉靖癸丑一甲第一人,右春坊右中允。

趙時春　浚谷集十七卷字子仁,平凉人。嘉靖丙戌會試第一人,巡撫山西,都御史。

王慎中　遵巖文集四十一卷　又　遵巖子二卷　又　遵巖文選十六卷　又　家居集□卷字道思,晉江人。嘉靖丙戌進士,河南左

---

① “雀山文集”,《千頃堂書目》卷二十三作“鶴山詩文集”。

參政。

陳束　後岡先生文集二卷鄞縣人。嘉靖己丑進士，河南提學副使。

唐順之　荆川集二十卷　又　續集六卷　又　奉使集一卷

熊過　南沙集八卷字子仁，富順人。嘉靖己丑進士，由庶吉士歷官禮部郎中。

任瀚　逸稿六卷字少海，南充人。嘉靖乙丑進士，春坊司直郎。

吕高　江峰漫稿十二卷字山甫，丹徒人。嘉靖己丑進士，山東提學道副使。自趙時春而下，與後李開先爲嘉靖初八才子。

楊名　芳洲集五卷字實卿，遂寧人。嘉靖己丑進士，翰林院編脩。

梁懷仁　學泉集□卷字宅之，晉江人。生週歲即能識字，四歲善草書、吟詩，二十歲舉嘉靖己丑進士，授南京吏部主事，年三十三卒。

朱淛　天馬山房集八卷字必東，莆田人。嘉靖癸未進士，監察御史，諫免賀昭聖太后聖節謫，贈光禄寺少卿。

藍田　侍御集十卷　又　東歸倡和一卷即墨人。嘉靖癸未進士，監察御史。

馮恩　芻蕘録□卷華亭人。嘉靖丙戌進士，監察御史，論汪鋐，謫戍。隆慶初，進大理寺寺丞。

陸粲　陸子餘集八卷　又　遺集四卷　又　烟霞山房書尺長洲人。嘉靖丙戌進士，工科給事中。

戚賢　南元集四卷全椒人。嘉靖丙戌進士，刑科都給事中。

陳讓　見吾文集二十卷晉江人。嘉靖辛卯省試第一人，壬辰進士，監察御史。

王格　少泉集十卷字汝化，京山人。嘉靖丙戌進士，庶吉士，出爲分巡河北僉事。世宗南巡，行宫火，杖黜，後贈太僕少卿。

楊爵　斛山逸稿五卷富平人。嘉靖己丑進士。

周天佐　蹟山遺稿十卷晉江人。嘉靖乙未進士，户部主事，論救楊爵，被杖死。

馮汝弼　祐山集十六卷平湖人。嘉靖壬辰進士，兵科給事中，坐劾汪鋐謫潛山丞，遷知太倉州。

包節　侍御集六卷　又　湟中稿　又　西戍北還稿[1]字元達，華亭

---

① "還"，《千頃堂書目》卷二十三作"逮"。

人。嘉靖壬辰進士,監察御史,以建言謫戍湟中。

錢薇　海石集二十八卷　又　詩集六卷字懋垣,海鹽人。嘉靖壬辰進士,禮科給事中。

梁格　定齋存稿三卷　又　窺易集字君正,稷山人。嘉靖乙未進士,南京兵科給事中。

周怡　訥溪集二十七卷寧國太平人。嘉靖戊戌進士,太常寺少卿。

何光裕　石亭初集四川梓潼人。嘉靖辛丑進士,翰林院,諫用仇鸞,被杖卒,贈光禄寺少卿。

劉魁　省愆摘稿五卷字煥吾,號晴川,江西泰和人。舉人,官工部員外郎,諫徙雷壇,被杖下獄。

羅洪先　念庵文集十三卷　又　石蓮洞全集二十五卷左春坊左諭德兼翰林院修撰,贈光禄寺少卿,謚"文恭"。

唐樞　木鍾臺集三十二卷歸安人。嘉靖丙戌進士,刑部主事。

林春　東城集二卷字子仁,泰州人。嘉靖壬辰會試第一人,吏部文選郎中。

柯維騏①　**藝餘集十卷　又　續集四卷　又　雜著二卷**莆田人。嘉靖癸未進士,南京户部主事。

薛甲　藝文類稿十四卷字江登②,江陰人。嘉靖己丑進士,江西按察副使。

蔣信　道林集九卷　又　續集　又　後集字卿實,武陵人。嘉靖壬辰進士,貴州副使。

潘子嘉　惺庵文集字汝亨,潘鏜子,六安州人。從學湛若水。

薛應旂　方山集六十八卷　又　方山文録二十二卷武進人。嘉靖乙未進士,浙江提學副使。

蔡靉　洨濱文集十二卷字天章,寧晉人。嘉靖己丑進士,河南道御史。

唐肯文集二十卷③字希古,武進人。舉人,雞澤知縣,與毛憲、魏校同學。

豐坊　南禺先生詩選二卷字存禮,鄞人,學士熙子。嘉靖癸未進士,南京吏部

---

① "維",《千頃堂書目》卷二十三作"惟"。

② "江登",《千頃堂書目》卷二十三作"應登"。

③ "肯",《千頃堂書目》卷二十三作"音"。

主事。初名坊,後更道生,别號人翁。

王度　石梁集九卷字律生,天台人。嘉靖癸未進士,建昌知府。

盧襄　五塢草堂集十卷字師陳,吴縣人。嘉靖癸未進士,陜西右參議。

左思忠　石臯集四卷字舜臣,長安人。嘉靖癸未進士,驗封司員外郎。

陳明　鵲湖藁二卷歷城人。嘉靖癸未進士,工部主事。

劉繪　嵩陽集二十卷汝陽人。嘉靖乙未進士,重慶知府。

樊鵬　樊氏集十二卷信陽州人。嘉靖丙戌進士,固原兵備僉事。

喬世寧　丘隅集十九卷耀州人。嘉靖戊戌進士,四川按察使。

張蒙訓　惇物山人集二卷字子成。嘉靖甲午舉人,與喬世寧同邑,相善,官襄陽教諭。

孔汝錫　孔文谷集十六卷　又　詩集十四卷汾州人。嘉靖壬辰進士,一甲第二人,浙江布政使。

袁袠　袁永之集二十卷吴縣人。嘉靖丙戌進士,廣東按察司僉事。

袁尊尼　袁魯望集十二卷袠子。嘉靖乙丑進士,山東提學副使。

文徵明　甫田集三十五卷初名璧,以字行,更字徵仲。

文彭　博士集二卷字壽承。國子監博士。

文嘉　和州集一卷字休承。貢士,和州學正。

蔡羽　林屋集二十卷　又　南館集十三卷吴縣人。貢士,南京翰林院孔目。

王穀祥　酉室集長洲人。嘉靖己丑進士,文選司員外郎。

陸師道　五湖集字子傳,吴縣人。嘉靖戊戌進士,尚寶司少卿。

陳淳　白陽詩集八卷字道復,長洲人,後以字行,更字復父①。

湯珍　小隱堂詩集八卷②字子重,吴縣人。歲貢生,縣丞。一名《湯迪功集》。

崔瀓　傳響集十二卷字淵甫,吴江人。

彭年　隆池山樵集三卷字孔嘉,長洲人,文徵明弟子。

---

① "復父",《千頃堂書目》卷二十三作"復甫"。

② "集",《千頃堂書目》卷二十二作"草"。

田汝成　田叔和集十二卷[1]錢塘人。嘉靖丙戌進士,廣西參議,分守左江道。

施侃　菁山集字邦直,歸安人。嘉靖丙戌進士。

屠應埈　蘭暉堂集八卷字文升,平湖人。嘉靖丙戌進士,右春坊右諭德。

范言　菁陽集選五卷字孔居[2],秀水人。嘉靖丙戌進士,大理府同知。

楊祐　興國集二卷　又　楊氏四集十六卷字汝成[3],錢塘人。嘉靖己丑進士,湖廣僉事。

楊本仁　少室山人集二十四卷字次山,杞縣人。嘉靖己丑進士,刑部主事。一名《少室夢言》。

沈愷　環溪集二十六卷華亭人。嘉靖己丑進士,寧波知府。

李開先　中麓閒居集十二卷　又　四時行樂詩一卷　又　詠雪詩一卷字伯華,章丘人。嘉靖己丑進士,提督,四彝館少卿。

吴子孝　玉涵堂詩選十卷字純叔,長洲人。嘉靖己丑進士,庶吉士,歷官湖廣參議,吏部尚書吴一鵬子。

皇甫冲　皇甫子浚全集六十卷　又　還山詩一卷庚子下第作。**又　紀遊詩一卷**字子浚,長洲人,皇甫録子。嘉靖戊子舉人,卒于公車。

皇甫涍　少玄集二十六卷　又　外集十卷冲弟,字子安。嘉靖壬辰進士,浙江按察司僉事。

皇甫汸　司勳集六十卷字子循,涍弟。嘉靖己丑進士,雲南按察司僉事。

皇甫濂　水部集二十卷字子約,汸弟。嘉靖甲辰進士,興化府同知。

周時　虚巖山人集六卷字以言,崑山人。

黄姬水　黄淳父先生集二十四卷　又　白下集十一卷黄省曾子。

陸之裘　南門仲子集字象孫,太倉州人,陸容孫。官教諭。

白悦　白洛原集八卷武進人。嘉靖壬辰進士,尚寶寺丞。

---

① “和”,《千頃堂書目》卷二十三作“禾”。

② “孔居”,《千頃堂書目》卷二十三作“孔嘉”。

③ “汝成”,《千頃堂書目》卷二十三作“汝承”。

駱文盛　兩溪先生存稿十五卷①　**又　遺稿七卷**字質甫，武原人。嘉靖乙未進士，翰林院編修。

韋商臣②　**南苕集一卷**字希尹，長興人。嘉靖癸未進士，四川左參議。

江以達　午坡集四卷字虞順③，貴溪人。嘉靖丙戌進士，福建提學副使。

黄直　望萊集　又　還江集字以方，金谿人。嘉靖癸未進士，漳州府推官。

聞人詮　芷蘭集一卷字邦正，餘姚人。嘉靖丙戌進士，督學南直御史。

李元陽　中溪集十卷　又　中溪詩集十卷字仁甫，雲南太和人。嘉靖丙戌進士，庶吉士，荆州知府。

方克　西川集十二卷字惟力，桐城人。嘉靖丙戌進士，陜西苑馬寺少卿。

岑萬　蒲谷集一卷字體一，廣東順德人。嘉靖丙戌進士，河南布政使。

谷繼宗遺稿一卷字嗣興，歷城人。嘉靖丙戌進士，官知縣。

崔廷槐　樓溪集三十六卷平度州人。嘉靖丙戌進士，按察司僉事。

栗應麟　栗陳州集一卷字仁甫，潞州人。嘉靖己丑進士。

栗應宏　太行集十六卷　又　山居詩六卷字道父，應麟弟。弱冠舉于鄉試，南宫不售，以布衣終。④

許勉仁　謫滇稿四卷雙流人。嘉靖己丑進士。

趙鯤遺稿六卷　又　選雋二卷字宇南，壽張人。嘉靖己丑進士，漢中知府。

祝詠　使西漫興　又　蜀中稿衡陽人。嘉靖己丑進士，陜西左參議。

崔涯　筆山先生文集十卷字若濟，直隸太平縣人。嘉靖己丑進士，巡按福建，監察御史。

王璣　在庵遺稿字在叔⑤，浙江西安人。嘉靖己丑進士，提督徐兖屯田，都御史。

---

① “十五”，《千頃堂書目》卷二十三作“十二”。

② “商”，原誤作“商”，據《千頃堂書目》卷二十三、《明詩綜》卷四十四“韋商臣”條改。

③ “虞順”，《千頃堂書目》卷二十三作“于順”。

④ “詩”後，《千頃堂書目》卷二十三有一“集”字。“道父”，《千頃堂書目》作“道甫”。

⑤ “在叔”，《千頃堂書目》卷二十三作“叔在”。

張選　歸田養浩集　又　碧山吟社稿無錫人。嘉靖己丑進士,通政司左參議。

陳乙　過庵稿八卷杞縣人。嘉靖壬辰進士。

許樾　儀城集五卷蘭陽人。嘉靖壬辰進士,南京户部員外郎。

許應元　隋堂摘稿十六卷字子春,錢塘人。嘉靖壬辰進士,廣西布政使。

許應亨　石屋存稿六卷應元弟。嘉靖甲辰進士,刑部主事。

徐樾　波石集八卷字子直,貴溪人。嘉靖壬辰進士,雲南布政使。

趙伊　序芳園集二卷[1]字子衡,平湖人。嘉靖壬辰進士,廣西副使。

王廷幹　巖潭稿二卷字惟楨,涇縣人。嘉靖壬辰進士,九江知府。一作七卷。

來汝賢　菲泉集十六卷字汝禹,蕭山人。嘉靖壬辰進士,禮部主事。

廖希顔　東雲存稿四卷字叔愚,茶陵州人。嘉靖壬辰進士,山西提學副使。

施峻　璉川集八卷字平叔,歸安人。嘉靖乙未進士,青州知府。

陳昌積　两湖文集三十四卷字子發,江西泰和人。壬午省試第一人,嘉靖戊戌進士,尚寶寺丞。

莫如忠　崇蘭館集二十卷字子長,華亭人。嘉靖戊戌進士,浙江布政使。

何良俊　柘湖集二十八卷華亭人。歲貢,南京翰林孔目。

何良傅[2]　**禮部集十卷**字叔皮,良俊弟。嘉靖辛丑進士,祠祭司郎中。

張之象　剪綃集二卷字月鹿,别字元超,華亭人。以太學生爲浙江布政司經歷。

徐獻忠　長谷集十五卷字伯臣,華亭人。嘉靖乙酉舉人,奉化知縣。

沈東　屏南集十卷字元震,華亭人。歲貢,湖州府同知。

謝少南　河垣稿一卷　又　謫臺稿一卷　又　粵臺稿二卷字應午,上元人。嘉靖壬辰進士,廣西提學副使。

余光　古峰集三卷字晦之,江寧人。嘉靖壬辰進士,浙江道御史。

許穀　省中稿四卷　又　二臺稿一卷　又　歸田稿十卷

---

① "序",《千頃堂書目》卷二十三作"席"。

② "傅",原誤作"傳",據《千頃堂書目》卷二十三、《明史》卷九十九、《江南通志》卷一百九十四改。

又　武林稿一卷字仲貽，上元人。嘉靖乙未會試第一人，南京尚寶寺卿。

陳鳳　清華堂稿六卷　又　宛地梓四卷南京太醫院人。嘉靖乙未進士，陝西僉事。

金大車　子有集二卷上元人。嘉靖乙酉舉人。

金大輿　子坤集二卷大車弟。與大車皆從顧璘學詩。

葛清　冰壺稿一卷字惟元，孝陵衛人。嘉靖辛卯舉人，深于禪旨。

華鑰　水西居士集十二卷　又　勝遊集二卷字德啓，無錫人。嘉靖壬午解元，癸未進士，庶吉士，官刑部郎中。

石英中　石比部集八卷上海人。嘉靖癸未進士。

顧夢圭　入蜀稿二卷　又　贅疣録十三卷①崑山人。嘉靖癸未進士，江西布政使。

陳褎　騶山集十六卷字邦進，寧德人。嘉靖癸未進士，巡按江西，監察御史。

周易　赤山集八卷字時伯，蕪湖人。嘉靖癸未進士，□參議。

馮世雍　漫遊稿　又　三石集江夏人。嘉靖癸未進士，徽州知府。

葉良佩　海峰堂集十八卷浙江太平人。嘉靖癸未進士。

鄔紳　中憲集四卷字佩之，丹徒人。嘉靖癸未進士，四川副使。

張景　泰華集六卷字光啓，汝陽人。嘉靖癸未進士，陝西副使。

王誥　河西稿字公遇，西平人。嘉靖癸未進士，總督漕運侍郎兼右副都御史。

黄訓　黄潭集十卷歙縣人。嘉靖己丑進士。

李愷　介山集十六卷字克諧，惠安人。嘉靖壬辰進士，湖廣副使，有平夷功。

米榮　率性堂文集四卷字仁夫，邵武人。嘉靖壬辰進士，湖廣左參議。

陳如綸　蘭舟漫稿一卷太倉衛人。嘉靖壬辰進士。

陳暹　拚瓴集十卷字德輝，閩縣人。嘉靖乙未進士，廣東布政使。

趙維垣　攻玉稿永寧衛人。嘉靖壬辰進士，福建布政使。

謝上箴　南湖詩集二卷字以善，華容人。嘉靖壬辰進士，建寧知府。

---

① “十三”，《千頃堂書目》卷二十三作“十二”。

王瑛　溪上集[①]無錫人。嘉靖壬辰進士,監察御史。

程瑶　右丞稿八卷德州衛人。嘉靖壬辰進士,江西布政使。

王梅　柘湖遺稿二卷平湖人。嘉靖壬辰進士,庶吉士,官主事[②],坐事謫判滁州。

王立道　具茨集八卷　又　詩集五卷字懋中,無錫人。嘉靖乙未進士,翰林院編修。

劉尚義　栢山集四卷汾州人。嘉靖乙未進士,河南副使。

陳元珂　家居集四卷[③]　**又　居婺文録二卷**字仲聲。嘉靖乙未進士,湖廣参議。

趙統　驪山集十四卷臨潼人。嘉靖乙未進士。

陳元琰　仙臨篇二卷字仲文,元珂弟。嘉靖庚戌進士,楚雄知府。

楊祐　濟南集一卷内江人。嘉靖乙未進士。

王問　仲山詩選八卷　又　原筮齋後集二卷字子裕,無錫人。嘉靖戊戌進士,廣東僉事。

沈啓　家居稿　又　南北稿　又　西臺浄稿　又　越吟稿　又　楚吟稿　又　雞窠嶺稿字子由,吴江人。嘉靖戊戌進士,湖廣副使。

侯一元　少谷集十六卷樂清人。嘉靖戊戌進士,吏部郎中。

侯一麐　龍門集字舜昭,一元弟。

俞憲　是堂學詩二十四卷字汝承,無錫人。嘉靖戊戌進士,□副使[④]。

陳鎏　己寛堂集四卷字子兼,長洲人。嘉靖戊戌進士,四川布政使。

錢芹　永州集八卷海鹽人。嘉靖戊戌進士,永州知府。

南逢吉　姜泉集十四卷字元真,渭南人。嘉靖戊戌進士,山西副使。

劉廷誥　見峰集一卷慈谿人。嘉靖戊戌進士。

---

① "溪"前,《千頃堂書目》卷二十三有"石沙"二字。

② "官"後,《千頃堂書目》卷二十三有"刑部"二字。

③ "四"後,《千頃堂書目》卷二十三有一"十"字。

④ 空格處,《千頃堂書目》卷二十三作"湖廣"。

吴世良　雲塢山人稿十七卷遂安人。嘉靖戊戌進士。

黄洪毗　翠巖集二卷莆田人。嘉靖戊戌進士，提督南畿學政御史。

何御　白湖草十二卷字範之，福清人。嘉靖戊戌進士，两浙鹽運使。

茅坤　鹿門先生文集三十六卷即白華樓。又　玉芝山房稿三卷　又　耄年録八卷字順甫，歸安人。嘉靖戊戌進士，大名兵備副使。

吴維嶽　天目山齋藏稿二十八卷孝豐人。嘉靖戊戌進士，巡撫貴州，都御史。

李嵩　存笥稿十卷歸德衛人。嘉靖戊戌進士。

馮惟健　陂門集八卷字子强①，臨朐人。嘉靖戊子舉人。

馮惟訥　光禄集十八卷字汝言，惟健弟。嘉靖戊戌進士，江西布政使，進光禄卿，致仕。

馮惟重　大行集一卷字汝成，惟健弟。與惟訥同年進士，官行人司。

馮惟敏　山堂緝稿　又　山堂詞稿　又　擊節餘音字汝行，號海浮。工樂府，王世貞稱其北調傑出。舉嘉靖戊子鄉試，官通判②。

劉鋭　西橋集　又　望洋遺稿　又　承恩應制等編字汝中，大學士劉珝子。以父任，歷官太常寺卿兼翰林院五經博士。好聚書，嘗槧其《古今同姓文集》五十餘家行世。

周吉　一川野稿字應貞，西安左衛人。嘉靖乙酉舉人，蘭陽知縣。

趙勳遺集五卷番禺人。嘉靖戊子舉人，山東僉事。

桑介　吟史和陶等集十六卷　又　白厓詩選十卷　又　賡吟集二卷與文徵明倡和。介字子石，常熟人。嘉靖癸卯舉人。

李應元　蔡蒙山房稿四卷　又　六臺山人集六卷字幼真，雅州人。嘉靖壬午舉人，真定府同知。

禼文光　擬陶詩　又　北覿稿　又　懷谷詩文稿公安人。嘉靖戊子舉人，官巴縣、蓬溪二縣知縣。

---

① “子强”，《千頃堂書目》卷二十三作“汝强”。

② “官”後，《千頃堂書目》卷二十三有“保定”二字。

李萬平　饑豹存稿八卷字惟衡，南昌人。諸生，李遂父。

張含詩集四卷　又　張禺光詩文選五卷　又　鐵橋詩集一卷永昌人，張志淳子。舉人。

秦鎧　樗林摘稿三卷　附録一卷字國和，無錫人。隱居，人稱"貞静先生"。

張浭　望仙集十二卷　又　窮居集六卷字文東，海寧人。嘉靖辛卯舉人。

王文禄　藝草十二卷[①]海鹽人。嘉靖辛卯舉人。

姜湧　槐庭遺稿蒙城人。嘉靖壬子舉人，武清知縣。

包梧　白厓集字子木，鄞縣人。嘉靖壬午舉人，蘇州通判。

强晟　借山詩集六卷　又　集句一卷　又　秦藩應教詩一卷汝南人。秦府左長史。

施漸　武陵集字子羽，無錫人。以歲貢官海鹽縣丞，人評其詩如春竹積雪，寒松浮翠，又如寒鴉數點，流水孤村。

張言　崐崘山人詩集[②]字子言，宛平人。

吴琉　環山樓集六卷字汝秀，長興人。精皇極經世之學，人比祝泌。

沈仕　青門詩一卷字懋學，一字子登，錢塘人。

李奎　湖上篇一卷字伯文，錢塘人。起家刀筆，從事錦衣，與沈鍊善。嘉靖中，周旋詔獄諸人，鍊疏劾嚴嵩，屬奎以後事，幾爲嚴世蕃所中，乃脱身歸，死而茅坤題其墓曰"詩人李珠山之墓"。

沈鍊　鳴劍集六卷　又　續集六卷　又　青霞山人集五卷[③]**又　塞垣尺牘**山陰人。嘉靖戊戌進士，錦衣衛經歷。

楊繼盛　楊忠愍公集四卷　又　手記一卷

蕭端蒙　同野集五卷字日啓，潮州人。嘉靖辛丑進士，監察御史。

吕時中　潭西文集十七卷字以道，清豐人。嘉靖辛丑進士，由庶吉士歷官户部右侍郎。

---

① "藝"前，《千頃堂書目》卷二十三有"王生"二字。

② "言"，《千頃堂書目》卷二十二作"詩"。"詩"字，《千頃堂書目》無。

③ "山人集"，《千頃堂書目》卷二十三作"山人稿"。

李時行　駕部集一名《青霞集》。時行字少偕，番禺人。嘉靖辛丑進士，南京兵部主事。

陳九德　陳子吉集欒城人。嘉靖辛丑進士。

林懋和　雙臺詩選九卷　又　櫟寄集四卷字惟介，閩縣人。嘉靖辛丑進士，廣東布政使。

林懋舉　心泉文集十卷字直卿，懋和弟。嘉靖甲辰進士，廣東左布政使。

繆宣瑞　鵲堂集四卷字東洲，常熟人。嘉靖甲辰進士。

王交　綠槐堂稿二十二卷慈谿人。嘉靖辛丑進士，南京太僕寺丞。

徐霈　東溪文集六卷江山人。嘉靖辛丑進士。

林愛民　肖雲稿六卷字惟牧，福寧州人。嘉靖甲辰進士，按察司僉事。

胡安　趨庭集十二卷字仁夫，餘姚人。嘉靖甲辰進士，布政司參議。

方九叙　遺篋稿九卷字禹績，錢塘人。嘉靖甲辰進士，承天知府。

袁福徵　袁履善集號太冲，華亭人。嘉靖甲辰進士，□長史①。

向洪邁　向懷葛先生集十卷慈谿人。嘉靖甲辰進士。

盧岐嶷　吹劍集三十五卷　又　續集八卷字希稷，長泰人。嘉靖甲辰進士，副使。

張鍊　太乙山人詩稿五卷武功人。嘉靖甲辰進士。

江珍　漸齋集字民璞，歙縣人。嘉靖甲辰進士，貴州布政使。

江瓘　霞石稿字民瑩，珍弟。**又　篁南山人集十卷**

蘇志仁　抱拙堂稿海陽人。嘉靖甲辰進士，河南按察僉事。

魏文焲②　石室私抄四卷福清人。嘉靖甲辰進士，廣東按察使。

陳璽　守魯集八卷閩縣布衣。

陳全之　夢宜集蘆滄集巴黔集莅荆集遊梁集共十卷字粹仲，璽子。嘉靖甲辰進士，山西參政。

---

① 空格處，《千頃堂書目》卷二十四作“王府”。

② “焲”，原誤作“掖”，據《千頃堂書目》卷二十三、《明詩綜》卷四十八“魏文焲”條改。

朱尚文　雍丘集一卷直隸新城人。嘉靖戊戌進士。

孫昭　西行集二卷字明德,永嘉人。嘉靖甲辰進士,御史,巡按陝西。

王宗聖　濱河稿十五卷

惲紹芳　考槃集四卷武進人。嘉靖丁未進士。

張元諭　詹詹集七卷

劉應時　中齋集九卷洪洞人。嘉靖丁未進士。

周思兼　周叔夜集八卷華亭人。嘉靖丁未進士。

詹萊　招摇池館集三十卷常山人。嘉靖丁未進士,官僉事。

謝江　岷陽集八卷字仲川,河南衛人。嘉靖丁未進士,禮科給事中。世宗時建言,两被廷杖,削籍。隆慶初,復官。

狄斯彬　稽命集十卷溧陽人。嘉靖丁未進士。

張天復　鳴□堂稿十二卷①山陰人。嘉靖丁未進士,甘肅行太僕寺卿。

章适②　**道峰集**一作《章景南集》。字景南,蘭溪人。嘉靖丁未進士,禮科給事中。

彭輅　比部集六卷字子殷,海鹽人。嘉靖丁未進士,南京刑部郎中。

傅夏器　錦泉集六卷字廷璜,福建南安人。嘉靖庚戌進士,會試第一人,吏部郎中。

范櫝　觀史雅言　又　首尾吟字子美,會稽人。嘉靖庚戌進士,淮安知府。

黄甲　鼇南選稿二十六卷字首卿,南京興武衛人。嘉靖庚戌進士,吏部主事,左遷鹽運判。

胡汝嘉　沁南稿二卷字懋禧,應天府人。嘉靖癸丑進士,河南參議。

金鑾　徙倚軒集二卷③字在衡,本隴西人,從父家金陵。

顧源　玉露堂稿四卷字清甫,江寧人。精禪理,書畫皆工妙。

陳芹　子野集　又　鳳泉堂稿南京羽林右衛人。嘉靖甲午舉人,寧鄉知縣。

---

①　空格處,《千頃堂書目》卷二十四作“玉”。

②　“适”,原誤作“逅”,據《千頃堂書目》卷二十四、《四庫全書總目》卷一百七十七改。

③　“集”,《千頃堂書目》卷二十二作“稿”。

朱曰藩　山帶閣集三十三卷字子价，朱應登子。嘉靖甲辰進士，九江知府。

郭第　獨往生集一卷字次甫，長洲人。隱于焦山。

岳岱　山居稿三十一卷字東伯，蘇州衛人，自稱"秦餘山人"。

章美中　章元峰稿六卷[①]字道華，吴縣人。嘉靖丁未進士，四川副使。

高岱　西曹集九卷　又　居鄖稿一卷　又　樵論一卷字伯宗，京山人。嘉靖庚戌進士，景王府長史。

高啓　叔崇遺稿一卷岱弟。嘉靖丙辰進士，兵部郎中。

高嵒　季安遺稿一卷啓弟。嘉靖辛酉舉人。

胡憲仲　仰厓集海鹽人。嘉靖庚戌進士，刑部主事。

龐嵩　黄龍集一卷字振卿，南海人。舉人，應天府治中，遷曲靖軍民府同知。

陸楫　蒹葭堂集七卷字思豫，上海人，陸深子。

張遜業[②]　**鳴玉集　又　使郢集　又　甌江集二卷**字有功，永嘉人。張孚敬子，太僕寺丞。

張邦侗　諸草十卷字孺愿，張時徹子。以父任官光禄署丞。

李先芳　東岱山房稿三十卷　又　清平閣集[③]字伯承，濮州人。嘉靖丁未進士，尚寶司少卿，謫亳州同知。

康朗　磐峰集□卷字用晦，惠安人。嘉靖乙未進士，巡撫鄖陽，都御史。

丁自申　三陵藁十卷晉江人。嘉靖庚戌進士，順慶、梧州二太守。

陳栢　見南山集八卷　又　兼山集五卷沔陽州人。嘉靖庚戌進士，按察司副使。

高鶴　可也居集六卷[④]字若齡，山陰人。嘉靖丙午省元，庚戌進士，□科給事中。

陳宗虞　臥雲樓稿十四卷字于韶。四川保寧千户所人，嘉靖庚戌進士。

凌震　練溪集四卷　又　鳳笙閣簡抄字時東，烏程人。貢士，黔陽訓導。

---

① "稿"，《千頃堂書目》卷二十三作"集"。

② "遜"，原誤作"遊"，據《千頃堂書目》卷二十三、《浙江通志》卷二百五十改。

③ "集"後，《千頃堂書目》卷二十三有"十二卷"三字。

④ "六"，《千頃堂書目》卷二十三作"八"。

姚翼　雜著編八卷

吴懋　南霞集　又　行劍子　又　乘槎稿字德懋,大理人。嘉靖庚子舉人,順慶府通判,陞階州知州,未任卒。善古文詞,嘗爲寫《韻樓賦》,楊升庵慎服其工,以爲己所不及,李元陽言其詩爲明初高楊的裔。

王濟　谷應集[①]　**又　水南詞　又　和花蕋夫人宫詞**

丘雲霄　止止庵集二十六卷　又　南行集四卷字止山,崇安人。嘉靖中貢士,柳城知縣。[②]

黄伯善　菊山詩稿十五卷　又　文稿六卷　又　聯稿四卷字達兼,晉江人。嘉靖庚子舉人,衡州府同知[③],好爲詩,詩學少陵。

胡瀚　今山文集一百卷字川甫,餘姚人。嘉靖中歲貢,崇明教諭。

朱應鍾　朱陽仲詩選五卷遂昌人,號"青城山人"。嗜學多聞,刻意爲詩,尤工五七言古,友人黄中刻其集于滇。

黄中　南窗紀寐集四卷詩。　**又　西野文集三集　又　吹劍集**初名忠,字文卿,遂昌人。嘉靖中舉人,官監察御史,擢天津兵備副使。

王養端　震堂集六卷字茂成,遂昌人。嘉靖乙卯舉于順天,與朱陽仲、黄中齊名。

蔡宗堯　龜陵集二十一卷臨海人,自號"東郭子"。嘉靖丁酉舉人,松溪教諭。多識古文奇字,錢謙益稱爲圭峰之流。

王諷　三立齋集號石龍,祁門人。嘉靖丁酉南畿解元。

曹金　傳川集字汝礪,祥符人。嘉靖癸卯解元,丁未進士,巡撫陝西,都御史。

楊文卿　鷗海集　又　秣陵吟字子質,鹽山人。舉人,南京都察院經歷。

徐棉　相坡文集二卷　又　詩集二卷字子瞻,閩縣人。嘉靖末,以《易》學名,由歲貢歷永寧知縣。

孫樓　百川集十二卷常熟人。嘉靖丙午舉人。

邵圭潔　北虞集六卷常熟人。嘉靖己酉舉人。

---

① "集"字原脱,據《千頃堂書目》卷二十三補。

② 據《千頃堂書目》卷二十三,丘氏"字凌漢,號止山"。

③ "衡州",《千頃堂書目》卷二十三作"衢州",當據改。

張世美　西谷集十六卷松江人。嘉靖中貢士。

王應辰　正情集三卷永嘉人。嘉靖中貢士，官上海訓導。

鄭世延　武原集□卷别字東谷，海鹽人。

尤鏜　紅箱集一卷　又　停釣書一卷

仲春龍　九山集二卷[①]秀水人。

李攀龍　滄溟集三十二卷　又　白雪樓詩集十卷　又　滄溟逸稿二卷[②]歷城人。嘉靖甲辰進士，河南按察使。

王世貞　弇州四部稿一百七十四卷　又　弇州續稿二百七卷　又　弇州再續稿十一卷　又　鳳洲筆記三十二卷

王世懋　奉常集五十四卷　又　奉常詩集十五卷嘉靖己未進士，南京太僕寺少卿[③]。

梁有譽　蘭汀存稿四卷　又　梁比部集八卷番禺人。嘉靖庚戌進士，刑部主事。

徐中行　天目山人集二十一卷[④]　**又　青蘿館詩集六卷**長興人。嘉靖庚戌進士，江西布政使。

宗臣　宗子相文集十五卷興化人。嘉靖庚戌進士，福建提學副使。

吴國倫　甔甀洞藁五十四卷　又　詩稿十五卷　又　續藁二十七卷興國州人。嘉靖庚戌進士，河南布政司參議。

謝榛　謝茂秦詩七卷[⑤]　**又　四溟山人集二十卷**臨清人。已上嘉靖七子。

盧柟　蠛蠓集五卷字少楩，一字子木，濬縣人。

劉鳳　劉子威文集三十五卷　又　澹思集五十二卷　又　客建集□卷　又　越覽篇□卷　又　太霞草□卷　又　禪悦

---

① "山"後，《千頃堂書目》卷二十三有"樵子"二字。

② "滄"，原誤作"蒼"，據《千頃堂書目》卷二十三改。

③ "太僕"，《千頃堂書目》卷二十三作"太常"。

④ "人"後，《千頃堂書目》卷二十三有一"全"字。

⑤ "七"，《千頃堂書目》卷二十三作"四"。

小草□卷吴縣人。嘉靖甲辰進士,河南按察僉事。

汪道昆　太函集一百二十卷　又　汪南溟副墨二十四卷　又　太函逸書六卷歙縣人。嘉靖丁未進士,兵部左侍郎。

許邦才　梁園集四卷字殿卿,歷城人。嘉靖癸卯解元,周府左長史。

魏學禮　長林片葉二十四卷字季朗,長洲人。貢士,廣平府同知。

張肖甫　居來文集六十五卷字肖甫,銅梁人。嘉靖庚戌進士,太子太保,總督薊遼尚書兼都御史,贈少保。

魏裳　雲山堂集六卷字順甫,蒲圻人。嘉靖庚戌進士,山西冀南道副使。

張九一　緑波樓集十卷字助甫,新蔡人。嘉靖癸丑進士,巡撫寧夏,都御史。

黎民表　瑶石山房集十六卷字惟敬,崇化人①,黎貫子。嘉靖舉人,布政司參議。

歐大任　虞部集二十二卷　又　選集十四卷字楨伯,順德人。歲貢,南京户部郎中。

俞允文　俞仲蔚集二十四卷崑山人。

沈束　潮侯集　又　雜體詩稿會稽人。嘉靖甲辰進士,右通政。

俞曰德　俞德甫詩集十四卷南昌人。嘉靖□□進士,福建按察使。與張助甫、肖甫,王世貞所謂三甫者也。

萬表　玩鹿亭稿八卷　又　鹿亭詩抄鄞縣人。南京中軍都督府都督同知。

孫堪　孫孝子文集二十卷孫燧子。官都督僉事。

孫鈺　思則堂前後稿孫堪子。累官都督同知。

戴經　戴楚望詩集□卷經以王家從世宗入繼大統,授錦衣衛千户,歷官衛僉事。在錦衣常護視詔獄諸人,從聶豹受經于獄中,一時士大夫皆稱其賢。

鄧城　寒松集四卷泉州衛指揮。

王尚文　藎心堂稿十卷真定縣人。嘉靖壬辰,進武會試,歷官福建總兵。

---

① “崇化”,《千頃堂書目》卷二十三作“從化”。

張元凱　伐檀集十二卷①字左虞，吴縣人。蘇州衛指揮。

余承恩　鶴池集八卷四川青神人，余子俊孫。由官廕南京錦衣衛指揮同知，充永寧参將。

施經　虎泉集四卷字引之。杭州衛千户。

陳鳳　青芝山人吟稿二卷杭州衛指揮。

陳鳳　石村稿無錫人，字羽伯。與金陵陳鳳别爲一人。

姚咨　潛坤集②字舜咨，無錫人。

高應玘　醉鄉小稿　又　高仲子歸田稿章丘人。貢士，元城縣丞，從李開先學詩。

顧聞　九蔓山人集字行之，吴人。嘉靖戊子舉人。

郭萬程　郭子長集四卷福清人。嘉靖乙未進士，刑部主事。工爲文，徐中行刻其集以行。

朱曜　玉洲集八卷字景陽，上海人。嘉靖中貢士，官提舉。

尤瑛　迴溪遺稿二卷字汝白，無錫人。嘉靖癸卯解元，甲辰進士，廣東参政。

沈淮　三洲詩膾四卷字徵伯③，仁和人。嘉靖丁未進士，□□参議。

凌瀚　巖亭集四卷字德容，蘭溪人。嘉靖乙酉舉人，周府紀善。

袁仁　一螺集二卷④字良貴，嘉興人。嘉靖中布衣。

張問仁　河右集八卷字以元，陝西西寧衛人。嘉靖丙辰進士。

梁柱　彦國存稿五卷順德人。嘉靖中舉人，刑部主事。

鄧遷　山居存稿十一卷字世喬，閩縣人。嘉靖戊子舉人，嘉興府通判。

劉鵠翔　南崿集四卷字宇卿，閩縣人。嘉靖癸卯舉人，靖江王長史。

陳玉　龍峰集四卷　又　文録八卷字汝良，福建長樂人。嘉靖辛丑進士，饒州知府。

---

① “檀”後，《千頃堂書目》卷二十三有一“齋”字。

② “潛”，原誤作“潛”，據《千頃堂書目》卷二十三、《明詩綜》卷五十五改。

③ “徵伯”，《千頃堂書目》卷二十三作“澂伯”。

④ “二”，《千頃堂書目》卷二十三作“一”。

盛世梧　秋水吟二卷字鯤溟,定遠人。布衣。

以上嘉靖

高拱　玉堂公草十二卷　又　政府書答四卷　又　高文襄公集四十四卷

陳以勤　青居山房稿

趙貞吉　趙文肅公集二十三卷　又　詩抄五卷

殷士儋　金輿山房稿十四卷

高儀　高文端公遺稿一卷

諸大綬　諸文懿公集八卷山陰人。嘉靖丙辰一甲第一人,吏部右侍郎兼翰林院學士。

楊博　虞坡文集十卷　又　大椿堂詩集二卷　又　雜著四卷山西蒲州人。嘉靖己丑進士,少師,吏部尚書。

張瀚奚　囊蠹餘二十卷　又　續集二十卷仁和人。嘉靖乙未進士,吏部尚書。

靳學顏　兩城集二十卷濟寧州人。嘉靖乙未進士,吏部右侍郎。

馬森　馬恭敏集十卷懷安人。嘉靖乙未進士,户部尚書。

譚太初　次川存稿八卷始興人。嘉靖戊戌進士,户部尚書①。

萬士和　履庵文集十二卷宜興人。嘉靖辛丑進士,禮部左侍郎。

瞿景淳　文懿公集十六卷　又　制科集四卷常熟人。嘉靖甲辰會試第一人,一甲二人,禮部侍郎兼翰林院學士,贈禮部尚書。

董傳策　廓然子稿二卷　又　采薇集十四卷　又　幽貞集十一卷　又　蘧廬稿七卷　又　邕歙稿七卷　又　奇遊漫記八卷上海人。嘉靖庚戌進士,南京禮部右侍郎。

趙炳然　趙恭襄公集六卷劍州人。嘉靖乙未進士,太子少保,兵部尚書。

---

①　"户部"前,《千頃堂書目》卷二十三有"南京"二字。

張翀　鶴樓集十二卷字子儀，馬平人。嘉靖癸丑進士，兵部協理右侍郎。

吴嶽詩集二卷汶上人。嘉靖壬辰進士，南京兵部尚書。

毛愷文集四卷江山人。嘉靖乙未進士，刑部尚書。

洪朝選　靜庵集十卷　又　芳洲摘稿八卷　又　别稿六卷又　歸田稿　又　歸田續稿同安人。嘉靖辛丑進士，刑部左侍郎。

鄭世威　岱陽彙稿福建長樂人。嘉靖己丑進士，刑部右侍郎。

游居敬　可齋集四卷南平人。嘉靖壬辰進士，刑部右侍郎。

李遷　鶯谷山房稿四卷南昌新建人。嘉靖辛丑進士，南京刑部尚書。

吴悌　疏山先生文集金谿人。嘉靖壬辰進士，南京刑部右侍郎。

朱衡文集二十卷萬安人。嘉靖壬辰進士，太子太保①，工部尚書。

徐養正　蛙鳴集字吉夫，柳州衛人。嘉靖辛丑進士，南京工部尚書。

林雲同　林端簡公存稿三卷　又　詩稿一卷②莆田人。嘉靖丙戌進士，南京工部尚書。

陳紹儒　司空集二十卷南海人。嘉靖戊戌進士，南京工部尚書。

劉懋　唐巖文集八卷萬安人。嘉靖甲辰進士，左都御史。

王廷　拊缶集二卷南充人。嘉靖壬辰進士，左都御史。

葛守禮　葛端肅公集□卷德平人。嘉靖己丑進士，左都御史。

何維栢　天山堂集二十卷南海人。嘉靖乙未進士，南京禮部尚書。

周詩　與鹿集十二卷錢塘人。嘉靖丙辰進士，南京右通政。

曾于拱文集字思極，江西泰和人。嘉靖辛丑進士，總督糧儲，副都御史。

李一元　陶山集十卷直隸建德人。嘉靖丁未進士，巡撫江西，兵部侍郎。

梁佐有　本亭集四卷字應台，大理衛人。嘉靖丁未進士，福建僉事。

陳慶　視軒集八卷字履旋，吉安永豐人。嘉靖庚戌進士，太常寺卿。

陳瓚　濟美堂集六卷常熟人。嘉靖丙辰進士，刑部右侍郎，贈右都御史，謚“莊靖”。

---

① “太保”，《千頃堂書目》卷二十三作“少保”。

② “一”，《千頃堂書目》卷二十三作“三”。

郭汝霖　石泉山房集十二卷字時望,吉安永豐人。嘉靖癸丑進士,南京太常寺少卿。

黄華詩文十二卷遂寧人。嘉靖壬辰進士,光禄寺卿。

王時槐　塘南合稿七卷　又　友慶堂存稿十四卷　又　友慶堂續稿□卷安福人。嘉靖丁未進士,太僕寺少卿,左遷光禄寺少卿。

丘有嵒　丘京兆稿□卷晉江人。嘉靖癸未進士,應天府丞。

顧存仁　使蜀稿一卷　又　居庸集一卷太倉州人。嘉靖壬辰進士,官户科給事,以言事廷杖,謫戍居庸,三十年後,官太僕寺卿。

羅良　南豐存稿十卷萬安人。嘉靖癸丑進士,太僕寺卿。

曹大章　含齋稿二十卷字一呈,金壇人。嘉靖癸丑會元,殿試一甲第二人,授翰林院編修,以廢疾罷。

金達　星橋集浮梁人。嘉靖丙辰會試第一人,南京國子監司業。

區益　阮溪草堂集四卷字叔謙,高明人。嘉靖庚子舉人,温州同知。

林大春　井丹集十五卷字邦陽,潮陽人。嘉靖庚戌進士,浙江提學僉事。

王叔果　半山藏稿二十卷永嘉人。嘉靖庚戌進士,廣東副使。

王叔杲　玉介園稿二十卷字陽德,叔果弟。嘉靖壬戌進士,蘇松兵備參政。

徐師曾　湖上集十四卷字伯魯,吴江人。嘉靖癸丑進士,兵科右給事中。

林命　陽溪堂集十二卷字子順,建安人。嘉靖癸丑進士,廣東副使。

張祥鳶　華陽洞稿二十二卷字道卿,金壇人。嘉靖己未進士,雲南知府。

吴文光文集十卷　又　論稿四卷字有明,婺源人。嘉靖丙午舉人,應山知縣。

岑用賓　少谷集二卷字允穆,岑萬子。嘉靖己未進士,紹興府知府。

宋諾　金齋集四卷字子重,故城人。嘉靖乙丑進士,兖州知府。

李貴　浣所集十三卷字廷良,豐城人。嘉靖癸丑進士,庶吉士,四川副使。

查鐸　查毅齋聞道集十卷字子警,涇縣人。嘉靖乙丑進士,廣西副使。

陳善　黔南類稿八卷　又　粤臺行稿二卷　又　家藏稿五十二卷字思敬,錢塘人。嘉靖辛丑進士,雲南布政使。

馮皐謨　豐陽集十二卷字尚卿[①]，海鹽人。嘉靖庚戌進士，福建布政司參政。

沈啓原　鷃園草四卷字道升，秀水人。嘉靖己未進士，陝西按察副使。

穆文熙　逍遥園集十卷東明人。嘉靖壬戌進士，廣東副使。爲曹郎時，以擁護石星廷杖，解官歸，天下咸高其義。

胡直　衡廬精舍藏稿三十卷　又　續稿十二卷　又　遺稿四卷字正甫，廬陵人。嘉靖丙辰進士，按察使[②]。

姚汝循　錦石山齋集二十四卷　又　屏居集八卷字叙卿，上元人。嘉靖丙辰進士，大名知府，謫嘉州知州。

馮覲　小海存稿八卷錢塘人。嘉靖甲辰進士，廣東按察使。

陳履　懸榻齋集九卷字德基，東莞人，初名六澤。隆慶辛未進士，蒼梧兵備副使。

張元忭　不二齋遺稿十二卷　又　張陽和文選八卷　又　山遊漫稿字子蓋，山陰人。隆慶辛未一甲第一人，右春坊右諭德兼翰林院侍講。

李逢楊遺稿二卷[③]字惟明，南京金吾衛人。隆慶戊辰進士，禮部郎中。

楊希淳　虚游集四卷　又　虚游論草二卷字道南，上元人。貢士，與李逢陽稱"李楊二子"。

戚元佐　青藜閣集三卷字希仲，秀水人。嘉靖壬戌進士，尚寶寺卿。

葉逢春　工部集十六卷字叔仁，餘姚人。嘉靖乙丑進士，鄖陽知府。

歸有光　太僕集三十二卷　又　蔣以忠校定二十五卷　又　錢謙益訂正震川先生集三十卷外集十卷

劉效祖　劉仲脩先生詩稿　又　文稿　又　塞上言一卷　又　盛世宣威一卷　又　清時行樂一卷　又　燈市謡一卷　又　長門詞一卷　又　雲林和詩一卷濱州人，居順天。嘉靖庚戌進士，官固原兵備副使。以賦詩自豪，篇什流傳，中禁皆知其名，穆宗嘗遣中官索其詩，都人盛傳其事。

---

① "尚卿"，《千頃堂書目》卷二十三作"明卿"。

② "按察使"前，《千頃堂書目》卷二十三有"廣西"二字。

③ 此條，《千頃堂書目》卷二十四作"李逢陽翰峰遺稿二卷"。

王叔承　吴越遊十卷　又　後吴越吟二十一卷字承父,吴江人。爲趙王客,後居京師,爲宫詞數十首,人咸傳之。

沈明臣　豐對樓詩選四十二卷字嘉則,鄞縣人。太學生。

陳鶴　海樵詩集二十一卷字鳴野,一字九皐,山陰人。世官紹興衛百户,棄其官出遊,以詩名嘉隆間。

吴孺子　破瓢道人詩二卷　又　吴少君詩二卷字少君,蘭溪人。

宋登春　鵞池山人集二卷字應元,新河人,自號"海翁",又稱"鵞池生"。

馮遷　長鋏齋稿七卷字子喬,上海人。隆慶中,與朱察卿皆以布衣稱詩。

朱邦憲　朱察卿集十五卷朱豹子,字察卿。太學生。

徐渭　文長三集二十九卷　又　文長佚稿二十四卷　又　文長初集十一卷　又　闕篇□卷　又　一枝堂佚稿二卷

王寅　十岳山人集四卷　又　王仲房集四卷字仲房,歙縣人。以布衣入胡宗憲幕。

吕時臣　甬東山人稿字中父,[①]鄞縣人。爲衡王客,王刻其詩。

鄭若庸　蛣蜣集字中伯,崑山人。趙康王客。　**又　北遊漫稿三卷**

曹大同　玉芝樓稿十一卷字子貞,通州人。

項元淇　少岳集四卷字子瞻,嘉興人。

王襞　東崖集二卷[②]泰州人,王艮子。

趙樞生　含元集四卷　又　别集十六卷字彦材[③],長洲人。布衣。

葉朝榮　九芝堂集四卷字良時,福清人,葉向高父。隆慶貢士,養利知州。

方元淇　薊門稿二卷字景武,莆田人。

郭造卿　海岳山房集二十卷字建初,福清人。與元淇皆爲戚繼光客。

俞汝爲　缶音集四卷　又　留樞稿二卷　又　銅鞮稿二卷字毅夫,華亭人。隆慶辛未進士,山東副使。

---

① "中父",《千頃堂書目》卷二十三作"仲父"。

② "崖"後,《千頃堂書目》卷二十三有一"遺"字。

③ "彦材",《千頃堂書目》卷二十三作"彦村"。

趙時齊　焚餘稿四卷字子巽，蘭溪人。嘉靖丙辰進士，監察御史。

劉侃　新陽詩草十一卷字正言，京山人。嘉靖癸丑進士，福建左布政使。

周顯宗　自適稿四卷號洞虚，濮州人。嘉靖己丑進士，漢中知府。

趙訥　歸田稿十卷字孟敏，孝義人。嘉靖己未進士，保寧知府。

王葵　媿陶集一卷邛州人。靖癸未舉人，崇安知縣。

盧夢暘　勝奕稿一卷字少明，南海人。嘉靖戊戌進士，福建提學副使。

李一迪　我山集十卷字君哲，高州人。嘉靖乙丑進士，浙江副使。

張煒　江干集五卷　又　操縵集五卷　又　翼雅集五卷字德南，閩縣人。嘉靖乙卯舉人，寧波通判。

林春秀　麓屏稿四卷字彦甫，閩縣人。嘉靖丁酉舉人，廬州府同知。

鄭日休　司理集十卷字廷德，閩縣人。嘉靖甲子舉人，惠州推官。

鄭錀　竹翠軒存稿二卷字道啓，閩縣人。嘉靖丙午舉人，御史。

李應陽　曉窗集二卷字希旦，侯官人。嘉靖壬子舉人，曲陽知縣。

陳奎　觀察集六卷字汝星，懷安人。嘉靖癸丑進士，廣東按察使。

陳省　幼溪集四卷　又　武彝集四卷字孔震，福建長樂人。嘉靖己未進士，兵部侍郎。

陳聯芳　青田集四卷字以成，長樂人。嘉靖丙辰進士，南京太常寺少卿。

謝汝韶　天池存稿十六卷字其盛，長樂人。嘉靖戊午舉人，吉府左長史。

謝肇淛　小草齋詩集三十卷　又　文集二十八卷　又　續集二卷字在杭，汝韶子。萬曆壬辰進士，廣西布政使。

唐維城　两峰集二卷字邦翰，莆田人。嘉靖乙丑士，青州知府。

翁夢鯉　謫居稿一卷字希登，莆田人。嘉靖庚戌進士，廣東僉事。

陳綰　蒲州集十卷上虞人。嘉靖癸丑進士，刑部郎中。

戴一俊　石室藏稿四卷字惟宅，泉州人。嘉靖癸丑進士，廣東副使。

金鉉　三洲集二卷字邦鼎，漳州人。嘉靖乙丑進士，户部郎中。

駱問禮　萬一樓集六十一卷[①]　**又　外集十卷　又　續羊棗集六卷**諸暨人。嘉靖乙丑進士,湖廣副使。

王可大　三山彙稿八卷　又　三山續稿二卷

沈桐　觀頤集二十卷字子秀,烏程人。嘉靖己未進士,巡撫福建,都御史。

陳子文　子山堂稿二卷字在中,閩縣人。嘉靖己丑進士,湖廣副使。

黄謙　萬玉山房藏稿十六卷了亨夫,莆田人。嘉靖庚戌進士,刑科給事中。

黄履康　鳳皇山藏稿二卷字克衢[②],謙孫。

黄希憲　閩中初稿二卷字伯容,金谿人。嘉靖癸丑進士,福建參政。

戴廷槐　錦雲集十六卷

以上隆慶

張居正　張文忠公全集四十七卷

張四維　條麓堂集三十四卷

馬自强　馬文莊公集二十卷

何寬　宜山先生集十七卷臨海人。嘉靖庚戌進士,南京吏部尚書。

畢鏘㕓　松齋集八卷石埭人。嘉靖甲辰進士,南京吏部尚書。

王好問　春煦齋集三十卷樂亭人。嘉靖庚戌進士,南京户部尚書。

劉堯誨[③]　**虚籟集十六卷**臨武人。嘉靖癸丑進士,南京兵部尚書。

陸樹聲　陸文定公集二十六卷華亭人。嘉靖辛丑進士,禮部尚書。

林燫　林學士文集十六卷　又　詩集六卷閩縣人。嘉靖丁未進士,南京禮部尚書。

汪鏜　餘清堂稿十二卷　又　餘清堂定稿三十二卷鄞縣人。嘉靖丁未進士,禮部尚書,掌詹事府詹事,贈太子少保。

---

① "一",《千頃堂書目》卷二十三作"五"。

② "克衢",《千頃堂書目》卷二十三作"堯衢"。

③ "堯",原誤作"克",據《千頃堂書目》卷二十三、《四庫全書總目》卷一百七十八改。

徐學謨 海隅集四十三卷 又 詩集二十二卷 又 外集十四卷 又 春明稿八卷嘉定縣人。嘉靖庚戌進士，禮部尚書。

王崇古 公餘漫稿 又 山堂彙稿蒲州人。嘉靖辛丑進士，兵部尚書。

石茂華 衍慶堂集益都人。嘉靖甲辰進士，兵部尚書，掌南京都察院事，贈太子少保，謚"恭襄"。

徐栻 仕學集八卷常熟人。嘉靖庚戌進士，南京工部尚書。

潘季馴 留餘堂集五卷烏程人。嘉靖庚戌進士，刑部尚書。

吴桂芳 師暇裒言十六卷新建人。嘉靖甲辰進士，總督河漕，工部尚書。

俞大猷 正氣堂集十六卷 又 餘集四卷晉江人。

戚繼光 横槊稿三卷 又 愚愚稿一卷

海瑞 備忘集四卷 又 忠介公集七卷嘉靖己酉舉人，南京都察院右副都御史。

吴時來 悟齋摘稿十五卷 又 横槎集十卷仙居人。嘉靖癸丑進士，右都御史，謚"忠恪"。

詹仰 庇咫亭文集□卷安溪人。嘉靖乙丑進士，刑部右侍郎。

趙用賢 趙文毅公集三十卷 又 詩集六卷常熟人。隆慶辛未進士，禮部右侍郎，兼翰林院侍讀學士。

吴中行 賜餘堂集十四卷 又 復庵太史娱晚詩杪一卷武進人。隆慶辛未進士，右諭德。

艾穆 熙亭集十卷字如父，平江人。□舉人，巡撫四川，都御史。①

劉臺 精忠堂稿三卷安福人。隆慶辛未進士，巡按遼東，監察御史。

鄒元標 鄒南皐文集七卷 又 願學集八卷 又 太平山房續集十二卷

沈思孝 陸沉漫稿六卷嘉興人。嘉靖乙丑進士，協理戎政，都御史。

蔡文範 青門先生文集十八卷字伯華，江西新昌人。隆慶戊辰進士，官刑部

---

① 據《千頃堂書目》卷二十三，艾氏"字和甫，一字純卿，岳州平江人，嘉靖辛酉舉人"。

主事。艾穆、沈思孝抗疏被杖,文範周旋護視之,中計典,謫福建運司官凡七年。江陵殁,起武庫郎中,出爲湖廣副使,陞廣東參政卒。

朱維京　朱光禄集二十七卷字訥齋,萬安人。萬曆丁丑進士,工部屯田主事,贈光禄寺少卿。

王宗沐　敬所集三十卷　又　續集八卷臨海人。嘉靖甲辰進士,刑部左侍郎。

王士性　五岳遊草十二卷　又　玉硯集六卷字恒叔,宗沐子。萬曆丁丑進士,太僕寺少卿。

王士昌　鏡園藏草□卷字永叔,士性弟。萬曆丙戌進士,巡撫福建,都御史。

徐用檢　魯源文集字其賢,蘭溪人。嘉靖壬戌進士,太常寺少卿。

陳士元　歸雲三集七十五卷字心叔,應城人。嘉靖甲辰進士,灤州知州。母夢孟軻而生,祀文廟甫拜而軻主仆,人咸異之。

陳文燧　小函集字汝相,臨川人。嘉靖壬辰進士,官御史。江陵父死,諸御史具疏留之,文燧不肯署名,人稱其直。

林偕　春雲山居士集八卷字元孚,漳浦人。嘉靖乙丑進士,官編修。以不肯增改江陵父制詞,出爲湖廣副使,終參政。

以上萬曆初

申時行　賜閒堂集四十卷　又　綸扉牘草十卷

余有丁　余文敏公集十五卷

許國　許文穆公集六卷

王錫爵　王文肅公文草十四卷　又　牘草十八卷

王家屏　復宿山房集四十卷

趙志皐　趙文懿公集四卷　又　瀫陽詩集五卷①

張位　叢桂山房稾稿十卷　又　閒雲館别編十九卷

陳于陛　萬卷樓稿

① "瀫",《千頃堂書目》卷二十四作"瀫"。

楊巍　夢山存稿四卷海豐人。嘉靖丁未進士，太子太保，吏部尚書。

楊成　莊簡公集四卷長洲人。嘉靖丙辰進士，南京吏部尚書。

陸光祖　陸莊簡公存稿一卷平湖人。嘉靖丁未進士，吏部尚書。

温純　學一堂全集□卷　又　詩集□卷三原人。嘉靖乙丑進士，左都御史。

陳有年　恭介公集十二卷餘姚人。嘉靖壬辰進士，吏部尚書。

王遴　大隱堂集四卷霸州人。嘉靖丁未進士，兵部尚書。

耿定向　天臺文集二十卷黄安人。嘉靖丙辰進士，督儲，户部尚書。

陳經邦　陳文恪公遺稿三卷字公望，莆田人。嘉靖乙丑進士，禮部尚書。

姜寶　鳳阿文集三十八卷　又　鳳阿詩集□卷丹陽人。嘉靖癸未進士，禮部尚書①。

王弘誨　尚友堂稿　又　天池草②字紹傳，定安人。嘉靖乙丑進士，南京禮部尚書。

羅萬化　世澤編十六卷會稽人。隆慶戊辰一甲第一人，禮部尚書，謚“文懿”。

黄鳳翔　田亭草二十卷晉江人。隆慶戊辰一甲第二人，南京禮部尚書，謚“文簡”。

孫應鰲　學孔精舍彙稿十六卷清平衛人。嘉靖癸丑進士，南京工部尚書，未仕卒，謚“文恭”。

范謙　雙栢堂稿四卷豐城人。隆慶戊辰進士，禮部尚書。

吴文華　濟美堂稿四卷連江人。嘉靖丙辰進士，南京兵部尚書。

魏學曾　魏恭襄公文集十卷涇陽人。嘉靖癸丑進士，總督三邊，太子少保，兵部尚書。

舒化　舒莊僖公集臨川人。嘉靖己未進士，刑部尚書。

劉一儒　劉莊介公瑞芝堂集三卷彝陵州人。嘉靖己未進士，南京工部尚書。

---

① “禮部”前，《千頃堂書目》卷二十三有“南京”二字。

② “草”後，《千頃堂書目》卷二十三有“二十六卷”四字。

朱天球　湛園存稿字君玉，漳浦人。嘉靖庚戌進士，南京工部尚書。

沈節甫　太僕主人文集十五卷烏程人。嘉靖己未進士，工部侍郎。

王樵　方麓居士集十四卷金壇人。嘉靖丁未進士，南京右都御史，贈太子少保，謚"恭簡"。

龐尚鵬　百可亭摘稿三卷　又　詩摘稿二卷南海人。嘉靖癸丑進士，巡撫福建，都御史。

宋儀望　華陽館集十二卷　又　詩集十四卷永豐人。嘉靖丁未進士，南京大理寺卿。

方弘靜　素園存稿二十卷歙縣人。嘉靖庚戌進士，南京户部右侍郎。

吕旻　濱溪集六卷　又　玉堂摘稿□卷龍溪人。嘉靖癸丑進士，禮部右侍郎兼翰林院侍讀學士。

郭棐　夢菊全集　又　蘭省稿南海人。嘉靖壬戌進士，光禄寺卿。

魏允貞　魏伯子集四卷字□□①，南樂人。萬曆丁丑進士。

魏允中　魏仲子集八卷字懋權，允貞弟。萬曆庚辰進士，吏部考功司主事。

顧憲成　涇皐藏稿十二卷　又　顧端文集二十卷字叔時，無錫人。萬曆丙子解元，庚戌進士，吏部郎中，贈光禄寺少卿。

顧允成　小辯齋集四卷　又　小辯齋偶存八卷字季時，憲成弟。萬曆丙戌進士，禮部主事，贈尚寶司丞。

孟化鯉文集八卷新安人。萬曆庚辰進士，吏部郎中，贈光禄寺卿。

薛敷教　浮弋集字以身，薛應旂孫。萬曆己丑進士，光州學正。

葉茂才　興至吟二卷字參之，無錫人。萬曆己丑進士，南京工部右侍郎。

劉元珍　三畏堂素業　又　湖畔逸農遺稿無錫人。萬曆乙未進士，光禄寺卿。

史孟麟　亦爲堂集五卷金壇人。萬曆癸未進士，太僕寺卿。

魏良弼　水洲文集南昌人。嘉靖癸未進士，太常寺少卿，謚"忠簡"。

蔡國熙　春臺文集永年人。嘉靖己未進士，蘇州太守，治行爲天下第一，陞山西

---

①　空格處，《千頃堂書目》卷二十五作"懋忠"。

提學副使，王世貞官大名兵備，表其里門。

蔡可賢　西征鼓吹字仲聞，成安人。嘉靖壬辰進士，太原知府。萬曆中，寧夏變，起爲遼陽兵備副使。

葉春及　絅齋集六卷　又　志論二卷　又　公牘二卷字化甫，歸善人。嘉靖壬子舉人，户部郎中。

袁表　逋客集五卷　又　尚白篇一卷字景從，閩縣人。嘉靖戊午舉人，黎平知府。

孫七政　松韻堂集十二卷字齊之，常熟人。太學生。

王穉登　王百穀全集[①]《延令纂》一卷，《采真篇》一卷，《梅花什》一卷，《蒸市集》二卷[②]，《金閶集》二卷，《青雀集》二卷，《晉陵集》二卷，《荆溪疏》一卷，《竹箭編》一卷，《客越志》二卷，《廣長庵疏志》一卷，《苦言》一卷。長洲人。太學生。嘉靖末，袁文榮煒嘗欲薦其以布衣領史事，不果。

馮敏效　小有亭集三十卷平湖人，馮汝弼子。

盛時泰　城山堂集六十八卷[③]　**又　遊燕雜記三卷**字仲交，上元人。貢士。

盛敏耕集十卷字伯年，時泰子，别號壺林。

吴子玉　吴瑞穀集五十三卷休寧人。歲貢生，官應天府學訓導。

張鳳翼　處實堂前集十二卷　又　後集六卷字伯起，長洲人。嘉靖甲子舉人。

張獻翼　文起堂集十卷　又　續集五卷　又　新集一卷　又　蘭芳集二卷[④]字幼于，一名敉，鳳翼弟。太學生。

吴擴　貞素堂集五卷字子充，長洲人。

莫是龍　石秀齋集十卷　莫雲卿遺稿十四卷字雲卿，又字廷韓，華亭人，莫如忠子。貢士。

---

① "百"，原誤作"伯"，據《千頃堂書目》卷二十三、《四庫全書總目》卷一百十四王氏"吴郡丹青志"條所載改。

② "蒸"，《千頃堂書目》卷二十三作"燕"。

③ "城"前，《千頃堂書目》卷二十六有一"大"字。

④ "芳"，《千頃堂書目》卷二十三作"芬"。

曹子念　快然閣集十卷字以新,太倉人,王世貞甥。世稱其近體歌行酷似其舅。

居節　牧豕集字士貞,吴人。從文待詔,學詩有其家風。

顧大典　清音閣集十卷字道行,吴江人。隆慶戊辰進士,福建提學副使。

陸弼　正始堂集二十六卷字無從,江都人。諸生。

黄克晦　黄孔昭詩選六卷惠安人。少爲畫工,憤而學詩,遂以詩名,與沈明臣、王穉登相頡頏。

康從理　二雁山人集字裕卿,永嘉人。任俠能詩,與曹子念爲死友,于念刻其遺詩。

鄔佐卿　纏頭集十卷　又　芳潤齋集九卷　又　金陵篇一卷字汝翼,丹徒鄔紳子。

顧聖之詩集五卷字聖少,一字季狂,吴縣人。萬曆初布衣。

茅溱　四友齋集十卷字平仲,丹徒人。好著述,以布衣老于鄉。

莫叔明集三卷字公遠,長洲人,居武林。酷嗜詩,多爲不經人道語。

王伯稠　白虹集二十卷字世周,崑山人。

嵇元夫[①]　**白鶴園集**字長卿,吴縣人。

顧斗英　顧仲韓遺稿二卷上海人。有儁才,與莫廷韓稱"雲間二韓"。

朱正初　朱光禄集二卷字在明,靖江人。嘉靖間光禄監事。

潘緯　象安詩集四卷字仲文,一字象安,歙人。入貲爲武英殿中書舍人。

田藝蘅　田子蓺集二十卷錢塘人,田汝成子。隆慶中歲貢,官徽州府教授。

張名由　張公路集八卷嘉定縣人,初名凡。布衣。

童佩　子鳴詩集四卷　又　文集二卷一字少瑜,龍游人。授經于歸有光,挾書以遊。

楊承鯤　碣石篇二卷　又　西清閣詩草四卷字伯翼,鄞縣人。萬曆初太學生。

卓明卿　光禄集三卷字澂甫,仁和人。萬曆中,以太學生官光禄署正。

---

① "嵇",原誤作"稽",據《千頃堂書目》卷二十六、《浙江通志》卷二百五十一改。

黄之璧　娑羅館藏稿二卷字白仲，上虞人。布衣。

胡應麟　少室山房類稿一百二十卷字元瑞，蘭溪人。萬曆丙子舉人。

陳文燭　二酉園文集十四卷　又　詩集十二卷　又　五岳山房集□卷字玉叔，沔陽州人。嘉靖乙丑進士，南京大理卿。

李維禎　四遊集二十二卷　又　大泌山房全集一百三十四卷字本寧，京山人。隆慶戊辰進士，南京禮部尚書。

屠隆　由拳集三十三卷　又　白榆集二十卷　又　栖真館集三十一卷　又　横塘集二卷　又　南遊集二卷　又　絳雪樓集□卷　又　采真集二卷字長卿，鄞縣人。萬曆丁丑進士，禮部郎中。

屠本畯　詩草六卷字田叔，一字幽叟。屠大山子，以父任官辰州知府。

馮時可　元城選集八十二卷[①]　**又　北征集十六卷　又　西征集十四卷　又　金閶集十卷　又　巖栖稿三卷　又　石湖稿二卷　又　茹茹稿二卷**華亭人。隆慶辛未進士。

徐桂　徐茂吾詩集十三卷　又　采蕁曲一卷杭州人。萬曆丁丑進士，袁州推官。恃才傲物，坐是罷。

吴稼竳　元蓋副草二十卷字翁晉，孝豐人。吴維嶽子，以父任爲雲南通判。

李應徵　藿園集八卷字伯遠，秀水人。舉人。

李衷純　激楚齋集二十卷[②]應徵從弟。舉人，两淮運使。

章嘉禎　姑孰集二卷　又　南征集二卷字元禮，德清人。萬曆庚辰進士，通政使。

董嗣成　青棠集八卷　又　光禄遺稿字伯念，烏程人。萬曆庚辰進士，禮部郎中，贈光禄寺少卿。

于若瀛　弗告堂集十六卷字文若，濟寧州人。萬曆癸未進士，巡撫陝西，都御史。

李騰鵬　善鳴稿字時遠，南皮人。教授。

---

① “二”，《千頃堂書目》卷二十四作“三”。

② “集”，《千頃堂書目》卷二十六作“草”。

黄維楫　**黄説仲詩草八卷**天台人。萬曆中布衣,黄綰孫。

朱孟震　**郁木生吟稿二卷**新淦人。隆慶戊辰進士,巡撫山西,副都御史。

鄒迪光　**調象庵稿四十卷**　**又**　**鬱儀樓集五十四卷**　**又**　**鷦鷯集六卷**　**又**　**孱提齋稿八卷**　**又**　**青藜館集四卷**　**又**　**始青閣稿二十四卷**　**又**　**二酉園稿八卷**　**又**　**石語齋集二十八卷**字彦吉,無錫人。萬曆甲戌進士,湖廣提學副使。

佘翔　**薜荔園集二卷**　**又**　**文草三卷**字宗漢,莆田人。嘉靖戊午舉人,全椒令。

顔廷榘　**叢桂堂詩集四卷**字範卿,永春人。歲貢,岷府長史。

王士騏　**醉花庵詩五卷**[①]字冏伯,王世貞子。萬曆己丑進士,吏部員外郎。

姜子羔　**姜對揚詩集四卷**餘姚人。嘉靖癸丑進士,太僕寺卿。

于孔兼　**浮雲山居集□卷**　**又**　**江州餘草四卷**字元時,金壇人。萬曆庚辰進士,禮部郎中,贈光禄寺少卿。

華叔陽　**華禮部集八卷**無錫人。隆慶戊辰進士。

王德完　**□所集九卷**廣安州人。萬曆丙戌進士,庶吉士,授□科給事中,歷官户部侍郎,贈尚書,謚"莊毅"。

汪道會　**二仲集**　**又**　**小山樓稿**字仲嘉,歙縣人,汪道昆從弟。

汪道貫　**汪次公集十二卷**歙縣人,汪道昆弟。

劉紹卹　**臨安集**令臨安時作。**又**　**瀟湘集**安陸人。隆慶戊辰進士,博學工詩文,累官雲南僉事。

侯堯封　**鐵庵遺稿二卷**嘉定縣人。隆慶辛未進士,由御史歷任福建參政。

以上萬曆中上

沈一貫　**喙鳴文集二十一卷**　**又**　**喙鳴詩集十八卷**

沈鯉　**亦玉堂稿十八卷**　**亦玉堂續稿**

---

① "詩"後,《千頃堂書目》卷二十五有一"選"字。

朱賡 朱文懿集十二卷

于慎行 穀城山館文集四十二卷 又 詩集二十卷

李廷機 李文節公集十八卷

曾同亨 泉湖山房稿三十卷吉安人。嘉靖己未進士，南京吏部尚書。

楊時喬 楊端潔集二十卷上饒人。嘉靖乙丑進士，吏部右侍郎。

裴應章 懶雲居士集十五卷字元闇，清流人。隆慶戊辰進士，南京吏部尚書，謚恭清。又 編蒲繿餘六卷

謝杰 天靈山人集二卷 又 棣萼北窗吟稿十三卷 又 白雲編二卷福建長樂人。萬曆甲戌進士，督儲，户部尚書。

衛承芳 漫行集十卷①達州人。隆慶戊辰進士，南京户部尚書。

余繼登 澹然軒集八卷交河人。萬曆丁丑進士，禮部尚書，謚"文恪"。

馮琦 北海集四十六卷 又 宗伯集八十一卷臨朐人。萬曆丁丑進士，禮部尚書。

曾朝節 紫園草二十二卷 又 續草四卷臨武人。萬曆丁丑進士，禮部尚書，掌詹事府事。

楊道賓 楊文恪公集三十三卷晉江人。萬曆丙戌一甲第一人，禮部侍郎，掌翰林院事。

李化龍 詩文稿十三卷字于田，長垣人。萬曆甲戌進士，兵部尚書。

郭子章 閩草十六卷 又 留草十卷 又 蜀草十四卷 又 浙草十六卷 又 晉草十卷 又 楚草十三卷 又 閩藩草九卷 又 家草八卷 又 黔草三十七卷 又 養草七卷 又 苫草六卷 又 傳草二十四卷吉安人。隆慶辛未進士，巡撫貴州，兵部尚書。

李三才 雙鶴軒詩集 又 鷦鷯軒集一卷字道甫，武功衛人。萬曆甲戌進士，漕運都御史，加户部尚書。

孫鑛 月峰居業四卷 又 居業次編五卷餘姚人，孫陞子。萬曆甲戌

---

① "漫行"，《千頃堂書目》卷二十四作"曼衍"。

進士,太子少保,南京兵部尚書。

許孚遠　敬和堂集八卷德清人。嘉靖壬戌進士,兵部左侍郎,贈南京工部尚書。

周子義　交翠軒佚稿六卷[①]無錫人。嘉靖乙丑進士,吏部左侍郎兼侍讀學士,掌詹事府事,贈禮部尚書。

蕭廩　兑隅先生集五卷萬安人。嘉靖乙丑進士,兵部侍郎,贈尚書。

何洛文　□□集二十卷[②]何景明孫。嘉靖乙丑進士,禮部侍郎。

徐顯卿　天遠樓集二十七卷長洲人。隆慶戊辰進士,吏部侍郎兼侍讀學士。

田一儁　鍾台遺稿十二卷大田人。隆慶戊辰會試第一人,禮部左侍郎。

韓世能　雲東拾草十四卷長洲人。隆慶戊辰進士,禮部左侍郎。

盧維楨[③]　**瑞峰集六卷**漳浦人。隆慶戊辰進士,户部右侍郎。

李材　正學堂稿二十四卷　又　觀我堂書要三十卷字孟誠,豐城人。嘉靖壬戌進士,巡撫雲南,都御史。

鄭汝璧　由庚堂集三十四卷縉雲人。隆慶戊辰進士,總督宣大,兵部侍郎。

戴洵　司成集二十五卷鄞縣人。嘉靖乙丑進士,南京國子監祭酒。

林景暘　玉恩堂集十卷華亭人。隆慶戊辰進士,南京太僕寺卿。

鄧以讚　鄧定宇集四卷　又　鄧文潔佚稿八卷新建人。隆慶辛未會元一甲第三人,吏部右侍郎兼侍讀學士,贈禮部尚書。

黄洪憲　碧山學士集二十一卷秀水人。隆慶辛未進士,累官少詹事兼侍讀學士,掌院事。

吕坤　去僞齋集十四卷字新吾,寧陵人。萬曆甲戌進士,刑部左侍郎。

王祖嫡先生文集三十七卷信陽州人。隆慶辛未進士,右春坊右庶子。

余孟麟　學士集三十二卷[④]字伯祥,江寧人。萬曆甲戌一甲第二人,南京國子

---

① "交",原誤作"文",據《千頃堂書目》卷二十三、《明詩綜》卷四十九"周子義"條改。

② 空格處,《千頃堂書目》卷二十三作"震川"。

③ "楨",《千頃堂書目》卷二十四作"禎"。

④ "學"前,《千頃堂學目》卷二十五有"幼峰"二字。

監祭酒。

王庭譔　松門稿八卷字敬卿，華州人。萬曆庚辰一甲第三人，翰林院修撰。

劉應秋　劉大司成集十六卷字士和，吉水人。萬曆癸未一甲第三人，國子監祭酒，謚“文節”。

王荁　太史詩草□卷　又　霱雲館全集①字季孺，慈谿人。萬曆癸未進士，官編脩。

孫繼皐　栢潭集十卷字以德，無錫人。萬曆甲戌一甲第一人，吏部左侍郎。

劉日升　慎脩堂集二十三卷字扶生，廬陵人。萬曆庚辰進士，南京太僕寺卿，擢應天府尹，師王時槐講學，與鄒元標相善。

郭正域　黄離草十卷字美命，江夏人。萬曆癸未進士，禮部侍郎，謚“文毅”。

唐文獻　占星堂集十六卷字元徵，華亭人。萬曆丙戌一甲第一人，吏部右侍郎。

鄒德溥　鄒太史全集五十卷安福人。萬曆癸未進士，官編修。

沈懋學　郊居遺稿六卷字君典，宣城人。萬曆丁丑狀元，官修撰。

楊起元　家藏集八卷字貞復，歸善人。隆慶丁卯解元，萬曆丁丑進士，吏部侍郎兼侍讀學士。

陸可教　陸學士遺稿十六卷蘭溪人。萬曆丁丑進士。

顧紹芳　寶庵集八卷太倉人。萬曆丁丑進士，左春坊左贊善。

莊履豐　梅谷集十八卷晉江人。萬曆丁丑進士，翰林院修撰。

沈懋孝　長水先生文抄□卷平湖人。隆慶戊辰進士，南京國子監司業。

馮夢禎　快雪堂集六十四卷字開之，秀水人。萬曆丁丑會元，南京國子監祭酒。

龔勉　尚友堂集九卷字子勤，無錫人。隆慶戊辰進士，嘉興知府。

管大勳　休休齋集六卷　又　管光禄集六卷字世臣，鄞縣人。嘉靖乙丑進士，南京光禄寺少卿。

唐邦佐　比部集二卷②字良父，蘭溪人。隆慶戊辰進士，刑部主事。

---

① 空格處、“霱”，《千頃堂書目》卷二十五分别作“一”、“霽”。

② “二”，《千頃堂書目》郑二十四作“三”。

喻均　山居詩稿十卷　又　蘭陰稿五卷　又　仙都稿一卷虎林稿四卷字邦相,新建人。隆慶戊辰進士,山東副使。

鄭邦福　采真遊四卷字羽夫,上饒人。隆慶辛未進士,有詩名,官至南京太僕寺少卿。

劉伯燮　鶴鳴集二十七卷字元甫,孝感人。隆慶戊辰進士,廣東按察使。

陳巖之　筆山集八卷字泰仲,閩縣人。隆慶戊辰進士,雲南副使。

邵傅　朴巔集二卷　又　青門集六卷字夢弼,閩縣人。隆慶中貢士,王府教授。

薛夢雷　彩雲編二卷字汝奮,福清人。隆慶辛未進士,雲南巡撫,都御史。

熊敦朴　駕部謫居稿一卷　又　比部近集一卷字茂和,富順人。熊過子。隆慶辛未進士,庶吉士,改主事,歷官布政司參議。

劉黄裳　藏微館集十五卷①字玄子,光州人,劉繪子。萬曆丙戌進士,歷官兵部郎中,贊畫宋應昌軍事。

袁黄　两行齋集十四卷字了凡,嘉興人。萬曆丙戌進士。

丁元薦　尊拙堂集二十四卷字長孺,長興人。

余寅農　丈人集二十卷　又　詩集八卷

邢侗　來禽館集二十八卷字子愿,臨邑人。萬曆甲戌進士,②陜西行太僕寺少卿。

朱長春　朱大復甲集五十二卷　又　乙集三十八卷烏程人。萬曆癸未進士,刑部主事。

虞淳熙　德園全集六十卷　又　灌務山房集四十卷字長孺,錢塘人。萬曆癸未進士,吏部稽勳司郎中。

帥機　垂楊館集四十卷　又　陽秋館集選十七卷字惟審,臨川人。隆慶戊辰進士,思南知府。

湯顯祖　玉茗堂詩十六卷　又　文十五卷　又　尺牘八卷字若士,一字義仍,臨川人。萬曆癸未進士,以禮部主事,謫徐聞典吏,遷遂昌知縣。

---

① “微”,《千頃堂書目》卷二十五作“微”。

② “甲戌”,原誤作“甲集”,據《明清進士題名碑録索引》改。

謝廷諒　薄遊草二十四卷　又　清暉館集二卷　又　帶檔編□卷　又　起東草□卷　又　逢掖集□卷字友可，金谿人。萬曆乙未進士，順慶知府。

謝廷讚　緑屋遊草十五卷　又　玉馬軒集□卷　又　步丘草□卷　又　霞繼亭集□卷字曰可，廷諒弟。萬曆戊戌進士，刑部主事。疏請東宫出閣講學，神宗怒，落職歸。光宗立，贈尚寶少卿。

李鼎　李長卿集二十八卷南昌人。

茅國縉　茅縉卿集十二卷茅坤子。萬曆庚辰進士，工部郎中。

楊子庭　楊道行集二十二卷全椒人。萬曆庚辰進士，兵部郎中。

朱□　樂熙園集□卷成國公。

李言恭　青蓮閣集十卷　又　貝葉齋稿四卷字惟寅，岐陽武靖王□世孫。太保臨淮侯。

陳第　寄心集六卷　又　薊門塞曲一卷字季立，連江人。少爲諸生，俞大猷知其才，召置幕下，言于譚綸，綸一見曰："俞、戚流亞也。"守備古北口，歷遊擊將軍。第深于經學，所著多皆别見。

鄧鍾　横槊篇字道鳴，晉江人。萬曆己丑武會試廣東都司。

萬邦孚　一枝軒稿□卷字汝前，萬表孫。官都督僉事，漕運總兵官。

王鳴鶴　跕鳶集四卷　又　西征集二卷　又　百粤草□卷又　綏帶吟□卷字羽卿，淮安人。會試武舉，鎮守廣西總兵官兼都督同知，掛征蠻將軍印。

鄧子龍　横戈卷字武橋，豐城人。官副總兵，死日本關白之難。

王元坤　雅娱閣集十八卷

張如蘭　功狗集三十卷[1]字德馨。南京羽林衛世襲指揮使，中武舉第一人，官淮徐漕運參將。

劉文卿　直洲集十卷字信如，江西廣昌人。萬曆戊子解元，己丑進士，兵部員

① "功"，原誤作"弓"，據《千頃堂書目》卷二十三、《明詩綜》卷五十四"張如蘭"條改。

外郎①。

劉元卿　山居草四卷　又　還山草四卷字調父,安福人。舉人,學者稱"瀘瀟先生"。

史桂芳　惺堂遺稿十二卷

羅大紘　匡湖文集十二卷

洪垣　覺山緒言七卷

鄧元錫　潛學稿十七卷字汝極,江西新城人。嘉靖乙卯舉人,徵授翰林院待詔,學者私謚爲"文統先生"。

來知德　瞿塘日録三十卷字矣鮮,梁山人。萬曆壬午舉人,薦辟授翰林院待詔。

王之士　關雒集　又　京途集　又　南遊集

王敬臣　遊武夷記

徐即登　正學堂稿二十六卷　又　來益堂稿五卷字獻和,南昌人。萬曆癸未進士,河南按察使。

孟秋　孟我疆集六卷在平人。隆慶辛未進士,尚寶司少卿。

涂宗濬　榆塞稿二卷南昌人。萬曆癸未進士,兵部尚書。

蘇濬　紫溪集三十四卷字君禹,晉江人。萬曆癸酉解元,丁丑進士,累官廣西按察使。

李登　冶城真寓存稿八卷　又　續稿二十一卷字士龍,上元人。貢士,崇仁教諭。

羅汝芳　近溪子集十二卷　又　明德先生詩二卷

周孔教　周懷魯先生集臨川人。萬曆庚辰進士,巡撫應天,都御史。

周汝登　海門先生集　又　東越證學録十二卷嵊縣人。萬曆丁丑進士。

岳和聲　澹漠集二卷元聲弟。萬曆壬辰進士,提學副使。

唐伯元　醉經樓集六卷澄海人。萬曆甲戌進士,官文選郎中。

---

① "兵部"前,《千頃堂書目》卷二十五有"南京"二字。

祝世禄　祝無功集八卷

梅國楨　西征集十卷　又　燕臺遺稿二卷麻城人。萬曆癸未進士，巡撫大同，副都御史，贈右都御史。

李贄　李氏焚書六卷　又　焚餘六卷　又　李氏遺書二卷　又　李温陵集二十卷初名載贄，晉江人。嘉靖壬子舉人，累官尋甸知府。著書多掊擊道學，務爲矜奇之論。給事中張問達劾之，逮下詔獄，引刀自裁死。

潘士藻　闇然堂遺集六卷字去華，婺源人。萬曆進士，尚寶司卿。

焦竑　欣賞齋集四十九卷　又　續集三十五卷字弱侯，南京旗手衛人。修撰，謚"文端"。

袁宗道　白蘇齋類稿二十四卷字伯修，公安人。萬曆丙戌會元，右春坊右庶子，贈禮部侍郎。

袁宏道　錦帆集四卷　又　解脱集四卷　又　瀟碧堂集二十卷　又　瓶花齋集十卷　又　華嵩遊草二卷　又　桃源咏一卷　又　廣陵集一卷　又　蔽篋集二卷　又　破硯齋集二卷[①]字中郎，宗道弟。萬曆壬辰進士，吏部郎中。

袁中道　珂雪齋集二十四卷　又　外集十三卷字小修，宏道弟。萬曆丙戌進士，歷官禮部郎中。

陶望齡　歇庵集十六卷　又　水天閣集十三卷[②]字周望，會稽人。萬曆己丑會試第一人，廷試一甲第三人，國子監祭酒。

黄輝　貽春堂集六卷　又　鐵庵詩選一卷字平倩，一字昭素，南充人。萬曆己丑進士，歷官詹事府少詹事。

王一鳴　自訂稿一卷字子聲，一字伯固，黄岡人。萬曆丙戌進士，知太湖、臨漳二縣。

江盈科　雪濤閣集十四卷

龍膺　太玉洞稿一卷　又　漁仙雜著一卷　又　湟中詩一卷　又　綸灊集八卷字君御，武陵人。萬曆庚辰進士，南京太常寺卿。

---

① "硯"，《千頃堂書目》卷二十五作"研"。

② "十三"，《千頃堂書目》卷二十五作"十"。

曾可前　石楠館集字退如,石首人。萬曆辛丑進士,官編修,出爲左參議。

瞿九思　瞿慕川文集七十五卷黄梅人。□舉人①,授翰林院待詔。

沈九疇　曲轅居集八卷②字箕仲。萬曆丁丑進士,江西布政。

沈泰鴻　閒止樓詩掄三十八卷字雲將,沈一貫子。以任子官尚寶司卿。

梅鼎祚　石室鹿裘全集六十五卷字汝金③,宣城人。太學生。

梅蕃祚　王程集二卷字子馬,鼎祚從弟。以上舍爲寧鄉主簿,遷滋陽丞。

梅守箕　居諸集四卷字季豹,鼎祚從父。太學生。

阮自華　霧靈山人集三十卷字堅之,桐城人。萬曆戊戌進士,邵武知府。

何白　汲古堂集二十八卷字无咎,永嘉人。布衣。

朱宗吉詩集八卷字汝修,臨淮人。官太醫院御醫。

馮大受　竹素園詩集十卷字咸甫,華亭人。萬曆己卯舉人。

傅新德　傅文恪公集七卷字明甫,定襄人。萬曆戊子解元,己丑進士,歷官太常寺卿,管國子監祭酒。

朱家法　朱季子草四卷

陳所藴　竹素堂藏稿十四卷　又　續稿二十卷上海人。萬曆進士。

何三畏　漱六齋集四十八卷字子抑,上海人。舉人推官。④

于慎思　于仲子集十六卷于慎行弟。

林章　林初文全集十二卷福清人。萬曆癸酉舉人,疏請止礦税,陳立兵行鹽之策。逮治,死于獄。

方攸躋　陳巖草堂詩集二卷字君敬,莆田人。嘉靖庚戌進士,南京户部主事。

方沆　猗蘭堂集十六卷攸躋子,字子及。隆慶戊辰進士,雲南提學僉事,左遷寧州知州。

趙世顯　芝園詩集二十八卷　又　文集二十六卷字仁甫,侯官人。

① 空格處,《千頃堂書目》卷二十六作"萬曆中"。

② "居"後,《千頃堂書目》卷二十五有一"詩"字。

③ "汝金",《千頃堂書目》卷二十六作"禹金"。

④ "子抑"、"舉人",《千頃堂書目》卷二十五分别作"士"、"紹興"。

萬曆癸未進士，池州府推官。

馬歘　漱六齋稿六卷字季聲，馬森子。萬曆歲貢，興國州判官。

唐鶴徵　南遊稿一卷　又　北遊稿一卷武進人，唐順之子。隆慶辛未進士，太常寺少卿。

瞿汝稷　冏卿集十四卷常熟人，瞿景淳子，字元立。以父任官長蘆運使加太僕寺少卿。

趙隆美　趙叙州集二卷常熟人，趙用賢子。以任爲叙州知州。

趙琦美　容臺小草一卷　又　和禪詩五卷亦用賢子，以父任官刑部郎中。

何宇度　喬木山房稿五卷何遷子。

姜士昌　雪柏堂集八卷丹陽人。萬曆庚戌進士。

姜志禮　姜同節集八卷丹陽人。萬曆己丑進士。

伍袁萃　逸我軒集四卷長洲人。萬曆□□進士①，參政。

賀燦然　五欲軒稿五卷　又　六欲軒稿十八卷　又　六欲軒雜著一卷秀水人。

支大倫②　支子藝餘十四卷　又　支子畊餘□卷　又　支華平文集□卷嘉善人。萬曆甲戌進士，爲泉州推官。洪朝選之獄，不肯附和，入其罪。有《上都御史龐尚鵬書》，見集中。

錢士鰲　錢麓屏遺集十卷錢塘人。萬曆□進士③，福寧知州。

劉一焜　石閭山房集二十四卷南昌人。萬曆乙未進士，與兄一爌、弟一爆同榜。

陳與郊　偶園集十八卷　又　黄門集三卷　又　蘇川集八卷④海寧人。萬曆甲戌進士，□參政。

何爾健　惠文集字乾至，曹州人。萬曆丁丑進士，歷大理寺寺丞。

---

① 空格處，據《明清進士題名碑録索引》當作“庚辰”。

② “倫”，《千頃堂書目》卷二十五作“綸”。

③ 空格處，據《明清進士題名碑録索引》當作“丙戌”。

④ “偶”、“蘇”，《千頃堂書目》卷二十五分別作“隅”、“蘋”。

江以東[1]　**岷岳遺集四卷**字貞伯，全椒人。隆慶戊辰進士，江西提學副使。

林兆珂　**絜朋稿一卷**字孟鳴，莆田人。萬曆甲戌進士，安慶知府。

曾鳳儀　**金簡集四卷**安福人。萬曆癸未進士，南京禮部郎中。

曾乾亨　**□□山房稿六卷**同亨弟。

石崑　**玉石居士詩删二卷**黄梅人。萬曆庚辰進士，巡撫大同，都御史。

陳所學　**鴻濛館集八卷**字正甫，景陵人。萬曆癸未進士，户部侍郎。一作十六卷。

盧龍雲　**四留堂稿三十卷**上海人。萬曆進甲辰士，副使。

南憲仲　**廣川集四卷**字子章，渭南人。萬曆甲戌進士，棗强知縣。

黄體仁　**四然齋稿十卷**上海人。萬曆甲辰進士，□□副使。

方應選　**方衆甫集四卷**華亭人。萬曆癸未進士，官福建提學副使。

穆光胤　**元對樓集□卷**字仲裕，穆文熙子。官中書舍人。

曾仕鑑　**慶曆集二卷**　**又**　**公車集一卷**南海人。萬曆乙酉舉人，中書舍人。

彭夢祖　**彭應壽集□卷**全椒人。萬曆庚戌進士，户部主事。

歸大道　**松石堂集四卷**長洲人。嘉靖癸丑進士，南京□科給事中，歷陝西副使。

郝敬　**小山草十卷**　**又**　**嘯歌二卷**字仲輿，京山人。萬曆己丑進士，□科給事中。

王圻　**洪洲類稿十卷**上海人。嘉靖乙丑進士，□□提學副使。

謝吉卿　**傚顰集二卷**字修之，晉江人。萬曆庚辰進士，海鹽知縣。

馬玉麟　**靜觀堂稿三十八卷**字德徵，崑山人。萬曆丁丑進士，雲南參政。

方揚　**初庵集十六卷**歙縣人。隆慶辛未進士。

許樂　**善適志齋稿十卷**華亭人。隆慶辛未進士。

丁元復　**片玉齋存稿二卷**長洲人。隆慶辛未進士。

---

① “江”原誤作“汪”，據《千頃堂書目》卷二十四、《四庫全書總目》卷一百七十九“江岷嶽文集”條所載改。

沈位　柔生齋稿六卷吴江人。隆慶戊辰進士。

詹沂　潔身堂存稿六卷宣城人。隆慶辛未進士。

趙善政　養志餘稿六卷涇縣人。隆慶辛未進士。

邢雲路　邢澤宇詩集□卷　又　山塞吟□卷

陶允宜　鏡心堂集十六卷會稽人。萬曆甲戌進士。

曹一夔　虚白齋集二十二卷武岡州人，字子韶。萬曆甲戌進士，御史。

李際春　紅梅館集八卷武進人。萬曆甲戌進士。

黄文炳　適情亭遺草八卷字懋新，同安人。萬曆丁丑進士，太僕寺卿。

吴安國　葆光軒稿十卷長洲人。萬曆丁丑進士。

費尚伊　市隱園集二十四卷沔陽州人。萬曆丁丑進士。

車大任　車子仁集二十卷邵陽人。萬曆庚辰進士，福州知府。

龔一清　扣聲篇八卷字貞夫，義烏人。萬曆甲戌進士，廣西副使。

程德良　白蓮洴集十五卷　□人。萬曆癸未進士。①

王堯封　學惠齋稿□卷金壇人。萬曆癸未進士，知府。

朱廷益　清白堂稿字汝虞，嘉善人。萬曆丁丑進士，通政司參議。

張恒　明志稿三卷　又　詩二卷　又　續明志稿一卷嘉定縣人。萬曆癸未進士，江西右參政。疏乞終養，居家二十年杜門著述，母喪後以病卒。

孫光裕　兼善堂集二十卷字子長，無錫人。萬曆辛丑進士，南京光禄寺少卿。

王納諫　初日齋集七卷江都人。萬曆丁未進士，吏部員外郎。

錢文薦　麗矚樓集□卷②　又　翠濤閣集一卷慈谿人。萬曆丁未進士，户部主事③。

方大鉉　搴蘭館集六卷字君節，桐城人。萬曆癸丑進士，户部主事。

姚舜牧　承庵文集十六卷烏程人。萬曆□舉人。

---

① "良"，原誤作"民"，據《四庫全書》本《千頃堂書目》卷二十六、《四庫全書總目》卷一百二十五程德良"三一子"條所載改。另，據上所引，知程氏爲雲夢人。

② "樓"字原脱，據《千頃堂書目》卷二十六，《明詩綜》卷六十五"錢文薦"條補。

③ "户部"，《千頃堂書目》卷二十六作"工部"。

熊劍化　雲間集二卷豐城人。萬曆辛丑進士,華亭知縣。

范守己　御龍子集七十八卷洧川人。

胡大成　翠栢軒稿十八卷字集卿,江西新昌人。萬曆壬辰進士,官潼川知州。

劉覲文　劉氏遺書十四卷字叔熙,丹徒人。萬曆乙未進士,主客司員外郎。

黄繩卿　正庵詩集一卷字以相,晉江人。萬曆中歲貢,初官蘭溪丞,遷新安知縣,再改雲和知縣。善書工詩,尤精經學。

以上萬曆中下

葉向高　蒼霞草二十卷　又　詩草八卷　又　續草二十二卷　又　餘草十四卷　又　小草篇一卷　又　賜歸篇一卷　又　紀遊篇一卷

吴道南　吴文恪公集二十二卷

黄克纘　數馬集五十一卷晉江人。萬曆庚辰進士,太子太保,戎政尚書。

林烴　覆瓿集六卷閩縣人,林庭機子。嘉靖壬戌進士,南京工部尚書。

丁賓　丁清惠公遺集八卷嘉善人。隆慶辛未進士,南京工部尚書。

顧其志　籌陜存牘二卷長洲人。隆慶辛未進士,兵部尚書。

陳懿典　陳學士全集字孟常,秀水人。萬曆己卯解元,壬辰進士,由庶吉士歷官侍讀學士。

周應賓　月湖草七卷字嘉甫,鄞縣人。萬曆癸未進士,歷官禮部尚書,謚"文穆"。

區大相　太史詩集二十七卷　又　前後使集十四卷字用孺,高明人。萬曆己丑進士,選庶吉士,由檢討遷中允,謫南京太僕寺寺丞。

顧天峻　太史集八卷字升伯,崑山人。萬曆壬辰一甲第三人,累官侍講,左遷行人司司正。

湯賓尹　睡庵初集六卷　又　二集十四卷字嘉賓,宣城人。萬曆乙未會試第一人,一甲第二人,累官國子監祭酒。

朱之蕃　使朝鮮稿四卷　又　紀勝詩一卷　又　南還雜著一卷　又　廷試策一卷　又　落花詩一卷字元介,南京錦衣衛人。萬曆乙未狀元,南京吏部侍郎。

趙秉忠　琪山集十二卷字季卿，益都人。萬曆戊戌廷試一甲第一人，詹事府詹事，晉禮部尚書，贈太子太保。

顧起元　懶真堂全集五十卷文集三十卷，詩集二十卷。**又　遯園存稿四卷　又　雪堂隨筆四卷　又　蟄庵日録四卷**字鄰初，江寧人。萬曆戊戌探花，歷官吏部右侍郎，謚"文莊"。

顧紹芳　寶庵集二十四卷太倉人。萬曆丁丑進士，庶吉士，授檢討，累官左春坊左贊善。

王衡　緱山集二十七卷[①]字辰玉，太倉人，王錫爵子。萬曆戊子順天解元，辛丑一甲第二人，翰林院編修。

公鼐　問次齋集三十卷字孝與，蒙陰人。萬曆辛丑進士，庶吉士，歷官禮部右侍郎，協理詹事府事。

丘禾實　循陔園文集八卷　又　詩集四卷字有秋，貴州新添衛人。萬曆辛卯解元，戊戌進士，右庶子。

劉孔當　喜聞集十二卷字在之，安福人。萬曆壬辰進士，由庶吉士官編修。

敖文禎　薜荔山房稿十卷高安人。萬曆丁丑進士，官檢討。

周如砥　太史集三十二卷字季平，即墨人。萬曆己丑進士，檢討。

李名芳　李翰林遺稿一卷嘉定縣人。萬曆壬辰進士，庶吉士。

高克正　木天遺稿二十八卷字朝憲，海澄人。萬曆壬辰進士，官檢討。

陳之龍　水月山房集二卷鄞縣人。萬曆乙未進士，官編修。

南師仲　元麓堂集五十卷　又　集杜詩五卷渭南人，南軒子。萬曆乙未進士，官檢討。

許獬　許鍾斗集五卷同安人。萬曆辛丑會試第一人，官翰林編修。

項鼎鉉　魏齋佚稿九卷秀水人。萬曆辛未進士，庶吉士。

眭石　眭太史東蓀集十卷丹陽人。萬曆辛丑進士，官編修。

何喬遠　鏡山全集□卷　又　萬曆集三十三卷　又　萬曆後集八卷　又　萬曆三集四卷　又　泰昌集四卷　又　天啓

---

① "山"後，《千頃堂書目》卷二十六有一"文"字。

集十八卷　又　崇禎集□卷字匪莪，晉江人。萬曆丙戌進士，歷官南京工部尚書。

黄承元　盟鷗堂集十四卷字與参，黄洪憲子。萬曆丙戌進士，巡撫福建，都御史。

祝以豳　詒美堂集二十四卷海寧人。萬曆丙戌進士。

周獻臣　鶯林外編四十四卷　又　别編二卷字竅六，臨川人。萬曆丙戌進士，刑部郎中。

周光鎬　明農山堂文草三十四卷　又　詩草十五卷字國雍，潮州人。隆慶辛未進士。

蔣孟育　恬庵遺稿三十八卷字道力，漳浦人。萬曆己丑進士，南京吏部侍郎。

龔三益　木庵稿四卷字仲友，武進人。萬曆甲午解元，戊戌進士，歷官左庶子。

張以誠　酌春堂集十卷字君一，青浦人。萬曆辛丑狀元，歷官右諭德。

胡休復　柳堂遺集十三卷仁和人。萬曆癸丑進士，庶吉士。

孫羽侯　遂初堂集十卷字鵬初，華容人。萬曆己丑進士，選庶吉士，禮科給事中。

王萬祚　樹瓢吟二卷臨海人。萬曆乙未進士，南道御史。

朱吾弼　墨林漫稿字諧卿，高安人。萬曆己丑進士，爲南道御史，有直聲，累官太僕寺卿。

湯兆京　靈蘐閣集八卷宜興人。萬曆□進士①。

蔡毅中　館閣宏辭□卷字宏甫，光山人。萬曆辛丑進士，協理詹事府少詹事，禮部右侍郎。

張鳴鳳　浮萍集十卷　又　東潛集一卷字羽王，臨桂人。□□舉人，應天府通判。

陳邦瞻　荷華山房摘稿七卷字德遠，高安人。萬曆戊戌進士，兵部左侍郎。

徐鑾　韜雅集四卷字鳴卿，漳州人。萬曆乙未進士，職方郎中。

張燮　霏雲居集五十四卷　又　續集六十六卷　又　北游稿

① 據《明清進士題名碑録索引》，湯氏爲明萬曆壬辰進士。

一卷　又　藏真館集四卷　又　群玉樓集八十四卷字紹和，龍谿人。萬曆甲午舉人，崇禎十年舉，堪任州牧，不起。

張于壘　舒節編五卷　又　麟角初編四卷字凱甫，燮子。有才，早卒。

張萱　西園全集三十卷　又　存稿□卷　又　彙稿□卷字孟奇，博羅人。萬曆壬午舉人，户部郎中。

盧廷龍　先憂堂稿□卷字元明，番禺舉人。萬曆丁未時上言，香山灣番以互市入居内地，引日本諸番屯聚其中，將有大患，宜密爲驅除，以銷未萌，識者□之。

李光縉　景璧集十九卷字衷一，晉江人。萬曆乙酉福建解元。

曹學佺　石倉集□卷字能始，侯官人。萬曆乙未進士，廣西副使。家居二十餘年，多所著述。

王惟儉　王損仲集二卷祥符人。萬曆戊戌進士，工部右侍郎。

董應舉　董崇相集十六卷侯官人。萬曆庚戌進士，工部右侍郎。

鄧原岳　西樓存稿十八卷字汝高，閩縣人。萬曆壬辰進士，湖廣副使。

陳勳　陳元凱集五卷閩縣人。萬曆辛丑進士，户部郎中。

王宇　烏衣集四卷字永啓，閩縣人。萬曆庚戌進士，山東提學副使。

陳价夫　招隱樓集二十卷名邦藩，以字行。閩縣諸生。

陳薦夫　水明樓集十四卷名邦藻，以字行，价夫弟。萬曆甲午舉人。

陳鳴鶴　泡庵詩選八卷字汝翔，懷安人。庠生。

陳仲溱　詩集二卷字惟溱。布衣。

康彦登　朔方遊稿二卷　又　代奕編二卷字元龍。侯官諸生。

徐熥　幔亭集二十卷字惟和，閩縣人。萬曆戊子舉人。

徐𤍠　鰲峰集二十六卷字惟起，熥弟。好聚書，多所著述。

臧懋循　負苞堂集選四卷[①]字晉叔，吴興人。萬曆庚辰進士，國子博士。

范應賓　水部集十三卷字光甫。

董復亨　繁露園集二十二卷字本初，元城人。萬曆壬辰進士，吏部郎中。

---

① 此條，《千頃堂書目》卷二十五作“臧懋循《負苞堂集》十卷，《詩選》五卷，《文選》四卷”。

鄭懷魁　葵圃集三十卷字輅思,漳州人。萬曆乙未進士,處州知府,浙江副使。讀書過目成誦,靡不淹貫,凡有所叩,信口倒囊,不事翻閱。善爲駢儷之文,咄嗟而辦,典贍在若夙搆。

葉維榮　詹炎集三十四卷慈谿人。萬曆乙未進士。

葉秉敬　詩言志七卷浙江西安人。萬曆辛丑進士,江西參政。

黄汝亨　寓林集三十二卷　又　寓庸子遊紀九卷字貞父,錢塘人。萬曆戊戌進士,江西提學副使。

鄧文明諸集十卷[①]字太素,南昌人。萬曆乙酉舉人,連州知州。

魏廣國文集十卷字辟疆,南昌人。

趙士禎　東事剩言一卷　又　續草一卷永嘉人。太學生,中書舍人。

張大齡　知希園集三十卷字元羽,臨湘人。歲貢,陽朔知縣。

陳正　蓮洲集十二卷應城人,陳士元子。貢生。

謝兆申全集二十四卷　又　謝耳伯古詩一卷　又　麻姑遊草一卷邵武建寧人。諸生,有書癖,聚書甚多。

王若　二雅三集二卷　又　文園掌録二卷字相如,清流人。布衣。

崔世召　半囈窩集四卷　又　問月樓稿四卷　又　秋谷集二卷　又　連嘯一卷　又　湖隱草二卷字徵仲,福寧州人。萬曆己酉舉人,連州知州。

柯茂　竹柯亭詩文初稿四卷　又　柯論六卷字克叟,莆田人。萬曆癸未海陽知縣。

余世儒　破蟋蟀集八卷　又　未信稿八卷　又　念山集二卷字汝爲,婺源人。□□舉人,合州知州。

徐應雷　白毫集二十二卷字聲遠,蘇州人。

盧純學詩八卷　又　白下吟六卷字子明,通州人。布衣。

陳永年　懶真集四卷字從訓。丹徒布衣。

華善繼　孟達集十二卷　又　詩集十四卷無錫人。

---

① "集"後,《千頃堂書目》卷二十五有一"共"字。

華善述　披褐先生集十七卷字仲達，善繼弟。

周履靖　勝情集三卷　又　閒雲稿四卷　又　追風集二卷　又　燎松吟一卷　又　尋芳稿一卷[①]　**又　千片雪一卷**字逸之，秀水人，號“梅痴居士”。

趙宧光　寒山漫草八卷　又　凡夫雜著四卷

潘之恒　蒹葭館集　又　冶城集　又　黍谷集　又　涉江草　又　東游集　又　金昌集以上總名《鸞嘯集》。字景升，歙縣人。太學生。

文肇祉　録事集四卷文彭子。萬曆中，官上林録事。

文元發　蘭雪齋集二卷字子悱，肇祉弟。衛輝同知。

文從龍　碧梧齋草一卷

張所敬　張長輿詩八卷上海人。

汪元范詩集二十四卷字明生，歙人，居臨清州。

吴守淮　虎臣詩集二卷歙人。布衣。

顧正誼　詩史十五篇[②]字仲芳，華亭人。官中書舍人。爲五言詩，詠歷代人物並自注之。

王樂善　扣角集字存甫，霸州人。萬曆乙卯舉人。

俞安期　翏翏集二十八卷字羨長，宜興人。

柳應芳詩七卷字陳父，通州人。

石沆　白雲居士集二卷字瀣仲，如皋人。錢謙益稱其詩陶冶性情，蕭閒疏放以爲古之香山、今之江門之流。

盛鳴世　谷中集三卷字太古，鳳陽人。國子生，善奕碁，爲葉向高客。

吴夢暘　射堂詩抄□卷字允兆，歸安人。

王野　吹劍稿二卷字太古，歙人。

吴兆　吴非熊詩集八卷休寧人。

范汭　范東生詩四卷烏程人。太學生。

---

① “一”，《千頃堂書目》卷二十六作“二”。

② “篇”，《千頃堂書目》卷二十六作“卷”。

沈野詩集六卷字從先，吳人。

王醇　寶蓮栖詩□卷字先民，揚州人。

豐越人　天放野人集四卷字正元，豐坊孫。

豐應元　鳴皐集一卷字從父，越人從父。

杜大成　晞真集一卷字允備①，一字山狂，上元人，杜安道裔孫。

方登　樵城山人詩二卷字嘯門，上元人。

胡宗仁　知載齋詩草二卷　又　韻詩一卷字彭舉，上元人。

孫真②　石雲先生遺稿一卷字□□，丹陽人。

冒愈昌　冒伯齡集如皐人。諸生，遊於王世貞、吴國倫之門。

錢希言　賦湘樓集　又　小輞川集　又　西遊籍③　又　荆南詩　又　樟亭集　又　二蕭篇　又　桃葉編　又　織里草　又　討桂篇總名《松樞十九山》。字簡栖，常熟人。

陳鴻　秋室篇八卷　又　隱鵠集二卷字叔度，侯官人。

茅維　十賚堂甲集十二卷　又　乙集□卷　又　丙集十四卷　又　佩觿草一卷④　又　菰園初集六卷　又　閩遊集一卷　又　迂談二卷字孝若，茅坤季子。

費元禄　甲秀園集四十七卷　又　轉情集二卷鉛山人，字無學。

王嗣　經偶存詩一卷字日常，上饒人。

陳昂　白雲集七卷字雲仲，莆田人。避倭難居金陵，卒以窮死，福清林古度得其遺詩，鍾惺爲表章之。

李如一　存餘稿八卷字貫之，江陰人。初名鶚翀，字如一，以字行，李忠毅應昇仲父，博洽多藏書。

歸子慕　陶庵集四卷字季思，歸有光子。萬曆辛未舉人。崇禎初，詔訪遺逸，御

① "允備"，《千頃堂書目》卷二十六作"允脩"。

② "真"，《千頃堂書目》卷二十六作"楨"。

③ "遊"，《千頃堂書目》卷二十六作"浮"。

④ "一"，《千頃堂書目》卷二十六作"三"。

史祁彪佳薦之，詔贈翰林院待詔。

顧紹芾　夢庵集十卷字德甫，顧侍郎章志子。太學生，天才駿發，人謂其七言歌行，彷彿太白。

王士驌　攝月樓詩草二卷字閑仲，王世懋子。萬曆甲午舉人。

安紹芳　西林全集二十卷字茂卿，無錫人。

林世璧　彤雲集六卷字天瑞，閩縣人。高才傲世，嘗遊鼓山，得“眼前滄海小，衣上白雲多”句，鼓掌狂笑，失足墮崖死。

屠中孚　重暉堂集□卷字德侃，平湖人。

聞龍　幽貞廬遺草一卷　又　聞隱鱗詩一卷　又　行藥吟一卷鄞縣隱士。

宋懋澄　九籥集二十四卷　又　別集四卷字幼青，華亭人。舉人。

馮柯　貞白全書十卷

徐奮鵬　筆洞集十二卷

施弘猷　中明子集十卷宣城人。

鄒匡明集十卷字子尹，安福人。

李國祥　松門山房稿二十二卷字休徵，南昌人。貢士，通判。

喬一琦　□□篇二卷上海人。官遊擊將軍，死三路出師之難。少爲諸生，多跅弛，與太倉王士駿、無錫秦燈善，坐事除諸生名，乃以武職奮，能詩工草書。

張銓　勝遊草四卷

何棟如　攝園草一卷　又　南音一卷字子極，無錫人。萬曆戊戌進士，太僕寺少卿，遼東監軍。

高出　高孩之集十一卷　又　似羅隱集六卷　又　郎潛集六卷萊陽人。萬曆戊戌進士，監軍副使。

潭昌言　狷石遺稿八卷秀水人。萬曆辛丑進士，山東參政。

劉錫元　玉受集十卷　又　黔牘偶存長洲人。萬曆丁未進士，江西參議。

以上萬曆末。

趙南星　趙忠毅公集二十四卷

高攀龍　高子遺書十二卷　又　未刻稿六卷

楊漣　楊忠烈公集三卷

左光斗　左忠毅公集五卷　附録一卷

魏大中　藏密齋集二十五卷

魏學洢　茅簷集八卷大中子。

繆昌期　從野堂存稿八卷

李應昇　落落齋遺稿十卷

黄尊素　黄忠端公集六卷

劉鐸　來復堂集字我以,廬陵人。萬曆丙辰進士,揚州知府,以詩禍死,贈太僕寺少卿。

馮從吾　少墟文集二十二卷

丁乾學　擁膝齋集　又　比樂堂稿字天行,山陰人。萬曆己未進士,選庶吉士,官檢討,贈侍讀學士。

孫慎行　元晏齋集十卷字聞斯,武進人。萬曆己未一甲第三人,禮部尚書,謚"文介"。一作二十二卷。

余懋衡　關中集二卷婺源人。萬曆壬辰進士,南京吏部尚書。

鍾羽正　崇雅堂集　又　鍾司空遺稿一卷

曹于汴　抑節堂集十四卷安邑人。萬曆辛卯解元,壬辰進士,左都御史。

岳元聲　潛初雜著十卷秀水人。萬曆癸未進士,天啓中官兵部侍郎。

黄汝良　河干集十卷字明起,晋江人。萬曆丙戌進士,累官太子太保,禮部尚書。

林堯　俞谿堂詩集四卷　又　文集二卷字咨伯,莆田人。萬曆己丑進士,選庶吉士,累官禮部尚書。

陳于廷　定軒存稿三卷字孟諤,宜興人。萬曆乙未進士,左都御史。

吴士奇　緑滋館稿九卷

范鳳翼　范勛卿集二十六卷字太蒙,直隸通州人。萬曆戊戌進士,吏部員外郎,尚寶司少卿。

蔡善繼　空有齋詩草四卷字伯達,歸安人。萬曆辛丑進士,福建布政使。

張鼐　寶日堂初集字侗初,華亭人。萬曆甲辰進士,太子賓客,南京吏部侍郎。

楊守勤　寧澹齋集十卷慈谿人。萬曆甲辰進士，一甲第一人，狀元及第，右庶子。

鄒維璉　達觀樓集四卷　又　理署草四卷　又　友白草四卷字德輝，新昌人。萬曆丁未進士，兵部右侍郎。

葉憲祖　青錦園集十三卷　入蜀稿二卷字美度，餘姚人。萬曆己未進士，任按察使。

鄧渼　留彝館集四卷　又　南中集四卷　又　紅泉集四卷字遠遊，南城人。萬曆戊戌進士，巡撫順天都御史。爲逆奄魏忠賢所惡，遣戍貴州。崇禎初，赦還，卒。

鄭之文　遠山堂詩一卷　又　鄭工部詩一卷　又　錦硯齋詩一卷　又　錦硯齋次草一卷字應尼，南城人。萬曆庚戌進士，真定知府。

張應武　遊記一卷字茂仁，嘉定縣人。

婁堅　學古緒言二十六卷　又　吴歈小草十卷字子柔，嘉定縣人。貢士。

唐時升　三易集二十卷字叔達，嘉定人。

李流芳　檀園集十二卷字長蘅，嘉定人。萬曆丙午舉人。

程嘉燧　松圓浪淘集十八卷①　**又　偈庵集二卷　又　耦耕堂詩集三卷　又　文集二卷**字孟陽，休寧人。僑居嘉定，與婁堅等三人號"嘉定四先生"。

徐允禄　思勉齋集十四卷字汝廉，嘉定人。

錢允治　少室先生稿□卷字功甫，長洲人。

韓上桂　韓孟郁稿三卷南海人。萬曆甲午舉人，南京國子監博士。

商家梅　那庵詩選二十卷字孟和，閩縣人。又　種雪園詩十卷

顧大猷　總丱草一卷　又　廣陵懷古一卷字所建，江都人。鎮遠侯，勳衛舍人。

顧大韶　炳燭齋集二卷字仲恭，常熟人。顧大章弟，與兄皆有名場屋間，以諸

---

① "圓"、"淘"，原分別誤作"園"、"濤"，據《千頃堂書目》卷二十六、《明史》卷九十九、《江南通志》卷一百六十七改。

生終。

錢謙貞　尺五集二卷　又　得閒集二卷　又　懷古集二卷又　愚公集四卷總名《未學庵詩集》。字履之,常熟人。程嘉燧稱其詩鮮妍和雅,妙得近體之法。

胡梅元　岳草一卷　又　閩遊草三卷字白叔,吴縣人。

張民表　張林宗遺集二卷中牟人。萬曆辛卯舉人。

秦鎬　頭責齋詩八卷[①]**　又　鬘園銷夏録四卷**字京,汝南人。爲諸生,以詩名。

阮漢　聞遺集□卷字太翀,浙江人。家京師,後居尉氏,讀書好古,喜論兵,曾以遺逸徵,不肯出。崇禎末,死於賊。

姚士粦　見只齋文稿一卷　又　詩集四卷字叔祥,海鹽人。

胡震亨　赤城山人集十四卷字孝轅,海鹽人。舉人,知州。

黄居中　二酉齋詩六卷[②]**　又　千頃齋初集二十五卷　又　二集四十卷　又　三集四卷**字明立,晋江人。萬曆乙酉舉人,南京國子監監丞。

薛岡　天爵堂文集二十卷字千仞,鄞縣人。布衣。

韓如璜　韓文删五十一卷字姬命,博羅人。□□舉人。

陸應陽　笏谿草堂集華亭人。

沈景倩　清權齋集十□卷字德符,秀水人。舉人。

朱國祚　介石齋集二十卷

李國櫓　李文敏遺稿一卷

何宗彦　何文毅集□卷字君美,隨州人。萬曆乙未進士,庶吉士,東閣大學士,禮部尚書。

史繼偕　史文簡公集晉江人,字世程。萬曆壬辰一甲第二人,少保兼太子太保,吏部尚書,武英殿大學士。

---

① "責",原誤作"青",據《千頃堂書目》卷二十六、《明詩綜》卷七十"秦鎬"條改。

② "詩"字原脱,據《千頃堂書目》卷二十五補。

沈潅　沈文定公集二十卷烏程人。萬曆壬辰進士，少保兼太子太保，□部尚書①，武英殿大學士。

周如磐　澹志齋集□卷莆田人。萬曆戊戌進士，由庶吉士歷官太子太保，禮部尚書，文淵閣大學士。

張瑞圖　白毫庵集字果亭，晉江人。萬曆丁未進士，大學士，削奪。

林學曾　丙辛出山小草□卷晉江人。萬曆壬辰進士，南京户部尚書。

蘇茂相　讀史詠言一卷晉江人。萬曆壬辰進士，刑部尚書。

李思誠　真懶齋集直隸興化人，李春芳孫。萬曆戊戌進士，禮部尚書。

駱從宇　澹然存稿七卷武康人。萬曆甲辰進士，禮部尚書兼翰林院學士，掌詹事府事。

王在晋　越鐫二十一卷　又　蘭江集二十二卷　又　楚編續集十卷　又　遼海集二卷　又　西湖小草十卷字明初，太倉州人。萬曆壬辰進士，南京兵部尚書。

王永光　冰玉堂集□卷□□人。萬曆乙未進士，吏部尚書。②

劉遵憲　恕醉堂集大名人。萬曆甲辰進士，太子太保，户部尚書。

祁伯裕　餘清館集滑縣人。萬曆戊戌進士，太子太保，兵部尚書，謚“敏惠”。

張維樞　澹然齋集三十卷字子環，晉江人。萬曆戊戌進士，工部左侍郎。

祁承㸁　澹生堂集字爾光，山陰人。萬曆甲辰進士，江西右參政。

丘兆麟　學餘園集四卷　又　玉書庭集□卷字毛伯，臨川人。萬曆庚戌進士，巡撫河南，都御史。

吴之甲　靜悱集三十卷臨川人。萬曆庚戌進士，由部郎出督浙江學政。疾士子制舉文無本源，欲以唐宋制科法拔儁異士，雜詩賦詔誥試之，會疾作，卒。

陳翼飛　慧閣初删詩十四卷　又　紫芝集八卷字元朋，平和人。萬曆庚戌進士，宜興知縣。

吴伯與　素雯齋集十八卷字師每，宣城人。萬曆癸丑進士，江西副使。

---

① 空格處，《千頃堂書目》卷二十五作“禮”。

② 據《千頃堂書目》卷二十五，王氏爲“長垣人”。

戴澳　杜曲集十一卷字有斐,奉化人。萬曆癸丑進士,應天府丞。

洪瞻祖　清遠山人稿十八卷仁和人。萬曆戊戌進士,右都御史。

徐必達　南洲草十六卷

張同德　張昭甫集二十六卷祥符人。萬曆壬辰進士。

張有德　張懋甫集十七卷同德弟。

丁鴻陽　水鑑齋集二卷□人。萬曆壬辰進士。①

徐時進　鳩兹集七卷字見可,鄞縣人。萬曆乙未進士,大理寺卿。

王志遠　元亭集十卷漳州人。萬曆己丑進士,廣東左布政使。

傅國　黄雲集字丹水,臨朐人。萬曆癸丑進士,户部郎中。

陳萬言　鈃園集十四卷字弘景,秀水人。萬曆己未進士,選庶吉士。

袁儼　抱膝齋集三卷字若思,袁黄子。天啓乙丑進士,高安知縣。

許光祚詩六卷字靈長,錢塘人。萬曆庚子舉人,寧國府推官。

鄧雲霄　百花洲集二卷　又　然桂集　又　解弢集　又　漱玉齋類詩　又　浮湘集東莞人。萬曆戊戌進士,湖廣參政。

趙維寰　焚餘草十四卷②嘉興人。萬曆庚子順天解元,以文格高奇被劾,神宗閲其文,有思苦之目,且稱爲異人,于是名益著,後爲刑部主事劾撫寧侯,以列侯就第。

俞彦　俞少卿樂府二卷字仲茅,上元人。萬曆辛丑進士,光禄寺少卿。

曹徵庸　曹遠生集平湖人。萬曆辛丑進士,汾州知府。

沈孝徵　元暢閣集十二卷海鹽人。萬曆戊戌進士,河南副使。

雷思霈　雷檢討文一卷　又　詩一卷　又　歲星堂集四卷字何思,彝陵人。萬曆辛丑進士,翰林院檢討。

鍾惺　伯敬文十六卷　又　詩二十二卷　又　隱秀堂全集八卷　又　遺稿四卷字伯敬,景陵人。萬曆庚戌進士,福建提學僉事。

譚元春　嶽歸堂集十卷　又　鵠灣文集□卷字友夏,竟陵人。天啓丁

① 據《明清進士題名碑録索引》,丁氏爲直隸丹陽人。

② “焚”前,《千頃堂書目》卷二十五有“雪廬”二字。

卯解元。

蔡復一　遯庵全集十七卷　又　爨餘駢語六卷字敬夫，同安人。萬曆乙未進士，總督都御史，贈兵部侍郎，謚"清憲"。

王思任　避園擬存一卷　又　雜文序一卷　又　詩文序一卷　又　歷遊記一卷　又　遊喚一卷　又　廬游記一卷　又　廬山咏一卷　又　律陶一卷　又　謔庵文飯□卷①字季重，山陰人。萬曆乙未進士，江西僉事。

張慎言　泊水齋集五卷字藐姑，陽城人。萬曆庚戌進士，吏部尚書。②

楊師孔　秀野堂集四卷字泠然，貴州衛人。萬曆辛丑進士，浙江副使。③

戴九元　匡山社集字園客，新昌人。萬曆甲辰進士，工部員外郎。

米萬鍾　北征吟一卷字仲韶④，又字友石，宛平人。萬曆乙未進士，太僕寺卿。

魏濬　峽雲閣存草十二卷松溪人。萬曆甲辰進士，巡撫湖廣，都御史。

馬之駿　妙遠堂全集十二卷字仲良，新野人。萬曆庚戌進士，户部主事。

王象春　問山亭詩五卷　又　濟南百咏一卷字季林木，新城人。萬曆庚戌進士，考功司郎中。

文翔鳳　皇極篇五十卷字太青，三水人。萬曆庚戌進士，光禄寺少卿。

來復　來陽伯詩集三原人。萬曆丙辰進士，布政使，備兵淮揚。

董其昌　容臺集十四卷　又　别集六卷

陳繼儒　陳眉公全集□卷　又　晚香堂小品二十四卷

李日華　恬致堂集四十卷字君實，嘉興府人。萬曆壬辰進士，太僕寺少卿。

俞宛綸　自娱集十卷字君宣，長洲人。萬曆癸丑進士，衢州西安知縣。

曹履吉　博望山人稿十卷字元甫，當塗人。萬曆丙辰進士，光禄寺少卿。

方應祥　青來閣初集十卷　又　二集十卷　又　三集十五卷字

① 空格處，《千頃堂書目》卷二十五作"一"。

② 據《千頃堂書目》卷二十六，張氏"字金銘，號藐姑"。

③ "楊"、"泠然"，《千頃堂書目》卷二十六分别作"揚"、"泠然"。

④ "仲韶"，《千頃堂書目》卷二十五作"仲詔"。

孟旋,浙江西安人。萬曆丙辰進士,山東提學參議。

孫穀　黎牀吟四卷字子畬,華容人。萬曆丁未進士,巡撫遼東,都御史。

尹嘉賓　焚餘詩集一卷字澹如,江陰人。萬曆庚戌進士,湖廣提學僉事。

范允臨　范石公集字長倩,吴縣人。萬曆乙未進士,雲南提學參議。

王志堅　香嚴詩草字淑士,一字弱生,崑山人。萬曆庚戌進士,湖廣提學副使。

王廷宰　茗粥堂詩集六卷　畫竟集三卷字鹿門,華亭人。貢生,沅江知縣。

姚希孟　公槐集二卷　又　響玉集十卷　又　棘門集八卷　又　沆瀣集五卷　又　秋旻集十二卷　又　文遠集二十八卷又　循滄集二卷　又　松癭集二卷　又　伽陵集四卷　又　風吟集六卷字現聞①,吴縣人。萬曆己未進士,詹事府詹事,贈禮部右侍郎。

陳仁錫　無夢園全集四十卷　又　補集四卷　又　遺集十卷　又　小品四卷字明卿,長洲人。天啓壬戌一甲第三人,南京國子監祭酒,贈詹事府,謚"文莊"。

鄭鄤　峚陽集八卷武進人。天啓壬戌進士,庶吉士。

蕭士瑋　春浮園集十卷泰和人。萬曆丙辰會試,天啓壬戌進士,光禄寺少卿。

張采　知畏堂集存四卷②　又　文存十一卷字受先,太倉人。崇禎戊辰進士,禮部主事。

張溥　七録齋集十二卷　又　詩稿二卷③

張世偉　張異度文集吴縣人。少能文,爲王世貞所器。萬曆壬子,舉于順天,出新城王象春之門,坐黨議,爲御史所劾,殿三舉,竟不第,卒。

卓爾康　農山文集三十卷

顧夢麟　織簾居詩四卷字麟士,太倉人。

---

① "現聞",《千頃堂書目》卷二十六作"硯聞"

② "集",《千頃堂書目》卷二十八作"詩"。

③ "二",《千頃堂書目》卷二十八作"三"。

劉城　嶧桐文集八卷　又　詩集九卷字伯宗，貴池人。崇禎時薦舉。

吴應箕　樓山堂集二十卷字次尾，貴池人。太學生。

張大復　梅花草堂集□卷字元長，崑山人。湯顯祖亟稱其文。

沈承　即山集六卷字君烈，太倉州人。

蔣鑛　浮湘集六卷字公鳴，長洲人。萬曆己酉舉人，福州同知。

唐汝諤　藜丘館集字士雅，華亭人。唐汝詢兄，安慶府教授。

唐汝詢　編蓬集十卷字仲言。少喪目，聞人誦書，遂極博洽。

董斯張　静嘯齋存稿十卷字遐周，歸安人，董份孫。負才早卒。

曾異撰　訪授堂集二十七卷[①]字弗人，侯官人。崇禎己卯舉人。

文震亨　岱宗遊草一卷　又　岱宗拾遺一卷　又　新集十卷字啓美，文震孟弟。中書舍人。

孫弘祖　樸語一卷　又　影語一卷　又　可笑言一卷字令弘，平湖人，尚書植孫。

鄭仲夔　根吕八卷廣信人。□□舉人。

陳山毓　靖質居士集六卷[②]

潘一桂　潘木公集六卷丹徒人。

薛益　薛虞卿詩集二卷長洲人。四川訓導。

傅汝舟　傅遠度集七卷應天人。諸生。

茅元儀　石民四十集三百卷字止生，茅坤孫。翰林院待詔。

劉道貞　人華齋稿十六卷字長倩，邛州人。

卓發之　漉籬集□□卷

卓人月　珂月集□□卷

黄以陞　蟫窠集二十卷[③]字孝翼，龍溪人。太學生。崇禎中，以薦舉官雲南布政司照磨。

---

① “訪”，《千頃堂書目》卷二十八、《明史》卷九十九作“紡”。

② “居士”，原字缺損，據《明史》卷九十九補。

③ “窠”，《千頃堂書目》卷二十七作“巢”。

江于儁　藏經堂詩集三十二卷字仲夫[①],漳州人。高才早歿。

池顯方　玉屏集二卷　又　南參集四卷字直夫,同安人。天啓甲子舉人。

黄虞龍　二陵雜著四卷字俞言,黄居中子。晉江諸生。

徐應亨　十笏齋稿五卷字伯陽,蘭谿人。天啓舉人。

楊德周　六鶴齋詩選六卷　又　銅馬編二卷　又　武彝綴稿四卷字南仲,一字孚先,别字齊莊。萬曆癸卯舉人,古田知縣。

孫承宗　太傅孫文正公集十八卷　又　續集二卷

成靖之　雲石堂稿初名基命,字毖宇,大名人。萬曆丁未進士,歷官太子太保、禮部尚書兼文淵閣大學士。

孔貞運　敬事草五卷[②]　又　行餘草十卷

楊嗣昌　野客青鞋集一卷

賀逢　聖代囊子類十卷　又　文類五卷字克田,江夏人。萬曆丙辰廷試一甲第二人,歷官太子太保,禮部尚書,文淵閣大學士,死張獻忠之難,謚"文忠"。

傅冠　寶綸樓集字寄庵,進賢人。天啟壬戌一甲第二人,累官禮部尚書,東閣大學士。

張四知　韶堂詩集[③]字詒白,費縣人。天啓壬戌進士,庶吉士,累官少傅兼太子太保,吏部尚書兼武英殿大學士。

蔣德璟　敬日草九卷

黄景昉　甌安館詩集三十卷字太穉,一字東崖,又字冬呆,晉江人。天啓乙丑進士,選庶吉士,歷官太子太保,户部尚書兼東閣大學士。

范景文　餐冰齋詩字質公,吴橋人。萬曆癸丑進士,由東昌府推官歷官東閣大學士,工部尚書,本朝賜謚"文忠"。[④]

倪元璐　應本集十七卷　又　憶草二卷字鴻寶,上虞人。天啓壬戌進士,選庶吉士,歷官户部尚書,本朝賜謚。

---

① "仲夫",《千頃堂書目》卷二十七作"中夫"。

② "草",原字污損,據《千頃堂書目》卷二十六補。

③ "堂",《千頃堂書目》卷二十七作"亭"。

④ 據《千頃堂書目》卷二十六,范氏"字夢章,號質公"。

李邦華　李忠文公文水全集□卷

王家彦　王忠端公集五卷字尊五，莆田人。天啓壬戌進士，協理京營兵部右侍郎，本朝賜謚。

凌義渠　凌忠介公遺集六卷　又　使岷詩一卷

吴麟徵　忠節遺集

馬世奇　澹寧居詩集三卷　又　文集□卷字君常，一字素修，無錫人。崇禎辛未進士，庶吉士，司經局洗馬，□□□，本朝賜謚。①

劉理順　劉文烈公集十三卷②字湛六，杞縣人。崇禎甲戌一甲第一人，左春坊左中允兼翰林院修撰，本朝賜謚"文烈"。

金鉉　金伯玉遺集六卷一字在六，留守前衛籍，武進人。崇禎戊辰進士，兵部車駕司主事。

申佳胤　申端愍公詩集三卷字澹源，永年人。崇禎辛未進士，太僕寺丞，本朝賜謚。③

鹿善繼　鹿太常文選四卷定興人。萬曆癸丑進士，太常寺少卿，管光禄寺寺丞事，謚"忠節"。

尹伸和　雪亭集□卷　又　續集一卷字子求，宜賓人。萬曆戊戌進士，河南布政使。家居，獻賊破成都，欲官之，嚼齒大駡被殺。

孫傳庭　風雅堂詩稿號白谷，代州人。萬曆己未進士，總督勦寇，兵部尚書，都御史。

焦源溥　逆旅集三十卷字涵一，三原人。萬曆癸丑進士，巡撫大同，都御史。

徐標　小築邇言十一卷字鶴似，濟寧州人。天啓乙丑進士，巡撫保定，兵部侍郎。

陳士奇　巴黔署草一卷字平人，鎮海衛人。天啓乙丑進士，四川巡撫，都御史，死寇難。

張克儉　幔霞樓草號鏡龕，長治人。崇禎辛未進士，襄陽副使，死寇難。

---

① "居"，原字污損，據《千頃堂書目》卷二十八補。第一個空格處，《千頃堂書目》卷二十八作"六"。"辛"，原字污損，據《明清進士題名碑録索引》補。

② "三"，《千頃堂書目》卷二十八作"二"。

③ 據《千頃堂書目》卷二十八，申氏"字孔嘉，號澹源"。

蔡道憲　悔後集一卷號江門,晉江人。崇禎丁丑進士,長沙府推官,死寇難。

南居仁　適脩堂集十卷字思敦,渭南人,南企仲子。天啓壬戌進士,詹事府少詹事。

崔泌之　廣陵草[①]字飢仲,鹿邑人。天啓乙丑進士,户部主事,死寇難。

徐作霖　止園集五卷[②]字霖蒼,商丘人。崇禎庚午解元。

侯方鎮　大晉山房詩集八卷侯忭子[③]。

吴伯裔　墻東草　又　燕遊草字讓伯,商丘人。崇禎丙子舉人。

吴伯胤　醉花庵集字延仲,伯裔弟。明經。以上四人,俱崇禎中死流賊之難。

張可大　駛雪齋集□□卷[④]登萊總兵官,贈太子少傅,謚"莊節"。

蔡思繩　鹿山草十二卷字儒思,[⑤]襄陽人。貢士,死獻賊難。

余大成　四夢稿四卷字集生,江寧人。萬曆丁未進士,山東巡撫,都御史。

孫元化　□□文集一百卷[⑥]字初陽,嘉定縣人。萬曆壬子舉人,巡撫登萊,都御史。

張任學　芸閣草安岳人。天啓乙丑進士,以御史巡按河南,改鎮守總兵官,都督僉事。

杜文焕　太霞集字弢武,榆林人。太子太保,左都督總兵官。

湯開遠　軍中咏馬詩一卷字□□,臨川人。湯顯祖子,舉人,官監紀推官。

李繼貞　雪虹閣集□卷字平槎,太倉州人。萬曆癸丑進士,兵部左侍郎。

沈演　何山集六十四卷字叔敷,烏程人。萬曆辛卯順天解元,壬辰進士,刑部尚書。

杜士全　春星堂稿五卷　又　杜完三詩稿五卷上海人。萬曆乙未進士,工部尚書。

---

① "草",原字污損,據《千頃堂書目》卷二十七補。

② "園"後,《千頃堂書目》卷二十八有一"詩"字。

③ "忭",《千頃堂書目》卷二十八作"恪"。

④ "駛",《千頃堂書目》卷二十六作"駃"。

⑤ "儒思",《千頃堂書目》卷二十八作"孺思"。

⑥ 空格處,《千頃堂書目》卷二十六作"水一方人"。

畢懋康　管涔集二卷　又　西清集二十卷字東郊，歙縣人。萬曆戊戌進士，南京總督，倉場侍郎。

熊明遇　録雪樓集十八卷[①]**　又　馴雉集四卷**字壇石，進賢人。萬曆辛丑進士，南京兵部尚書。

熊人霖　華川集二十四卷明遇子。崇禎丁丑進士，南京兵部主事。[②]

曹珖　大樹堂集字葆素，益都人。萬曆辛丑進士，太子太保，工部尚書。

樊良樞　樊致虚雜稿二十一卷《密庵初稿》四卷，[③]又《稗稿》四卷，又《括風采》四卷，又《西湖草》一卷，又《客星咏》一卷，又《匡山社詩》七卷。良樞，南昌人。萬曆甲辰進士，陝西右布政使。

王命璿　静觀寤詩集二卷字君衡，漳州人。萬曆甲辰進士，刑部右侍郎。

沈正宗　巡梁稿四卷字若水，吴江人。萬曆丁未進士，河南參議。

傅振商　愛鼎堂集二十卷　又　詩集十卷字星垣，汝陽人。萬曆丁未進士，南京兵部尚書。

朱大啓　曼寄齋集二十四卷秀水人。萬曆庚戌進士，刑部右侍郎。

尹民興　□□集□卷嘉魚人。崇禎戊辰進士，職方司員外郎。

阮元聲　□□集□卷雲南馬龍州籍，上元人。崇禎戊辰進士，吏部員外郎。

曹宗璠　□□集□卷金壇人，曹大章孫。崇禎辛未進士，封丘知縣。

羅明祖詩文全集三十卷南平人。崇禎辛未進士，襄陽知縣。

李世奇　悔晚齋集字亮先，漳浦人。崇禎辛未進士，選庶吉士，以母老終養不仕。崇禎以庶子召，不肯出，令有司月給白粲一石，以養其母。

吴天泰　星帶草堂集二卷字詒生，秀水人。有孝行。

金光宸　雙崖文集　又　雙崖詩集字天樞，全椒人。崇禎戊辰進士，左僉都御史。

王厈王　王屋集二卷蘭陽人。崇禎辛未進士，滋陽知縣。

---

① “録”，《千頃堂書目》卷二十六作“緑”，當據改。

② “集”，原字污損，據《千頃堂書目》卷二十八補。另，“兵部”，《千頃堂書目》作“工部”。

③ “密”，原字污損，據《千頃堂書目》卷二十六補。

李陳玉　退思堂集十六卷

陳組綬　舫齋集十卷字伯玉,武進人。崇禎甲戌進士,職方司主事。

吴本泰　吴吏部集十二卷仁和人。崇禎甲戌進士,以文選主事,改南京禮部郎中。

陳龍正　幾亭全書六十四卷嘉善人。崇禎甲戌進士,禮部員外郎。

陳際泰　太乙山房稿□卷　又　已吾集十四卷字大士,臨川人。崇禎甲戌進士。

顧猷　桃花里集□卷字若昔,嘉興縣人。

張明弼　螢芝集九卷字公亮,金壇人。崇禎丁丑進士,揭陽知縣。

余颺　蘆中集□卷字賡之,莆田人。崇禎丁丑進士,吏部主事。

高承埏　高寓公集三卷秀水人。崇禎庚辰進士,工部主事。

王邵　□二彌先生存稿十卷①山西保德州人。崇禎辛未進士,翰林院檢討。

余文龍　拙我齋集四卷字雲從,古田人。萬曆辛丑進士,贛州知府,終真定同知。

胡維霖　黄檗山人稿八卷字夢説,新昌人。萬曆癸丑進士,四川左布政使。

周嬰　遠遊篇四卷字方叔,莆田人。崇禎庚辰特用,上猶知縣。

劉振　指掌集三十卷字自我,宣城人。博學善持論,尤慷慨,喜談兵,范文忠景文嘗延置幕府,所著書甚多。

林雲鳳　自可編二十二卷字若撫,吴人。

吕維祺　明德堂集二十卷字介孺,河南新安人。萬曆癸丑進士,南京兵部尚書,贈太子少保,謚"忠節"。

徐石麒　可經堂集十二卷字寶摩,青浦籍,嘉善人。天啓壬戌進士,吏部尚書。

顧錫疇　□□集□卷崑山人。萬曆己未進士,選庶吉士,累官禮部尚書。

黄道周　駢枝别集二十卷　又　石齋詠業二卷　又　大滌函書六卷

---

①　空格處,《千頃堂書目》卷二十八作"王"。

張肯堂 莞爾集二十卷字鯢淵，華亭人。天啓乙丑進士，巡撫福建，都御史。

袁繼咸 六柳堂遺集三卷字臨侯，宜春人。天啓乙丑進士，總督，兵部侍郎。

王養正 四逸園彙記三十卷字蒙修，穎州人。崇禎戊辰進士，撫州兵備副使。

黄端伯 瑶光閣集八卷 又 廬山集一卷 又 東海集一卷 又 還鄉集二卷江西新城人。崇禎戊辰進士，杭州府推官。

金聲 金太史文集九卷字正希，休寧人。崇禎戊辰進士，翰林院修撰。

詹兆恒 北征初集一卷字月如，永豐人。崇禎辛未進士，大理寺右少卿。

左懋第 梅花屋詩草一卷

吴鍾巒 梁園佳話一卷 又 霞舟擕卷字巒穉，武進人。崇禎甲戌進士，禮部主事。

陳函煇 寒玉集十卷 又 寒光集四卷 又 寒香集四卷 又 寒松集四卷字木叔①，臨海人。崇禎甲戌進士。

瞿式耜 東日堂詩一卷

陳子龍 大樽遺稿一卷

錢棅 南園倡和詩集字仲馭，嘉善人。崇禎丁丑進士，廣東僉事。

揭重熙 隺玉齋集二卷 又 蒿庵集字濳銘，臨川人。崇禎丁丑，以五經中式，任福寧知州。

黄淳耀 陶庵集七卷字蘊生，嘉定縣人。崇禎癸未進士。

温璜 温寶忠集□卷烏程人。崇禎癸未進士，徽州府推官。

林垐 居易堂集字子野，侯官人。崇禎癸未進士，海寧知縣。

張家玉 名山集 又 軍中草 又 燕山吟 又 西征集字元子，東莞人。崇禎癸未進士，授庶吉士。

陳子壯 南宫集十五卷 又 練要堂稿字集生，南海人。萬曆己未一甲第三人，禮部尚書。

陳邦彦 雪聲堂集十卷字會份，順德人。

① "木叔"，《千頃堂書目》卷二十八作"木椒"。

顧咸正　**棄庵集一卷**字端木,太保顧鼎臣曾孫。以舉人官延安推官。

艾南英　**天慵子集六卷**字千子,臨川人。天啓甲子舉人。

黎遂球　**蓮鬚閣文集二十一卷**　**又**　**詩集十卷**　**又**　**燕臺集一卷**　**又**　**黄牡丹詩一卷**

范文光　**居邠集十卷**字仲闇,内江人。舉人,南京國子監丞。

黄宗會　**縮齋文集六卷**字澤望,餘姚人。貢生。

葉燦　**天柱集十七卷**字曾城,桐城人。萬曆癸丑進士,南京禮部尚書。

賀世壽　**浄香池稿七卷**　**又**　**詩稿四卷**字中泠,丹陽人。萬曆庚戌進士,總督倉場,户部尚書。

李日宣　**敬修堂全集三十卷**字緝敬,吉水人。萬曆癸丑進士,吏部尚書。

劉榮嗣　**簡齋先生文集四卷**　**又**　**半舫詩集十卷**廣平府人。萬曆丙辰進士,總督河道,工部尚書。

許如蘭　**香雪齋詩文十二卷**合肥人。萬曆丙辰進士,巡撫廣西,都御史。

朱泰禎　**遠人雜集五卷**海鹽人。萬曆丙辰進士,車駕司主事。

張瑋　**如此齋詩一卷**字二無,武進人。萬曆己未進士,左副都御史。①

邵捷春　**劍津集十卷**　**又**　**入蜀吟二卷**字見心,侯官人。萬曆己未進士,巡撫四川,右副都御史。

顔繼祖　**又紅堂詩集七卷**　**又**　**雙魚集七卷**字繩其,龍溪人。萬曆己未進士,巡撫山東,都御史。

侯恪　**遂園詩稿十二卷**字木庵,商丘人。萬曆己未進士,南京國子監祭酒。②

郭建邦　**林居集六卷**旌德人。天啓壬戌進士,工部右侍郎。

傅朝佑　**英巨集十卷**字右君,臨川人。天啓壬戌進士,刑科都給事中。疏劾温體仁,被杖卒。

---

① “二無”,《千頃堂書目》卷二十六作“韋玉”,且下有小注曰:“盧校改‘韋玉’爲‘二如’。”

② 據《千頃堂書目》卷二十六,侯氏“字若樸,號木庵”。

鄭大白　鄭太史集□卷[①]字道圭，晉江人。天啓壬戌進士，右春坊右贊善。

林嗣昌　雁山詩集一卷晉江人。天啓壬戌進士，文選司郎中。

王志道　黄如集六卷字東里，漳浦人。萬曆癸丑進士，左副都御史。

張鏡心　雲隱堂集三十卷字湛虚，磁州人。天啓壬戌進士，總督兩廣，兵部右侍郎。

陸澄源　芝房集六卷[②]平湖人。天啓乙丑進士，職方司員外郎。崇禎初，劾魏忠賢，誅之，當時稱爲除奸首功。

周廷鑨　樸園詩集十卷字芮公，晉江人。嘉靖乙丑進士，文選司員外郎，謫廣東理問。

賀王盛　賀太僕集一卷字無黨，賀世壽子。崇禎戊辰進士，太僕寺丞。

冒起宗　拙存堂稿□卷　又　續稿□卷　又　嵩少山人近稿□卷字宗起，如臯人。崇禎戊辰進士，宣慶兵備副使[③]。

葛徵奇　□□集□卷海寧人。崇禎戊辰進士，光禄寺卿。

曹勳　曹峨雪集字允大，嘉善人。崇禎戊辰會試第一人，詹事府少詹事。

魏呈潤　南陔漫草八卷字倩石，龍溪人。崇禎戊辰進士，光禄寺丞。

魏中藻　洞山文集字荐叔，福安人。崇禎庚辰進士，行人。

侯峒曾　二有堂文集四十卷嘉定縣人。天啓乙丑進士，官通政。

侯岐曾　半生道者集三十卷峒曾弟。太學生。

王與胤　隴首集一卷字百斯，新城人。崇禎戊辰進士，授庶吉士，選浙江道御史。

鄺瑞露　嶠雅八卷字湛若，南海人。官中書舍人。[④]

---

① 此條，《千頃堂書目》卷二十七作“鄭之玄《鄭太史集》”，下有小注爲：“字大白，晉江人，右春坊右贊善。”

② “源”，《千頃堂書目》卷二十七作“原”。

③ “宣慶”，《千頃堂書目》卷二十八作“安慶”。

④ “鄺”後原衍一“瑞”字，“若”原作“斯”，據《千頃堂書目》卷二十八、《四庫全書總目》卷七十一鄺露“赤雅”條所載改。

顧杲　悟秩詩集一卷①字子方。無錫諸生。

文安之　署園集一卷彝陵州人。天啓壬戌進士,詹事府少詹事。

郭都賢　草鞋吟二卷字天門,長沙人。天啓壬戌進士,巡撫,都御史。

熊開元　魚山剩稿七卷

姜埰　敬亭集

方以智　博依集十卷　又　過江集十卷

周齊曾　囊雲集三卷鄞縣人。崇禎癸未進士。

趙士春　保閒堂集二十六卷字景之,用賢孫。崇禎庚辰探花,劾楊嗣昌奪情,謫檢校,嗣昌死,復職。

陸啓浤　賁趾山房集五十卷

官撫辰　雲鴻洞集□卷字凝之,□□人。

以上啓、禎。

張維　蒼雪齋稿三卷字四維,薊州人②。中官也,性廉靜,萬曆中提督,内忠勇營。工詩能畫,在禁中有退食地,植竹數竿,神宗題之曰"蒼雪",因以名其詩。

王翺　禁砌蛩吟一卷字鵬起,通州人。爲御馬監監丞,退閒後,教書慈寧宫。集内鄉李蔭序。

陳矩　皇華紀實一卷

木公　雪江詩選字公恕,麗江土知府。嘗以詩請正於楊用修、張禺光。

木青　玉水清音公曾孫。

安福　郡主桂華詩集一卷寧靖王奠培長女,嫁宣聖五十八世孫孔景文,天順元年封,主工草書。

周憲王宫人夏雲英　端清閣詩一卷莒州人。詩六十九首。年二十四死,憲王銘其墓。

都御史李昂妻陳氏遺稿四卷名德懿,仁和人。

孟淑卿　荆山居士集

---

① "秩",《千頃堂書目》卷二十八作"秋草堂"。

② "薊",《千頃堂書目》卷二十八作"霸"。

光澤教諭周濟妻朱氏　靜庵集十卷海寧人，尚寶司卿，朱祚女。

國子監丞濮琰妻鄒氏　士齋詩集三卷名賽貞，當塗人。子韶進士，官編修，壻爲費文憲宏。

李氏詩集一卷洪武間吴郡士女。

孫夫人詩一卷名文德①，仁和人。工部員外郎楊應獅女，禮部尚書孫陞繼室。

都御史王應鵬母金氏　蘭莊集一卷名文貞，鄞縣人。封太淑人。

韓安人屈氏詩集華陰都御史屈直女，朝邑韓邦靖妻。

陳沂妻宜人馬氏　芷居集一卷名閑卿，金陵人。能書，善山水白描，年八十猶不廢吟咏。

當塗芮孺妻端淑卿　緑窗詩稿　又　續稿教諭端廷弼女。

貢士裘致中妻潘氏　碧天吟稿一卷台州提學□潘應昌女②，自署爲"女郎碧天道人"。

鄭高行　鄧氏風教録名□③，字德和，閩縣人，儒士鄭坦妻，贈太宜人。

宜春令張本嘉妻王氏　焚餘草四卷　又　續草一卷華亭人，名鳳嫺。

張引元　張引慶　雙燕遺音王鳳嫺二女，并工翰藻，母子自相倡和。

西陵董少玉遺稿一卷麻城周弘鑰繼室④。

周玉如　雲巢詩一卷名潔，金陵人，適應天通判臨桂張鳳鳴⑤。

邢慈靜　芝蘭室非非草臨邑邢侗妹，書法酷似其兄，嫁武定人馬拯，拯官大同知府。

沈天孫　留香草四卷宣城沈懋學女，字七襄，嫁屠隆子金樞，年二十一卒。

屠瑶瑟　留香草一卷字湘靈，屠隆女，士人黄振古妻。

袁九淑　伽音集字君嫕，通州人，布政袁隨女，錢良嗣妻。集屠隆爲序。

---

① "德"，《千頃堂書目》卷二十八作"儷"。

② 空格處，據《千頃堂書目》卷二十八當爲"副使"。

③ 空格處，《千頃堂書目》卷二十八作"鈴"。

④ "鑰"，《千頃堂書目》卷二十八作"禴"。

⑤ "鳳鳴"，《千頃堂書目》卷二十八作"鳴鳳"。

青蛾居士姚氏　玉鴛閣詩二卷委水范汝宫妻。

王虞鳳　罷繡吟一卷[①]字儀卿,侯官人。

落霞山下女子劉苑華吟一卷香山人,户部郎何藻妻。

趙宧光妻陸氏　考槃集六卷　又　雲臥閣稿四卷　又　玄芝集四卷陸師道女。

布政司參議范允臨妻徐少淑[②]**　絡緯吟十二卷**太僕寺少卿徐時泰女,名媛,字少淑。

參政黄承昊妻沈紉蘭　效顰集嘉興人,字閒靚。

項孟畹　裁雲草一卷　又　月露吟一卷嘉興人,名蘭貞,解元黄濤母。

尹紉榮　斷香集宜賓尹伸女,解元劉晉仲妻。

葛節婦文氏　君子亭詩賦三水人,文翔鳳姊。

薄少君　嫠泣集一卷沈承君烈妻,太倉州人。

布政張秉文妻方孟式　紉蘭閣五卷　又　後集三卷字如耀,桐城人,方大鎮女。崇禎庚辰,濟南破,孟式投水池死。

姚貞婦方氏　清芬閣集七卷名維儀,方孟式妹,嫁姚孫棨,再期而殀。乃請大歸,守志于家,名其閣曰"清芬"。善畫白描諸佛像,年八十餘始卒。

都御史方孔昭妻吴氏遺稿桐城諭德吴應賓女,方以智母,名令儀,字棣倩。

黄幼藻　柳絮編一卷字漢光,莆田人,蘇州别駕黄議女。

周玉簫詩一卷莆田人,方輿妾。輿建議撫嶼番,忤大帥指,繫獄七年。遣玉簫,玉簫矢死不去。

虎關馬氏　秋閨夢成詩一卷一名《香魂集》。

周履靖妻桑貞白　香奩稿二卷　又　和陸氏詩一卷　又　二姬倡和稿二卷

吴江葉氏　午夢堂十集工部郎中葉紹袁妻沈宜修,字宛君。《鸝吹集》二卷,長

---

① "繡",原誤作"嘯",據《千頃堂書目》卷二十八、《明史》卷九十九、《明詩綜》卷八十四"王虞鳳"條改。

② "少",《千頃堂書目》卷二十八作"小"。

女葉紈紈《愁言》一卷，幼女葉小鸞《返生香》一卷。

劉雲瓊　水雲居詩山西舉人臨縣趙福妻①，自署曰“離石檻花居士”。

沈雲潔　陽雲樓詩一卷字瑜卿，龍溪人，副使沈維畎女。

陸聖姬詩一卷字文岳，嘉興人。

左掖小娥言氏乙丑宫掖雜詩一卷

釋宗泐　全室外集十卷　又　全室西遊集一卷洪武十一年，奉命往西域求遺經，往返道中之作。宗泐字季潭，臨海人。洪武間，爲右善世，坐胡黨免死，謫鳳陽槎峰。

釋來復　蒲庵集十卷字見心，豐城人。洪武間，與宗泐同被召爲右覺義，坐胡黨死。

釋法住　幻住詩一卷來復弟子。

釋清濋　蘭江望雲集□卷天台人。常説法吴中，明太祖召對稱旨，御製《清濋歌》賜之。

釋廷俊　泊川文集五卷字用章，饒州樂平人。

釋克新　雪廬稿一卷②字仲銘，番陽人。常爲元文宗書記。洪武庚戌，奉詔往西域，招諭吐番。

釋守仁　夢觀集六卷字一初，富陽人。與孫蘭古春皆授《春秋》於楊維楨。洪武中，爲僧録司右善世。

釋如蘭　支離集七卷字古春，富陽人。永樂中，召校經、律、論三藏。善相人，嘗識于忠肅謙于童時，目爲救時宰相。③

釋德祥　桐嶼詩集字麟洲，錢塘人。舊傳其以《西園詩》得罪太祖，被刑，錢謙益辨其誣言，永樂時猶在。

釋子楩　水雲堂小稿字用章，奉化人。宋濂序其集。

釋宗衍　碧山堂集字道原，蘇州人。危素爲集序。

釋妙聲　東皐録七卷字九皐，吴縣人。洪武三年，召統天下僧教。

---

① “福”，《千頃堂書目》卷二十八作“禍”。

② “廬”後，《千頃堂書目》卷二十八有“南詢”二字。

③ “童時”、“時”，原字污損，據《千頃堂書目》卷二十八補。

釋元極　圓庵集十卷天台人。爲僧録司左闡教,住持靈谷寺,蜀獻王稱其爲"僧中班馬"。

釋無愠　山庵雜録字恕中,臨海人。洪武中,官左善世。

釋萬金　澹泊齋稿字西白,吴人,宗衍弟子。洪武中,住持天界,命總持鐘山法會。一云名力金。

釋故山　松月集洪武初揚州府僧,綱司都綱。

釋至仁　澹居稿字行中,洪武初僧。

姚廣孝　逃虚子集十卷　又　外集一卷釋名道衍,字斯道,長洲人。永樂初,爲僧録司左善世。東宫立,特受資善大夫、太子太師。卒,追封榮國公,謚"恭靖",太宗御製文銘其墓。仁宗立,追贈太師,配享太廟。嘉靖中,移祀大興隆寺。

釋溥洽　雨軒外集八卷字南洲,山陰人,陸游裔孫。建文時,爲左善世,常爲建文帝然燈詛太宗。太宗即位,下獄,姚廣孝力救之始釋。仁宗即位,乞居南京報恩寺,宣德元年卒。

釋善啟　江行倡和詩一卷字東白,長洲人。永樂中,預修《大典》。别號曉庵。

釋大冏[①]　**竺庵集二卷**字如止,會稽人。永樂初,被召纂修《大典》。

釋法宣　無聞和尚詩集鎮平人。洪永間,説法少林寺。

釋覺澄　雨華詩集□卷號古溪,蔚州人。天順中,住金陵高座寺。集爲胡忠安譔序。

釋明秀　雪江集三卷弘正間詩僧,海鹽人。

釋普泰　野庵詩集三卷字魯山,秦人。楊循吉喜其"鳥栖匠氏難求木,僧住樵夫不到山"句,爲定其集。

釋文湛　注海群英集字秋江,海鹽人。天寧寺僧。

釋永瑛　石林集一卷字含章。亦海鹽寺僧。

釋戒襄　禪餘集字子成。

釋宗林　香山夢寐集字大章,餘姚人。嘉靖間,爲戒壇宗師。世宗奉道,宗林上書規勸,帝不以爲忤。

---

① "冏",《千頃堂書目》卷二十八作"回"。

釋法聚　玉芝内外集嘉興人。嘗觀王守仁《傳習録》，謂與禪理無殊，因以偈相叩答。

釋方澤　冬谿内外集八卷

釋真可　紫柏老人集十五卷字達觀，吴江人。萬曆中，住石經山，慈聖太后賜以紫衣，後坐妖書，逮繫死於獄。

釋德清　憨山夢遊集四十卷字澄印，全椒人。慈聖太后建祈儲道場于五臺，命清主之，後居勞山，與黄冠相詰，坐戍雷陽，神宗崩，始赦歸。

釋弘恩　雪浪齋詩集二卷

釋袾宏　竹窗隨筆一卷　又　二筆一卷　又　三筆一卷　又　山房雜録一卷　又　雜録補一卷字佛慧，别號蓮池，仁和人。本諸生。

釋寬悦　堯山藏草字攞雀。金陵詩僧。

釋法果　雪山詩集八卷①王穉登稱其詩。

釋一元　山居百咏一卷隆慶中寧波僧。

釋如愚　空華集二卷　又　飲河集二卷　又　四悉稿四卷字藴璞，江夏人。

釋智舷　黄葉庵詩草一卷②　**又　黄山老人詩六卷**嘉興人，字葦如。

釋慧秀　秀道人集十三卷字孤松，常熟人。

釋傳慧　浮幻齋詩草三卷　又　流雲集二卷字朗初，四明人。

釋圓復　三支集□卷　又　一葦集一卷四明僧，字休遠。屠隆叙其詩，比之魏之三支③。

釋元賢　禪餘集四卷字永覺，建陽人。

張宇初　峴泉文集二十卷字子璿，漢張道陵裔。洪武十年，嗣掌道教，穎悟有

---

① “果”，《千頃堂書目》卷二十八作“杲”。另，“雪”，原字污損，據《千頃堂書目》補。

② “草一”，《千頃堂書目》卷二十八作“集二”。

③ 兩“三支”，原誤作“三友”，據《千頃堂書目》卷二十八、《明史》卷九十九、《浙江通志》卷二百五十一改。

文學。王紳爲集序。

鄧羽　觀物吟一卷南海人。明初，爲青陽令，後爲道士。

張友霖　鐵鑛集字修文，貴溪人。洪武初，辟教門高士，提點萬壽宫。

邵元節　賜號太和先生集四卷

汪麗陽　野懷散稿一卷鉛山人，號痴頤子。隱於武夷山。

張蚩蚩　適適吟一卷武夷山道士。

顔復膺　潛庵咏物詩六卷安仁冲虚山道士。

管時敏　秋香百咏一卷

邵宣　學□集句詩一卷邵復孺子。

晏鐸　青城梅花三百咏三卷

馮蘭　雪湖咏史詩二卷餘姚人，字廷佩。官按察司副使。

施敏政　止庵觀感詩四卷開化人。

鄒璧　通史補遺二卷字辰甫，號“九峰山人”，無錫人。

楊光溥　梅花百咏一卷

王絅　復庵咏梅詩一卷襄城人，江西副使。

孫錦斯　存和梅稿一卷

林金愛　山堂集四卷字良珍，連江人。嘉靖丁酉舉人，河池知州。

郭文涓　享帚集七卷字稚源，福建古田人。嘉靖丁酉舉人，保寧府同知。

陳應魁　臥雲洞集六卷莆田人，戊戌進士。浙江副使。

王會　一川集四卷

楊成名　少虞山房集四卷字志完，楊文敏榮裔孫。嘉靖壬戌進士，武進知縣。

楊應詔　天遊集二十卷建寧人。嘉靖辛卯舉人，隱居不仕，講學授徒。

鄭鳳　古漳集四卷字子靈，邵武人。嘉靖貢士，萬州判。

繆一鳳　丁陽集八卷　又　續集二卷　又　尺素六卷字朝雝，福寧州人。嘉靖舉人，寧都知縣。

郭文周　東山集八卷字景復，福寧州人。嘉靖甲辰進士，御史。

黄釧　墮樵集三卷字珍夫，福寧州人。嘉靖丁酉舉人，温州同知。

汪恒 石盂集七卷[①]字仲安，汪玉子。國子生，程番府通判。

孫斯億 雲夢詩二卷[②] **又 詩二十卷**字兆孺，孫宜子。

董楠 詩集四卷字孟材，青州人。

曹世盛 方波集四卷字際卿，閩縣人。嘉靖己丑進士，廣西參政。

葉邦榮 朴齋集十二卷字仁甫，閩縣人。嘉靖壬午舉人，安吉知州。

王鑛 冶山拙稿二卷[③] **又 詠史詩一卷**字公範，閩縣人。嘉靖甲午舉人，思明府同知。

王昺 晴川集二卷字文晦，侯官人。嘉靖壬午舉人，户部主事。

王杲 樵文集一卷字文旭，昺弟。布衣。

王應鍾 缶音集二卷字懋復。嘉靖辛丑進士，河南參政。

王應山 帚言摘稿二十四卷字懋宣，王杲子。萬曆中貢士。

王毓德詩四卷字粹夫，王應山子。布衣。

林恕 西橋集一卷字道近，福州長禄人[④]。嘉靖己丑進士，雲南副使。

陳時範 獅江集二卷字敷疇，長樂人。嘉靖辛丑進士，雲南左布政使。

楊皆 國朝要議一卷字道卿，莆田人。嘉靖戊戌進士，户部員外郎。

謝丰 天壺集八卷字文度，建寧人。嘉靖己酉舉人，信宜知縣。

高冕 高光州詩集二卷孝豐人。嘉靖辛丑進士。

何炯 示兒集四卷晉江人。貢士，靖江教諭。

沈行 咏物集句一卷 又 咏雪集句四卷[⑤] **又 咏梅集句□卷**字履德，錢塘人。

陳言 陳山人集句二卷字干庭，莆田人。

夏宏 聯錦詩集四卷字仲寬，當塗人。天順中，官松溪教諭。

---

① “盂”，原字污損，據《千頃堂書目》卷二十三補。

② “雲”，原字污損，據《千頃堂書目》卷二十三補。

③ “冶”，原誤作“治”，據《千頃堂書目》卷二十三、《明詩綜》卷五十三“王鑛”條改。

④ “禄”，《千頃堂書目》卷二十三作“樂”。

⑤ “四”，《千頃堂書目》卷三十一作“二”。

張淮　牡丹百咏一卷字豫源,吴縣人。

劉芳節　閨情集句一卷字聖達,宜都人。萬曆丁酉舉人。

趙汸　杜詩五言律注四卷

馮忠　歐陽先生文衡六卷金華人。洪武五年進士。輯歐文一百七十二首。

張丁　注謝翺西臺痛哭記一卷

熊釗　杜甫詩注

單復　讀杜愚得十八卷字陽元,嵊縣人。洪武中,爲漢陽河泊官。一云名復亨,舉懷材抱德科,授漢陽知縣。

董養性　杜詩選注四卷自稱"臨川高間雲叟"。

吴訥　晦庵文抄七卷　又　晦庵詩抄十卷　又　草廬文粹□卷①

賴進德　李杜詩解三卷宣德時萬安人。官鳳翔府推官。

周旋　杜詩質疑慈溪人。

程敏政　范淳夫集鈔十七卷附録一卷范祖禹。**又　汪文定公集鈔十二卷附録一卷**汪應辰。**又　楊龜山集鈔□卷**

劉孟純　注朱文公武夷擢歌一卷②南海人。休寧教諭。

劉弘　蘇詩摘律六卷字超遠,無錫人。□舉人,官東平州知州。

趙克用　東坡律詩□二卷官御史。

宋廷佐　輯元楊奂紫陽還山遺稿二卷廷佐乾州人。正德辛巳進士,官御史。

邵寶　杜詩解□□卷

何孟春　注陶靖節集十卷

李捷　注許郢州詩□卷字好古,豐城人。

朱諫　李太白詩注

---

① 空格處,《千頃堂書目》卷三十二作"七"。

② "擢",《千頃堂書目》卷三十二作"櫂"。

張璁　杜律訓解二卷
王維楨　杜律頗解二卷
蕭鳴鳳　杜律選注二卷
徐渭　注李長吉集四卷外集一卷
徐階　編緝岳忠武集五卷
顔廷榘　杜律意箋二卷
徐常吉　杜七言律注二卷
顔文選　補注駱賓王集十卷
顧可久　注王右丞詩六卷
謝杰　杜律箋言二卷
張綖　杜律本意二卷
顧起綸　注王右丞詩集十卷　又　文集四卷　又　編注王司馬宫詞二卷又附録一卷字元言，無錫人。
李贄　坡仙集十六卷　又　東坡寓惠録四卷
王萱　草廬先生輯粹七卷
陳榮　蘇公居儋録五卷
王同軌　編東坡寓黄集三卷
孫雲翼　注李廷忠橘山四六二十卷　又　注李劉梅亭四六標準四十卷丹陽人。萬曆辛卯舉人，中書舍人。
黄用中　注駱賓王集十卷字道行，閩縣人。
陸弘祚　注釋駱集
曾益　注昌谷集四卷浙江山陰人。
范明泰　輯米襄陽遺集一卷
胡震亨　李杜詩通四十卷
蔣之翹　輯注韓昌黎集五十二卷正集四十卷，外集十卷，遺文一卷，附録一卷。又　輯注柳柳州集五十二卷正集四十五卷，外集五卷，遺文一卷，附録一卷。

余光　注李賀詩集二卷字希之，莆田人。

劉允鵬　注龍筋鳳髓判四卷

姚士粦[①]　重輯羅昭諫集五卷

童佩　輯楊盈川集十卷

謝世脩　杜詩長吉注解□卷

汪瑗　李太白五言律詩辨注以李詩之合唐律者爲正律，合古律者爲變律，故曰辨注。又有《杜詩律注》與並行。

吴牧　約齋集以下不詳爵裡，見焦竑《國史經籍志》。

王公説　龍門集一卷

鍾絅　藴溪集九卷

胡瀚　信庵集二卷

曾晸　退齋集一卷

梁銛　翠岩稿六卷

錢復　蘇湖集一卷

黄華　管窺集五卷

過時濟　窺豹集一卷

顧言　萍居集十三卷

陳頤　好古齋集四卷

余存脩　缶音一卷字純齋，歙縣人。

徐壽　蚓鳴集一卷

王恪　詠史詩一卷

鄭木　和鳴集一卷

吴靖　貴行稿一卷

朱元諫　白龍山集六卷

鄒鈍　礱庵稿四卷

---

① “粦”，《千頃堂書目》卷三十二作“𩑶”，當據改。

葛元兆　芝岩集八卷
周旋　半齋集四卷
蕭雅　平軒稿二卷
王治　沙羨稿一卷
趙永貞　竹窗集四卷
邵賢　南行録一卷
劉振　直暇集三卷
江左　鶴軒稿一卷
康仲端詩一卷
袁天麒　慎庵集一卷
鄭立　巖山詩一卷
吴川學　約齋集一卷
朱朝章　水衡集一卷
吴廷獻　崑齋稿一卷
李懋　鳴秋稿四卷
林應麟　羈寓集二卷
胡崇　時軒集六卷
胡景榮　舍人集四卷
劉愭　西峰集八卷
田九垓　何樓集二卷
徐敷詔　定庵集八卷
葉石　瑞峰藁一卷
陳謙　元溪稿四卷
李搏微集八卷《萬卷堂書目》：李應陽《搏微集》十八卷。
趙宏　漁庵集一卷
吴希周　東滙集十卷一作吕希周。
裴騫　薊門集二卷

劉世論　崖東稿八卷
鄭相　栗城稿二卷
劉成穆　元倩集二卷
陳朝紀　冷香集二卷
索儁　春坊集二卷
張天民　雲航集一卷
李杰　石城集二十七卷
朱瑛　西崖集八卷
徐詩　汝思集一卷

詞曲類

宣宗御製樂府一卷
周憲王誠齋樂府十卷一作二卷。又　誠齋詞一卷
楚□王雍熙樂府二十卷
遼簡王蓮詞二卷
徽莊王見沛　和樂餘音十卷
唐恭王彌鉺　秋江詞
承休王彌鋠樂府
樊山王載埈　三徑詞一卷
新樂王載壐　夢玩仙閭一卷[①]　又　神覽滄溟一卷
劉基　寫情集四卷
劉彥昺　春雨軒詞一卷
高啓　扣舷集一卷
楊基　眉庵詞一卷

① "閭",《千頃堂書目》卷三十二作"閣"。

林鴻　鳴盛詞一卷
邵亨貞　蛾術詞選四卷
淩雲翰　梅柳爭春詞一卷
瞿佑　餘清詞一卷　又　樂府餘音二卷
黄淮　省愆詞一卷
吴訥　宋元百家詞□卷
成始終　紀行詞一卷
馬洪　花影集□卷字浩瀾，錢塘人。學詩於劉泰。
陳德武　白雪遺音一卷三山陳德武，不知何人。
郭珍　賓竹詩餘一卷武定侯。
林廷玉　南澗詩餘一卷
王九思　碧山詩餘
陳鐸　草堂餘意二卷
夏暘　葵軒詞一卷貴溪人。
楊慎　升庵長短句四卷　又　詞品六卷　又　詞林萬選四卷　又　百琲明珠□卷
夏言　桂洲詞一卷
李開先　歇指調古今詞一卷
顧應祥　崇雅堂樂府一卷
吴子孝　明珠集二卷
金鑾　蕭爽齋詞稿二卷
盛鸞貽[1]　拙堂樂府二卷金陵人。
張綖　南湖詩餘□卷　又　詩餘圖譜三卷高郵州人。嘉靖□舉人，官光州知州。
杜大成　納涼偶筆一卷評次詩餘。

① “盛”，《千頃堂書目》卷三十二作“鄭”。

劉效祖　空中語一卷

屠本畯　笑詞一卷

王衡　歸田詞一卷

俞彦　近體樂府一卷

周履靖　唐宋元明酒詞一卷

顧梧芳　尊前集二卷

陳耀文　花草粹編十二卷字晦伯，確山人。嘉靖丙戌進士①，陝西行太僕寺卿。

名賢詞府十二卷

詞原二卷

又　唐詞紀十六卷俱不知撰人。

錢允治　國朝詩餘五卷字功父，長洲人。

沈際飛　草堂詩餘正續新三集十二卷

卓人月　古今詞統十六卷

茅映　詞的字遴士。

張四維　溪上閒情字治卿，金陵諸生。

黄方蔭　陌花軒小詞一卷金陵人。

楊夫人詞曲五卷楊愼妻。

毛晉　汲古閣六十家詞六十卷俱宋人，每十家爲一集。

宋讓　客窗夜話一卷明初人。

陶輔　蚓竅清娱二卷　又　閒篬□笑一卷

康海　沜東樂府二卷

王九思　碧山樂府　又　碧山續稿　又　碧山新稿　又　碧山小令

陳鐸　秋碧樂府二卷　又　梨雲寄傲詞一卷

---

① "丙戌"，《千頃堂書目》卷三十二作"丙辰"，《明清進士題名碑録索引》作庚戌。

郭豸　松林暢懷詞二卷上黨人。
張恂　虛舟詞二卷金吾左衛指揮。
盛世　新聲九宮曲九卷　又　南曲一卷　又　萬花集一卷正德中人所編，不知名氏。
謝九睿　東村樂府二卷
袁崇冕　西埜老人樂府皆章丘人。
李開先　中麓樂府□卷　又　中麓小令
張禄　詞林摘艷北八宮八卷　又　南九宮一卷　又　南北小令一卷吳江人。
王舜耕詞二卷
七一居士　滑稽餘音二卷
南溪散人小隱樂農集一卷并不知名氏。
金元詞餘十卷不知撰人。
張自慎　改定元賢傳奇十六卷字誠庵，李中麓門人。
喬龍谿詞一卷章丘人，與李中麓同時人。
高筆峰　醉鄉小稿亦李中麓同時人。
蘇雪蓑　煙霞小稿
王磐　西樓樂府一卷高郵州人。
劉效祖　短柱效顰一卷　又　閒中一笑一卷　又　裁冰剪雪一卷　又　都邑繁華一卷　又　蓮步新聲一卷
陳元朋　梧院填詞一卷
濠上齋樂府一卷
蘿月齋樂府一卷
清遠齋樂府十卷選南北曲。
臧懋循　元曲選一百卷
梁辰魚　江東白苧二卷

總集類

慶靖王㮵凝真子　文章類選四十卷洪武三十一年自序。

新樂王載璽　綺合繡楊集□□卷集明諸王著作。

鄭淵　續文類五十卷一作七十卷。

鄭栢　續文章正宗四十卷纂元及明初洪武間文。

王稌　聖朝文纂四十卷

趙友同　古文正原十五卷採孟子、韓、歐陽三家之文。

朱右　唐宋六家文衡

瞿佑　名賢文粹

吴訥　文章辯體五十卷　又　外集五卷

李伯璵　文翰類選大成一百六十二卷字君美,上海人。宣德丙午舉人。爲淮府長史,與伴讀馮厚奉王諭編輯。

劉安　古今詩文資蒙六卷字元静,開封人。永樂癸卯舉人,陝西提學副使。

程敏政　皇明文衡九十八卷目録二卷

楊循吉　大明文寶八十卷

姚福　皇明文苑通編十卷

何喬新　文苑群玉

賀泰　唐文鑑二十一卷一作《文類》。吴縣人,弘治己未進士,官御史。

王啓　古文類選黄岩人,官刑部侍郎。

李夢陽　文選增定二十三卷①

劉節　廣文選八十二卷　又　两漢七朝文藪□卷

何景明　學約古文三卷　又　古文集四卷

崔銑　文苑春秋四卷

李堂　正學類編十五卷輯明理學經濟之文,凡二百六十首。

---

① “三”,《千頃堂書目》卷三十一作“二”。

謝朝宣　古文會選三十卷字汝爲，臨淮人。弘治癸丑進士。
顧璘　文端二卷
胡纘宗　秦漢文四卷[①]
王蕡　七大家文選
王希武　古文會編十二卷莆田人，官御史。
楊慎　古雋八卷
符觀　歐蘇文選
敖英　古文短篇一卷
林希元　古文類抄二十卷
唐順之　文編六十四卷　又　六大家文畧□卷　又　我朝文選二十卷
張時徹　皇明文範六十八卷
汪宗元　皇明文選二十卷
張士瀹[②]　國朝文纂五十卷字心甫，崑山人。
慎蒙　皇明文則二十二卷　又　皇明文則大成十卷
顧應祥　明文集要
薛甲　大家文選二十二卷
祝萃　古文集成
黄堅　古文眞寶十卷一作四卷。
王逢年　文統一百卷字舜華，崑山人。
茅坤　唐宋八大家文抄一百四十四卷
趙文華　三史文類五卷
徐師曾　文體明辯八十四卷正録六十卷，附録二十四卷。又　大明文鈔□卷

① “文”後，《千頃堂書目》卷三十一有一“粹”字。
② “瀹”，《千頃堂書目》卷三十一作“禴”。

褚鈇　滙古菁華二十四卷
姚翼　歷代文選五十卷
郭棐　名公玉屑録二十卷
胡時化　名世文宗三十卷
周璀　西漢書疏八卷　又　東漢書疏八卷縉雲人。
查鐸　西漢菁華十四卷
張蓉　皇明近代文範六卷
婁樞　皇明文教録五卷
黄洪憲　皇明文憲
錢穀　三國文類抄
伍袁萃　簡文編二卷
屠隆　鉅文十二卷
陳與郊　文選章句二十八卷
張鳳翼　文選纂注十二卷
郭正域　文選後集五卷
張所望　文選集注
湯紹祖　續文選二十七卷
孫鑛　今文選十二卷
申用懋　西漢文苑十二卷
鄺□□　續文章軌範八卷
馬繼銘　廣文選二十五卷　又　補遺□卷
梅鼎祚　皇霸文紀十三卷　又　西漢文紀二十卷　又　東漢文紀二十卷　又　三國文紀□□卷　又　西晉文紀二十卷　又　東晉文紀□□卷　又　宋文紀十八卷　又　齊文紀□□卷　又　梁文紀□□卷　又　陳文紀□卷[①]　又　後魏

① 空格處,《千頃堂書目》卷三十一作“四”。

文紀□□卷　又　北齊後周文紀□□卷　又　隋文紀□□卷　又　釋文紀□□卷[①]

楊巍　墩餘録六卷

潘士達　古文世編一百卷

周應治　廣廣文選二十三卷字君衡。

施策　崇正文選十二卷

陳翼飛　文儷十八卷一作六十卷。

何喬遠　皇明文徵七十四卷

汪昌朝　文壇列俎十卷字廷訥。

陳仁錫[②]　古文奇賞二十二卷　又　續古文奇賞二十四卷　又　三續古文奇賞二十六卷　又　四續古文奇賞五十三卷　又　明文奇賞四十卷　又　古文奇賞彙編二百三十六卷　又　續補文選纂注十二卷

王志堅　古文瀾編二十卷　又　古文瀆編三十卷[③]字聞修，崑山人。萬曆庚戌進士，官湖廣提學副使。

陳繼儒　古文品外録二十四卷

楊瞿崍　明文翼統四十卷晉江人。萬曆丁未進士，江西提學副使。

沈猶龍　明文翼運六十卷字雲升，華亭人。萬曆丙辰進士，兵部右侍郎。

潘基慶　古逸書三十卷字良耜，烏程人。萬曆戊午貢士。

閔齊華　文選瀹注三十卷字赤如，烏程人。天啓中貢士，沙河知縣。

胡震亨　續文選十四卷

王納諫　古文啓秀六卷江都人。萬曆丁未進士，吏部員外郎。

方岳貢　古文國瑋集五十二卷字禹修，穀城人。天啓壬戌進士，由户部主事

① 空格處，《千頃堂書目》卷三十一作“十五”。

② “仁錫”，原作“錫仁”，據《千頃堂書目》卷三十一、《四庫全書總目》卷一百九十三乙正。

③ “瀆”，《千頃堂書目》卷三十一作“續”。

歷東閣大學士。

張采　西漢文二十卷　又　東漢文□□卷　又　三國文二十卷　又　西晉文二十卷　又　東晉文□卷　又　宋齊文四十卷

陳子龍　皇明經世文編五百八卷

蘇文韓　五先生文雋二百四卷空同、于鱗、元美、伯玉、赤水。

張溥　古文五删五十二卷

酈琥　彤管新編二十卷

陳經邦　皇明館課五十一卷

周南瑞　天下同文五十卷

青白一隅十卷以下不知撰人。

古文精粹十卷

古文大全二十二卷

古文規鑑一百卷

性理文錦八卷

鄭氏麟溪集二十二卷集當世士大夫所贈義門詩文。

鄭氏三先生集十卷義門鄭濤、鄭泳、鄭淵。

唐氏三先生集二十八卷新安唐元、唐桂芳、唐文鳳。

三山鄭氏家集三卷閩鄭瑛、鄭珞、鄭亮。

南豐朱氏家集三卷宋朱京、朱彥、朱褒,明朱紘。

柴氏四賢集□卷宋柴望。

吳中文氏家藏集六卷

莆中周氏章林巖藏山録六卷

蔴沙劉氏忠賢集五卷

劉兑　潁陽四先生集□卷明張紞、李宗樞、楊爵、孫丕揚。

保定兩賢集□卷[1]元劉因、明楊繼盛。

張燮 漢魏七十二家集

張溥 漢魏百名家集

都穆 金薤琳琅二十卷 又 吴冢遺文□卷

楊慎 金石古文十四卷

陳暐 金石新編八卷

徐獻忠 金石文七卷

樊良樞 八代金石文[2]字尚默，進賢人。萬曆甲辰進士，陝西副使。

吴中世家碑志八册不知何人集。

商山吴氏寶澤集二十卷

劉昌 中州名賢文表内集三十卷姑蘇劉昌欽謨官中州督學時編，元許衡、姚燧、王惲、馬祖常、許有壬、孛朮術魯翀之文，別有外集、別集、雜集，未見。

張陽 蘇大 新安文粹十五卷陽字士輝，大字景元，俱休寧人。

赤城後集三十三卷謝鐸序。

趙鶴 金華文統十三卷

戚賢 婺賢文軌四卷

阮元聲 金華文徵二十卷馬龍州籍，上元人。崇禎戊辰進士，吏部員外郎。

楊儀 古虞文録二卷

張應麟 海虞文苑二十四卷

周復俊 太倉文畧六卷

錢穀 續吴都文粹六百卷字叔寶，長洲人。

董斯張 吴興藝文補七十卷

王材 黎川文緒選建昌宋、明諸家之文。

傅振商 秦藻幽勝録十二卷

---

① 空格處，《千頃堂書目》卷三十一作“八”。

② “石”後，《千頃堂書目》卷三十一有一“古”字。

胡震亨　鹽邑秇文志前集始秦、漢,迄元。**後集**明。**□□卷**

賈三近　滑耀編三卷①

閔文振　游文小史十三卷

鄒迪光　文府滑稽十二卷

陳良卿　廣諧史十卷

滑稽文傳四卷　又　外集一卷　又　後集一卷

周元真②　**鶴林集**字元初。洪武時道士,有異術,搆來鶴軒讀黄庭,人稱"鶴林高士"。集皆當時人題贈之作。

徐霖　快園詩文彙選

鄭若庸　市隱園文紀三卷

楊慎　尺牘清裁十一卷　又　古今翰苑瓊琚十三卷③

王世貞　增集尺牘清裁二十八卷

梅鼎祚　書記洞詮一百二十卷

凌稺隆　名公翰藻五十二卷

陳臣忠　尺牘雋言十二卷字心謙,莆田人。萬曆甲辰進士,官刑部郎中。

李天麟　詞致録十六卷

李國祥　濡削選章四十卷

俞安期　啓雋彙函一百卷

王志堅　四六法海十二卷

蔣一葵　八朝偶雋六卷

七彙四卷

連珠集一卷集班固至劉基、宋濂十人之作。

薛應旂　明儒論宗八卷

---

① "耀",《千頃堂書目》作卷三十一作"稽"。

② "真",《千頃堂書目》卷三十一作"貞"。

③ "三",《千頃堂書目》卷三十一作"二"。

陳繼儒　古論大觀四十卷

林德謀　古今議論參五十五卷

王思敬　香雪林集二十六卷上海人，王圻子。集古今梅花詩文。

沈麟　歷代帝王詩集四卷嘉靖錦衣衛千户。

劉履　選詩補注八卷　又　選詩補遺二卷　又　選詩續編四卷字坦之，上虞人。三書總名《風雅翼》。履自號"草澤閒民"。洪武初，至京，以疾卒於會同館。

曾原一　選詩衍義四卷

劉節　周詩遺軌十卷

何景明　校漢魏詩十四卷

楊慎　風雅逸編十卷　又　選詩外編九卷　又　選詩拾遺□卷　又　五言律祖六卷　又　近體始音五卷

劉成德　選漢詩七卷　又　魏詩六卷河中人。

梅禹金　漢魏詩乘二十卷　又　六朝詩乘四十七卷

麻三衡　古逸詩載十二卷

建安七子詩集二十四卷

徐獻忠　六朝聲偶集七卷

馮惟訥　詩紀一百五十六卷　又　風雅廣逸七卷

王宗聖　增補張謙六朝詩彙一百十四卷

張之象　古詩彙苑一百二十卷①

臧懋循　古詩所五十二卷

唐汝諤　古詩解□十卷

楊維休　古詩評選二十卷

凝真軒增廣唐詩鼓吹續編十卷慶靖王。

王行　唐律詩選

① "彙"，《千頃堂書目》卷三十一作"類"。

徐舫　唐詩通考

周弜　三體唐詩四卷一作二十卷。新建人。選於元,弜,洪武間以明經授訓導。

高棅　唐詩品彙九十卷　拾遺十卷　又　唐詩正聲二十二卷

周敘　石溪周氏唐詩類編十卷

康麟　文雅音會編十三卷[1]順德縣人。天順中按察僉事。會編《唐詩鼓吹》、《三體唐音》,依韵次之。

何喬新　唐律群玉十六卷

李夢陽　顧璘　批評唐音□卷

鄒守愚　全唐詩選十八卷

敖英　類編唐詩絶句一卷

樊鵬　初唐詩三卷

楊慎　絶句辯體八卷　又　絶句衍義四卷　又　唐絶搜奇一卷　又　唐絶增奇七卷　又　五言律祖五卷　又　五言律細一卷　又　七言律細二卷

王朝雍　絶句博選五卷秦人,號友山。

胡纘宗　唐雅八卷

竇惟遠　參玄集□□卷　又　别集一卷　又　續集一卷武鄉人。官通政司參議。所集皆選唐人詩。

徐獻忠　唐詩品一卷　又　百家唐詩一百卷

黄德水　初唐詩紀三十卷

張之象　唐詩類苑二百卷　又　唐雅二十六卷

卓明卿　唐詩類苑一百卷

包節　苑詩類選三十卷

顧應祥　唐詩類抄□八卷

蕭彦　初唐鼓吹二卷

---

① “三”,《千頃堂書目》卷三十一作“二”。

毛應宗　唐雅同聲五十卷吉水人。

初唐詩紀六十卷　又　盛唐詩紀一百十卷俞□輯,字公臨。

臧懋循　唐詩所四十七卷

趙宧光　黄習遠　增定萬首唐人絶句四十卷

張玉成　七言律準四十六卷如皋人。一作五十四卷。

田藝蘅　唐七言律選一卷

朱梧　琬琰清音十二卷

郝敬[①]　山草堂選唐詩二卷

唐汝洵　唐詩解五十卷　又　唐詩十集四十八卷

程元初　唐詩緒箋二十九卷

沈子來　唐詩三集合編七十八卷

初唐彙詩七十卷

盛唐彙詩一百三十四卷

盛唐十二家詩四十七卷

中唐十二家詩七十三卷[②]

朱之蕃　輯中唐十二家詩十二卷　又　晚唐十二家詩十二卷

唐科試詩四卷

楊德周　閩南唐雅十二卷

胡震亨　唐音統籤甲籤帝王詩七卷,乙籤初唐詩七十九卷,丙籤盛唐詩一百二十五卷,丁籤中唐詩三百四十一卷,戊籤晚唐詩二百一卷,又餘閏六十四卷,己籤五唐雜詩四十六卷,庚籤僧詩三十八卷,道士詩六卷,宫閨詩九卷,外國詩一卷,辛籤樂章十卷,雜曲五卷,填詞十卷,歌一卷,謡一卷,諧謔四卷,諺一卷,語一卷,酒令一卷,題語判語一卷,讖記一卷,占辭一卷,蒙求一卷,章咒四卷,偈頌二十四卷,壬籤仙詩三卷,神詩一卷,鬼詩二卷,夢詩一卷,物怪詩一卷,癸籤三十六卷,體凡法微,評彙,樂通,詁箋,談叢,集録。

---

① “郝”,原誤作“赦”,據《千頃堂書目》卷三十一改。

② “三”,《千頃堂書目》卷三十一作“二”。

楊廉　風雅源流絶句

陳沂　古律手抄

楊慎　詩林振秀十一卷

潘援　詩林辯體十六卷景寧人。

浦南金　詩學正宗十六卷

張之象　詩苑繁英二百卷

李于鱗　古今詩删三十四卷

俞安期　詩雋類函一百五十卷

許學彝　詩源辯體十六卷字伯清，江陰人。

鍾惺　譚元春　古唐詩歸四十七卷

劉一相　詩宿□卷字惟衡。采周、秦、漢、魏、六國、三唐詩，分部二十八，爲類一百六十有二。

傅振商　風雅元音□□卷汝陽人。萬曆丁未進士，南京兵部尚書。

王萱　宋絶句選一卷

李之用　詩家全體十四卷

李蓘　宋藝圃集二十二卷　又　續集二卷

潘是仁　宋元名家詩選一百卷字訒叔，新安人。

唐宋詩選二十二卷不知撰人。

宋公傳　元詩體要十四卷餘姚人。南海鄧林序，稱其嘗與同修東觀書，蓋永樂初纂修《大典》者。

孫原理　元音十二卷一作張中遠。

曾應珪　元詩類選四卷

楊芾　正聲類編字仲彰，義烏人。輯元人詩。明初官學博。

劉仔肩　雅頌正音五卷集明初一時名人之作。仔肩字汝弼，鄱陽人。

鄭晦　朝野詩選八卷字子明，歙縣人。明初，隱居不仕。

沐昂　滄海遺珠集四卷輯明初官于滇及謫戍者之詩。

朱紹　鼓吹續編十卷字善繼。

瞿佑 鼓吹續音

蘇大 皇明正音大貫通群經，傳趙汸《春秋》之學。

蕭儼 大明風雅廣選三十七卷一作五十卷。

晏鐸 鳴盛集十卷

懷悦 士林詩選十卷嘉興人，字用和。以漕粟授官，選同時人之作。

程慶琉 聲文會選休寧人。集明初至弘治間人詩，凡二百家。

徐庸 湖海耆英集十二卷字用理，吴人。録永樂至正統四朝人詩。

高播 明詩選粹十卷山陰人。

徐泰 皇明風雅四十卷海鹽人。

王諤 皇明珠玉八卷

楊慎 皇明詩抄七卷

黄佐 明音類選十二卷

謝東山 明近體詩抄二十九卷

俞憲盛 明百家詩一百卷

狄斯彬 明律詩類抄二十四卷

李蓘 明藝圃集

李先芳 明詩十七卷上採明初郊廟朝會樂章，以追雅頌，析兩畿十三省以擬十五國風。又 明雋十卷

朱曰藩 七言律細二卷

穆文熙 明七言律十二卷

胡應麟 七言律範十二卷

李騰鵬 詩統四十二卷南皮人。官訓導。

顧起綸 國雅二十卷 又 續雅四卷

黄德水 國華集三卷

朱多炤 友雅三卷

穆光嗣[①]　明詩正聲十八卷

盧純學　明詩正聲六十卷

江昌盛　明風雅十二卷

陸應陽[②]　明詩妙絶五卷

張所敬　明詩藻

沈士偁　皇明詩選嘉興人。

陳子龍　明詩選十三卷

張可仕　補訂閔士行明布衣詩一百卷士行字景賢,歙縣人。可仕字文峙,號紫淀,上元人。

大明雅音六卷

大明詩選二十卷

明十二家詩類抄十二卷李空同,何大復,徐昌穀,邊華泉,孫太白,薛西原,李滄溟,謝四溟,王鳳洲,宗方城,吴川樓,穆少春。

彭會　明七言律傳五卷

盛明　十二家詩選空同,大復,昌穀,華泉,東橋,西原,蘇門,夢澤,滄溟,鳳洲,姚鳳麓,張少谷。

揭軌　光岳英華十五卷

賴善卿　大雅集八卷

張洪　歷代詩選

劉誠　風雅遺音輯楚漢以下詞人之作得三百篇之旨者。

符觀　唐詩正體七卷　又　宋詩正體四卷　又　元詩正體四卷　又　明詩正體五卷

唐順之　二妙集十二卷選唐宋元明七言律絶。

羅汝芳　雅歌二卷

曹學佺　石倉十二代詩選《古詩選》十三卷,《唐詩選》一百十卷,《宋詩選》

① "嗣",《千頃堂書目》卷三十一作"胤"。

② "陽",《千頃堂書目》卷三十一作"暘"。

一百七卷,《元詩選》五十卷,《明詩選》一集八十六卷,二集一百四十卷,三集一百卷,四集一百三十二卷,五集五十卷,六集一百卷。

張之象　回文類聚四卷

續玉臺新詠五卷

屠本畯　情采編二十六卷

鄒魯　古今詠物詩選一卷蜀人。□□□□進士。

謝宗可　瞿祐[①]　朱之蕃　咏物詩六卷

陳操　落花詩集一卷山陽人。集沈周、唐寅等九人作。

周履靖　古今歌選十六卷　又　歷朝酒歌十二卷

楊慎　千里面談一卷　又　古今諺一卷　古今風謡一卷

林□□　歷代宫詞四卷

方維儀　古今宫閨詩史□□□卷清芬閣[②]。

程敏政　詠史詩選十五卷選唐至明初人咏史作。

寧獻王編集旋璣迴文詩詞三卷集古今作。

沈易　五倫詩選五卷字翼之,華亭人。洪武中,官咨議參軍。棄官養親,教授里中。集是以教童子誦習,里人稱爲"苦節先生"。

徐達左　金蘭集三卷集一時交遊贈答之作。

董匡　自見集六卷字宗正,永樂中人。

俞道生　蘭芬集二卷[③]

馬治　周砥　荆南倡和集治字孝常,砥字履道。同客宜興倡和詩。

轅門十詠二卷永樂中,福州中衛百户朱克誠與羅泰、谷宣、林坦、秦善、王溥、朱珙、鄧善、郭廣、余旭倡和詩。

陳震　編湖山游咏録鄧林、姚肇、夏誠同游西湖詩。

張端　張瑄　芸窗父師集二册

---

① "祐",《千頃堂書目》卷三十一作"佑"。

② "芬",《千頃堂書目》卷三十一作"芳"。

③ "芬",《千頃堂書目》卷三十一作"芳"。

仇遠　瞿佑　興觀集一卷

王濟　張寧　浙西倡和詩

謝遷　馬蘭　胡山倡和二卷①

太學讌會詩一卷成化乙未冬十二月,祭酒王僎等公讌倡和。

壽俊會詩一卷南京參贊機務兵部尚書王恕,集同年十六人續耆英會倡和詩。

楊循吉等　倚玉集一卷　又　七人聯句詩記一卷

李東陽　謝鐸　同聲集二卷　又　同聲後集一卷　又　續集□卷

張元禎　金臺話舊集

王雲鳳　喬宇　罾萍録一卷

杜旻　王雲鳳　邵棠　繹過亭聯句一卷旻爲御史,按隴右,與副使王雲鳳、參議邵棠倡和。②

柳應辰　楊一清　髫遊聯句録一卷應辰字拱之,巴陵人。成化己丑進士,巡撫薊州,都御史。忤劉瑾下獄褫職,瑾誅復官。

吴昂等　小瀛洲十老詩六卷

康海　吕柟　游滸西集一卷

徐昌穀　趙鶴等　朝正倡和集二卷

楊廷和　賜宴倡和詩一卷嘉靖二年。

盧雍　楊慎　良會集一卷

周應璧　荆南詩社倡和集十二卷應璧江陵王府儀賓編次,同倡和十二人之詩。

楊爵　孫繼魯　破碗集獄中倡和,以毁磁書之璧,故名。

岳岱　今雨瑶華一卷

顧元慶　陽山新録一卷

---

①　"馬"、"胡",《千頃堂書目》卷三十一分别作"馮"、"湖"。

②　"旻爲"、"參議邵棠",原誤作"是爲"、"參議邵旻",據《千頃堂書目》卷三十一改。

盛時泰　輯金陵二隱詩□卷金元玉琮，史廷直忠。

許邦才　李攀龍　海右倡和集

劉鳳　魏學禮　比玉集四卷　又　采蓉詞五卷

金陵社集詩八卷曹學佺、臧懋循、陳邦瞻及一時名士倡和作。

范訥　吴鼎芳　披襟倡和集

黄道周　葉廷秀　董養河　西曹秋思一卷道周以參楊嗣昌奪情，廷秀、養河皆以黨人同下獄，獄中倡和詩也。養河字叔會，閩縣人，以歲貢官工部司務。

姚汝循　金陵風雅四十卷

僧寂庵　雨華臺詩集桑悦序。輯唐及明成化前詩。

歐勝　江浦餘音十卷成化間人。

翟厚　錫山遺響十卷一作邑人莫錫。采南宋迄明。

周復俊　玉峰詩纂字子籲，崑山人。嘉靖壬辰進士，南京太僕寺卿。

俞允文　崑山雜咏二十八卷

唐成　京江逸響四十卷

王寅　新都秀運集二卷録弘治、正德、嘉靖三朝詩。

徽詩類編四十二卷

梅鼎祚　宛雅八卷

徐楚　青溪詩集六卷

盧純學　廣陵詩五十六卷

方繼學　淛音會畧十七卷

黄省曾　西湖游咏二卷

朱翰　檇李英華十六卷選元明二代詩。

錢學　吴興詩選六卷常熟人，烏程知縣。選梁沈約至明貝瓊，凡百二十四人詩。

王韶　容山鍾秀集六卷號樸庵。輯唐至明二百六十七人詩。

謝鐸　赤城詩集六卷輯本郡人詩，起宋宣和，迄明永樂。又　詩集補遺五卷　又　續編八卷

楊子器　慈溪詩選十卷

張粹　**黄巖英氣**官國子學録。

謝讜　**古虞詩集二卷**上黨人①。選洪武及隆慶止。

趙諫　**東甌詩集七卷**　**又**　**續集七卷**　**又**　**補遺一卷**

戴鯨　**四明風雅四卷**

宋恢　**四明雅集四卷**字珙之②,鄞人。

何白　**鄞詩嫡派四卷**永嘉人。

王埜　**越咏十二卷**張天復增補。

楊道可　**八詠樓詩紀三卷**别號南峰。明初金華寶婺觀道士。

胡纘宗　**雍音四卷**

楊慎　**温泉集一卷**

南鐣　**商山題咏二卷**

朱觀熰　**海岳靈秀集二十二卷**

李先芳　**齊魯集**

明中州詩選二十二卷李空同,何大復,王子衡,薛君采,張助甫,謝茂秦,趙微生。

陸原溥　**楚陽**　**明賢詩選二卷**

韓陽　**西江詩選十卷**會稽人,韓經子。仁宣間官御史。

陳元珂　**三山詩選八卷**

徐熥　**晉安風雅十二卷**

鄧原岳　**閩中正聲七卷**

王惠　**嶺南聲詩鼓吹**瓊州人,師趙撝謙。

陳贄　**嶺南珠玉十二卷**

韓辿　**粤音□卷**

吴明濟　**朝鮮詩選八卷**一作四卷。明濟一作濟,字子魚,會稽人。

廣中五先生詩四卷孫蕡,王佐,黄哲,李德,汪廣洋。

---

① “上黨”,《千頃堂書目》卷三十一作“上虞”。

② “珙”,《千頃堂書目》卷三十一作“弘”。

閩中十才子詩十卷林鴻，唐泰，黄玄，周玄，鄭定，高棅，王偁，王褒，王恭，陳亮。

鄭仕清　仕淵　仕彝　仕宏　聯珠集開化人，時稱“四鄭”。仕清，以薦爲按察使。

郭齊琤　郭氏遺芳集四卷黄岩郭氏輯宋明九世之詩。

王氏文獻集十一卷王褒，王肇，王亶，王佐，王譚，王希旦，王昺，王杲。

陳氏義谿世稿十二卷陳週，陳根，陳振，陳相，陳煒，陳耀，陳焞，陳烒，陳烓，陳墀，陳達。

上虞葛氏家藏詩抄十六卷葛貞，葛浩，葛啓，葛銘，葛錬，葛木，葛昂，葛梅。

郭武定　聯珠集三十二卷郭良，郭鉦，郭武，郭登。

華容孫氏世集選八帙

雲間三詩翁詩七卷王良佐，戚韶，張冕。

六李集三十卷内鄉李蓑，李蔭，李宗木，李雲鵠，李雲雁，李雲鴻。

長樂陳氏江田詩系二十卷一本三十八卷。

張氏孝友堂遺稿三卷張濬，張天顯，張元秩。

文史類

寧獻王鑺仙文譜八卷①

寧靖王奠培　文章大模式

曾魯　六一居士集正訛　又　南豐類稿辯誤字得之，新淦人。洪武初禮部侍郎。

宋元禧　文章緒論一卷

王行　適意宜資十卷　又　墓銘舉例四卷

唐之淳　文斷四卷一作十卷。之淳字愚士，唐肅子。建文初，方孝孺薦其文學，召拜翰林院侍讀。

---

① “鑺”，《千頃堂書目》卷三十二“臞”，當據改。

瞿佑　游藝録
余祐　游藝至論一卷輯《朱子語類》論文語。
任慶雲　藝贇三卷
温景明　藝學淵源四卷
閔文振　蘭莊文話□卷[①]
張大猷　文章源委三篇[②]順德人。嘉靖中,官工部主事。
王弘誨　文字談苑四卷
梅慶生　注釋文心雕龍十卷南城人。太學生。
陳懋仁　注文章緣起一卷　又　續文章緣起一卷
朱荃宰　文通二十卷
文章正論二十卷
修辭備用一卷
古文法則四卷
古文心訣一卷
詩學梯航一卷宣宗命學士周叙等編。
寧獻王權　詩譜一卷　又　詩格一卷　又　西江詩法一卷
寧靖王奠培　竹林嬾仙松石軒詩評一卷
秦約　詩話舊聞
瞿佑　吟堂詩話三卷　又　歸田詩話三卷
瞿績　嵩陽詩律山陰人。
懷悦　詩家一指一卷
葉盛　秋臺詩話一卷
黄褧　詩法三篇字仲褧,成化時人。
高鉉　吟堂博笑集五卷吴人。集諸書所載閨閣詩,本其事而紀之,分死節、勸

① 空格處,《千頃堂書目》卷三十二作"一"。
② "三篇",《千頃堂書目》卷三十二作"一卷"。

戒、奇遇、題咏、寄情五類。

沈熗　纂集晦庵先生詩話一卷

游潛　夢蕉詩話二卷字用之，豐城人。弘治辛酉舉人，賓州知州。

李東陽　懷麓堂詩話一卷①

張鈇　南皋詩話

陳沂　拘虚詩談一卷

徐昌穀　談藝録一卷

都穆　都元敬詩話二卷

强晟　汝南詩話二卷②　又　井天詩話三卷

沈鱗　唐詩行世紀五卷一作沈鱗。

楊慎　升庵詩話四卷　又　詩話補遺三卷　又　哲匠金桴五卷

程啓充　南谿筆録詩話二卷　又　續集二卷③

安磐　頤山詩話二卷

黄卿　編苕詩話八卷

康萬民　織錦回文詩譜二卷武功人。

宋孟清　詩學體要編類三卷④萊陽人。

王埜　悦岩詩話

朱承爵　存餘堂詩話一卷字子儋，江陰人。

顧元慶　彝白齋詩話一卷

陳霆　渚山堂詩話三卷

徐泰　詩談一卷

皇甫循　解頤新語八卷

---

① "懷"字原脱，據《千頃堂書目》卷三十二、《四庫全書總目》卷一百九十六補。

② "二"，《千頃堂書目》卷三十二作"一"。

③ "二"，原字缺損，據《千頃堂書目》卷三十二補。

④ "編類"，《千頃堂書目》卷三十二作"類編"。

黄省曾　詩法八卷

梁格　冰川詩式四卷

朱安氿　續談藝録字思甫。鎮平王府奉國將軍。

閔文振　蘭莊詩話一卷

邵經邦　藝苑玄機一卷　又　律詩指南四卷　又　儷語指迷一卷

熊一元　熊子濟詩話

謝東山　近譬軒詩話四卷

蔡汝楠　白石詩説

李蔭吏　隱軒詩話二卷

王世貞　藝苑巵言八卷附録四卷

王世懋　藝圃擷餘一卷

謝榛　詩家直説四卷

俞允文　名賢詩評二十卷

宋登春　詩禪瑣評一卷

王應山　風雅叢談六十八卷

胡應麟　詩藪二十卷

趙世顯　趙仁甫詩話二卷

屠本畯　詩言五至五卷

凌雲　續全唐詩話十卷閩人。

石一鰲　王言括論十卷字巨卿,太倉州人。

郭子章　豫章詩話六卷　又　續豫章詩話十二卷

蔣一葵　堯山堂外紀一百卷

郝敬　藝圃傖談四卷

謝肇淛　小草齋詩話四卷

周履靖　騷壇秘語二卷

張惟成　西園詩塵二卷

程先民　蘇氏旋璣詩讀法浮梁人。
趙宧光　彈雅集十卷
曹學佺　蜀中詩話四卷
王象春　李杜詩評二卷
陳基虞　客窗詩話六卷
程元初　名賢詩指十五卷
王昌會　詩話彙編三十二卷
陳懋仁　藕居士詩話二卷
錢謙益　杜詩寄廬小箋三卷①
茅元儀　藝圃甲編五卷
王應辰　旨茗齋詩話②
胡震亨　唐音統籤癸集三十六卷《統籤》別行者。
神仙詩話二卷
西郊詩話一卷
詩學權輿四卷

制舉類

四書程文二十九卷
易經程文六卷
書經程文六卷
詩經程文六卷
春秋經程文二十二卷
禮記程文十卷

---

① "廬"，原誤作"盧"，據《千頃堂書目》卷三十二改。
② "茗"，《千頃堂書目》卷三十二作"苕"。

論程文十卷

策程文□□卷[①]右八種,見葉盛《菉竹堂書目》,皆明初場屋試士之文。

黎淳　國朝試録六百四十卷輯明成化以前試士之文,丘濬序。

劉基　春秋明經四卷

汪克寬　春秋作義要訣一卷

楊慎　經義模範一卷

三場文海一百二十卷

策海集畧十二卷

論學淵源十二卷

梁寅　策要六卷

劉定之　十科策畧八卷

張和　篠庵論鈔一卷

黄佐　論原十卷　又　論式三卷

□□□　策學衍義四册

戴鱀　策學會元四十卷

唐順之　策海正傳十二卷

茅維　策衡二十二卷　又　論衡六卷　又　表衡六卷皆録歷科程文。

明狀元策十二卷

策原十卷

六子論一卷集陽明、夢澤、荆川、震川、萊峰、鹿門制舉文。

陳禹謨　類字判草二卷

詔誥章表擬題事實九卷

詔誥表程文五卷

① 空格處,《千頃堂書目》卷三十二作“二十”。

二十五史藝文經籍志考補萃編總目